Historia social
de la
Literatura española
(en lengua castellana)

II

CARLOS BLANCO AGUINAGA
JULIO RODRÍGUEZ PUÉRTOLAS
IRIS M. ZAVALA

Historia social
de la
Literatura española
(en lengua castellana)

II

Segunda edición corregida y aumentada

Coordinador

JULIO RODRIGUEZ PUERTOLAS

EDITORIAL CASTALIA

Copyright © Editorial Castalia, 1986
Zurbano, 39 - 28010 Madrid - Tel. 419 58 57

Cubierta de Víctor Sanz

Impreso en España - Printed in Spain
Unigraf, S. A. Fuenlabrada (Madrid)

I.S.B.N.: 84-7039-297-2 (Obra completa)
I.S.B.N.: 84-7039-298-0 (Tomo II)
Depósito Legal: M. 18.794-1986

SUMARIO

III

EL DESPOTISMO ILUSTRADO

III.1. DEL CASTICISMO AL RACIONALISMO

Nota introductoria.

Bibliografía básica.

III. EL DESPOTISMO ILUSTRADO

Nota introductoria

Los problemas del setecientos son aún nuestros. Tan nuestros que los conceptos sobre el siglo XVIII, desde Menéndez Pelayo hasta hoy son, todavía, «militantes». Por otra parte, para el historiador de los heterodoxos hispanos, el siglo XVIII es la centuria «que casi todos los españoles miran como época sin gloria y que apenas estudia nadie». El propio Ortega y Gasset, desde otra ladera ideológica, llegaría a decir que es «el siglo menos español», mientras que los intelectuales liberales más radicales lo considerarán como un intento de reincorporación a las formas universales de cultura. Las palabras, conceptos y creencias que a menudo nos impulsan hoy surgieron entonces, aunque a veces la sonrisa aflore a nuestros labios al releer a Feijóo, que creía en monstruos. Pero dicho sea en su favor, ni la astrología mágica ni el fanatismo están ausentes de nuestro científico mundo, y todavía luchamos con el irracionalismo, los gobiernos venales y las guerras. Y abundan más los «eruditos a la violeta», que ahora tienen mayor difusión en los periódicos de grandes tiradas y en las revistas especializadas. Por otra parte, los petimetres apegados a la moda se pasean con garbo por las calles de las grandes ciudades, y el lujo —o la «sociedad de consumo»— se ha asentado como forma de vida de la burguesía. Contra la guerra, la superstición, el fanatismo, la tradición anquilosada; por la moral laica y la libertad intelectual levantaron banderas nuestros dieciochescos escritores, que se oponían a la opresión en todas sus formas. En 1784 escribe el jesuita Juan Andrés:

Veo que puede un filósofo estar abandonado de Dios... y tener, sin embargo, sutil ingenio y fino discernimiento, y pensar justa y verdaderamente en las materias literarias.

Y Jovellanos:

¡Qué sería de una nación que en vez de geómetras, astrónomos, arquitectos y mineralogistas no tuviese sino teólogos y jurisconsultos!

O en espléndida frase de Diderot: «Cada siglo tiene su propio espíritu que le caracteriza. El espíritu del nuestro parece ser el de la libertad.»

Libre, libertad; liberalismo que culmina en las Cortes de Cádiz. Y una pequeña dosis de cosmopolitismo que dará paso al internacionalismo decimonónico, pues ¿no es Cadalso, como Oliver Goldsmith, un *gentleman of the world,* un ciudadano del mundo que además de viajar en la realidad emprende viajes en la imaginación? Francia, Inglaterra, Holanda, América, son imanes para el hombre educado de gran mundo que aspira a inaugurar laboratorios, conocer el extranjero y el propio país, como el andariego Gaspar Melchor de Jovellanos, el botánico Antonio de Cavanilles o Antonio Pons. Hubo también pensionados que viajaron por Europa para aprender técnicas, o encargados de importar obreros especializados, o bien labradores menos aferrados a ·las tradiciones e inventores que deseaban perfeccionar las enmohecidas máquinas del reino. Como luego en el siglo XIX, se sale al extranjero para ponerse al día. Otros se subieron a la alfombra mágica de la imaginación y visitaron países fantásticos, dando lugar a la utopía. En esos países imaginarios no existían iniquidades ni diferencias sociales, e imperaba la tolerancia.

En toda Europa y América se fermentaban cambios: la guerra de emancipación de las colonias inglesas de 1776; la Revolución Francesa, con su secuela de contrarrevoluciones. A veces los cambios son lentos y callados, y se dan en la esfera del pensamiento. La sociedad burguesa avanza a pasos gigantescos hacia su madurez; como dice Karl Marx, al hablar de Defoe y de Rousseau, el individuo del siglo XVIII es producto de la disolución del feudalismo y de las fuerzas productivas que se venían desarrollando desde el XVI. La burguesía cobra fuerza en su lucha contra el

fanatismo y en favor de la tolerancia, religiosa y social, empujada
por la renovación de la filosofía del siglo de las luces. El problema
del hombre se convierte en el siglo XVIII en problema social.

En España el camino no fue tan nítido como en otros países.
Lo que concebimos como *siglo de las luces,* quedó en cierta medida truncado, pues sólo se alcanzó la primera fase del capitalismo
y no se llegó a dar una revolución industrial que suplantara la
manufactura por la producción a gran escala. En el sector agrícola
el sistema feudal quedó inmutable: braceros desposeídos frente
a latifundistas; además, los precarios medios de transporte y comunicación eran inadecuados para el florecimiento de la industria.
Pese a estas limitaciones, se lograron cambios que se harán evidentes en el siglo siguiente. Durante el setecientos la nobleza
buscó apoyo en la burguesía comercial e industrial que, después
de 1815-1830, se pondrá al frente de las masas populares en su
lucha contra la aristocracia y el poder monárquico.

La depresión del seiscientos —cuyas congojas hemos oído en
boca de los arbitristas (cf. II.3E)— finalizó con un cambio de
coyuntura al declinar el siglo. Parece que la expansión del ahorro
permitió el desarrollo de la producción, hecho que incidió muy
directamente en el cambio demográfico. Es bien sabido que Castilla sufrió agudamente la crisis del XVII y fue la zona de mayor
disminución de habitantes. Aunque la población urbana no mer-
mó, se modificó con el número de ociosos, pícaros y mendigos.
En el XVII la población aumentó más de un 50 por 100, sobre
todo en los núcleos urbanos; es decir, el ritmo de crecimiento
fue mayor en la periferia que en el centro. Si bien conocemos
mal el motivo de este incremento, podemos decir sin temor a
riesgos que se debió a un cierto equilibrio entre recursos y población.

La burguesía, asentada en ciudades marítimas y algunos núcleos urbanos del interior, enriquecida en el comercio y la producción industrial, situó sus ahorros en la compra de tierras. Valga
subrayar que en estos albores del XVIII se trataba de una burguesía sin cohesión y con una muy poco clara conciencia de clase.
Pero es una burguesía operante que inicia sus luchas reivindicativas: libertad de comercio y granos, abolición de tasas, dignifi-
cación de los oficios «viles», ataques a la nobleza (aunque imita
sus formas de vida), así como al clero y a las clases pasivas. Si
la burguesía mercantil se enriquece, el campesino sigue en estado

de desamparo, abrumado por el pago de rentas, diezmos, derechos señoriales e impuestos fiscales. Al presente poco sabemos sobre ellos, a no ser por testimonios coetáneos, pero según las hipótesis más recientes los campesinos coincidían con los propietarios y con los preceptores del ingreso de la propiedad y de la producción agrícola en su interés por el aumento de ésta y en el afán por abolir las trabas que impedían comercializar con mayor eficacia los productos. Es decir, de acuerdo con este cuadro, están dadas las condiciones objetivas para la colaboración de nobles, eclesiásticos, burgueses, campesinos y trabajadores de las ciudades, ansiosos por intensificar las fuerzas productivas. Las sociedades económicas de *Amigos del País,* diseminadas a lo largo de la geografía de la Península, se convirtieron en el instrumento más acertado para la integración de esfuerzos. Para resumir: las fuerzas productivas en acción provocaron un auge económico que en la segunda mitad del XVII incita a los diversos estamentos a unirse para gozar los beneficios de la nueva coyuntura.

El cambio de la cual comienza a percibirse con el primer Borbón, Felipe V (1700-1746) y su sucesor Fernando VI (1744-1759). Ellos buscaron ministros hábiles, fomentaron la industria, el comercio, las academias científicas y fueron, también, mecenas de los escritores más encumbrados. Asimismo facilitaron la difusión de libros y se preocuparon por el desarrollo cultural. Estos caminos se ampliarán con Carlos III (1759-1788), que en unión de sus ministros ilustrados intentó dar vuelo al espíritu de reforma. Importa ahora fijar nuestra atención en tres hitos que marcan el desarrollo del pensamiento ilustrado en España: el primero, anterior a la Revolución Francesa, abarca los dos primeros tercios del siglo y equivale a un desarrollo de la mentalidad burguesa sin burguesía propiamente dicha; el segundo abarca el «despotismo ilustrado» (reinado de Carlos III y Carlos IV) hasta la invasión napoleónica, y, finalmente, aquella etapa de la *Junta Chica,* compuesta por jóvenes revolucionarios (José María Blanco-White, Antonio Sánchez Barbero, Manuel José Quintana y José Antillón) que luego engrosaron las filas del liberalismo. Estos aspectos políticos coinciden plenamente con la historia literaria: una primera etapa que perpetúa el barroquismo y la tradición; luego, coetaneidad del neoclasicismo y la actitud ilustrada crítica y de investigación; finalmente, lo que se viene llamando generación prerromántica, en el crepúsculo del siglo.

La literatura que analizaremos a continuación revela algunos aspectos importantes del desarrollo de la mentalidad burguesa, en los que hemos de detenernos. Más que un catálogo exhaustivo de autores, examinaremos aquellos que a nuestro juicio combinan los elementos esenciales de cada etapa del XVIII y marcan con invisible compás el transcurrir del tiempo en acuerdo o en desacuerdo. En todo caso son los autores donde se notan más nítidamente los aciertos, contradicciones y aspiraciones del Antiguo Régimen. Nuestro hilo conductor será el surgimiento de la mentalidad burguesa que titubeante o segura aparece en los temas y actitudes de los autores estudiados. Todos coinciden, en mayor o menor grado, en que una nueva cultura ayudaría a enriquecer a España; por eso reclamaron técnicas e ideas pedagógicas que pudieran sacar de la miseria económica y moral a los artesanos y a los labradores, buscándoles una prosperidad material que los convirtiera en ciudadanos útiles al Estado. Feijóo, Torres Villarroel, Cadalso, Jovellanos, Moratín, Meléndez Valdés, se conduelen de las clases artesanales y del campesino, cuyas desventuras les extraen desgarradas voces: «¡Gotosa está España!», dirá Feijóo porque el labrador padece fríos y heladas y hambre; miserables pueblos, los caudales todos vienen a la Corte, y allí todo se consume.

La cultura —pensamiento laico— ayudaría, según los supuestos de los escritores, a liberar al país del yugo del escolasticismo estrecho que impedía la reforma. Buena prueba de ello nos lo proporcionan las estadísticas sobre la producción de libros entre 1661-1750. Sobre todo después de la Guerra de Sucesión se observa un incremento de obras científicas. Otros datos indican que se desarrolla también la literatura clandestina, que incluía desde innocuos romances de ciegos hasta folletos científicos y libros prohibidos. Hacia estas mismas fechas hace su aparición el periodismo: gacetas oficiales y de avisos, revistas especializadas cuyos temas convergen con los tratados en la literatura de ficción y la prosa científica de los ensayistas. Notemos de pasada que faltaría emprender un estudio sobre la influencia de la prensa en la literatura, pues a menudo coinciden muy estrechamente los libros comentados, los autores reseñados y los temas e ideología de los escritores. Así, por ejemplo, las reflexiones de Cadalso y Moratín en torno al sistema legal, las penas, los delitos, corren paralelas con la difusión periodística de Cesare Beccaria y C. Filangieri. Lo mismo puede observarse con el tópico de las reivindicaciones femeninas, que se debate tanto en academias y periódicos como en el teatro moratiniano.

Puntualicemos: desde los primeros brotes literarios del siglo los temas serán los mismos, aunque con el tiempo se carguen los acentos en aspectos específicos. El humanitarismo —nueva actitud laica sobre la caridad— denuncia el hambre y la miseria de los pobres, las pestes, la despoblación. Asimismo se critica la guerra y su crueldad y en contraste se exalta al ciudadano honrado y útil que emerge como héroe; surge, pues, un nuevo concepto de heroicidad basado en la competencia civil. Por este motivo se valora al *self-made man* y va creciendo un sentimiento de orgullo por pertenecer a la burguesía o clase no privilegiada. No por otro motivo Torres Villarroel recorre en su *Vida* la «ascendencia vil» de hijo de pequeños comerciantes, enorgullecido por haber logrado un puesto importante en la sociedad. Y aunque de vez en cuando se le llena la boca hablando de altezas, está orgulloso de su origen social.

Estos temas, y otros que irán surgiendo en nuestro análisis de los autores, se enlazan y entrelazan en múltiples fábulas, en el vuelo de la poesía, la novela, el ensayo, el periodismo ilustrado. En el fondo no son otra cosa que nuevas formas de buscar la felicidad («a la Felicidad por el Racionalismo» podría ser el lema de la época), que ahora equivale a prosperidad económica: el camino induce a perfeccionar la legislación, adelantar las «luces», reformar todas las instituciones anticuadas que impedían o frenaban la prosperidad económica, creando en cambio otras que la favorecieran.

Conviene señalar que ni las soluciones al problema social, ni la economía *novadora,* ni la crítica de las instituciones anquilosadas (Iglesia, Universidad) se dieron sin arduas batallas. Los nuevos pensadores, agobiados por el mal estado social y económico del país, no siempre ganaron la partida, y hubieron de enfrentarse con formidables enemigos y dificultades. La resistencia estaba bien organizada y era poderosa. Los *novadores* combatían, por lo general, como francotiradores, y obtuvieron modestas victorias cuando no fueron aplastados por la autoridad tradicional. Hemos de tener en cuenta que todavía durante el siglo XVIII hay sonados juicios inquisitoriales, como los de Cristóbal del Hoyo y So-

tomayor (iniciado en 1699 y finalizado en 1761), el del historiador fray Nicolás de Jesús Belando (de 1745 a 1747) y el del arbitrista tardío Francisco Máximo de Moya y Torres (1747). No
debemos olvidar tampoco las persecuciones sufridas por el valido
de Felipe V, Melchor de Macanaz, y antes, el caso de los famosos
médicos Juan Muñoz Peralta y Diego Mateo Zapata, acusados de
judaizantes. La obsesión por la «limpieza de sangre» estaba vigente todavía, y ambos doctores fueron mirados con sospecha, tal
vez porque introducían novedades científico-filosóficas, en época
temprana, a través de la Real Sociedad Médica de Sevilla. Otro
hito importante en esta contienda entre *novadores* y tradicionalistas fue la acusación contra Feijóo, pese a que éste gozaba de
los favores reales de Fernando VI. Y así, los cultivadores de las
peligrosas materias nuevas declaraban *a priori* que los campos de
la ciencia y de la religión eran completamente diversos, y que
las verdades de la fe eran superiores a las de la ciencia. En algún
otro caso las polémicas se dan en torno al patriotismo y al honor
de España, como la violenta campaña contra *L'Encyclopédie Mé-
thodique* de Nicolás Masson de Morvilliers, en la década de los
ochenta ya. La peligrosidad de la obra, donde aparecía un viru-
lento artículo que se hizo famoso, *Que doit-on a l'Espagne?*, dio
lugar a una serie de respuestas defensivas, entre las que destacan
las del botánico valenciano Antonio Cavanilles y las del también
valenciano Juan Pablo Forner.

Estamos lejos de pensar que los *novadores* del siglo ilustrado
fueran un grupo organizado que compartía un cuerpo de ideas
homogéneas. Aunque la política de los Borbones, particularmente
la de Carlos III, tiende a disminuir el poder de la nobleza, susti-
tuyéndola en el aparato del Estado por miembros de la burguesía,
coexisten en el gobierno hombres de ideas tradicionales con otros
de espíritu más emprendedor. Las luchas entre ellos fueron a
menudo arduas. En otros momentos, en particular en el crepúsculo del reinado de Carlos III, Iglesia y Estado estrechan
relaciones contra el enemigo común: las ideas revolucionarias de
allende los Pirineos. Después de la Revolución Francesa no sólo
se creó un cordón sanitario ideológico, sino también se extremó la
vigilancia de libros, que se incautaban hasta a los ministros del
rey. Asimismo, los autos inquisitoriales emprendidos, entre otros,
contra Pablo de Olavide (1776) y Jovellanos (1778), cabezas de

turco contra el movimiento del progreso, dan plena cuenta de la lucha entre los diversos bandos. El *Índice* inquisitorial de 1747-1790 registra las persecuciones, prohibiciones de obras autóctonas del pasado y del presente, así como de otras de allende los Pirineos, mientras que el inquisidor general se queja de que el interés por la ganancia atrae al mercado, que se alimenta de la novedad. España se halla asediada —dice— por un «libertinaje estragado».

Pero justamente estos temas que hemos enumerado, así como el afán pedagógico de los reformadores, fueron creando un incipiente sentimiento democrático que producirá sus efectos en el siglo XIX. Las Cortes de Cádiz pondrán sobre el tapete todo el espectro de las reformas que intentaron los ilustrados del Antiguo Régimen. La lucha entablada por los reformadores con la Iglesia está dirigida contra sus privilegios, el crecido número de eclesiásticos, la caridad mal entendida que por medio de la sopa boba de los conventos dotaba a la Iglesia de un gran poder sobre un sector de la población potencialmente revolucionario. Basten dos datos: en 1787 había en España 183.425 religiosos; en la villa vallisoletana de Mayorga, que contaba con 500 vecinos, existían siete parroquias, con veinticuatro sacerdotes y tres conventos.

Las revueltas desencadenadas en 1766 con motivo del *Motín de Esquilache* y la expulsión de los jesuitas indican la carga explosiva de la situación. Después de 1789 la atmósfera disidente cobra alas, hasta tal punto que se percibe la radicalización de algunos políticos —Cabarrús, por ejemplo— y se la emprende contra Campomanes, destituido por entonces, y contra Jovellanos, sometido a prisión. La década final del siglo XVIII se anuncia como un ambiente de exaltación, que intuye Pedro de Estala, pues en carta a Forner en 1795 le dice: «En las tabernas y en los altos estrados, junto a *Mariblanca*, en el café, no se oye más que batallas, revolución...» Es decir, el descontento popular debido a las crisis económicas (hambre y escasez) y a los factores ideológicos (propaganda revolucionaria) provoca motines callejeros, asonadas, *complots* revolucionarios (como la Revolución de San Blas en 1795, encabezada por el mallorquín José Antonio Picornell, entre otros). Este pueblo levantisco irá a las armas durante la invasión napoleónica, dirigido por curas y frailes guerrilleros. En adelante tomará partido y engrosará las filas de uno u otro bando, al grito de libertad e ideas republicanas y democráticas o, por el contrario, al grito de «vivan las caenas». Al finalizar el Antiguo Régimen se distinguen ya un bando liberal y otro absolutista y monárquico, que se enfrentarán no pocas veces a lo largo del siglo XIX.

III.1.   DEL CASTICISMO AL RACIONALISMO

1A.   Tradición y modernidad. Torres Villarroel

Contradicción y distracción se desenvuelven en Diego de Torres Villarroel (1694-1770), acorde a un bien delineado propósito: ganar lectores para acrecentar la bolsa. Cuando comienza a publicar sus almanaques en la aurora del siglo (1719) bajo el nombre, primero, de *El Sarrabal de Milán* y luego como *El Píscator de Salamanca,* explotó una veta que le dejaría buena cantidad de doblones a lo largo de su vida. Después de un largo aprendizaje llegó a perfeccionar el género, de tal forma que en adelante el ser «piscator» se convierte en profesión bien remunerada. Pocos alcanzaron su popularidad, sobre todo desde que tuvo la suerte, en 1724, de «vaticinar» la muerte de Luis I. La notable coincidencia acreditó sus predicciones, concentrando sobre él la atención de una corte sedienta de novelerías. Torres acierta en acercarse a un «amigo vulgo» que no es otra cosa sino la pequeña burguesía, indocta, no universitaria, pero teñida de algunas letras. La maestría del salmantino consiste en incorporar el lenguaje popular coloquial en todo su realismo; ofrece así al lector un auténtico retablo de costumbres, anécdotas y observaciones en breves fantasías en prosa, que sólo trivialmente iluminan experiencias concretas. No se hace ilusiones, y consciente de su desparpajo escribe:

> No me precio de filósofo, no he querido hablar en el vocabulario de los físicos..., aunque entiendo alguna cosa de su greguería; escribo para el vulgo porque éste es el que está asustado, a éste es a quien he de sacudir el polvo del espanto y la ignorancia.

Pero también afirma que sus pronósticos son útiles al Estado: enseñan deleitando; en cambio, otros son inocentes y ociosos, confiesa, y sólo sirven para hacer cuerpo presente entre los estantes de mercaderes y letrados. Es decir: diversión, entretenimiento, la intrascendencia moral de la ingeniosidad.

Además de pronósticos, Torres Villarroel tiene pluma fácil para la poesía que, al alborear el siglo, es chabacana e imita servilmente a Góngora y a Quevedo. Abundan por entonces la poesía religiosa, las hagiografías de santos y guerreros y la vena burlesca, frecuentada sobre todo por Torres y otros versificadores menores: José Villarroel, José Antonio Butrón, José Joaquín Benegassí y Luján, fray Juan de la Concepción y Eugenio Gerardo Lobo, el más destacado, junto a Torres Villarroel.

Por su estilo y gustos literarios estos poetas son prolongación del siglo anterior, a menudo dan expresión a ideas antimodernas y antirreformistas; en plena revolución científica alguno vive aún en tierra ptolemaica. Con frecuencia su poesía al uso evoca el pasado para recalcar el torbellino de un presente que cambia con demasiada rapidez. La animosidad contra este presente se transparenta en muchos campos: político, social, lingüístico. Son xenófobos (antifranceses) y tradicionalistas; lamentan la imposición de ministros extranjeros, del nuevo estilo de vida que, según dicen, impide diferenciar a simple vista entre nobles y plebeyos. La flecha va a menudo contra la nobleza de nuevo cuño, falsa y pretenciosa, que adquirió títulos en fecha reciente, después de la Guerra de Sucesión. Pese a su corto vuelo poético, estos versificadores nos dan un retrato al vivo de la burguesía en ascenso que satirizan con tanta vehemencia.

La obra de Torres Villarroel, amplia y elocuente, permite palpar con mayor exactitud la emergente mentalidad burguesa. Su prosa y poesía ofrece un cuadro bastante completo de sus inquietudes. «Medianamente loco», «perdulario incorregible», coplero, profeta, hombre de novela, profesor de matemáticas, son todas fases de su propia dualidad e incertidumbres: se resiste a las transformaciones sociales y se lanza al ruedo a menudo contra los *novadores* en ardientes batallas. Tal la ardua polémica en que se enfrascó contra Feijóo y Martín Martínez, que rompieron lanzas contra él como representante de la superstición y fanatismo. No podría esperarse menos de Torres Villarroel: ataques

del cariz de los emprendidos por los *novadores* ponían en peligro
sus fuentes de ingresos: las artes adivinatorias. Del vasto cuerpo
de su obra escrita, nos centraremos en dos producciones que, a
nuestro juicio, recogen la amplia gama de sus intereses: *La barca
de Aqueronte* (c. 1731) y la *Vida* (1742-1758).

En la primera pasa revista a varias profesiones y oficios: médicos (de larga tradición literaria), universitarios, hombres de justicia —abogados, letrados, alguaciles—, nobles, mujeres. Los tópicos de su sátira, como se ve, fueron también el blanco de la
crítica de los *Sueños* de Quevedo (cf. II.3C). Como su maestro,
Torres Villarroel pinta detalladamente a sus personajes y a un
Madrid lleno de pleiteantes y pretendientes. Aparece como un
fiel observador de la realidad: ataca la esclerosis de los métodos
pedagógicos, la nobleza explotadora, los falsos nobles. Tiene una
intención didáctica y utilitaria ausente en Quevedo; sus fantasías
le permiten satirizar la sociedad, pero no está dispuesto a sub-
vertir el orden: admite la jerarquía de la sociedad señorial que
convierte al noble en superior. Y como Quevedo, cuando ataca a
la nobleza es porque considera que ésta ha perdido sus dotes de
liderazgo. Tengamos en cuenta, además, que era protegido de
varias familias aristocráticas —los Alba entre otros— y del ministro José de Carvajal, así como de altos dignatarios de la Iglesia,
según narra en su autobiografía.

En *La barca* se destacan sobre todos los capítulos en que pasa
revista a la vida universitaria y a la nobleza, no incluidos en
la edición príncipe de 1743 debido a la ferocidad de la sátira. La
obra está dividida en prólogo, preliminares y seis juicios finales.
El prólogo reafirma el hilo central de su pensamiento: hay doctrinas saludables «para conocer y herir los vicios de esta edad», y
pasa entonces a una larga digresión sobre la naturaleza del sueño
y a una descripción detallada —en la que no faltan rasgos grotescos— del infierno y los diablos. Prestemos especial atención a los
dos juicios censurados. En el «Juicio 2º de los pretendientes, doctores, y gentes de universidades», pasa revista a los pequeños
burócratas, petimetres, oficiales y falsos catedráticos que enseñan
su ignorancia en las aulas universitarias, particularmente la salmantina y la complutense. El profesor adquiere la tiña de jugar,
putear, murmurar y presumir, como vías rápidas para llegar a
ministro o catedrático:

arrimó las *Pandectas,* se hizo sordo a las voces de Arnaldo Vinio, dióse por desentendido de su obligación y últimamente profesó en la Biblia, la ociosidad y la ignorancia.

Testimonios falsos, coladores de grados, «sastres de bestias», desperdiciadores de horas o farsantes sin criterio fijo figuran entre la ristra de insultos. La universidad, lejos de ser una casa de estudios, es camino de medro y prebendas; cuanto más ignorante, mayor es el triunfo. Profesores y alumnos se huyen mutuamente, nadie quiere aprender y ninguno quiere enseñar.

El «Juicio 4º» sobre la aristocracia no es menos negativo: el noble se enriquece con negocios sospechosos, otros visten con elegancia para simular nobleza y esconder pobreza. Otros más oprimen vasallos y tiranizan al rey. En idéntico tono habla del príncipe tirano —de larga prosapia en la literatura humanista desde los «siglos de oro»— que destruye provincias y vierte la sangre de los hombres. Crea la imagen de un príncipe rapaz y codicioso, razón por la cual el fragmento fue suprimido por la Inquisición. La Guerra de Sucesión estaba aún muy fresca en el recuerdo. La dureza borbónica con los vencidos en Barcelona y Valencia fue implacable en su afán por imponer la dinastía. No es ocioso recordar que el valido del rey, don Melchor de Macanaz —caído después en infortunio—, redujo a cenizas la ciudad de Játiva en 1707, reedificada por fieles seguidores de Felipe V sobre los escombros.

Los cuatro primeros «trozos» de la *Vida* se publicaron entre 1742-1743; un quinto salió en 1752 y el sexto y último en 1758. El texto representa uno de los primeros ejemplos de literatura por entregas de la España moderna, modalidad que seguirá cultivándose a lo largo del siglo. La obra presenta una estructura afirmada en el dualismo paradójico y la confesión mundana. En realidad lo que se narra son las aventuras de un pequeño burgués emprendedor y cómo va ascendiendo en el mundo después de contratiempos y tropiezos. El «arrimarse a los buenos» de Lazarillo (cf. II.1E) significa aquí pertenecer a la pequeña burguesía intelectual que a través de su ingenio, astucia y buen olfato comercial, logra acrecentar su fortuna. Torres Villarroel aprovecha ciertos elementos de la picaresca, pero la *Vida* dista mucho de ser la historia de un pícaro, pues el libro carece de los elementos morfológicos de la poética de la novela picaresca (cf.

II.3A, II.3C). Aquí no hay ascendencia vil (aunque Torres alude en varias ocasiones a lo vil de sus antepasados), ni servicio a varios amos (aunque es protegido de nobles, prelados y ministros), y el *yo* autobiográfico no es el de un desventurado sin escrúpulos presentado a través de una sucesión de peripecias. Torres Villarroel coincide con la picaresca en que él también sigue el proceso de niño a adulto en forma autobiográfica; pero la diferencia radica en que escribe realmente sobre su propia vida, no sobre la de un personaje inventado. El *yo* del autor y el de la autobiografía son uno y el mismo. Además, Torres Villarroel habla al lector y con el lector, atribuyéndole censuras, quejas e interrogaciones: la dialéctica autor/lector es más precisa y firme como estructura de la obra.

Así, aunque tiene rasgos de la picaresca, la *Vida* se inserta en el género autobiográfico que abunda en la Europa del XVIII. No sin razón se la ha relacionado con las autobiografías de Benjamin Franklin y otros ilustrados. Pero no es necesario buscar puntos de referencia fuera del marco de la literatura hispánica: en la propia España hay algunos ejemplos espléndidos de autobiografía apicarada que tal vez conociera Torres Villarroel; por ejemplo, la *Vida y aventuras de Don Tiburcio de Rodín, soldado y capuchino, 1597-1651,* y mucho más conocida aún, la *Carta escrita al Ilmo. Sr. Obispo de N. sobre lo sucedido en Madrid al R. P. Manuel de San Joseph, carmelita descalzo* (10 de mayo de 1737), publicada una veintena de años después bajo el título de *Historia del Duende: Vida, persecuciones, prisión y fuga...,* y con múltiples reimpresiones durante el siglo XVIII. El famoso *Duende de Palacio,* autor de un periodiquillo clandestino contra Patiño (1736-1747), era tan notorio, que es muy posible que Torres Villarroel conociera su vida, pues pudo muy bien circular a socapa entre los cortesanos, dado que el personaje gozó de fama por el revuelo provocado. En 1740, además, apareció en Madrid *La Vida del duque de Ripperdá, traducción del francés e ilustrada y corregida por Mr. LeMargne* (Mañer), en dos volúmenes, escrita por P. Massuet (publicada en Amsterdam en 1739), que gozó gran prestigio, traduciéndose al inglés e italiano. Los tres textos mencionados narran la vida de otros tantos burgueses que adquieren estabilidad económica y fama, con la receta ideal para múltiples licenciadillos, escribanos, universitarios y aspirantes a ministro que intentaban medrar y buscar fortuna. Cada uno de

estos tres personajes del XVIII es de por sí un soberano ejemplar
de apicaramiento, viveza y desparpajo, y cada uno logra su co-
metido: fama y dinero. Para concluir, la autobiografía de Torres
dista mucho de ser novela picaresca, aunque tome giros y moldes
lingüísticos del género. Sin ir más lejos, él mismo lo dice:

> Paso, entre los que me conocen y me ignoran, me abominan y saludan,
> por un Guzmán de Alfarache, un Gregorio Guadaña y un Lázaro de
> Tormes; y ni soy éste, ni aquél, ni el otro; y por vida mía, que se ha
> de saber quién soy.

Lo que nos interesa ahora destacar es que los rasgos predo-
minantes de la obra revelan preocupación por justificar su competencia, habilidades y virtudes. Y no era para menos, ya que
escribe los cuatro primeros «trozos» después de un percance que
lo exilió de la Corte (1726) y de sus roces con la Inquisición
a raíz de *La barca...* (1731). En 1743 el Santo Oficio expurga su
Vida natural y católica.

Más que en aspectos externos, importa centrarse, sobre todo,
en aquellos puntos que revelan la mentalidad burguesa de Torres
Villarroel. El primer «trozo» se ocupa del nacimiento; el segundo,
de los diez a los veinte años; el tercero, de los veinte a los treinta; el cuarto, de los treinta a los cuarenta; en el quinto, texto
y vida son coetáneos en un mismo tiempo histórico, mientras el
sexto es un apéndice donde Torres Villarroel intercala documentos que ponen de manifiesto su seriedad profesional y su competencia, además de su habilidad comercial, pues pide suscripciones
para sus obras completas. Otros documentos son una carta a
Carlos III y el *Real Decreto* de jubilación, la lista de cargos
desempeñados y la bibliografía de sus obras. Es decir, cuanto le
afirme como burgués que ha ganado fama, una sólida posición
social y dinero:

> Vivo muy contento en Salamanca... Me ayuda a llevar la vida con algu-
> na comodidad y descuido, la buena condición y compañía de mis her-
> manas y mis gentes, y mil ducados de renta al año...

De una familia de pequeños comerciantes salmantinos (su padre era librero), pasa a ser encumbrado autor y profesor de matemáticas que vive con holgura y sin deudas, mientras todos le

envidian y piratean sus escritos. Entre las múltiples razones que le llevan a escribir su vida, dice, una más y poderosa es que le han convertido en hombre de novela y se adelanta a escribirla él mismo, no vaya a ser que se le ocurra a otro sacarlo hecho un mamarracho. Interviene constantemente afirmándose como autor, no personaje, y da pruebas fehacientes de que cuanto narra es real y no producto de la fantasía:

> Estoy seguro de que no se hallarán en estas planas, ni en las de los trozos antecedentes, suceso alguno ponderado, disminuido o puesto con otra figura que pueda asombrar o deslucir la verdad...

En resumen: la *Vida* es la autobiografía de un pequeño burgués advenedizo que logra un éxito sin precedente a través de ingeniosidades, explotando la credulidad del vulgo y sus supersticiones, en las cuales él no cree. Afirma que los fantasmas y otros seres sobrenaturales sólo le producen hilaridad:

> Las brujas, las hechiceras, los duendes, los espiritados, y sus relaciones, historias y chistes me arrullan, me entretienen y me sacan al semblante una burlona risa...

En otras palabras: no cree en lo sobrenatural, lo utiliza con afán de lucro. Su magnífica estrella le acredita bienes de fortuna. No hay mejor retrato de un hombre agraciado que el siguiente:

> Mirado a distancia, parezco melancólico de fisonomía, aturdido de facciones y triste de guiñaduras; pero, examinado en la conversación, soy generalmente risueño, humilde y afectuoso con los superiores, agradable y desvergonzado con los iguales. El vestido (que es parte esencialísima para la similitud de los retratos) es negro y medianamente costoso, de manera que no pica en la profanidad escandalosa, ni se mete en la estrechez de la hipocresía puerca y refinada... El corte de mi ropa es el que introduce la novedad, el que abraza el uso, antojo de las gentes...

Hombre de novela, pero, sobre todo, autor de consumo popular que en veinte años percibió más de 2.000 ducados anuales y en 1752 descubre las ventajas económicas de la venta por suscripción, iniciando el género en España.

Por lo demás, sabemos que Torres Villarroel se enfrascó a menudo en virulentas polémicas con Feijóo y sus partidarios y que defendió la astrología, posiblemente por motivos de lucro. Sin embargo, existen pruebas documentadas de sus batallas contra la esclerosis de la universidad española y de que luchó en favor de la lengua vulgar y la enseñanza de otros idiomas para mantener al día las novedades científicas. Es difícil precisar los resortes que le indujeron a ello; fueren los que fueren, en la galería de pequeños burgueses sin burguesía figura este contradictorio perdulario salmantino que anticipa al escritor del siglo XIX, pendiente de los gustos y modas de sus lectores.

1B. De la superstición al racionalismo. Feijóo

En primerísimo lugar se ha de situar la magnífica figura del fraile benedictino fray Benito Jerónimo de Feijóo (1676-1764) con su *Teatro crítico* (1726-1739) y sus *Cartas eruditas* (1741-1760). Ambos son ardorosos combates contra la superstición y el fanatismo y en favor del pensamiento racional. Los temas de su extensa obra se pueden dividir en tres grupos: alegatos contra los errores y supersticiones, artículos de divulgación científica y ensayos de contenido filosófico, que incluyen desde la poética del gusto a las reflexiones en torno a la filosofía antigua y moderna. Feijóo defendió con pasión y brío el pensamiento moderno y la búsqueda de la verdad, que anda al compás de su rechazo del vulgo ignorante o necio, según su propia definición:

> error —como aquí lo tomo—, no significa otra cosa que una opinión que tengo por falsa, prescindiendo de si la juzgo o no probable..., mi intento sólo es proponer la verdad... Lo que puedo argumentar es que nada escribo que no sea conforme a lo que siento.

Las impugnaciones de los bandos antagónicos le incitaban a buscar más profundamente y cerciorarse con mayor rigor de los errores que combatía. No pretende erigirse en autoridad; se limita a decir lo que sabe por experiencia.

El monje nació en Casdemiro (Orense), de familia hidalga y acomodada; entró en la orden jovencísimo y en 1709 ya había sido nombrado maestro de novicios. Desde entonces vivió en el convento de San Vicente, Oviedo. En 1729 se le nombró abad del monasterio, cargo que alternó con el de profesor de teología en la Universidad. Aislado en su celda, solo en la penuria que le rodeaba, viajó por los mundos imaginarios de la ciencia y la letra impresa, que alimentó su afán de vuelo: el Ícaro de las ciencias en una España sin alas. En su celda se nutrió de los autores modernos —Bacon, Descartes, Bayle, Fontenelle, Malebranche, Locke— y de la savia de los humanistas hispánicos. Su fuente Castalia fue la nueva ciencia, basada en la razón y en la experiencia: la duda, la libertad, el sentido común le apartaron del criterio de autoridad y le hicieron engrosar las filas de los modernos.

Razón y fe es la dilogía que distingue al pensamiento «novador» del escolasticismo estrecho. Los *libertinos* o *novadores* «niegan todas las leyes», según afirmaba ya Gerónimo Gracián de la Madre de Dios, el amigo de Santa Teresa, que en la senectud escribió el catálogo más extenso contra los modernos, *Diez lamentaciones del miserable estado de los ateístas del nuestro tiempo* (Bruselas, 1611). Al coleccionar sus singularidades, desencadenó toda una tormenta de corrientes afines: *ateísta* equivale a libertino, incrédulo, perverso, blasfemo: los defensores de la nueva ciencia. Los *novadores* vertían su pensamiento en lenguaje llano y directo y precipitan entre la abstracción filosófica o la concreción científica la ficción de la fábula: filosofía y ciencia se expresan artísticamente. Adoptan géneros literarios específicos: epístolas, fábulas, diálogos, poesía, y despojan la ciencia de la aridez erudita, democratizándola y recreándola artísticamente. La abundancia de imágenes y metáforas tenía el propósito específico de estimular la mente mediante la asociación de ideas, la paradoja, la ironía, los contrastes. Intentan popularizar la ciencia, atrayendo y subyugando a los lectores, empleando a la vez la lengua vulgar para conquistarse a los no especializados y a los ignorantes.

Ciencia e imaginación, éste es el norte; escribir como se piensa, a veces en rebuscadas metáforas que escondían o velaban la intrepidez del pensamiento. Pierre Bayle marca uno de esos virajes esenciales entre una generación y otra en sus *Pensées diverses sur la comète* (1682-1704). Son genios libres, estrellas magníficas que rompen las barreras entre lo sagrado y lo profano; cazadores de estilos nuevos, de convicciones inalterables en diálogo perpetuo consigo mismos y con sus lectores. Los títulos de los textos convergen hacia esta constante línea teórica: cartas, avisos, discursos, ocios, pensamientos, vocablos que atestiguan el afán de establecer relaciones estrechas entre autor y lector. La forma dia-

logada se emplea como método de investigación; el género epistolar —diálogo también— trasluce este empeño pedagógico y de
aclaración de las propias ideas. Estos géneros permiten analizar
dudas y plantearse problemas de manera directa y sencilla, acorde
un bien delineado propósito: la búsqueda de la explicación natural (*naturistas, naturalistas* era el término peyorativo empleado
por los detractores) mediante la manera epistolar y divagatoria.
Verdades provechosas en lenguaje directo.

En Feijóo se entrecruzan estas tradiciones; en su caso específico el ensayo —*Teatro crítico*— y las cartas. Diálogo perpetuo
consigo mismo y con las ideas anquilosadas que aspiraba a erra-
dicar. El *Teatro* es un tablado donde Feijóo representa los errores
y supersticiones; su tarea inmediata fue abolir los mitos sociales
inyectando nuevas formas de especulación. En su empeño emplea
todos los instrumentos a su alcance: Europa le facilita el equipo
necesario. Los 118 ensayos del *Teatro crítico* examinan con ojos
científicos los mitos y las supercherías al mismo tiempo que
reexaminan con nuevos acentos los ya familiares temas de la nobleza corrupta y parasitaria, el favoritismo, el abandono de la agricultura. Resucitan las preguntas esenciales e incorporan un método
analítico que fue afinado mediante lecturas de allende los Pirineos.
Conviene recordar que en Feijóo existe afinidad, no servidumbre,
a tales o cuales fuentes.

La obra de Feijóo se desenvuelve acorde a un propósito, la
utilidad pública, que expresa en un mosaico de temas que podemos considerar propios de la mentalidad burguesa, la cual va adquiriendo forma en esta aurora del setecientos: el bien común, la
justicia, la libertad, el honor del trabajo honrado, la paz, el humanitarismo. Nos detendremos en algunos de sus ensayos, los más
representativos de la libertad de pensamiento del benedictino:
*Honra y provecho de la agricultura, La balanza de Astrea o Recta
administración de la justicia, Paralelo de la lengua castellana y
la francesa* y *Voz del pueblo.*

Los tres primeros nos permiten percibir claramente la singularidad de su pensamiento; Feijóo es un orquestador de análisis
y propugnador del espíritu científico que lleva a su compás a los
sabios más hábiles e inteligentes. Busca apoyo en los hombres
de razón porque el vulgo jamás podrá dar una ordenada serie de
verdades fijas y toca a los más capaces organizar los materiales,
según dice en *Voz del pueblo.* La gente baja está presa de la su-

perstición y la ignorancia. Pero éstas no son patrimonio exclusivo de los villanos; hay que advertir que también entre los estamentos privilegiados la superstición y la ignorancia existen, y lo que es peor, el honor de los últimos radica en creer a pie juntillas a los antiguos y seguir quimeras y extravagancias «a la sombra de un ostentoso título de tradición» (*Tradiciones populares*). Esta tensión se teje en el magnífico ensayo *Balanza de Astrea,* donde los valores que propone distan mucho de ser viejas fórmulas resucitadas. No defiende aquí los valores de la casta dominante, que prefiere ensalzar las glorias nacionales y el honor militar. En su caleidoscopio de temas emergen aquellos donde asoma un peculiar sentido de libertad de pensamiento. Recomienda la justicia y la utilidad pública como «norte donde debe dirigirse siempre la vara de la justicia»; los intereses comunes son más propios de la consideración del príncipe que de los jueces particulares. El bien público es la vara de la derechura del rey, que debe ejercitar su autoridad atemperada por la justicia.

Justicia, trabajo, porque los excesos de uno y otro son la razón de numerosos abusos y de infinitas desdichas. Pero Feijóo no enjuicia a base de teorías y abstracciones, sus observaciones nacen del íntimo contacto con la realidad. La básica pareja conceptual —observación y crítica de abusos, teoría y *praxis*— encuentran ancha vía en *Honra y provecho de la agricultura,* uno de sus más penetrantes ensayos de orden político-social. Como es de esperarse —dada su formación—, formula aquí tesis consabidas expresadas ya por los arbitristas (cf. II.3E); en particular los lamentos en torno a la decadencia de la agricultura. Feijóo cita a propósito autores de la antigüedad clásica en refuerzo de sus ideas, pero a la verdad, sólo puede hablar con pleno conocimiento de lo que ocurre en Galicia y Asturias, y en las montañas de León:

> En esta tierra no hay más que gente hambrienta ni más desabrigada que los labradores.

Las diferencias saltan a la vista: aboga por los que arrastran su miseria y padecen estrecheces y calamidades. El labrador es el más infeliz y padece hambre. El ensayo ofrece un cuadro unilateral de la vida sin solución de los miserables que están expuestos al ímpetu de los vientos, de las aguas y al rigor de las heladas. Son unos desabrigados con cuatro trapos para cubrirse, mientras los ricos engullen lo que ellos trabajan. Y la frase exclamatoria salta: «Bienaventurados los pobres», no porque de ellos será el reino de los cielos; Feijóo aspira a dar soluciones aquí y ahora, no en un más allá inalcanzable. Sólo los poderosos pueden ayudar a estos desventurados, y quiere llevarlos de la mano mostrándoles el dolor de los que padecen. La misericordia de aquéllos asegurará la felicidad temporal de los reinos, no la espiritual, ésta queda en las manos de Dios. He aquí el pensamiento laico de estas primicias del setecientos en su mejor expresión. Si bien es importante cuidar de los pobres, porque la caridad cristiana promete premios, es preciso además robustecer la república mejorando la situación de los pobres y aminorando sus gravámenes. Le impulsó el afán de adelantar en España «la utilidad de la agricultura». Con entusiasmo, anticipa la utopía agrícola de Jovellanos, que lustros después escribiría su *Informe sobre la ley agraria* (cf. III.2A). En la utopía feijoana la azada suplanta a la espada, y Marte y Ceres quedan uncidos por la oliva:

> Los azadones transformados en espadas son reino de la provincia: las espadas convertidas en azadones hacen la abundancia y riqueza de los pueblos... ¡Feliz el reino donde los soldados dejan las espadas por los azadones!

La utilidad pública es el *leitmotiv* de sus ensayos: busca descubrir los cánceres sociales que aquejan al país para dar un cuadro de reformas concretas. Y de modo muy particular intercala la educación: no hay que limitarse a las ciencias humanas, es necesario incluir la enseñanza técnica y especial de las ramas de labranza y enseñanzas útiles. Imprescindible, además, la creación de buenos maestros.

Educación técnica, sí, pero en ese «caos heredado» de residuos del Barroco, donde abundan los poetastros chabacanos y groseros, Feijóo se preocupa también por la cultura, muy en particular por el refinamiento del gusto. El suyo es un buen gusto amplio, que incluye a antiguos y modernos, en línea de concordancia con la *Poética* de Ignacio de Luzán (1737). Esta convicción permanece inalterable. Feijóo percibe claramente que la singularidad de la imaginación y juicio o razón trabajan juntos; el proceso creador —la imaginación— de por sí ejerce juicio. En este modo de pensar no está lejos de Dryden y Pope, que proponían motivos parecidos.

En su *Paralelo de las lenguas castellana y francesa* y *Razón del gusto* defiende con donaire a los modernos —Garcilaso, Lope, Góngora, Quevedo, Mendoza, Solís— que fueron «cisnes sin vestirse de plumas extranjeras». No hay que escandalizarse, insiste con criterio laxo, de las voces extranjeras. El francés es imprescindible para leer a los grandes autores modernos

> A favor de la lengua francesa se añade la utilidad, y aún casi necesidad de ella, respecto de los sujetos inclinados a la lectura curiosa y erudita.

Nuestro benedictino gallego está muy lejos del tradicionalismo estrecho, pero al mismo tiempo le perturban los galicismos. Cuando un idioma nativo tiene voces propias, ¿para qué sustituirlas por las del ajeno? Tampoco es necesario despreciar lo extranjero, porque no se pierde el propio idioma por el préstamo de voces. Lejos de ser un purista, por falta de rigidez, sólo advierte que los préstamos enriquecen, porque

> Primero se quita a un reino la libertad que el idioma. Aun cuando se ceda a las fuerzas de las armas, lo último que se conquista son lenguas y corazones.

Necesario es abrir las puertas a muchas voces cuyo uso puede convenir. Bien modernas son también sus palabras para aquellos pueblos colonizados cuya lengua no se ha podido abolir, bien modernas las flechas y los objetivos de Feijóo.

Casi todos los conocimientos de su tiempo se representan en el *Teatro crítico*. Con brío inusitado lucha Feijóo contra errores, tradiciones vulgares y nacionalismo huero. Se lanza contra beaterías de capilla, científicas, filosóficas o estéticas; con igual ímpetu ataca la opinión común acerca del amor a la patria, si por patria se entiende el provincianismo y nacionalismo corto de miras, engañoso y traspasado de intereses personales. ¿Hemos de creer por todo ello que su pensamiento está libre de contradicciones? Todo lo contrario. En el benedictino se enfrentan lo antiguo y lo moderno: contra las supersticiones, pero aún cree en monstruos; en favor de la nueva ciencia, pero no comprende los instrumentos de la técnica moderna (tal el microscopio). No se vaya a buscar en sus páginas originalidad científica o filosófica. Feijóo, en efecto, se centró en los aspectos esenciales de la cultura española, dominado siempre por un poderoso esfuerzo, configurado en un estilo de vida. El mejor testimonio sobre su humanismo vino de la pluma del rebelde José María Blanco-White: «Feijóo nos enseñó a pensar». Razón y libre examen, aunque Feijóo bajara de vez en cuando la cabeza ante la opinión de la Iglesia. En este terreno empleó prudencia y cautela, en estratégica posición para continuar rompiendo lanzas en favor de la modernidad.

Otro tipo de erudición dieciochesca es el encabezado por la *Real Academia Española* (1713), responsable del *Diccionario de Autoridades* (1726-1739), de la *Ortografía* (1741), de la *Gramática* (1771) y del *Diccionario* (1780). Se producen también notables esfuerzos similares individuales. Así el del aragonés IGNACIO DE LUZÁN (1702-1754), cuya *Poética* (1737) fue el norte literario hispánico hasta la irrupción del Romanticismo. Observación y experiencia son sus rasgos, con un código fundamentado en la naturaleza creadora. Igualmente ESTEBAN DE ARTEAGA (1747-1798), perteneciente al grupo de jesuitas expulsados por Carlos III —cf. más abajo—, en cuya obra se perfila ya más nítidamente el arte como imagen mental del creador: *Investigaciones filosóficas sobre la belleza ideal* (1789). Arteaga es un empirista lockeano que plantea nuevos puntos de partida estéticos en torno a la belleza, el gusto y el genio. Aboga por la autonomía de la belleza, en sentido semejante al ya inmediato Romanticismo: individualismo, sensibilidad e imaginación son, para él, las características del genio artístico.

Hemos de recordar también al erudito valenciano GREGORIO MAYÁNS Y SISCAR (1699-1781), editor de Mariana y Vives, primer biógrafo de Cervantes (1738). De fundamental importancia son sus *Orígenes de la lengua española* (1737), donde se publicó por vez primera el *Diálogo de la lengua*, de Juan de Valdés. Con Mayáns se enlazan, de manera particular, el pensamiento humanista y la Ilustración. Es autor también de una *Retórica* (1757). Ya en otro nivel, el agustino ENRIQUE FLÓREZ (n. 1702) comenzó en 1747 la publicación de su monumental *España sagrada,* obra de extraordinaria erudición en que región por región, comarca por comarca, cataloga y comenta los oportunos valores artístico-religiosos. Relacionado de algún modo con el mundo de la filología se halla el *Teatro histórico-crítico de la elocuencia castellana* (1786-1794), con interesante seleción de prosas, del catalán AN-

TONIO DE CAPMANY (1742-1813), que alcanzó a ser diputado en las Cortes de Cádiz.

Un grupo aparte en esta erudición dieciochesca es el formado por los jesuitas expulsados, de los cuales ya ha sido mencionado Arteaga. Así LORENZO HERVÁS y PANDURO (1735-1809), autor de un *Catálogo de las lenguas de las naciones conocidas* (1784), que ha sido calificado de tratado de filología comparada. Así también JUAN ANDRÉS (1740-1817), con su *Origen, progresos y estado actual de toda literatura* (1784-1806), obra escrita originalmente en italiano, como la de JUAN FRANCISCO DE MASDEU (1744-1817), *Historia crítica de España y de la cultura española* (1783-1805), e igualmente la de JAVIER LAMPILLAS (1731-1810), *Ensayo histórico-apologético de la literatura española contra las opiniones preocupadas de algunos escritores modernos italianos* (1789). Tres años antes había publicado Juan Pablo Forner (Cf. III.2C) su *Oración apologética por la España y su mérito literario*.

1C. EMPUJE DE LAS LUCES. CADALSO O LA REFORMA FABULADA

Si con Felipe V y Fernando VI se venía gestando en España la literatura burguesa, con Carlos III (1759-1788) y Carlos IV (1788-1808) ésta tomará arranque. El cosmopolitismo, la europeización, el nuevo espíritu, la cultura práctica, son ya deliberadas formas de cultura dirigida o, como se suele llamar, de paternalismo liberal. En la medida en que nos acerquemos a la Revolución Francesa y al nuevo espíritu democrático que toma vuelo entonces, se irán observando las contradicciones de esta mentalidad burguesa que irrumpe ahora. Entre los primeros en anunciarla se encuentra el coronel José Cadalso, cuya obra escrita ocupa el reinado de Carlos III.

De Cádiz llegó a Madrid JOSÉ CADALSO Y VÁZQUEZ (1741-1782), hijo de una adinerada familia de negocios, después de viajar y estudiar en Inglaterra y Francia. En 1758 ingresó en el Seminario de Nobles de Madrid, para emprender otro viaje por Europa en 1760-1762 (Inglaterra, Holanda, Alemania, Italia y Francia), y a su regreso entrar en la carrera militar. Su buen ojo crítico y su magnífica formación le permitieron arremeter contra la sociedad española de su tiempo desde una perspectiva europeizante. En 1769 se enemistó con el poderoso conde de Aranda, que lo desterró durante seis meses, posiblemente con motivo del *Kalendario manual* que circuló en 1768. Cadalso ridiculiza allí la orden militar de Santiago, mofándose de sus reglas y de sus aristocráticos miembros. Regresó a Madrid entre 1770-1773, fechas entre las cuales adquirió cierta notoriedad a raíz de la muerte de su amante, la actriz María Eugenia Ibáñez, en 1771, episodio que le inspiró las *Noches lúgubres* (c. 1775). Antes había publicado la sátira *Los eruditos a la violeta* (1772), cuyo éxito le impulsó a publicar un *Suplemento* y una continuación bajo el título *El buen militar a la violeta*. La veta satírica es también el hilo conductor de las *Cartas marruecas,* que comenzó a redactar en 1768, pero que aparecieron póstumamente en 1798 en el periódico *El Correo de Madrid* (con recortes significativos), soberano ejemplo de las primicias de la literatura por entregas en España. Finalmente se hicieron dos ediciones en 1793 en forma de libro, lo cual indica su fortuna editorial.

Noches lúgubres, publicada póstumamente en 1790, ha levantado marejadas de comentarios y le ha valido a Cadalso el título de precursor del romanticismo en España, por sus voces desgarradas y el tono lacrimoso, enmarcado en un ambiente de literatura funeraria de cipreses, cementerios y fantasmas. Se han recalcado las fuentes extranjeras y los puntos de intersección con Young, Pope, Gray, Thomson, James Hervey y Sebastien Mercier, entre otros, a la par que las fuentes clásicas. En realidad, pese a que se la ha interpretado como obra autobiográfica, se inspira en un romance popular y en el tema de *la difunta pleiteada.* El tono lastimero y el paisaje espiritual subjetivo marcan el tránsito del sentimentalismo neoclásico al primer romanticismo, pero la obra dista mucho de ser plenamente romántica. El texto está dividido en tres *noches,* y narra la pasión de un joven llamado Tediato que intenta desenterrar el cadáver de su amada, mientras reflexiona en torno a la miseria de la vida humana y la inevitabilidad de la muerte. Entre lamentos fúnebres, Tediato intercala críticas a la sociedad injusta al dialogar con Lorenzo, el sepulturero que le ayudará en la empresa.

La muerte le impulsa a reflexionar sobre la caducidad del hombre («todo ha mudado menos yo», dice en la I Noche), y su corazón está cubierto de densas tinieblas en la oscuridad de las horas. Estas lamentaciones subjetivas le sirven a Cadalso de punto de apoyo para levantarse contra los vicios de la sociedad de su tiempo y reclamar justicia. Nadie se conduele, porque en la sociedad sólo impera el afán de lucro: el salario será el único medio para conseguir ayuda. Si Lorenzo escucha sus dolidas quejas, se debe sólo al interés:

> Sin duda... el dinero... ¡ay, dinero, lo que puedes...! ¡Interés! ¡Único móvil del corazón humano!

El dinero corrompe, porque invierte el orden de la naturaleza, engendra pasiones y multiplica delitos. Toda esta I Noche es una amarga reflexión sobre la ambición, la envidia, la codicia y la venganza. El tema de la justicia corrupta aparece en la II: los representantes de la justicia están prontos a culpar y castigar sin pruebas. Entre relámpagos, truenos y tempestades, Tediato medita sobre la cárcel y la corrupción; la cárcel es sepulcro de vivos, morada de horror, triste descenso en el camino del suplicio, depósito de malhechores. La descripción de la cárcel, los gritos y las ejecuciones nocturnas, la falta de humanidad de los carceleros, impasibles ante el dolor, habrán de esperar a la pluma de Larra y Espronceda para alcanzar mayor iracundia y rebeldía.

Si *Noches lúgubres* es un lamento donde se intercalan críticas sociales, la parodia y la crítica son el motor de *Eruditos a la violeta,* publicada en 1772, burla incisiva del pseudo-sabio de nuevo cuño. No se deja en el tintero a los petimetres, petimetras y «literatos» semidoctos de fingida cultura, que contrastan con aquella minoría selecta que confiaba en la educación como remedio eficaz para la salvación de España. Cadalso emprende aquí —a nivel paródico y satírico— el apostolado de Feijóo, para quien el estudio no sólo era fuente de entendimiento, sino fuente de desarrollo y progreso. Este nuevo espécimen humano —el «violeto»— se reunía en tertulias para soltar impresiones sobre todo lo divino y lo humano. Tal vez esta obra del militar poeta fuera una sátira contra el lector de almanaques pseudo-científicos, que adquiría un ligero barniz cultural leyendo a los «piscatores». En todo caso, sea cual fuere el blanco, apunta a un nuevo tipo humano que surge a raíz de esta primera etapa de la democratización de la cultura y del consumo literario.

El contenido de la sátira son las lecciones que le ofrece un profesor a sus alumnos, a través de conocimientos superficiales. Son instrucciones para prevenir a los alumnos contra posibles di-

ficultades. Cadalso va descubriendo al mismo tiempo, mediante
el lenguaje paródico, el interés superficial de los estudiantes y
apunta hacia el verdadero conocimiento que los «violetos» rechazan. Ser «sabio» es ser presumido, pedante, poco caritativo, inmo-
derado, pero estos son los que triunfan, porque el mundo se inclina ante los ignorantes y los fatuos, mientras los hombres verdaderamente sabios quedan marginados en su propio mundo. Las
lecciones del maestro —siete en total, una por cada día de la
semana— son «consejos del príncipe» a la inversa o, dicho de
otro modo, el maestro es un Gracián más cosmopolita que incita
a los estudiantes a tomar la carrera de *entrepreneurs* en la alta
sociedad. El «arrimarse a los buenos» del *Lazarillo* encuentra aquí
ancha vía, pues ahora los buenos vienen a ser los miembros de
la burguesía ascendente, cuyo triunfo y prestigio depende también
del conocimiento fingido y las carreras profesionales.

La crítica de Cadalso es positiva y optimista a ratos; otras
veces le invade el pesimismo porque el autor está consciente de
las dificultades de reforma, norte de los ilustrados. La lección
final se puede resumir de la manera siguiente: para triunfar en
sociedad es mejor desconocer a España y mantenerse en el aldea-
nismo convencional; si se cruzan los Pirineos, sólo merece la pena
estar atento a la moda y a los afeites, para regresar al país afec-
tando un aire francés. En Londres es menester entregarse a una
libertad desmedida y cuando se vuelva a España, conviene olvidar
la lengua vernácula y despreciar la cultura propia. Estos son, en
síntesis, los sabios consejos en materia de costumbres y cosmopolitismo falso. Respecto a la vida cultural, las recomendaciones
no podrían ser más elocuentes. El «violeto» desprecia o lo antiguo o lo moderno, y defiende una de las dos posturas con brío,
pero con desconocimiento. Con idéntico espíritu debe escoger entre la literatura nacional y la extranjera, al mismo tiempo que
finge conocimientos de libros y autores. En el terreno de la crítica,
es menester crear una sociedad de bombos mutuos y rechazar a
cualquiera que no pertenezca a la misma. Se recomienda también
el desprecio de la historia antigua y natural, y el empleo de manuales al uso para fingir competencia. En resumen, se satiriza lo
que no era sino la parodia del programa ilustrado.

Las *Cartas marruecas* (c. 1774) es quizá su obra más ambiciosa y un compendio de sus ideas. Son en total noventa cartas cru-

zadas entre dos marroquíes, Gazel y Ben-Beley, y el español Nuño. Hacia esta misma fecha redactó Cadalso una *Defensa de la nación española contra la Carta persiana LXXVII* de Montesquieu (c. 1768-1771), estrechamente relacionada con las *Cartas*. A fuer de extranjeros, los corresponsales marroquíes contrastan sus opiniones sobre España con las del nativo Nuño. El libro consiste en una amplia gama de crítica de ideas y costumbres. En el abanico de temas aparece la crítica a la nobleza hereditaria, a las instituciones tradicionales, al nacionalismo estrecho, al afrancesamiento de barniz de petimetres y «violetos». Le mueve el deseo de reforma:

> Yo no soy más que un hombre de bien que he dado a luz un papel, que me ha parecido muy imparcial, sobre el asunto más delicado que hay en el mundo, que es la crítica de la nación.

Detengámonos en algunos aspectos: Cadalso pasa revista con ojo crítico por todo el entramado social y humano —el pueblo, los menestrales, los mercaderes, el escolástico, el señorito ocioso, las costumbres sociales (tertulias, reuniones, libertad entre los sexos), el galiparlismo. La estructura está basada en las cartas de tres corresponsales que el autor caracteriza con cierta precisión: Nuño (¿Cadalso mismo?) aparece desde la I carta como un personaje ahistórico, en cambio Gazel es un marroquí curioso y perspicaz que le escribe a su maestro, Ben-Beley, sobre lo que ve para que éste corrija sus percepciones. Las primeras son bocetos psicológicos de los personajes; epístolas de corta extensión encaminadas a caracterizar a cada uno de los interlocutores. Nuño, al margen de la historia, está agobiado por el *tedium vitae;* es un desengañado elusivo, según escribe Gazel:

> Nuño Núñez... es hombre que ha pasado por muchas vicisitudes de la suerte, carreras y métodos de vida. Se halla ahora separado del mundo y, según su expresión, encarcelado dentro de sí mismo.

Como es de esperar, los corresponsales se enfrascan en digresiones en torno a la falta de desarrollo de España, tópicos arbitristas ya conocidos. Las guerras constantes han creado un espíritu militar que hace que se desprecie el comercio y la industria; la nobleza es inútil y parasitaria, y hay excesivo número de religiosos. Asimismo, el oro de Indias ha sido tesoro de duendes que trajo una secuela de pobreza —más que de riqueza—, y la conquista ha sido responsable de la falta de brazos y el menosprecio del trabajo. Como si fuera poco se menosprecia la ciencia y el conocimiento, mientras se ensalza el fasto: España está en decadencia porque los estados e instituciones no se han renovado, y sobre todo hay carencia de auténtico patriotismo: «Ya no hay patriotismo porque ya no hay patria», escribe Nuño en un manuscrito titulado «Historia heroica de España».

Tan vivos están los arbitristas en estas discusiones que la Carta XXXIV de Gazel a Ben-Beley alude con ironía a la secta de los «proyectistas», sátira caricaturesca que anda al compás de la de Cervantes y Quevedo. Notemos al pasar que emplea el vocablo «proyectistas» o innovadores de profesión, de signo muy diverso al de «arbitrista», cuya etimología hemos trazado en páginas anteriores (cf. II.3E). Recuérdese que *arbitrio* termina por significar «proyecto ridículo», pero Cadalso tal vez conociera una *Floresta española y hermoso ramillete de agudezas, motes, sentencias y graciosos dichos de los discreción de cortesanos...* (1730), donde se añade una anécdota de tiempos de Felipe II en la que un inventor de expedientes financieros es maltratado ante el rey por otros cortesanos y donde se emplea una vez más el vocablo arbitrista/proyectista. Los proyectos a gran escala son frecuentes en la España de Carlos III, y el remedio de un arbitrio o remedio único se queda ahora corto ante el empuje financiero a que aspiran los ilustrados ministros de estos últimos decenios del siglo.

Observador prolijo, Cadalso aumenta los contrastes; por un lado la excesiva libertad de costumbres (libertinaje moderno) y el anquilosamiento social, que emponzoña las relaciones sociales e impide la formación de buenos ciudadanos. Cadalso ofrece remedios útiles en tupido entramado, actualizando temas del arbitrismo y los políticos del XVI y XVII con lenguaje moderno. Le preocupa la creación de «buenos ciudadanos», «útiles» a la patria (vocablos claves durante el reinado carlino). Su postura económica es de *laissez-faire,* que como sabemos es el puente con el liberalismo decimonónico. El suyo no es un igualitarismo roussoniano, sino la búsqueda de reforma dentro de la sociedad patriarcal y estamental. Reforma, no revolución; contradicción inherente a estos críticos de la España setecentista.

BIBLIOGRAFÍA BÁSICA *

III.1. DEL CASTICISMO AL RACIONALISMO

a) *Historia y sociedad*

* Anes, Gonzalo: *Economía e Ilustración en la España del siglo XVIII* (Barcelona, 1969).
* ——: *Las crisis agrarias en la España moderna* (Madrid, 1970).
* Domínguez Ortiz, Antonio: *La sociedad española del siglo XVIII* (Madrid, 1955).
* ——: *Hechos y figuras del siglo XVIII español* (Madrid, 1973).
* ——: *Sociedad y Estado en el siglo XVIII español* (Barcelona, 1976).
Elorza, Antonio: *La ideología liberal en la Ilustración española* (Madrid, 1970).
Herr, Richard: *España y la revolución del siglo XVIII* (Madrid, 1973).
Kamen, H.: *La Guerra de Sucesión en España, 1700-1715* (Barcelona, 1974).
Maravall, José Antonio: «Cabarrús y las ideas de reforma política y social en el siglo XVIII», *Revista de Occidente*, 23 (1968), 273-300.
Menéndez Pelayo, Marcelino: *Historia de los heterodoxos españoles*, V (Santander, 1947).
Mestre, Antonio: *Despotismo e Ilustración en España* (Barcelona, 1977).
Palacio Atard, Vicente: *Los españoles de la Ilustración* (Madrid, 1964).
Rodríguez Casado, Vicente: «La revolución burguesa del XVIII español», *Arbor*, 18 (1951), 5-29.
Rumeu de Armas, Antonio: *Ciencia y tecnología en la España Ilustrada* (Madrid, 1980).
Sánchez Agesta, Luis: *El pensamiento político del despotismo ilustrado* (Madrid, 1953).
* Vilar, Pierre: *Catalunya dins l'Espanya moderna*, 4 vv. (Barcelona, 1965-1968).
* Walker, G. J.: *Política española y comercio colonial, 1700-1789* (Barcelona, 1979).
Zavala, Iris M.: «Dreams of Reality: Enlightened Hopes for an Unattaible Spain», *Studies in Eighteenth Century Culture*, VI (1976), 28-53.

El siglo XVIII ha sido durante largo tiempo la cenicienta de la historiografía española, y ello debido a factores ideológicos tradicionalistas, que consideraban tal época como escasamente castiza. Fue Menéndez Pelayo uno de los responsables, con sus *Heterodoxos*, de tal situación, al considerar a los ilustrados dieciochescos como heresiarcas y antiespañoles. En la línea de Menéndez Pelayo, si bien con adaptaciones y retoques, figuran de un modo u otro los trabajos citados de Palacio Atard y Rodríguez Casado, así como

---

* En las presentes bibliografías, un asterisco indica que la obra así señalada se ocupa no sólo de la época en que se incluye, sino también de otras posteriores.

de forma más atenuada el muy superior y más coherente de Sánchez Agesta. Los tres libros de Domínguez Ortiz son aportaciones básicas al conocimiento del XVIII, así como el de Herr y, en otro orden de cosas, el de Walker y el de Rumeu de Armas. Los de Elorza y Mestre, por su parte, son los más recientes estudios en tono tan comprensivo como renovador; así también el artículo de Zavala, sobre las contradicciones en que se debatía la teoría y la práctica de los ilustrados españoles. En los libros de Anes pueden hallarse excelentes trabajos sobre el pensamiento económico de los ilustrados (1969) y la situación del campo en la época (1970). Dos figuras fundamentales, las de Olavide y Cabarrús, representantes máximos de la Ilustración al hispánico modo, han sido tratados de modo magnífico por Défourneaux y Maravall, respectivamente. La monografía de Kamen analiza en detalle la guerra de sucesión que llevó a los Borbones al trono español. Imprescindible el trabajo de Vilar.

b) *Literatura*

* Aguilar Piñal, Francisco: *Bibliografía fundamental de la literatura española. Siglo XVIII* (Madrid, 1976).
* Brown, Reginald F.: *La novela española, 1700-1850* (Madrid, 1953).
* Glendinning, Nigel: *Historia de la literatura española. El siglo XVIII* (Barcelona, 1973).
* Marco, Joaquín: *Literatura popular en España en los siglos XVIII y XIX. Una aproximación a los pliegos de cordel,* 2 vv. (Madrid, 1977).
* Varios: *Cultura spagnola nel Settecento* (Nápoles, 1964).
* Varios: *Los conceptos de rococó, neoclasicismo y prerromanticismo en la literatura española del siglo XVIII, Cuadernos de la Cátedra Feijóo,* 22 (1970).
* Zavala, Iris M.: «Hacia un mejor conocimiento del siglo XVIII español», *Nueva Revista de Filología Hispánica,* XX (1971), 341-360.
    ——: «Clandestinidad y literatura en el setecientos», *Nueva Revista de Filología Hispánica,* XXIV (1975), 398-418.

Útil trabajo de conjunto es el artículo de Zavala (1971), en la línea de la presente *Historia*. Los conceptos culturales básicos del XVIII han sido investigados en *Cuadernos de la Cátedra Feijóo*. Excelente panorama literario es el de Glendinning; el libro de Brown ofrece una visión general de lo que su título indica. Zavala (1975) ha profundizado en el tema de la literatura clandestina, y Marco en el de la «subliteratura». La bibliografía compilada por Aguilar Piñal es un práctico instrumento de trabajo.

III.1A. Tradición y modernidad. Torres Villarroel

Di Pinto, Mario: «Scienza e superstizione: Torres Villarroel», *Cultura spagnola nel settecento* (Nápoles, 1964), 77-120.
Marichal, Juan: «Torres Villarroel, autobiografía burguesa al hispánico modo», *Papeles de Son Armadans,* 36 (1965), 257-306.
Mercadier, Guy: Introducción a su ed. de la *Vida* de Torres Villarroel (Madrid, 1972).

Sebold, Russell P.: *Novela y autobiografía en la «Vida» de Torres Villa-rroel* (Barcelona, 1976).

Suárez-Galbán, Eugenio: *La vida de Torres Villarroel. Literatura antipica-resca, autobiografía burguesa* (Valencia, 1975).

Los estudios sobre Torres Villarroel giran en torno a su autobiografía, considerada ya por Marichal como «burguesa», tesis en que de un modo u otro insisten Sebold y Suárez-Galbán, de modo más desarrollado y coherente este último. Más conciso y puramente biográfico es el de Mercadier.

III.1B. DE LA SUPERSTICIÓN AL RACIONALISMO. FEIJÓO

Batllori, Manuel: *La cultura hispano-italiana de los jesuitas expulsos* (Ma-drid, 1967).

Eguiagaray, F.: *El padre Feijóo y la filosofía de la cultura de su época* (Madrid, 1964).

Lázaro Carreter, Fernando: *Las ideas lingüísticas en España durante el siglo XVIII* (Madrid, 1949).

——: «Significación cultural de Feijóo», *Cuadernos de la Cátedra Feijóo*, 5 (1957), 1-36.

McClelland, Inez: *Benito Jerónimo Feijóo* (Nueva York, 1969).

Marañón, Gregorio: *Las ideas biológicas del padre Feijóo* (Madrid, 1954, 3.ª ed.).

Mestre, Antonio: *Ilustración y reforma de la Iglesia: pensamiento polí-tico-religioso de don Antonio Mayáns y Siscar (1659-1781)* (Valencia, 1968).

——: *Humanismo y crítica histórica en los ilustrados alicantinos* (Alican-te, 1980).

Rudat, Eva Marja: *Las ideas estéticas de Esteban de Arteaga* (Madrid, 1971).

Ruiz Veintemilla, Jesús M.: «La polémica entre don Gregorio Mayáns y el *Diario de los literatos de España*», *Revista de Literatura*, XLII (1979), 69-130.

Salinas, Pedro: «Feijóo en varios tiempos», *Ensayos de literatura hispánica* (Madrid, 1961), 217-223.

Varios: *El padre Feijóo y su siglo. Simposio celebrado en la Universidad de Oviedo*, 3 vv. (Oviedo, 1966).

Zavala, Iris M.: «Tradition et réforme dans la pensée de Feijóo», *Jean-Jacques Rousseau et son temps*, Michel Launay, ed. (París, 1969), 51-72.

Marañón y Salinas, cada cual a su manera, interpretan la figura de Feijóo de acuerdo con su propia ideología liberal. El artículo de Lázaro Carreter sitúa adecuadamente al benedictino en sus coordenadas culturales, tema fundamental en que ha insistido Zavala, en la línea de la presente *Historia*. El libro de McClelland es un buen trabajo de conjunto, y los tres volú-menes que recogen las ponencias del simposio celebrado en la Universidad de Oviedo incluyen aportaciones harto desiguales, varias de ellas de posi-tivo valor. Claro y revelador es el libro de Mestre sobre la figura de Mayáns, que debe complementarse con el artículo de Ruiz Veintemilla. La estética de Arteaga ha sido estudiada por Rudat de modo tan exhaustivo como abrumador. Muy útil la monografía de Batllori sobre los intelectuales jesuitas expulsados, así como la de Lázaro Carreter sobre el importante tema de las ideas lingüísticas del siglo.

III.1C. Empuje de las luces. Cadalso o la reforma fabulada

Dupuis, Lucien: Cf. Glendinning, Nigel.
Glendinning, Nigel: *Vida y obra de Cadalso* (Madrid, 1962).
—— y Dupuis, Lucien: Prólogo a su ed. de las *Cartas Marruecas* de Cadalso (Londres, 1966).
Hughes, John B.: *José Cadalso y las Cartas Marruecas* (Madrid, 1969).
Maravall, José Antonio: «De la Ilustración al Romanticismo. El pensamiento político de Cadalso», *Mélanges à la mémoire de Jean Sarrailh,* II (París, 1966), 81-96.
Sebold, Russell P.: *Cadalso: el primer romántico «europeo» de España* (Madrid, 1974).
Wardropper, Bruce W.: «Cadalso's *Noches Lúgubres* and Literary Tradition», *Studies in Philology,* XLIV (1952), 619-630.

El gran especialista sobre Cadalso —y otros autores y aspectos del XVIII— es Glendinning, cuyas obras son siempre imprescindibles; el libro de Sebold es también de gran utilidad general, así como el análisis que de las *Cartas Marruecas* hace Hughes. El artículo de Wardropper es un correcto estudio de fuentes, mientras que el de Maravall ofrece agudas profundizaciones en el pensamiento político de Cadalso.

III.2. LA ILUSTRACIÓN RACIONALISTA Y EL IMPACTO DE LA REVOLUCIÓN FRANCESA

2A. Jovellanos o el liberalismo en marcha.
2B. Teatro y moral burguesa. Moratín.
2C. La poesía ilustrada y el reformismo. Anglófilos y afrancesados.
2D. Periodismo, literatura por entregas y consumo.

Bibliografía básica.

III.2. LA ILUSTRACIÓN RACIONALISTA Y EL IMPACTO DE LA REVOLUCIÓN FRANCESA

2A. JOVELLANOS O EL LIBERALISMO EN MARCHA

Casi solo, GASPAR MELCHOR DE JOVELLANOS (1744-1811) representa las esperanzas del ilustrado reinado de Carlos III y el desenlace vacío de la época de Godoy y de Carlos IV. Ilusionado, lleno de proyectos e ideas, ve cómo se esfuman los sueños hasta que el desaliento y el escepticismo le invaden después de la Revolución Francesa, y sobre todo durante las Cortes de Cádiz, demasiado progresistas para el ilustrado asturiano.

La obra literaria de Jovellanos es amplia y abarca los temas más responsables, que expresa en ensayo y prosa política. Sus poesías, no publicadas en vida del autor, que las consideraba pasatiempo intrascendente, contienen en germen todo el registro de su pensamiento. Entre sus obras más importantes figura el *Informe sobre la ley agraria* (1794), relacionado, sin duda, con las tensiones interiores entre propietarios y colonos. De aplicarse los principios del *Informe,* se hubieran puesto en peligro las bases de la sociedad estamental. El texto, que le creó buen número de animosidades entre los círculos de gobierno, le causó un exilio. La obra está impregnada de lecturas inglesas: Adam Smith, Adam Ferguson (la riqueza de las naciones y el origen de la sociedad), William Godwin y William Ogilvie (la propiedad), y las teorías del conocimiento de Locke. No faltan buenas lecturas de Hume y Jeremy Bentham, con quien se carteó el asturiano.

Jovellanos ingresó en la Sociedad Económica matritense en 1778 y en las Academias Española, de la Historia y de San Fernando, de Cánones y Derecho. En estos años (estancia en Madrid entre 1778 y 1790), después de una activa juventud en la Sevilla de Olavide entre 1767 y 1778, redactó buen número de informes y proyectos, apasionado por una sociedad mejor. Fue a Gijón entre 1790-1798, donde creó el Instituto Asturiano, mientras terminaba el *Informe*. A raíz de ello se le desterró en 1801 a Mallorca, donde permaneció nueve años; tras el Motín de Aranjuez volvió a Madrid, ensalzado y admirado por todos, y se le nombró miembro de la *Junta Central,* que defendió con denuedo en sus últimos escritos. Como testimonio de sus añoranzas y decepciones durante estos años nos quedan su *Descripción del castillo de Bellver,* y su correspondencia con Lord Holland y Alexander Jardine, así como sus *Diarios,* que recogen los últimos años de su vida. Aquí Jovellanos se nos aparece como el ilustrado de una educación suprema, que limpia su conducta de toda apología.

La legislación, la historia y la educación —sobre todo— como base de la reforma, son los blancos a los que apunta Jovellanos. La educación debe dirigirse al bienestar del individuo y con él a la sociedad en que vive. Para el asturiano, la ilustración es continuación directa de la manera de pensar y sentir de los siglos XVI y XVII. Pero centrémonos en sus temas fundamentales analizando *Memoria sobre los espectáculos públicos* (1786), *Oración sobre la necesidad de unir el estudio de la literatura al de las ciencias* (1797), *Elogio de Carlos III* (1788) y el *Informe*.

En la *Memoria* aboga por el esparcimiento de la juventud pueblerina, porque se preocupa por el aburrimiento y la tristeza de los habitantes que podría conducir a vicios clandestinos, amancebamientos y borracheras. Defiende las romerías y otras diversiones, así como el teatro,

> el más recomendable de todos los espectáculos, el que ofrece una diversión más general, más racional, más provechosa.

A condición, claro está, de que sea un teatro donde puedan verse continuos y heroicos ejemplos de reverencia religiosa, amor a la patria, al soberano, a la constitución, de amor y fidelidad conyugal, amor paterno, de ternura y obediencia filial. En fin,

> un teatro que presente príncipes buenos y magnánimos, magistrados humanos e incorruptibles, ciudadanos llenos de virtud y de patriotismo, prudentes y celosos padres de familia, amigos fieles y constantes.

Este teatro debe, además, ridiculizar los vicios y extravagancias que afligen a la sociedad. Condena asimismo toda efusión lírica, todo elemento personal, pues estas explosiones no van encaminadas a la utilidad. El teatro tradicional no se ajusta a las reglas y está lleno de inverosimilitudes. Más grave aún, no ofrecía lección moral ni cívica. En *El delincuente honrado* (1774), Jovellanos intentó poner en práctica su propia normativa dramática, en un marco, preciso es decirlo, escasamente convincente.

Estos conceptos aristocratizantes y pragmáticos del arte son norma común entre los ilustrados, motivo por el cual los ministros de Carlos III y Carlos IV censuraron y combatieron arduamente los libros de imaginación, el teatro barroco, y la literatura de cordel: en 1767 el primer Carlos proclamó un bando prohibiendo que se concedieran licencias para imprimir pliegos de cordel, por ser perjudiciales al público y de lectura vana, «de ninguna utilidad a la pública instrucción». Palabras semejantes escribe Pedro de Campomanes, al entrar en la Fiscalía del Consejo en 1766, cuando en carta a Manuel de Roda explica que se propone «detener la barbarie que nos amenaza en medio de la ilustración de nuestros vecinos». Otra vez en 1775 vuelve a la carga en su *Discurso sobre la educación popular de los artesanos y de su fomento,* donde exige que se proscriban ciertos romances de ajusticiados y leyendas vanas y caprichosas. (Algo después, en 1798, Juan Meléndez Valdés pedirá ante la Sala Primera de Alcaldes de Corte la prohibición de romances groseros e inmorales, las canciones obscenas y las «historias», pervertidoras de la juventud.) El texto de Jovellanos aludido forma parte de un conjunto de recomendaciones emitidas por los ilustrados para reformar al país por medio de la cultura dirigida.

Sus ideas sobre la educación están en estrecha relación con las observaciones en torno a los espectáculos públicos. Para el asturiano el arte debe educar y crear hombres útiles al Estado y forma parte de su proyecto general en torno a sus ideas pedagógicas: la educación más eficaz será aquella que enseñe a reverenciar a Dios mediante estudios científicos modernos. Jovellanos aspira a unir experimento, razón y fe: «Observad la naturaleza, pero acordaos que la dirige la mano de Dios.» Llevó sus proyectos a la práctica con la creación del Instituto Asturiano, que inauguró en 1792 después de algunos contratiempos. Este pasó a ser un centro modelo de enseñanza secundaria con predominio de la instrucción científica, aunque se incluían disciplinas formativas y el estudio de lenguas modernas. La idea motriz es que la educación ha de ser la base de la prosperidad de la nación; necesario es, por lo tanto, inyectarle ciencias útiles que acaben con la rutina escolástica. El ideal de Jovellanos es un concepto armónico entre las ciencias y la cultura intelectual, mucho de lo cual llegaría al decimonónico krausismo y a la *Institución Libre de Enseñanza* (cf. IV.2D). Jovellanos es un adelantado de la pedagogía y del pensamiento agrario del liberalismo del ochocientos. Para el Instituto, su proyecto preferido, escribió unos rudimentos de lengua francesa e inglesa y un *curso de humanidades castellano,* que servirían de texto para las cátedras centrales: humanidades castellanas, lógica y ética, economía y comercio, matemáticas, náutica, física, lengua, dibujo y geografía histórica.

Se observará que Jovellanos favorece el estudio de las lenguas vivas, sobre todo el español, y defiende la necesidad de desarrollo de las facultades estéticas del hombre paralelamente al estudio de las ciencias naturales. Como complemento, el cultivo de la moral: el objetivo es la formación de ciudadanos y la enseñanza que afirme la relación del hombre con la sociedad y el Estado. La moral cristiana sería la culminación del proyecto. Queda claro que su preocupación central es la búsqueda de la felicidad terrestre que el progreso traería. Este ideal es el gozne del *Informe sobre la ley agraria,* que le solicitó la Matritense. Las sociedades económicas, a las que tan afectos eran Jovellanos y los ilustrados de la segunda mitad del setecientos, ayudaron a impulsar un cambio de mentalidad, propagando los avances técnicos y científicos. El *Informe* del asturiano surgió a raíz de unos expedientes locales sobre problemas de reforma agraria solicitados por el gobierno. En 1761 Vicente Paino, diputado a Cortes por Extremadura, dirigió al rey una representación denunciando la crisis de la agricultura a causa de la Mesta. Como resultado de ello, Campomanes envió un cuestionario a los Intendentes de Extremadura, La Mancha y Andalucía (Sevilla, Jaén, Córdoba y Granada); en 1771 el ministro ordenó que se resumiera, y en 1777 éste pasó a la *Sociedad Económica de Amigos del País,* que en 1783 creó una comisión que imprimió el informe o memorial en 1784. El peruano Pablo de Olavide, Intendente de Sevilla, había respondido al cuestionario con su *Informe sobre la ley agraria* (1767), de gran alcance, que le originó una conspiración eclesiástica que culminó en 1778 con un auto de fe en todo rigor. Todos estos expedientes tienen puntos en común: la conveniencia de disminuir tierras incultas, reintegrar pasto al cultivo y aumentar las superficies labradas. El *Informe* de Jovellanos es la respuesta de la *Real Sociedad*: analiza aquí las causas del atraso y los remedios que podrían modernizar al país e impulsar las fuerzas productivas. Sus reformas económicas y pedagógicas se enlazan en este texto; aspira a favorecer la burguesía a expensas de la aristocracia, limitando su poder. Jovellanos sueña con una utopía agraria en la cual el labrador viva de su tierra, libre de las pasiones que agitan a los hombres.

Las ideas de Jovellanos nunca se llevaron a cabo porque la Iglesia vio en ellas tendencias democráticas e igualitaristas muy acusadas (y, seguramente, un peligro para sus propiedades). El *Informe* se tradujo al inglés, francés y alemán y se reeditó varias veces en la Península, sobre todo en 1820, ya que las Cortes de Cádiz de 1812 lo recomendaban como lectura necesaria. Sus ideas quedaron al rescoldo y sólo se pusieron parcialmente en práctica en el decimonónico siglo de la burguesía. La sociedad que advoca Jovellanos está resumida en el siguiente párrafo:

> ¿Quién no ve que el progreso mismo de la instrucción conducirá algún día, primero las naciones ilustradas de Europa, y al fin las de toda la tierra, a una confederación general cuyo objeto sea mantener a cada una el goce de las ventajas que debió al cielo, y conservar entre todas una paz inviolable y perpetua, y reprimir, no con ejércitos y cañones, sino con el impulso de su voz, que será más fuerte y terrible que ellos, al pueblo temerario que se atreva a turbar el sosiego y la dicha del género humano?

«El bienestar de este país me devora», le escribe a su amigo Posada en 1793, y por conseguirlo se lanzó a empresas y proyectos. Carlos III, o una monarquía consciente e ilustrada, eran para él el medio de alcanzar progreso, según trasciende de su *Elogio a Carlos III* que leyó en la Matritense en 1788:

> Ciencias útiles, principios económicos, espíritu general de ilustración: ved aquí lo que España deberá al reinado de Carlos IV.

Carlos sigue, según Jovellanos, el camino emprendido por los primeros Borbones y da vuelo a una obra de regeneración, porque la sabiduría y el patriotismo le acompañan y se sabe rodear de ministros capaces.

Reforma y educación; pero miedo al pueblo. Su anglofilia se acentúa justamente en los momentos más graves de la Revolución Francesa. He aquí lo que escribe en el *Tratado teórico-práctico de enseñanza*:

> Otro error, mucho más funesto, por lo mismo que es más especioso, ha pretendido introducir la filosofía sofística en los principios de la moral civil. Su objetivo parece reducirse a reformar las imperfecciones y remediar los abusos de las sociedades políticas. Este sistema —menos tenebroso, pero más extendido que el precedente, y demasiado conocido por la sangre y las lágrimas que han costado a Europa—, se ha pretendido establecer sobre una base que la sabia razón no puede reconocer ni aprobar. Su principal apoyo son ciertos derechos que atribuyen al hombre un estado de libertad o independencia natural... derechos que fundados sobre esta absoluta libertad e independencia son puramente quiméricos. No diré yo por eso que el hombre no tenga sus derechos, como obligaciones naturales; pero pues el estado social es conforme a su naturaleza, diré, sí, que están modificados por el principio de su asociación, cualquiera que ella sea. Diré también que es principio modificante, como dirigido a la conservación y perfección de aquellos derechos y obligaciones; será el mismo, y tanto más perfecto, cuanto más perfecciona y menos disminuye a unos y otros. Diré, finalmente, que la tendencia a esta perfección se debe mirar como propia y esencial al principio de toda sociedad política.

El párrafo es claramente antirrousoniano. El ginebrino había justificado el derecho de revolución contra los tiranos; es decir, si la sociedad está corrompida, en estado de descomposición, el hombre debe volver a su estado primigenio por todos los medios a su alcance. Jovellanos disiente: el hombre no tiene derecho ni autoridad para cambiar él mismo la sociedad, ésta mejorará, evolucionará por sí misma y hará brotar al nuevo hombre. La sociedad misma mejorará o corregirá sus errores; el hombre no debe tomar la iniciativa.

Durante el gobierno de ocupación, se negó a colaborar con los afrancesados, pese a los reiterados esfuerzos de Cabarrús y Meléndez: Jovellanos ofreció excusas de salud a Napoleón y al rey José, aunque siempre fue muy directo con sus amigos. Se negó a participar y admitir cargos de un pueblo «tan resuelto a defender su libertad», como escribe en la *Memoria en defensa de la Junta Central*. Así pues, en los últimos años de su vida, lo encontramos en Sevilla (1809), desde donde le escribe a Lord Holland, partidario del radicalismo liberal, contra una nación loca (la francesa) bañada en sangre. En cambio, se adhiere a la idea de unas Cortes que debían convocarse en dos estamentos con una constitución que debiera recoger el espíritu de legislación tradicional de España, eliminando las leyes anticuadas o falseadas. Repudia la idea de soberanía nacional directa; ésta corresponde no a las Cortes, sino al rey, aunque debe estar limitada por una división armónica de poderes. En cartas análogas expresa su desconfianza de la libertad absoluta de imprenta y del sufragio universal; y en carta a Lord Holland de 1809 sigue abogando por la educación como único medio de progreso:

Nadie más inclinado a restaurar, y afirmar, y mejorar; nadie más tímido en alterar y renovar... Desconfío mucho de las teorías políticas, y más de las abstractas. Creo que cada nación tiene su carácter..., *lo que importa es perfeccionar la educación y mejorar la instrucción pública; con ella no habrá preocupación que no caiga, error que no desaparezca, mejora que no se facilite.*

Finalmente, en su *Memoria en defensa de la Junta Central* (1810) protesta con energía contra el honor nacional ultrajado. Jovellanos sigue siendo entonces un ilustrado temeroso del principio de soberanía, oponiéndose así a la facción más progresista de las Cortes. Pero dejó sus huellas; en 1811 el entonces revolucionario José María Blanco-White da cuenta de su fallecimiento con sentidas y elocuentes frases desde *El Español,* en Londres. Jovellanos es honrado, venerable, ilustre, hombre intachable. Y con pluma ágil, el sevillano le defiende de las acusaciones inoportunas, explicando —aunque no compartiendo— las ideas de Jovellanos, el 30 de enero de 1812:

Los amantes de los principios *filosóficos* como son llamados generalmente, o de las *teorías completas y abstractas* de gobierno, mostraron (no rehusaré mudar de persona y decir mostramos) un gran disgusto porque Jovellanos no se manifestó un *Rousseau* en la Junta Central... ¿Dónde o cómo había prometido o hecho creer Jovellanos que a los setenta años de edad después de una carrera en que, más que en otras, se aprende a respetar el sistema establecido, y a mirar los males públicos como abusos de él, y no como sus consecuencias, había de ponerse al frente de las innovaciones con la determinación y ardor de un joven, que no ha visto el mundo más que en los libros?

Injusto sería, continúa, acusar su timidez; jamás se opuso a las ideas liberales o filosóficas. Quizá se equivocó, mas no es posible estimar en menos a Jovellanos por no haber sido infalible.

Bien pensado, la desigual obra ensayística de Jovellanos pertenece más bien a la historia de las ideas o a la historia política y económica, puesto que sus escritos se centran en aspectos sociales y económicos, no tan alejados de los argumentos de los diputados de las Cortes de Cádiz. Sus *Diarios* y ensayos forman, pues, parte de esa prosa política hispánica dirigida a enderezar entuertos, como la de FRANCISCO MARTÍNEZ MARINA (1754-1833), que se distinguió como economista y como historiador del Derecho al filo del siglo XIX. Algo más cercana parece la obra de PABLO DE OLAVIDE (1752-1803), economista agrario que vino de sus tierras peruanas para incorporarse a los ilustrados peninsulares, y a quien se recuerda como repoblador de Sierra Morena. Y no hemos de olvidar en este breve catálogo de ensayistas políticos a PEDRO DE CAMPOMANES (1723-1802), jurista, político, escritor, mentor del regalismo hispánico, cuyas obras más importantes son, sin duda, el *Tratado de la regalía de amortización* (1765) y el *Discurso sobre el fomento de la industria popular* (1774). El ensayismo político español tiene en ellos sus más arriscados paladines.

2B. TEATRO Y MORAL BURGUESA. MORATÍN

Ningún género fue más debatido en el ilustrado siglo XVIII que el teatro. La querella teatral encubría —como es natural— una feroz pugna política en favor o en contra de la modernidad. El centro de la contienda fue la corrupción del teatro entre los partidarios de la tradición y la lengua nacional, continuadores de la comedia, y los partidarios de la reforma social y cultural. Es decir: o la comedia nacional o el teatro neoclásico, que venía alimentando las traducciones extranjeras, francesas e italianas. Los ilustrados más notables —Olavide, Jovellanos, el conde de Aranda— tomaron a su cargo la reforma oficial de la escena. Con la caída de Aranda en 1773 y poco después la de Olavide, el teatro neoclásico de «estilo francés» perdió a sus inspiradores. En la década de los ochenta será el tema central de polémicas en diarios y revistas. Hemos de leer en estas prolijas páginas una contienda más que literaria, como hemos dicho. Bajo la rúbrica de teatro neoclásico (tres unidades, número de personajes, respeto al decoro y verosimilitud, buen gusto, empleo de verso blanco), encontramos el intento de emplear género tan popular para difundir los planes de reforma y satirizar a los partidarios de la tradición. Leandro Fernández de Moratín y Vicente García de la Huerta figuran a la cabeza de los respectivos bandos.

Pocos autores gozaron de mayor éxito o fueron más polémicos que el dramaturgo LEANDRO FERNÁNDEZ DE MORATÍN (Madrid, 1760-París, 1828), uno de los ilustrados afrancesados, protegido de Francisco de Cabarrús y de Godoy. No sólo gozó fama, protección y prestigio, sino que alcanzó cierto éxito económico con sus obras (aunque entró tarde al teatro), y logró viajar extensamente por Italia, Inglaterra y Francia. Como buen ilustrado, se preocupa por la educación y las leyes: su teatro es pedagógico-político y, en parte, una defensa de la libertad y de los derechos del individuo contra la tiranía. No se deja en el tintero una caricatura de los distintos tipos de «irracionalidad» en un mundo ilustrado: la aspiración a la nobleza, el casamiento desigual, la pésima educación de los niños y de las mujeres. Sus temas —según opinaba— debían ayudar a reflexionar al público sobre la tiranía y la esclavitud bajo todos sus aspectos. Moratín establece íntimas conexiones entre la vida familiar y la social o, dicho sea de otra forma, entre el individuo y el Estado. Influido, entre otros autores, por el italiano Cesare Beccaria (*Dei delitti e delle pene,* 1791), se lanza también contra la desigualdad social y la mala administración de la justicia.

Conocemos a Moratín como autor de obras dramáticas; la más famosa es *El sí de las niñas* (1806). En todas se trasluce la preocupación económica— es decir, cómo el afán de lucro transforma las relaciones familiares—, además de la crítica a las instituciones anticuadas, la pobreza de la educación femenina y la función de la mujer en la sociedad. Estos temas se hacen patentes en la selección de personajes y en los escenarios de sus comedias. Moratín expresa su descontento o afán de reforma mediante la sátira. En *La comedia nueva o el café* (1792) él mismo explica su propósito: ésta es «una pintura fiel del estado de nuestro teatro». Aspira a representar en un diálogo (sea éste prosa o verso) un suceso cotidiano, mediante el cual pondrá en ridículo los vicios y errores comunes en la sociedad, recomendando «por consiguiente la verdad y la virtud». Para nuestro dramaturgo, el teatro español es uno

de los instrumentos políticos más eficaces para conseguir un gobierno ilustrado. Coincide con Jovellanos en considerar que lejos
de ser entretenimiento, una obra de teatro significa poner la inspiración al servicio de la «ilustración y la moral». Así lo explica en
la advertencia a *El viejo y la niña*:

> La comedia, imitando los vicios y errores más comunes, haciendo que
> el espectador se ría de las extravagancias en que incurren sus semejan-
> tes, le da una lección agradable y útil, para que no se precipite en ellas.

Se inserta así Moratín en la gran polémica que sobre el teatro
se desarrolla durante el siglo XVIII, en que oficialmente se pro-
pugna un drama no tradicional. La creación en 1768 de un teatro
real y la prohibición simultánea de los autos sacramentales son
datos bien sintomáticos, así como las traducciones del francés y del
italiano: Corneille, en efecto, se traduce al castellano ya en 1723.

Por otro lado, el teatro del siglo XVII gozaba aún de cierto
prestigio, aunque en su inmensa mayoría, el teatro llamado de
magia, agriamente censurado por los ilustrados, llenaba los coli-
seos. Por otro lado, si en conjunto hubo menos público se debió
también al aumento del precio de las localidades, que eliminó al
pueblo bajo. Frente a la creación de un nuevo modo teatral por decreto, la «plebe insolente y necia» que dijera Moratín continúa con
sus gustos tradicionales, y las obras de Cadalso, Jovellanos, Nicolás
Fernández de Moratín y otros no lograron captar el interés popular. Una excepción en este sentido lo constituye la extensa
producción de Luciano Francisco Comella (1751-1812), gracias
a su tendencia melodramática.

Cada una de las comedias de Moratín aspira a corregir un vicio o error común, intención ya bien conocida desde los albores
del siglo por indicación de Feijóo. Pero hay un desvío de la norma: Moratín no cree que la educación sola sea el instrumento de
reforma; aunque fundamental, ésta es insuficiente. *El viejo y la
niña* (1786, representada en 1790), *El barón* (1787, representada
en 1803), *La comedia nueva* (1790, representada en 1792), *La
mojigata* (representada en 1804) y *El sí de las niñas* (1806), dan
amplio ejemplo de ello. Cada una de estas obras critica la nobleza
y ensalza las sólidas virtudes de la clase media (véase la versión
definitiva de *El barón,* 1803); como en el caso de Cadalso, la em-

prende también contra la erudición fingida y la corrupción del arte (*La comedia nueva*), en tono paralelo al de la *Poética* de LUZÁN (1737 y 1789). A Moratín le impulsa el deseo de distinguir entre la virtud verdadera y la falsa; cada obra culmina con una lección de engaño. Moratín establece una especie de rito; los que se han equivocado se arrodillan frente a los virtuosos para implorar su perdón. Este rito tiene la función de demostrar que la fidelidad y la armonía sólo se adquieren mediante el reconocimiento de la verdad y la razón.

Si observamos con atención el teatro moratiniano, veremos que sus personajes, lejos de pertenecer a los estamentos privilegiados de la clase dominante (nobles o eclesiásticos), son labradores, propietarios, empleados, comerciantes, oficiales del ejército, viudas casaderas: es decir, un buen espectro de la pequeña burguesía. (Excepción sea hecha del personaje principal de *El barón,* que es noble y le sirve al dramaturgo como vehículo para hacer incisivas críticas contra la nobleza: el personaje es ocioso, mentiroso, cobarde, además de que carece de nombre propio como contraste con los otros personajes de la clase media.)

Aunque Moratín se centra en la pequeña burguesía emprendedora, excluye al cuarto estado: el pueblo, totalmente marginado, no interviene para él en el fin reformador. Los únicos personajes que podrían ser tomados como parte de las clases laboriosas serían los criados, pero éstos son parasitarios de la nobleza y la burguesía. El cuadro trazado se completa con los escenarios seleccionados: las obras tienen lugar en las casas de burgueses adinerados, en posadas, cafés, con apuntes escénicos muy detallados enderezados a recrear el mundo, las conversaciones y preocupaciones de la burguesía.

Si fuera posible reducir al máximo el tema del teatro de Moratín, podríamos decir que es el dinero, el afán de lucro, que ya hemos visto aparecer en Cadalso (cf. III.1C). Si Tediato lamenta que sólo mediante el dinero podemos conseguir comprar consuelo para nuestras penas más íntimas, Moratín ensancha la relación dinero/sociedad. Para él el dinero es el único medio de consumo, fundamental en una sociedad burguesa; véase por ejemplo lo que significa para doña Beatriz y don Roque en *El viejo y la niña,* o para Pascual en *El barón,* que lamenta el excesivo gasto de doña Eleuteria. En otros casos el autor se detiene para comentar el precio de los objetos de consumo, tal en *La comedia nueva.* Costumbres y sociedad de consumo están estrechamente enlazados al tema del matrimonio. En sus obras la fuerza generadora del matrimonio es la estabilidad económica. A veces, como en *La comedia,* un matrimonio puede naufragar por falta de dinero.

Sin excesos de simplificación, podríamos decir que el matrimonio, en cuanto representa la unidad social básica, es su tema esencial. Un recorrido por los hechos históricos explicaría esta insistencia: en 1776 Carlos III firmó una pragmática que obligaba a los jóvenes a solicitar el consentimiento de las familias antes de casarse. Esta ley abarcaba a todos y estaba encaminada a evitar los matrimonios desiguales (en el siglo XVIII, matrimonio desigual equivale a clase social, no a diferencias económicas o de edades). Moratín satiriza la distorsión de la ley: que los padres decidieran sin consultar a los hijos. En grotesca caricatura, doña Irene, de *El sí de las niñas,* ha sido viuda cuatro veces, pese a su juventud. El espectador se enfrenta así a casos de abuso del poder de familiares que, por afán de lucro, decidían la vida de sus hijos. El desenlace feliz de las obras era un incentivo para guardar la ley.

Intimamente ligada con los problemas legales está la cuestión de la educación que Moratín aspira a transformar. En el fondo, su teatro es un retablo de mujeres subyugadas tanto por los convencionalismos sociales como por una educación pésima que las convertía en seres pasivos y sin criterio. (Este tema será crucial entre los escritores románticos y bandera del primer socialismo; cf. IV.1). En su pintura, Moratín recrea algunas de las facetas que convierten a la mujer en ser pasivo: el encierro en la casa o en conventos son formas de prisión de las instituciones eclesiásticas o familiares. Recuérdese cómo en *El viejo y la niña* doña Isabel, después de haber sido sometida a clausura en un convento, es ahora prisionera del matrimonio. El diálogo de Blasa y don Roque sirve de explicación:

Blasa: Y nosotras encerradas
            en esta cárcel estrecha;
            si no es a misa, jamás
            damos por ahí una vuelta.
D. Roque: Las mujeres recogidas
            que tienen juicio y vergüenza,
            se están en casa, y no son
            busconas ni callejuelas.
            En casa, en casa.

Con educación tal la mujer se convierte en un ser esclavizado; es sierva del marido y de los padres y se la educa para complacer y servir. Su psicología y comportamiento son el resultado de esa situación deplorable: las mujeres son hipócritas, perezosas, vanidosas y frívolas. De cultivar su personalidad —según Moratín— podrían ser mejores esposas y madres, y además podrían actuar con mayor soltura en sociedad si tuvieran el derecho a instruirse en letras y fueran libres de escoger en el matrimonio: derecho que también defendieron Jovellanos y Campomanes. O, en otros casos, abandonada a su desatino, la lectura es corrupción: lectura/locura, amplio tema que desarrollará la novela decimonónica; la mujer lectora de novelas. Doña Clara, en *La mojigata*, finge virtud, pero transgrede la moral, sin duda inducida por la locura de sus lecturas. Es don Luis quien lo expresa:

> Cuando su padre la ve,
> libros devotos hojea;
> cuando queda sola, entonces
> es la lectura diversa:
> coplas alegres, historias
> de amor, obrillas ligeras,
> novelas entretenidas,
> filosóficas, amenas,
> donde predicando siempre
> virtud, corrupción se enseña.

Estas ideas sobre la función de la mujer en la sociedad eran tierra común entre los ilustrados de estos últimos años del siglo: recordemos *El Pensador* (1762-1767), periódico de JOSÉ CLAVIJO Y FAJARDO (1730-1806; cf. III.2D) que de los setenta pensamientos le dedica unos diez a las mujeres. En este sentido son representativos «Carta del Pensador sobre el origen de los defectos y las damas» y «Sobre el poco cuidado que tienen las damas en aprovechar las ocasiones de dar valor a su sexo», que reproducimos:

He observado con bastante sentimiento mío, que las damas ponen poco cuidado en buscar los medios de dar valor a su sexo, y que la mayor parte parece se descuida y emplean los que serían suficientes a hacerlas adquirir la superioridad, que los hombres les han usurpado..., es sin duda esta indiferencia con que miran todo lo que no tiene relación directa con el arte de agradar, la que ha dado a los hombres los derechos que han adquirido de ocupar todos los empleos y todos los cargos convenientes al estado, y a la justicia.

Tema análogo podemos encontrar en algunos caprichos de Goya.

Moratín ridiculiza los vicios y extravagancias de sus coetáneos, y no falta la sátira de la mala educación de los niños, así como la superstición de ignorantes. Este último aspecto está ampliamente elaborado en la reedición que hizo en 1812 del *Auto de fe celebrado en la ciudad de Logroño en...* 1610, texto que le proporcionó medios para ridiculizar la Inquisición, cuya autoridad propagaba abusos y castigaba crímenes imposibles. Otro de sus temas preferidos se encuentran en la *Lección poética, sátira contra los vicios de la poesía castellana* (1782) y *La derrota de los pedantes* (1789), escritos de juventud que le valieron cierta fama. Aparecen aquí en alto relieve sus inquietudes estéticas y de reforma literaria; se adscribe al neoclasicismo, frente al barroquismo de molde, vacío y huero —«estilo inflado y giganteo».

En resumen: los temas moratinianos recogen una gama muy precisa de los vicios y usos comunes de algunos sectores de la pequeña burguesía en ciernes, que vive de apariencias y adolece de graves defectos ciudadanos. Unos porque fingen erudición (el «violeto» de Cadalso sería el don Hermógenes en *La Comedia nueva*), el falso noble (la tía Mónica en *El barón*), o la mujer que finge virtud. Lo que destaca es la falsificación de las relaciones humanas que, basadas en la apariencia, en el buen tono, son presa del afán de lucro como medio para imitar el estamento nobiliario. No menos falsas son las relaciones entre amo y criado, fundadas en el dinero, tal cual se muestra en el Perico de *La mojigata* y Muñoz en *El viejo y la niña*. Moratín observa que la vida personal y la ciudadana están emponzoñadas, y aspira a corregir el mal, o cuando menos a ridiculizarlo, llevándolo a escena. No deja de ser importante que sus comedias más punzantes se representen en las primicias del xix y que todas fueran escritas en esas postrimerías de la España setecentista que anuncian la tímida entrada de España al capitalismo.

Resta por decir que de todas sus obras, donde mejor se muestra su ideología es en *El sí de las niñas,* que suscitó varias denuncias a la Inquisición y abundante polémica. Como es sabido, en 1808 Moratín se hizo partidario de los afrancesados, gobierno que encarnaba para él —así como para otros ilustrados, como Cabarrús, Marchena y Meléndez Valdés— un tipo muy superior al del Antiguo Régimen, pero que al mismo tiempo podía mantener el orden frente a las insurrectas clases populares. Durante estos pocos años, sirvió como secretario de la Instrucción de Lenguas y bibliotecario mayor de la Biblioteca Real, cargo que ocupó hasta 1812, en que después de la derrota de Arapiles hubo de huir con el ejército francés. En 1813 se refugió en Peñíscola e intentó regresar a la capital valenciana, pero el absolutista general Elío, de ingrata memoria para los afrancesados y liberales, lo embarcó en una goleta a Francia. En 1814 pasó un juicio de purificación —como tantos otros— y se le alzó el secuestro de bienes. Después de varios viajes (ya nunca se sintió bien en una España absolutista enemiga de afrancesados), regresó en 1820 durante la sublevación de Riego, pero volvió a suelo francés, donde murió en 1828. Su obra, vida y teatro, en resumen, ejemplifican las contradicciones de este balbuceante liberalismo español que socavó los cimientos del Antiguo Régimen, pero que temía al pueblo, cada vez más levantisco.

Moratín no es, claro está, el único dramaturgo de la época. También Jovellanos escribió un drama, *El delincuente honrado* (1773), comedia lacrimosa, y la tragedia *El Pelayo* (1769). Cadalso escribió, asimismo, un drama histórico, *Don Sancho García* (1771), que se representó en privado en la casa del conde de Aranda.

De mayor importancia son las tragedias de VICENTE GARCÍA DE LA HUERTA (1734-1787), en particular *Raquel* (1772), representada con éxito pero no publicada hasta 1814, en plenos años de represión política antiliberal. Huerta es el enemigo jurado del teatro neoclásico, fanático calderoniano, contrincante de Aranda, quien le encarceló. *Raquel,* que tiene más de drama heroico que de tragedia, es sólo en la superficie una obra neoclásica; en realidad resucita un viejo argumento del teatro nacional, el asesinato de la judía Raquel, amante de Alfonso VIII. Fue estrenada en Orán (1772), después en Sevilla y Barcelona, antes de triunfar en Madrid en 1778 (momento de repliegue para los reformadores). Sólo superficialmente es obra a «la francesa»; aunque se ajusta a las reglas, el mensaje es anti-ilustrado. El autor se opone al absolutismo borbónico y defiende a la nobleza, según la idea tradicional de que es el estamento indispensable para el equilibrio de poder, que sostiene al rey. La aristocracia es una clase social inmutable: los grandes son, por tanto, los protagonistas de la Historia. La vieja aristocracia conservadora que se opone a la política de Carlos III y sus ilustrados ministros, tiene en Huerta a su campeón; el motín de Esquilache (1766) es el verdadero motor de la obra: no por otro motivo se publicó finalmente en 1814, con la *pax fernandina*.

Frente a la tragedia de corte neoclásico, surgen las obras más populares de RAMÓN DE LA CRUZ (1731-1794), teatro de ribetes costumbristas donde el *majo* (personaje central), imita a las clases superiores. El ansia de ascenso social es el móvil de los sainetes; el autor extrae sus temas de las bajas capas sociales —prostitutas, chulos, rústicos— recogiendo su *argot* y sus *mores*. Ramón de la Cruz fue sin duda el autor más popular de la época, e influyó notablemente en los sainetes y el teatro grotesco americanos del siglo XIX. El aspecto pintoresco de las costumbres y habla hallará para entonces la ideología política adecuada.

Resta por decir que la censura teatral fue muy intensa: las prohibiciones y restricciones impidieron el desarrollo de un teatro original hasta que aparece, por fin, Moratín. Los inquisidores vigilaban cuidadosamente las tablas (sobre todo después de la década de los 60), al acecho de ideas peligrosas. No obstante, éstas se introducían bajo el disfraz de manolas y majos.

2C. LA POESÍA ILUSTRADA Y EL REFORMISMO.
     ANGLÓFILOS Y AFRANCESADOS

Jovellanos (de cuya obra ensayística se ha tratado más arriba, III.2A) ha sido caracterizado acertadamente como centro de irradiación de temas poéticos que enlaza el siglo XVIII con el XIX y como eje de la nota sentimental de su tiempo, mas quizá lo primordial en el escritor asturiano sea precisamente esa función de guía. Nos atreveríamos a decir que Jovellanos cambia la faz o la dirección de la poesía del siglo XVIII.

En Jovellanos, como en otros autores, arte y erudición, poesía y ciencia social van unidas, se influyen mutuamente. Jovellanos, hombre de Estado, economista, reformador activo, es de los primeros en observar los cambios (que él mismo fomenta). Y como sabe que para lograr ciertas reformas es preciso *convencer*, y por otro lado *denunciar,* acaba por ver en la poesía un instrumento de reforma social, un vehículo de pensamiento moral, un medio indirecto de educación, nunca un arte puro y libre. Es curioso, sin embargo, que sólo haya practicado esa poesía que propugnaba en contadas ocasiones. La explicación es sencilla: Jovellanos no se consideraba poeta; se sabía hombre de Estado, jurisconsulto. Nunca pensó en publicar sus composiciones. La poesía era para él un mero pasatiempo, o bien una especie de confesión íntima que podía dar a conocer en un círculo pequeño (cf. III.2A).

En cambio, a aquellos de sus amigos que hacían «profesión de poetas» y que le llamaban *Jovino,* les exigía esa orientación social. Así les dice «A sus amigos de Salamanca», hablando de sí mismo en tercera persona en un texto que aunque extenso, merece la pena reproducirse:

> Y no extrañéis que del eolio canto
> cansada ya su musa, se convierta
> al compás lento y numeroso que ama
> tanto la didascálica poesía;
> que en vano de su pecho, penetrado
> del forense rumor, y conmovido
> al llanto del opreso, de la viuda
> y huérfano inocente, presumiera
> lanzar acentos dulces; ni su lira,
> otras veces sonora, y ora falta
> de los trementes armoniosos nervios,
> al acordado impulso respondiera.

Dedicarse a esparcimientos tales es iluso, equivale a vivir en un sueño, mientras la vida pasa:

> ¡Ah, mis dulces amigos, cuán ilusos,
> cuánto de nuestra fama descuidados
> vivimos! ¡Ay, en cuán profundo sueño
> yacemos sepultados, mientras corre
> por sobre nuestras vidas, aguijada
> del tiempo volador, la edad ligera!
> ¿Por ventura queremos que nos tope
> sumidos en tan vil e infame sueño
> la arrugada vejez, que poco a poco
> se viene hacia nosotros acercando,
> o que la muerte pálida sepulte
> con nosotros también nuestra memoria?...

Y, finalmente, exclama:

> ¡No, amigos, no! Guiados por la suerte
> a más nobles objetos, recorramos
> en el afán poético materias
> dignas de una memoria perdurable.
> Y pues que no me es dado que presuma
> alcanzar con mis versos alto nombre,
> dejadme al menos en tan noble intento
> la gloria de guiar por la ardua senda
> que va a la eterna fama, vuestros pasos.

El resto del poema es una indicación de la labor a realizar por cada uno: a fray Diego Tadeo González (*Delio*, 1733-1794) le propone la moral filosófica; a Juan Meléndez Valdés (*Batilo*, 1754-1817) la de evocación y panegírico de los grandes héroes españoles; a fray Juan Fernández (*Liseno*, 1750?-1819), la crítica de los vicios, la exaltación de la virtud y del amor patrio. Recordemos, de paso, que en esta época el concepto de «virtud» tiene un contenido social: es la moral ciudadana. Solamente el respetado Jovellanos era capaz de merecer esa «gloria de guiar» los pasos de sus amigos más jóvenes, ya que su prestigio ante todos ellos es muy grande. *Delio,* por ejemplo, le llama «el señor de Sevilla». Y Meléndez Valdés, que le dedica no pocos sonetos, odas y epístolas, se reconoce hechura de él:

> Sí: tú volviste a mí, cuando ignorado
> yacía y sin vigor en noche oscura
> mi inculto numen, los clementes ojos
> con que las artes y el ingenio animas;
> tú extendiste la mano generosa
> para alzarme a la luz, y mi maestro
> y mi amigo y mi padre ser quisiste.
> Yo desde entonces, cual la tierna planta
> del hortelano a los desvelos crece,
> fruto de su cultivo y sus tareas,
> a sentir, a pensar por ti enseñado,
> obra soy tuya y de tu noble ejemplo...

Es decir, la escuela poética de Salamanca dejó de ser «academia cadálsica» precisamente cuando en ella comenzó a ejercer influjo el asturiano, proponiendo temas de resonancia extrapoética; proclamando la necesidad de una literatura didáctica de tema ciudadano. En adelante se impondrá el pensamiento grave, la crítica, o bien el ensalzar las reformas ilustradas. Así por ejemplo, *Delio* abandona los temas del «siglo de oro», a que tan afecto era, para escribir un poema filosófico, *Las edades.* José Iglesias de la Casa (1748-1791) (*Arcadio*) continúa con su poesía satírica, y escribe *El llanto de Zaragoza* (1778). *Batilo,* por su parte, cambia de musa y comienza a elaborar lo que se conoce como su poesía «filosófica».

El cambio fundamental de Meléndez ocurre hacia 1779, según lo revela su epistolario con Jovellanos. Todas las cartas anteriores a ese año (su correspondencia se inicia hacia 1776) reflejan a un *Batilo* indeciso, inclinado más bien a lo sentimental, y quejoso de que, por haberse dedicado a las ciencias abstractas, las musas le han abandonado. Pero un buen día, como si de pronto abriera los ojos, escribe:

> La Castilla, la fértil Castilla, está abrumada de contribuciones, sin industria, sin artes, y poco más o menos cual la tomarían nuestros abuelos de los Alíes y Almanzores. Casi todas nuestras provincias han adelantado; ésta sola yace en un letargo profundo, sin dar un paso hacia su felicidad; su fertilidad misma aumenta la desidia de sus naturales, y parece que, contentos con lo que casi espontáneamente les ofrece la naturaleza, nada más apetecen, nada más piensan que se puede adelantar. La miseria es la más peligrosa de las enfermedades; ella abate el ánimo, debilita el ingenio, resfría el talento de las invenciones y degrada al hombre en todos sentidos.

No es éste ya el antiguo *Batilo,* sino el nuevo Meléndez, que va tomando participación activa en política y que llegará a tener un papel preponderante en la España napoleónica. Es el poeta preocupado por España, que busca soluciones concretas. Será la escuela sevillana la que continúe esta dirección burguesa en la poesía. Sevilla, aunque no es la cuna de Jovellanos, sí es su patria espiritual. En esa Sevilla que tenía desde 1697 su Real Sociedad de Medicina y demás Ciencias, fue Jovellanos amigo de Olavide, quien le aconsejó dedicarse a las ciencias y le hizo aprender idiomas: los dos renglones en que luego insistirá el asturiano al trazar el plan de estudios del Instituto de Gijón.

La poesía que comienza a escribir el grupo salmantino, dirigido por Jovellanos, y que seguirá cultivando el grupo sevillano, es *poesía burguesa*. (Excluimos por el momento a Forner, cuya poesía parece propiamente filosófica, aunque su tono sea más bien polémico: es un ir a los temas filosóficos para destruirlos, como se ve sobre todo en los *Discursos sobre el hombre*). El tema fundamental es la crítica social: se denuncia a la nobleza, en particular por su falta de utilidad (de tal manera que sus defensores tendrán que esforzarse por hallarle una función). Se critican los vínculos y mayorazgos que sustraen la propiedad de las tierras a la libre circulación de la economía individual. Se condena la guerra, la ambición del conquistador, el honor militar, la farsa sangrienta del guerrero. Se exalta, en cambio, el amor y la unión universales, se entonan cánticos a la fraternidad. Se denuncia la pobreza en que vive el campesino. El campo no es ya lugar de trinos de aves, sino de miseria moral y material. El signo dominante no es ya la utopía idílica, sino la virtud sólida y concreta. El hombre virtuoso de estos poetas, el nuevo hombre exaltado por ellos hasta la hipérbole, carece, como el *honnête homme* de los franceses, de las virtudes heroicas del noble o de las trascendentales del asceta o del santo, pero en cambio es productivo y tolerante. No se trata de un concepto religioso, sino social.

Jovellanos mismo utiliza todos estos temas, que no son necesariamente prerrománticos, como se ha dicho insistiendo demasiado sobre algunas exterioridades literarias y olvidando que el prerromanticismo es ante todo un actitud política y una toma de conciencia filosófica. Las composiciones de Jovellanos sobre el otoño, sobre la noche, sobre los coches desvencijados, su sátira *Contra los letrados,* sus epístolas *A Arnesto, A Eymar, A Bermudo, A Poncio,* su *Respuesta a una epístola de Moratín,* para citar algunos ejemplos, son poemas de tema burgués: no son poesía filosófica. El quehacer poético de los ilustrados españoles —insistamos en ello— no es muy original, pero sí es vehículo de reforma. Abunda el entusiasmo en materia pragmática y social —economía, educación, problemas de gobierno. En otros momentos, que tendremos la oportunidad de señalar, es portavoz de ideas antirrevolucionarias, particularmente en torno a la Revolución Francesa. Ser poeta equivale, pues, a crear ciudadanos conscientes; déjense para otros tiempos los temas metafísicos y personales. Jovellanos mismo, que tantas lecturas filosóficas hizo, llegó a decir en su *Oración inaugural del Instituto Asturiano:*

No se tratará de empeñar [al alumno] en indagaciones metafísicas, ni de hacerle vagar por aquellas regiones incógnitas donde anduvo perdido tanto tiempo. ¿Qué es lo que puede encontrar en ellas la temeraria presunción del hombre? Desde Zenón a Espinosa y desde Thales a Malebranche, ¿qué pudo descubrir la ontología sino monstruos o quimeras, o dudas o ilusiones?

Hasta ahora se ha aceptado la denominación de «poesía filosófica» para designar toda la del XVIII. Será mejor llamarla *poesía burguesa,* término que corresponde más al espíritu del momento. De hecho, la única auténtica poesía filosófica de la época es casi traducción literal de Voltaire o de los ingleses (como ocurre, por ejemplo, con los poemas deístas de Meléndez Valdés).

El siglo XVIII español es pensamiento hacia el futuro. Coincidimos con quienes ven en esta poesía el origen de la propagación de ideas revolucionarias en España. Los temas críticos van transformando su carácter negativo y adquiriendo un contenido positivo: de los ataques contra la guerra y contra la ambición conquistadora se engendra un canto a la beneficencia y a la fraternidad; la sátira de la nobleza se eleva hasta convertirse en un himno a la igualdad; la lucha por las desvinculaciones y por la disolución de los gremios, y aun la reivindicación de las artes útiles, culminarán con la loa a la libertad. El mito de la *Edad de Oro* resurge, como consecuencia de una renovación social, y actúa como incentivo ideológico. Precisamente la poesía que Jovellanos impulsa es más razonadora que intuitiva; paralela a la prosa de Feijóo, canta el mundo de lo concreto, no el mundo de lo misterioso. Ya es significativo el hecho de que esta poesía burguesa o ilustrada se manifieste, sobre todo, en «epístolas» y «discursos», géneros cercanos a la prosa.

Sólo nos falta ahora ver la aparición de algunos temas burgueses en la poesía de la escuela salmantina. Fray Diego Tadeo González, espíritu soñador, profundamente religioso, está inseguro del camino que debe seguir, como le confiesa a Jovellanos:

> Y tú, sabio Jovino
> ....
> suspende un rato la tarea
> forense, en que te tiene sumergido
> el provecho común, y determina
> en el nuevo camino que has mostrado,

> mis pasos aún dudosos; lo torcido
> endereza.
>
> ....
>
> Tuya es la idea, mío el verso solo.
> Tus doctos pensamientos ve dictando:
> yo al dulce verso los iré acordando.

Pero no tarda en comprender qué es lo que Jovellanos ha sugerido. Abandona, pues, la línea del *Murciélago alevoso* y escribe, en cambio, la *Oda a las nobles artes,* quizá el primer poema ilustrado, en el cual se funden los ecos de fray Luis de León con la ideología progresista del momento:

> Levanta ya del suelo
> el rostro lagrimoso,
> Virtud, hija del cielo, don divino,
> ....
> Que el áspero camino
> por do sigue a la gloria
> y a tu morada guía,
> emprenden a porfía
> mil jóvenes, borrando la memoria
> del vil ocio indolente
> en que yaciera la española gente.
> ....
> De la madre natura
> los seres desmayados
> a más sublime estado los levantas,
> ¡oh divina Pintura!,
> y al lienzo trasladados,
> instruyen la razón, la vista encantas.

El pensamiento ilustrado de *Delio* es balbuceante. Ni aun lo que dejó escrito de su poema *Las edades* está muy definido, pero pueden observarse en él las grandes preocupaciones de la época, como cuando habla de los servicios que al hombre ha prestado

> la inventora
> Industria, que muy breve le condujo
> del perizoma humilde al refulgente
> oro y la blanda seda, con que ahora
> el cuerpo cubre con soberbio lujo.

José Iglesias de la Casa comienza a recorrer el camino trazado por Jovellanos hacia 1778, cuando escribe *El llanto de Zaragoza*. De los ejemplos de ideología burguesa que se encuentran en sus versos entresacamos este fragmento de la Oda IX, muy curioso por la manera como la manoseada idea de Anacreonte («La naturaleza dio cuernos a los toros», etc.) se reviste de un vocabulario «moderno», a tono con la corriente de las luces:

> La popular industria
> dio al hombre oficios propios
> con que ayudarse puedan
> los unos a los otros;
> la invención de las artes
> les inspiró a los doctos;
> los bélicos ardides
> dio al capitán heroico;
> enseñó al navegante
> poder surcar el ponto,
> y al uso del viajero
> domar los duros potros;
> al labrador humilde
> le dio el arado corvo,
> y entregó al artesano
> a oficios laboriosos...

Finalmente, es JUAN MELÉNDEZ VALDÉS (1754-1817) quien afina las notas burguesas. La transición entre su primera poesía festiva y la más madura o «comprometida» se apunta en la epístola *El filósofo en el campo*. No pretendemos decir que Meléndez se convirtiera nunca a las ideas políticas revolucionarias, pero su poesía de tema burgués refleja con nitidez el agobiante mundo de lo concreto, los problemas reales que los ilustrados aspiraban a combatir. En esta epístola confiesa que las delicias del campo y la belleza de la vida del labriego son falsas. En varios poemas de la primera época se observa ya una especie de vacilación o dualidad: por una parte, la fuerza de la tradición literaria del *Beatus ille;* por otra, la comprobación de la miseria real del campesino. Así en la silva *Mi vuelta al campo*:

> Aquí moran la dicha y el contento.
> ¡Oh campo! ¡Oh soledad! ¡Oh grato olvido!
> ¡Oh libertad infeliz! ¡Oh afortunado

el que por ti de lejos no suspira,
mas trocando tu plácida llaneza
por la odiosa grandeza,
por siempre a tu sagrado se retira!
¡Afortunado el que en humilde choza
mora en los campos, en seguir se goza
los rústicos trabajos, compañeros
de virtud e inocencia,
y salvar logra con feliz prudencia
del mar su barca y huracanes fieros!

Sin embargo, en esa misma silva reconoce que no siempre mora la dicha en el campo, puesto que hay en él afanes y dolores:

Allí del campo hablara
con el pobre colono; y en las penas
de su estado afanoso,
con blandas voces de consuelo llenas,
humano le alentara...

Claro que este primer Meléndez no piensa en la reforma como remedio para los problemas sociales, sino que se limita a imaginar unas blandas frases de consuelo. En *El filósofo en el campo* los acentos son ya distintos. La parte idílica —«Aquí los dulces, los sagrados nombres / de esposo, padres, hijos, de otro modo / pronuncia el labio y suenan al oído»— es más reducida, y la parte de indignación y de condena es más vigorosa: en el campo hay miseria, el labrador es triste, los niños escuálidos. Lo mismo se percibe en la epístola *A Llaguno*:

Ve en él gemir al mísero colono,
y al común padre demandar rendido
el pan, querido amigo, que tú puedes
darle, de Dios imagen en el suelo.
Ve su pálida faz; llorar en torno
ve a sus hijuelos y a su casta esposa.
La carga ve con que espirando anhela;
mísera carga, que la suerte inicua
echó sobre sus hombros infelices,
mientras el magnate con desdén soberbio
ríe, insensible a su indigencia, y nada
en lujo escandaloso y feos vicios.

En su epístola *A don Gaspar González de Candamo,* que marchaba a América, se nos muestra Meléndez como partidario de los defensores de los americanos (actitud frecuente en la literatura ilustrada). Después de entonar un himno de alabanzas al «hombre natural», prosigue:

> Mas ¡ay! si vieres al odioso fraude,
> al impío despotismo, el brazo alzado,
> sus días afligir, si a almas de hierro
> de su incauta bondad abusar vieres,
> y expilar inhumanas su miseria,
> ¡oponte denodado a estos furores!

Algo semejante se lee en la epístola *La mendiguez.* Aun en sus odas filosóficas hace resonar el poeta los temas burgueses: así en la *Oda* XII, en que habla del amor a Dios, pero también del amor a la patria. A veces el elemento burgués de crítica social es más osado. En la oda *El fanatismo,* Meléndez se declara contra la Inquisición; y en la oda *A mi patria, en sus discordias civiles,* se pronuncia decididamente en contra de la guerra:

> Ella en la tumba ha hundido
> una generación; tanta grandeza
> cual sombra ha fenecido;
> la española riqueza
> cebo fue del soldado a la fiereza.

El discurso *La despedida del anciano* está preñado de temas burgueses: la pobreza del labrador, los aires extranjerizantes, la poca utilidad de la nobleza, la igualdad social, la educación, la necesidad de la industria. Con lúcida indignación enumera los males que aquejan a la patria:

> Las leyes yacen; sucede
> al amor del bien la helada
> indiferencia; en la sangre
> del pobre el rico se baña.
> Los estados no se precian
> por razón; quien más estafa,
> es más honrado; la esteva
> el labrador desampara;
> vuela a la corte, y vilmente

la libertad aldeana
vende al rico, y sus virtudes
con todos los vicios mancha...

El paso está dado. Si todavía hay algo de «filosofismo» en
Forner o en Meléndez, otros irán desnudando su poesía y preocu-
pándose cada vez más por ofrecer posibilidades de regeneración.
Así pues, Manuel José Quintana (1772-1857; cf. más abajo) se
interesa por igual en la vacuna y en la imprenta; José María
Blanco-White (1775-1841) escribe epístolas ensalzando la ciencia y el espíritu inquisitivo del investigador. Sólo la ciencia alcanzará elevado trono y desde allí arrojará «la ignorancia y sus
secuaces», y el «tirano opresor» —la religión, la ortodoxia estrecha— desaparecerá del mundo, según escribe en su *Epístola a Don
Juan Pablo Forner* (1793).

De los poetas mencionados el de mayor alcance es Meléndez
Valdés, cuya evolución hemos intentado trazar. Recordemos, de
paso, que en 1788-1801 *Batilo* se preocupó por los problemas
universitarios y como magistrado, se convirtió en hombre de acción interesado en el bienestar del país. El poeta se prestó a colaborar con José Bonaparte, hecho que demuestra que el afrancesamiento intelectual desembocó a menudo en el político (piénsese
también en Moratín). Dejando de lado el espinoso problema de
si se afrancesó por conveniencia o necesidad, es evidente que representó un papel importante en la España napoleónica, hasta tal
punto que se le calificó de «coplero del rey Pepe» por dos odas
que le dedicó a José Bonaparte en loa de su bondad y genero-
sidad. Finalmente, como otros afrancesados, hubo de morir en el
destierro. Sus amplias lecturas de Fénelon, Rousseau, Montesquieu, Marmontel, Diderot, Voltaire, le impulsaron a crear una
poesía deísta y filosófica, que fue punto de partida en su actuación política posterior.

Conviene recordar otro aspecto más de la poesía setecentista.
La producción poética del siglo de las luces es también fuente
insustituible para observar la postura política de los ilustrados,
particularmente en los años en torno a la Revolución. Mencionaremos a continuación algunos poetas donde los textos convergen
hacia una constante línea contrarrevolucionaria.

Hacia 1777 escribe TOMÁS DE IRIARTE (1750-1791; cf. más
abajo como fabulista) la *Epístola VI* que resume la actitud del es-

pañol ilustrado hacia Europa. Alemania presenta un rostro musical inconfundible; Inglaterra es quizá la nación más admirada (curiosamente, se ha estudiado poco la influencia de Inglaterra en los ilustrados españoles):

> Nación en otros siglos opulenta,
> hoy feliz por su industria, y siempre exenta,
> nación tan liberal como ambiciosa,
> flemática y activa,
> ingenua, pero adusta,
> humana, pero altiva,
> y en la causa que abraza, inicua o justa,
> violenta defensora,
> del riesgo y del temor despreciadora.
> Allí será preciso que te asombres
> de ver (cual no habrás visto en parte alguna)
> obrar y ver con libertad los hombres.

Sobre Francia dice:

> Culto emporio de Europa, que convida
> con nobles espectáculos, paseos,
> lucidas concurrencias y recreos
> que hacen amable y cómoda la vida;
> siendo de los mayores y más gratos
> que proporciona aquella nueva Atenas
> gozar la sociedad de literatos
> que con las ciencias útiles o amenas
> ilustran su nación y las ajenas...

Pero con la Revolución Francesa todo cambia. Estos reformadores, desde Jovellanos hasta Cabarrús, incluyendo a Cadalso, no querían alterar el orden establecido. Creyeron que por medio de la educación conseguirían las reformas deseadas. Nunca se propusieron crear nuevas instituciones, sino, utópicamente, hombres nuevos. La Revolución Francesa significaba un cambio demasiado violento; el pueblo se había sublevado, y los «revolucionarios» españoles le tenían un desprecio demasiado grande a aquel «vulgo idiota» como para admitir la soberanía popular que personalizaba la revolución. Esta *élite* se siente en peligro, y una vez más utilizará la poesía, el medio artístico, para contrarrestar la fuerza que pudiera desencadenar la revolución en la España del momento.

En 1793 escribe Jovellanos su oda sáfica *De Jovino a Poncio*, donde dice:

> Tiembla a su vista, pálida, y se esconde,
> despavorida, la feroz Quimera,
> que la bandera tricolor impía
> sigue proterva.
>
> Caerá rendida, y con horrible estruendo
> en el profundo báratro lanzada,
> será herrojada por las negras furias
> de sus cavernas.
>
> Y allí sus dogmas y cruentos ritos,
> y allí sus leyes y moral nefanda,
> y allí su infanda deleznable gloria
> serán sumidos.
>
> Allí, de donde por desdicha fueran
> de la llorosa humanidad salidos,
> serán hundidos con espanto, y dados
> a olvido eterno.
>
> ¡Guay de ti, triste nación, que el velo
> de la inocencia y la verdad rasgaste
> cuando violaste los sagrados fueros
> de la Justicia!
>
> ¡Guay de ti, loca nación, que al cielo
> con tan horrendo escándalo afligiste
> cuando tendiste la sangrienta mano
> contra el ungido!

El poema *evoca* a un hombre aterrado por el miedo de que España —esa España que había erigido su edificio de grandeza en el glorioso grito de Dios, el Rey, el Honor— acogiera las nuevas ideas secularizadas y populares. La mentalidad de Jovellanos está enclavada todavía en el Antiguo Régimen, y sobre todo en aquellas tres palancas poderosas que removían y levantaban los ánimos de la nación. Francia cambia vertiginosamente, crea instituciones, y no se conforma con el sueño utópico de que la educación es el principal medio de reforma. Francia ha levantado sus manos contra el *ungido,* y toda la concepción mágico-política que yace en el subsuelo del alma de Jovellanos, se rebela. Jovellanos, como sus compañeros, acepta las ideas enciclopedistas de Francia, pero nunca se hará correligionario de aquellas doctrinas que prediquen la soberanía popular o la revolución *desde abajo*.

JUAN PABLO FORNER (1756-1797), Fiscal de la Audiencia de Sevilla y del Consejo Real de Castilla, es otro de los ilustrados para quien la Revolución Francesa se convirtió en un mal nefasto. Tenía poquísima afición por las doctrinas de los filósofos franceses, y para combatirlas como doctrinas perturbadoras, ideó un poema satírico en verso y prosa, del cual sólo se han encontrado entre sus papeles los siguientes apuntes:

Se ha de describir una sociedad pura y virtuosa, dirigida por las luces de su razón. Cómo establecieron leyes recíprocas, una religión, etc. Arriban después a ella varios filósofos y sabios, que van desterrados en una nave, creyéndola, en efecto, isla desierta. Los dejan en ella, entran, conocen aquella sociedad, empiezan a introducir en ella los filósofos sus sistemas, los juristas sus enredos, etc., y la hacen discorde e infeliz.

Y dice acerca de Francia:

¡Ay, que la hoguera fúnebre en que arde
la triste Francia y su potencia augusta,
aunque al principio tímida y cobarde,
se dilata veloz y a Europa asusta!
¡Ay, que ir acudiendo a detenerla tarde
la prudencia política, robusta
crece; y no detenida, corre horrenda,
y no hay región que de ella se defienda!
Al hierro destructor ya es sólo dado
contener la violencia de la llama,
y en confusa caterva vulgo armado
a refrenar su curso se derrama.

Forner se impuso como tarea examinar la filosofía, leyes, literatura, Historia, etc., para sacar la verdad de los hechos con actitud ortodoxa. De ahí que sus *Discursos filosóficos* (escritos en 1787), aunque no intenten desacreditar a Newton, Voltaire, Rousseau, Locke o Leibniz, sí tienen el propósito de poner de manifiesto que ni la ciencia ni la filosofía conducen a nada, que el hombre debe ampararse en la sola voluntad de Dios. Esto podría quizá explicar sus sonetos XVIII y XXI, contra Brissot y Robespierre el primero, y sobre el año de 1793 el segundo:

Gracias eternas a tu justa mano
dirijo humilde, Providencia santa,
cuando la tierra contra mí levanta
tiránico opresor, brazo inhumano.

Así de tu gobierno soberano
el orden luce en diferencia tanta,
que a la tiniebla que al mortal espanta,
el rayo de la luz sigue cercano.

Mansión de vicios la malvada tierra
triunfa con ellos: en región más pura
coronas tú los ánimos sagrados.

Haz ¡oh poder! a las virtudes guerra;
que sociedad tan bárbara e impura
no es para que los justos sean premiados.

En las *Exequias de la lengua castellana,* Forner mezcla la crítica puramente cultural con la política: reprocha a los españoles el afrancesamiento lingüístico, pero también satiriza a los enciclopedistas «que exagerando las cosas para salirse con su porfía, inventan patrañas». El mismo fenómeno se da en el poema satírico que intercala en sus *Exequias, Contra la literatura chapucera de estos tiempos.* El nacionalismo de Forner aparece también patente en su *Oración apologética por la España y su mérito literario* (1786).

Este último período del siglo es de gran transformación política y moral. La política va absorbiendo la atención del público. De 1795 a 1796 el sacudimiento moral de la Revolución Francesa tenía conmovida en contra a España. A fines del XVIII ya hay algunas manifestaciones revolucionarias; pero la acción gubernamental y el espíritu del pueblo alargaban las manifestaciones principales del reformismo político. No será hasta las Cortes de Cádiz cuando el brote liberal surja en España. Es necesario el lapso de la invasión francesa, que en su aspecto positivo le sirvió al pueblo español para difundir las ideas revolucionarias. En 1808 entra en España Napoleón y el pueblo se subleva; sintió a Napoleón enemigo en todos los órdenes: patriótico, religioso y político. Los afrancesados no eran mayoría, y la causa antifrancesa tuvo valiosos y decididos defensores entre los intelectuales. España se puso en pie y acometió a los franceses, guiada por las antiguas

clases directoras, encabezadas por el clero. Pero también un poco
por los poetas, que tratan de llegar al pueblo e impulsarlo a la
acción, creando una poesía comprometida. El poeta empuja al
pueblo a la sublevación, y escribe canciones patrióticas para inflamar su ardor bélico. No falta tampoco la sátira o la burla.

Algunos, como FRANCISCO SÁNCHEZ BARBERO (1764-1819),
le reprochan a Napoleón en 1808 el erigirse en campeón de la
libertad, esclavizando a los demás pueblos:

> Doscientos mil y más ejecutores
> de tus designios bárbaros, en tanto,
> furiosos por la España se derraman,
> validos de un traidor: traidor los fuertes
> ocupas; las ciudades populosas
> avasallas traidor. *Libertadores*
> *de nuestra patria,* los incautos claman,
> y a sus hogares con placer los llaman.
> ....
>
> Nuestro *gran aliado,*
> españoles, mirad; «aquel que, armado,
> protege la virtud; el que asegura
> nuestra ley, religión y posesiones,
> honor y libertad; aquel que infunde
> en nuestros agitados corazones
> el bálsamo de paz y de ventura;
> el que a nuevo vivir nos regenera».
> El siglo de oro por doquier difunde,
> y segunda deidad al orbe impera.

(*La invasión francesa de 1808.*)

El poeta concentra sus fuerzas para cantar una España libre.
Nacen poemas contra los franceses que oprimen la Patria, o aquellos que pretendían inflamar la rebeldía entre los españoles.

ALBERTO LISTA (1775-1848) escribe a *La Victoria de Bailén*:

> ¡Oh patria! ¡Nombre amado, que al oírlo
> las almas enajena!
> ¿Quién no se goza en tus gloriosos triunfos?
> ¿Cuál es el corazón de duro bronce
> que tus males no llora
> ni al bienhechor que te defiende adora?

¡Hijos de España! ¡Pueda el canto mío
vuestras heroicas almas
enardecer! Al campo de la muerte
volad! Y los fortísimos aceros,
de la patria esperanza,
esgrimid por su gloria y su venganza.

Los franceses abandonaron España en 1813, período de las
Cortes de Cádiz. Las ideas revolucionarias han llegado a su cús-
pide en España, y se pretende hacer la revolución burguesa con
una incipiente burguesía industrial y comercial. Una burguesía
que se ha ido multiplicando. La auténtica revolución española es
la de Cádiz: aquel Cádiz donde se refugiaron los «intransigentes»
que partían de los principios universales y de la Enciclopedia.
Las Cortes decretaron abolir los privilegios feudales y eclesiásticos; movilizar la propiedad amortizada en el sentido de las instituciones civiles y eclesiásticas; destruir los gremios; liberar la industria; vender los bienes de los monasterios; mejorar la agricultura por sobre las leyes de Mesta. Desde el punto de vista político disminuyen el veto real de las leyes y crean la milicia nacional, el sufragio universal, diputaciones provinciales; suprimen
la Inquisición; crean más escuelas; cierran las casas religiosas. Algunas de estas reformas no difieren mucho de las que habían propuesto algunos ilustrados anteriores, Jovellanos por ejemplo. Pero
Jovellanos pertenece todavía al Antiguo Régimen: la suya fue una
revolución desde arriba, que había intentado, por medio de reformas legislativas, mejorar las condiciones del pueblo. La nueva
generación es distinta: cree como la anterior en el principio de la
enseñanza, pero busca medios más eficaces para quebrar las antiguas estructuras. Estos hombres nuevos, como Martínez de la
Rosa, Alcalá Galiano, el conde de Toreno, Muñoz Torrero, Istú-
riz, Argüelles, Quintana, Flórez Estrada, no piensan de igual forma que los integrantes del despotismo ilustrado. Cádiz es un
índice del desplazamiento de poder y de interés que surge en
España. De Martínez de la Rosa y de Alcalá Galiano se hablará
más adelante (IV.1A). Destaquemos aquí, para terminar, a MA-
NUEL JOSÉ QUINTANA (1772-1857), amigo de Cienfuegos —en
cierto modo, predecesor suyo— y discípulo asimismo en un primer
momento de Meléndez Valdés. Arengas políticas en verso han
sido llamados sus poemas, clásicos de forma y románticos por su

apasionamiento liberal mezclado con el humanitarismo dieciochesco. Debelador de la tiranía y defensor ardiente del progreso y de la ciencia emancipadora, puede ser calificado de auténtico poeta civil. Los títulos de sus poemas más representativos hablan por sí mismos: *A la invención de la imprenta, A la expedición española para propagar la vacuna en América*. En *El panteón de El Escorial*, su liberalismo le lleva a apostrofar a Felipe II, y a glorificar la rebelión comunera en *A Juan de Padilla*. Ocupada España por Napoleón, Quintana ataca líricamente a los franceses y a los afrancesados en *Al armamento de las provincias españolas* y en *A España después de la revolución de marzo*. Su opinión pesó de modo notable en las deliberaciones de la *Junta Central* y de las Cortes de Cádiz. Colaborador de *El Seminario Patriótico,* fundador de *Variedades de ciencia, literatura y arte,* dramaturgo romántico y biógrafo de españoles célebres, fue perseguido por el absolutismo fernandino. Sobreviviéndose a sí mismo, llegó a ser preceptor de Isabel II (1840-43) y coronado «Poeta Nacional» en 1855.

NICASIO ALVAREZ CIENFUEGOS (1754-1809) compuso buen número de variaciones en torno a los poemas de Meléndez, con especial sensibilidad para los epigramas irónicos. Su agudo sentido social le llevó de lo particular a lo general, de lo individual a lo colectivo, para exaltar, finalmente, la igualdad y la justicia. Mas no conviene olvidar que Cienfuegos exige cambios dentro del mundo de la caridad y el orden establecido; véase *En alabanza de un carpintero*: la verdadera reforma no procede del Estado, sino del interior de la propia persona. Si hoy se recuerda a Alvarez Cienfuegos es por su proximidad a ciertos aspectos del Romanticismo; su imaginación anda en sueños o tras los sueños, y no faltan alusiones a lo sublime: todo ello era ya moneda corriente en Europa.

Por último, restan dos fabulistas, FÉLIX MARÍA SAMANIEGO (1745-1801) y TOMÁS DE IRIARTE (1750-1791). El lector actual ha de ver en su obra algo más que fábulas didácticas para niños; ambos son autores críticos y polémicos, y el género, retrato de la realidad. El primero es autor de *Fábulas* (1781) y el segundo de *Fábulas literarias* (1782), así como de un interesante poema sobre teoría musical, *La música* (1779). Los dos fueron asiduos de los grupos de *novadores* (*Fonda de San Sebastián, Sociedad Vascongada*). De particular interés es *La barca de Simón,* de Iriarte, que alcanzó el honor de ser considerado por Menéndez Pelayo como el más antiguo de los poemas heterodoxos conocidos por él. Es obrita de simbolismo apenas velado; véanse las dos primeras estrofas:

> Tuvo Simón una barca
> no más que de pescador,
> y no más que como barca
> a sus hijos la dejó.
> Mas ellos tanto pescaron
> e hicieron tanto doblón,
> que ya tuvieron a menos
> no mandar buque mayor.

La protesta contra la riqueza excesiva de la Iglesia —de tradición erasmista; cf. II.1A)— encuentra así nuevos cauces. A Samaniego, por su parte, se le atribuyen poemas desvergonzados, en particular la colección titulada *El jardín de Venus* (c. 1780), donde explota el mundo erótico de frailes y monjas en desenfadados versos. Falta estudiar esta «pornografía» dieciochesca (recordemos también *El arte de las putas,* de Nicolás Fernández de Moratín), para entender algo más de una literatura de transgresión que es, también, una forma de escepticismo y de crítica del sistema.

2D.   PERIODISMO, LITERATURA POR ENTREGAS Y CONSUMO

La *Gaceta de Madrid* (en vigor desde 1661) figura entre los primeros ejemplos de prensa en la España moderna. Además de ser un boletín de órdenes oficiales, pragmáticas y bandos, también enumera los libros recibidos y anuncia las novedades literarias que vendían los libreros de la Corte. Durante mucho tiempo esta gaceta y las «relaciones» y noticias alimentaron el afán de novedades y la curiosidad de los lectores. Ya desde el seiscientos eran frecuentes las sátiras malintencionadas de los escritores cultos contra el vulgo lector de noticias, «mal compuestas novelas», invención de ciegos e impresores, a las cuales no habría que prestar atención alguna por ser ídolos del vulgo. Los gacetilleros son embusteros, llenos de disparates, como los arbitristas, los ciegos y el vendedor de pronósticos. Estas relaciones eran muchas veces traducciones, así como las gacetas que llegaban en postas especiales para divertimento de los lugareños.

El periodismo, en su sentido más moderno, surgió en el siglo ilustrado. A la *Gaceta* oficial siguieron buena cantidad de publicaciones, bien fueran diarias, bisemanales o mensuales. Hacia 1735 apareció una de las primeras revistas literarias, el *Diario de los literatos* (1735-1742), que ejerció una función rectora en la reforma literaria. Allí se comentaban a su vez los avisos de literatura por suscripción que anunciaban libreros y editores allende los Pirineos. Al comentar estas noticias es muy probable que los editores pusieran a correr moneda nueva, ya que al cabo de unos años esta forma de venta adquirirá mayor popularidad. Polémicas arduas, avatares económicos, disensiones de toda índole hicieron fracasar al *Diario;* hubo algunos intentos de resucitarlo, y, en los años subsiguientes, aparecieron *Resurrección del Diario de Madrid,* la *Aduana crítica* y el *Mercurio histórico general* (1738-1830), el de más larga vida. Todas estas revistillas muestran el abanico de temas y gustos gratos al público lector: por un lado la literatura para eruditos y letrados y por otro los almanaques, pronósticos, «historias» de los gacetilleros y rimadores al cuarto que los cultos combatían.

En España el periodismo tuvo un lento y accidentado desarrollo debido a los altos costos del papel y de la maquinaria, a la falta de mano de obra especializada y al escaso número de lectores. Con frecuencia hubo de traerse del extranjero tanto máquinas apropiadas cuanto tipos de imprenta y obreros diestros. El papel importado era prohibitivo, y el que se producía en las fábricas del reino de tan mala calidad que sólo servía para imprimir literatura de cordel. El gobierno hubo de subvencionar casi siempre a editores e impresores para fomentar el desarrollo de la imprenta y el periodismo.

En 1758 apareció el primer periódico cotidiano, el *Diario de Madrid,* periódico de anuncios, modelado de un rotativo parisino. Cada número contenía un artículo de fondo sobre algún aspecto instructivo, así como noticias de viajes, trabajos emprendidos en otros países y listas de empleos disponibles. El éxito fue tal, que pronto surgieron otros análogos: *El Diario de Barcelona* y *El Eco* de Cádiz.

El reinado de Carlos III fomentó más directamente el periodismo. Entre las revistas más importantes y críticas de la España ilustrada que, pese al apoyo oficial, a menudo tuvieron contratiempos con la Inquisición (que censuró muchas veces los artículos más audaces) figura *El Pensador* (Madrid, 1762-1767) de José Clavijo y Fajardo, de crítica osadísima. Su tema central fue la crítica nobiliaria y de costumbres y, según el propio editor, estaba modelado en *The Spectator* de Addison & Steel, de Londres. Dividido en pensamientos (70 en total), el periodiquillo abarcó todas las ramas del saber, particularmente la filosofía, literatura, historia, comercio, y la emprendió contra el ocio femenino, la pereza de los nobles y la superstición. Hemos señalado en páginas anteriores (cf. III.2B) que una buena porción de los pensamientos se dedicó a la regeneración de la mujer y al matrimonio, pero también se preocupó por la desigualdad de fortunas y la beneficencia. Así, por ejemplo, el XLI está enderezado al tema de los ociosos y holgazanes; en cierta provincia no mencionada vive don Macrobio, caballero de seis o siete ducados de renta, que ha malcriado a sus hijos en la holgazanería:

> Su cuidado es criarlos en el orgullo de señores: procura imponerlos en que no se dejen tratar sino de *señoría*: que se tuteen con los de su clase, aunque puedan ser sus abuelos.

De todos los hijos, el primogénito es el peor: lee mal, escribe pésimamente, pero tiene una gramática parda muy peculiar que le permite una erudición casera; sabe quién es el mejor cochero, la mejor mula «y otras erudiciones de esta importancia, como tocar un guitarrillo, y fumar con los lacayos en la caballeriza». Nació para la pereza, se le educó leyendo sólo la historia de los *Doce pares* y la de *Pierres y Magalona* (es decir, aquella literatura de cordel censurada y prohibida por los ilustrados), y hablaba mal castellano. Adquirió su cultura de los gañanes de la aldea; en fin:

> En esta vida tan activa, y laboriosa lo criaron: en la misma cría a sus hijos: éstos criarán lo mismo a sus nietos, y así seguirán estos holgazanes tan afamados, como Sísifo con la eterna tarea de subir, y bajar, y fatigarse en hacer nada.

El Pensador emplea la fábula, el cuento y la alegoría para exponer su crítica, y es posible que influyera en el teatro moratiniano y en aquellos caprichos goyescos donde se satiriza la mala educación de niños y mujeres.

Más vuelos de osadía se tomó *El Censor* (1781-1787), que atacó a fondo los abusos e iniquidades sociales. El periodiquito, dividido en cartas (167 en total), escribe con pluma punzante sobre los vicios y abusos introducidos con pretexto de religión y expresa abiertamente opiniones arriesgadas que revelan una mentalidad burguesa muy acusada. Algunos de los reformadores más lanzados publicaron allí y la *Sátira de Arnesto,* de Jovellanos, se reprodujo en sus páginas, así como *La despedida de un anciano,* el poema más humanitarista de Meléndez Valdés. Entre otros temas figuran la economía (fueron defensores del fisiocratismo y el mercantilismo), la crítica de la sociedad de consumo (el lujo desmedido de unas clases en desmedro de otras) y el problema agrario. Se opone *El Censor* a la amortización de tierras en manos de la nobleza inútil o la Iglesia. Si en los aspectos sociales representa una avanzada del pensamiento, en literatura es de un neoclasicismo estrecho, como corresponde a los reformadores centrados en los aspectos didácticos que reforzaban los valores de una burguesía naciente.

Es importante además por su crítica de costumbres y las acerbas sátiras a la nobleza parasitaria. En este sentido son de interés especial las cartas 162-163 de Luis Cañuelo (uno de los editores de *El Censor*), donde confronta dos mundos: el del burgués útil y el del noble en decadencia. Vuelan encadenadas las preguntas airadas:

¿Y tú qué haces? Comer, beber, vestir, calzar, deshacer lo que hacen otros. Mi padre contribuía con su oficio al bien de la sociedad. ¿Y tú con qué contribuyes? ¿Sirves al decoro de tu soberano en su palacio o a la defensa de la patria en el ejército? ¿Le ayudas a llevar el grave peso del gobierno? ¿Ilustras la nación con tus escritos y tus tareas literarias? ¿Empleaste en el alto ministerio de la administración de la justicia, en la defensa de los derechos ciudadanos? ¿Promueves de algún modo la pública utilidad?

No por otra razón *El Censor* tiene una larga historia de lucha contra la censura que revela la pugna entre los ilustrados y las fuerzas inmóviles de la sociedad que ocupaban cargos y oficios. No sólo la nobleza es blanco de sus dardos, también el clero, los apologistas de la tortura, del despotismo, de los mayorazgos. No

se dejan en el tintero ningún aspecto del Antiguo Régimen. En re-
sumidas cuentas, como dijo Cañuelo el 1 de septiembre de 1785,
en el discurso 68:

> *El Censor* es, y lo tiene a mucha honra, muy semejante a un don
> Quijote del mundo filosófico..., procurando desfacer errores de todo
> género y enderezar entuertos y sinrazones de toda especie. He aquí su
> manía. Intento verdaderamente loco, ya por la cortedad de sus fuerzas,
> ya por la debilidad de sus armas.

Los percances y polémicas se hicieron notar en fecha temprana
debido al carácter radical del periódico. El discurso 3, *Historia de
un jornalero,* se vale de la ficción para contraponer la vida del trabajador con la de aquellos que viven de limosnas y de la sopa
boba de conventos gracias a una mal entendida caridad. Esta narración denuncia la vida miserable de los asalariados en términos
parecidos al Meléndez de *La despedida de un anciano.* Como contraste, el noble es ocioso, inculto, incompetente, pero pese a su
falta de virtudes ciudadanas, se salva de acuerdo con la moral
cristiana. La breve narración titulada *Carácter de Eusebio, o reflexiones sobre la ociosidad* concluye así:

> ¿Cómo puede autorizarlo la moral cristiana? De salvarse Eusebio,
> ¿no sería injusta toda la doctrina de los Evangelios?

Eusebio es ciudadano ocioso, despreciable, pero gracias a la
sociedad reúne riquezas y honores. En cambio, *El Censor* elogia
al burgués; así pues, cuando un noble inculto intenta insultarle
llamándole despectivamente «hombre nuevo», éste responde con
orgullo: «Soy nuevo... es decir que vine al mundo antes que mi
fortuna; que ésta es obra mía...; que soy original, no copia...
Soy nuevo, es verdad.» En resumen: *El Censor* se lanzó en defensa de la burguesía útil al Estado y en favor de los supuestos liberales frente a una clase dirigente ignorante y anquilosada.
    También aparecieron otros periódicos: el *Memorial literario*
(1784-1790, 1793-1797, 1801-1808); *El correo de los ciegos*
(1786-1791), y más importante aún para la tarea que nos ocupa,
El espíritu de los mejores diarios (1787-1791), que editaba el
mallorquín CRISTÓBAL CLADERA (1760-1816) con el propósito de
dar a conocer las novedades europeas en todas las disciplinas. Y
no se quedó corto; allí salieron noticias sobre Pope, Bacon, Ad-

dison, Rousseau, Buffon, Locke, Fielding, Volney, Mably. Como si fuera poco también se lanzó a defender la libertad en todas sus manifestaciones. Armó revuelo contra la sociedad esclavista (por motivos humanitarios), contra la tortura y la tiranía. Al reseñar *An Apology for Negroe Slavery,* el 3 de septiembre de 1787, comenta:

> Es vergonzoso y aun horrible que en un siglo de luces y de filantropía halle defensores la esclavitud de los negros, y que los halle en una nación [Inglaterra] fanática por el aprecio de la libertad, y que se jacta de respetar más que ninguna los derechos del hombre y las máximas de la naturaleza.

En consonancia con esta actitud, el periódico también defiende con entusiasmo el libre comercio con América y la reforma penal, así como la libertad de imprenta, en artículos en su mayoría escritos por VALENTÍN DE FORONDA (1760-1830), uno de los más radicales ilustrados. En su *Disertación sobre la libertad de escribir,* por ejemplo, se lanza en favor de la razón crítica contra la opresión ideológica:

> Si no hay libertad de escribir y decir cada uno su parecer en todos los asuntos, a reserva de los dogmas de la religión católica y determinaciones del gobierno, todos nuestros conocimientos yacerán en un eterno olvido.

Esta necesidad es fundamental para el progreso científico y político; sin ella «las leyes vulnerarán los derechos de propiedad, libertad y seguridad; estos tres sublimes principios, que son la base del edificio de las leyes, estarán atestados de monstruosidades». Foronda defiende con ahínco la libertad de pensamiento como formulación directa del derecho natural, fundamental en el orden político.

Libertad de pensamiento, de escribir, decir la verdad: «qué felices seríamos si no se nos oprimiera con tantas cadenas», concluye. Mientras no haya esta libertad de decir hasta extravagancias, «permanecerán siempre los reinos en un embrutecimiento vergonzoso».

En otro momento el dardo se dirige a la tortura y a las instituciones penales, como por ejemplo en el discurso 166 del 2 de febrero de 1789, que reproduce una conferencia que leyó Manuel

Ramón Santuario García, inspirado por Beccaria y Filangieri. Aprovecha para defender la tolerancia civil. Todos somos hermanos e hijos de un mismo padre: el artículo finaliza con una exhortación para abrir las puertas a los cuatro vientos del espíritu («Santiago y abre España»). He aquí la irónica invitación:

> La monarquía sería trastornada por sus cimientos; la religión desterrada; el clero aniquilado y con todo seríamos felices porque tendría España cuarenta millones de almas que nos enseñen a conocer los beneficios de la tolerancia, habría fábricas, agricultura y comercio; con el tiempo serían hijos de la patria aquellos extranjeros y en comparación con las ventajas es poca cosa la ruina general que padeceríamos los actuales habitantes.

El espíritu no es sólo importante en cuanto representa una postura ilustrada progresista, sino por la calidad intelectual de los libros reseñados. La jurisprudencia, la historia, la literatura, la poética tiene ancha vía. Les animaba el propósito de divulgar las ideas más avanzadas del extranjero; hasta 1791 fue ampliamente apoyado por Floridablanca. Con la Revolución Francesa el periódico fue clausurado por sus ideas avanzadas, después de un total de 272 números. Llegó a tener varios cientos de suscriptores en España y alrededor de sesenta en América, incluyendo a los virreyes del Perú y de México.

Si estos fueron los periódicos portavoces de los ilustrados más liberales, hemos de mencionar también otras publicaciones del setecientos que, dirigidas a una burguesía en auge y ansiosa de cultura general, indican el crecimiento del consumo literario. Estas son las *misceláneas,* cajones de sastre, compilación de cartas, cartillas que ofrecen consejos útiles. Uno de los editores y publicistas que supo explotar con éxito esta nueva forma de literatura de consumo fue FRANCISCO MARIANO NIFO (1719-1803), que tuvo una concepción muy moderna del periodismo de divulgación. Instruía en pequeñas dosis a un público nuevo que quería estar medianamente informado. Fue el primero en introducir el cotidiano, con su *Diario noticioso, curioso-erudito, comercial, público y económico* (1758), a bajo precio (dos cuartos el número). De sus empresas es necesario mencionar una colección —*Varios discursos elocuentes...*, 1755— con piezas traducidas; más que periódico, es la primera publicación literaria por entregas, suspendida en el número tres. De ahí, creó el *Cajón de sastre* (1760-

1761), en sesenta entregas, antología de textos en prosa y verso de autores españoles de los «siglos de oro» y trozos de autores extranjeros: Fénélon, Fléchier, Massillon. Especie de selecciones del *Reader's Digest* más ilustrada, cada número tenía un tema central: el matrimonio, los vicios y virtudes de la sociedad, la nobleza, es decir, los temas preferidos de la literatura dieciochista. Con el *Cajón,* Nifo inaugura la literatura por entregas, llegando a salir siete volúmenes entre 1760-1761, reimpreso en seis en 1781 a entregas de dos pliegos por semana. Literatura por entregas y hasta por suscripción, de lo cual se aprovechó, entre otros, el salmantino Torres Villarroel para editar sus obras.

Unas líneas finales sobre la situación en provincias y sobre el surgimiento de los semanarios especializados. Aunque hubo menor cantidad de periódicos, fueron surgiendo focos en Barcelona, Andalucía, Valladolid. Entre los más destacados tenemos el *Diario Pinciano* (1787-1788), compendio de noticias comarcales y artículos de utilidad que inició en esta última ciudad el mexicano José Mariano Beristáin. A juzgar por este ejemplar de periodismo provinciano —que adquirirá mayor auge en el siglo XIX—, es un medio insustituible para estudiar la ilustración en otros centros de la Península. Ofrece una mina de detalles preciosos sobre la difusión de las «luces», ya que aparecen reseñadas las reuniones de las sociedades económicas, la situación de la enseñanza pública y noticias particulares sobre planes de reforma industrial y agraria.

Otras publicaciones tuvieron función más específica, tal el *Semanario erudito* de Valladares (1787-1791), donde se reprodujeron textos, manuscritos de escritores antiguos y modernos. También las sociedades económicas elaboraron planes para sacar a luz prensa económica, gacetas de comercio, mercurios. Surgieron además otros de tema agrario, tal el *Semanario de agricultura... dirigido a los párrocos* (Madrid, 1797-1808), en veintitrés tomos, que sirvió para difundir noticias sobre nuevos inventos técnicos, semillas y abonos. Es decir, conocimientos útiles para los campesinos, importante método de difundir los últimos inventos para el desarrollo de la agricultura. (Jovellanos, según sabemos, había previsto la importancia de la educación del campesino como medio de desarrollo del capitalismo.)

No hemos de olvidar en este recuento la escasa novela del setecientos, en cuyo campo destaca JOSÉ FRANCISCO DE ISLA (1703-1781), con su sátira *Historia del famoso predicador fray*

Gerundio de Campazas, alias Zotes (1758, 1770), publicada tras
el seudónimo de Francisco Lobón de Salazar. La extensa obra
—un *best seller,* pues la primera edición se agotó en pocos
días— representa una burla de los predicadores de la época y de
su retórica. La sátira ofendió a los religiosos —Isla era jesuita—,
que protestaron continuamente ante la Inquisición, hasta que
en 1760 se prohibió el libro. Aquí interesa destacar que tan
amplia y desigual narración no es sólo un acalorado debate contra
las extravagancias del púlpito, pues Isla, abate de moda, tenía
conciencia de ser árbitro del gusto del momento, y es, por momentos, un *novador* audaz, conocedor de Bacon, Hobbes, Locke.
Para los inquisidores, Isla introducía ideas heréticas y blasfemas.
La obra resulta ser, tras una lectura atenta, un análisis empírico
de problemas sociales y estéticos, y como se dice en el prólogo,
su autor pretende buscar un público amplio, pues «una buena
obra va dirigida a todos, no a una minoría». Gerundio es el pedante, el falso erudito de la mínima burguesía provinciana, tan
representante de su época como el cortesano erudito *a la violeta*
de Cadalso (cf. III.1C).

Otros narradores gozaron de menos fama. Así, PEDRO MON-
TENGÓN (1745-1824), novicio jesuita también expulsado, autor de
El Eusebio (1786-1788), novela filosófica de tipo roussoniano,
en que se propone una moral racional a la manera del *Emilio,* y
se sostiene que la moral social nada tiene que ver con la revelada.
Como era de rigor, la Inquisición prohibió el libro de Montengón,
y apropiadamente expurgado el original, apareció una nueva edición en 1807. De semejante tenor es la novela *Serafina* (1798),
de José Mor de Fuentes (1762-1848) —traductor de Rousseau
y de Goethe—, así como los relatos novelescos de Olavide, del
orden pedagógico-moral. De mayor interés es la anónima *Cor-
nelia Bororquia o la víctima de la Inquisición*, cuya segunda edición parisina es de 1800: la animosidad del desconocido autor
contra el clero y sus engaños, su punzante anticlericalismo, son
de insólito carácter en la narrativa, y anuncian las invectivas del
siglo XIX. También tiene especial interés otra novela anónima
del género utópico, *Visiones de un filósofo en Selenópolis* (Madrid, 1804), que escoge como blanco de sus ataques el sistema
político y social y propone como modelo el país de los selenitas,
donde imperan la justicia, la libertad y la felicidad. La prosa
narrativa del XVIII precisa de serios estudios; conviene tener en

cuenta que estos balbuceos desembocarán en la poderosa novelística decimonónica.

La literatura del ilustrado siglo XVIII muestra, pues, la precaria y conflictiva aparición de una sociedad capitalista que va emergiendo en España con nuevas costumbres, valores, gustos y tradiciones que subvierten el Antiguo Régimen. La literatura culta busca sectores de público más amplios, mientras también hace su aparición el editor de colecciones y bibliotecas populares, así como el escritor profesional, pendientes ambos de los gustos y modas de sus lectores.

BIBLIOGRAFÍA BÁSICA *

III.2. LA ILUSTRACIÓN RACIONALISTA Y EL IMPACTO DE LA REVOLUCIÓN FRANCESA

a) *Historia y sociedad*

Aguilar Piñal, Francisco: *La Sevilla de Olavide, 1767-1778* (Sevilla, 1966).
Defourneaux, Marcelin: *Pablo de Olavide où l'afrancesado, 1725-1823* (París, 1959).
——: *Inquisición y censura de libros en la España del siglo XVIII* (Madrid, 1973).
Herr, Richard: «Hacia el derrumbe del Antiguo Régimen: crisis fiscal y desamortización bajo Carlos IV», *Moneda y Crédito*, 118 (1971), 37-100.
Herrero, José M.: «Notas sobre la ideología del burgués español del siglo XVIII», *Anuario de Estudios Americanos*, IX (1952), 297-326.
Maravall, José Antonio: «Las tendencias de reforma política en el siglo XVIII español», *Revista de Occidente*, 52 (1967), 54-82.
——: «Mentalidad burguesa e ideas de la Historia en el siglo XVIII», *ibid.*, 107 (1972), 250-286.
Martín Gaite, Carmen: *Macanaz, otro paciente de la Inquisición* (Madrid, 1975, 2.ª).
Olaechea, R.: *El conde de Aranda y el «partido aragonés»* (Zaragoza, 1969).
Sarrailh, Jean: *La España ilustrada de la segunda mitad del siglo XVIII* (México, 1974, 2.ª).
Tomsich, M. G.: *El jansenismo en España. Siglo XVIII* (Madrid, 1972).
* Tuñón de Lara, Manuel (director): *Centralismo, ilustración y agonía del Antiguo Régimen, 1715-1833, Historia de España*, VII (Barcelona, 1980).
Vilar, Pierre: «Structures de la société espagnole vers 1750», *Mélanges à la mémoire de Jean Sarrailh*, II (París, 1966), 425-437.

* En las presentes bibliografías, un asterisco indica que la obra así señalada se ocupa no sólo de la época en que se incluye, sino también de otras posteriores.

Zavala, Iris M.: «Picornell y la Revolución de San Blas: 1795», *Historia Ibérica,* I (1973), 35-38. Cf. ahora en su libro *El texto en la Historia* (Madrid, 1981).
——: *Clandestinidad y libertinaje erudito en los albores de la Ilustración* (Barcelona, 1978).

El libro de Sarrailh constituye una monumental aportación —imprescindible— al conocimiento del siglo XVIII español, como imprescindible también es el más centrado y concreto artículo de Vilar, siempre rigurosamente marxista. Excelente el volumen dirigido por Tuñón de Lara. Herrero y Maravall son autores de artículos —que se complementan entre sí— sobre la ideología de la burguesía dieciochesca. El de Herr es un serio estudio económico de la época de Carlos IV. Sobre el llamado jansenismo y su significado ideológico racionalista en España (el propio Jovellanos fue acusado de ser jansenista por sus enemigos), el libro de Tomsich es básico, así como muy interesantes los de Aguilar y Defourneaux sobre Olavide, el de Olaechea sobre Aranda y el de Martín Gaite sobre el «caso» Macanaz. Zavala ha estudiado la rebelión de Picornell, y aspectos marginados —y reveladores— del XVIII en su libro de 1978. Sobre los libros franceses perseguidos es imprescindible Defourneaux (1973).

b) *Literatura*

III.2A. JOVELLANOS O EL LIBERALISMO EN MARCHA

Anes, Gonzalo: «El *Informe sobre la Ley Agraria* y la Real Sociedad Económica Matritense de Amigos del País», *Economía e Ilustración en la España del siglo XVIII* (Barcelona, 1973, 2.ª), 95-138.
Arce, José Joaquín: «Jovellanos y la sensibilidad prerromántica», *Boletín de la Biblioteca Menéndez Pelayo,* XXXVI (1960), 139-177.
Artola, Miguel: «Vida y pensamiento de don Gaspar Melchor de Jovellanos», introducción a su ed. en *Biblioteca de Autores Españoles,* vol. LXXXV (Madrid, 1956).
Caso González, J.: «Jovellanos y la Inquisición», *Archivum,* VII (1958), 231-251; IX (1959), 91-94.
——: *La poética de Jovellanos* (Madrid, 1972).
Helman, Edith: *Jovellanos y Goya* (Madrid, 1970).
Lloréns, Vicente: «Jovellanos y Blanco. En torno al *Semanario Patriótico* de 1809», *Nueva Revista de Filología Hispánica,* XV (1961), 267-278.
Polt, J. H. R.: *Jovellanos and his English Sources. Economic, Philosophic and Political Writings* (Filadelfia, 1964).
——: *Gaspar Melchor de Jovellanos* (Nueva York, 1971).
Zavala, Iris M.: «Jovellanos y la poesía burguesa», *Nueva Revista de Filología Hispánica,* XVIII (1965-1966), 47-64.

Los dos libros de Polt son lo más completo hasta el momento sobre la vida y obra de Jovellanos. El resto de lo aquí citado está formado por estudios parciales que iluminan de un modo u otro la figura considerada. Destaquemos el de Caso González sobre las persecuciones inquisitoriales que hubo de sufrir Jovellanos, el de Anes, un estudio del agrarismo de Jovellanos, y el de Zavala, acerca de la poesía burguesa de la época.

III.2B. Teatro y moral burguesa. Moratín

Andioc, René: Introducción a su ed. de *Raquel*, de García de la Huerta (Madrid, 1970).
——: *Teatro y sociedad en el Madrid del siglo XVIII* (Madrid, 1976).
* Campos, Jorge: *Teatro y sociedad en España* (Madrid, 1969).
Cook, J. A.: *Neoclasic Drama in Spain* (Dallas, Texas, 1959).
Dowling, John: *Leandro Fernández de Moratín* (Nueva York, 1971).
——: «La génesis de *El viejo y la niña* de Moratín», *Hispanic Review,* 2 (1976), 113-125.
Lázaro Carreter, Fernando: «Moratín en su teatro», *Cuadernos de la Cátedra Feijóo,* 9 (1961).
Papell, Antonio: *Moratín y su época* (Palma de Mallorca, 1958).
——: *Moratín y la sociedad española de su tiempo* (Madrid, 1961).
Varios: *Moratín y la sociedad española de su tiempo,* número especial de la *Revista de la Universidad de Madrid,* IX (1960).
Varios: Número especial de *Ínsula* sobre Moratín, XV, 161 (1960).

Aparte de los números especiales de *Revista de la Universidad de Murcia* y de *Ínsula* y de los útiles pero convencionales libros de Papell y del artículo de Lázaro Carreter, destacan entre las monografías de esta sección la de Dowling y, de modo especial, la exhaustiva de Andioc, así como la de Campos.

III.2C. La poesía ilustrada y el reformismo.
ANGLÓFILOS Y AFRANCESADOS

Cano, José Luis: «Cienfuegos, poeta social», *Papeles de Son Armadans,* núm. 18 (1957), 248-270.
——: Introducción a su ed. de *Poesías* de Cienfuegos (Madrid, 1980).
Cox, R. Merritt: *Tomás de Iriarte* (Nueva York, 1972).
——: *Juan Meléndez Valdés* (Nueva York, 1974).
Demerson, Georges: *Juan Meléndez Valdés y su tiempo,* 2 vv. (Madrid, 1971).
Dérozier, Albert: *Manuel Josef Quintana et la naissance du libéralisme en Espagne* (París, 1968).
——: Introducción a su ed. de *Poesías completas* de Quintana (Madrid, 1969).
Jareño, Ernesto: Introducción a su ed. de *Fábulas* de Samaniego (Madrid, 1975).
Juretschke, Hans: *Vida, obra y pensamiento de Alberto Lista* (Madrid, 1951).
Lázaro Carreter, Fernando: «La poesía lírica en España durante el siglo XVIII», en *Historia general de las literaturas hispánicas,* dirigida por Guillermo Díaz-Plaja, IV.1 (Barcelona, 1956), 31-105.
López, François: *Juan Pablo Forner et la crise de la conscience espagnole au XVIIIᵉ siècle* (Burdeos, 1976).
Polt, John H. R.: *Poesía del siglo XVIII* (Madrid, 1975).
Real de la Riba, César: «La escuela poética salmantina del siglo XVIII», *Boletín de la Biblioteca Menéndez Pelayo,* XXIV (1948), 321-364.

Salinas, Pedro: «La poesía de Meléndez Valdés», *Ensayos de literatura hispánica* (Madrid, 1961), 224-258.

Sebold, Russell P.: *El rapto de la mente. Poética y poesía dieciochesca* (Madrid, 1970).

Vila Selma, J.: *Ideario de Manuel José Quintana* (Madrid, 1961).

Zavala, Iris M.: «Francia en la poesía española del siglo xviii», *Bulletin Hispanique*, LXVIII (1966), 49-68.

Además del viejo y tradicional artículo de Real de la Riba y de los excelentes panoramas de la poesía dieciochesca de Lázaro Carreter y de Polt, es utilísimo el libro de Sebold, sobre varios temas y autores. Para Meléndez Valdés, y aparte del sugerente artículo de Salinas, son muy necesarias las monografías de Cox (1974) y Demerson, especialmente esta última. Para Quintana, los trabajos de Dérozier superan con mucho al de Vila Selma. El libro de Juretschke sobre Lista aparece lastrado por su ideología tradicionalista. Entre los demás estudios aquí citados sobre diversos poetas destaca notoriamente el de López acerca de Forner. El artículo de Zavala recupera un tema marginado y de gran importancia para una más correcta visión de la poesía de la época y su ideología (cf. antes en III.2A el trabajo de la misma Zavala sobre Jovellanos).

III.2D. PERIODISMO, LITERATURA POR ENTREGAS Y CONSUMO

Anes, Gonzalo: «La crítica de un programa de los ilustrados en vísperas de la desamortización», *Revista de Occidente*, 65 (1968), 189-198.

Domergue, Lucien: «La *Real Sociedad de Amigos del País* y la prensa económica», *Moneda y Crédito*, 109 (1969), 25-28.

Dupuis, Lucien: «Francia y lo francés en la prensa periódica española durante la Revolución Francesa», *Cuadernos de la Cátedra Feijóo* (1968), 95-127.

Enciso Recio, L. M.: *Nipho y el periodismo español del siglo XVIII* (Valladolid, 1956).

Guinard, Paul J.: «Un journaliste espagnol du XVIIIᵉ siècle: Francisco Mariano Nifo», *Bulletin Hispanique*, LIX (1957), 262-283.

——: *La presse espagnole de 1737 à 1791. Formation et signification d'un genre* (París, 1973).

Hamilton, Arthur: «The Journals of the 18th. Century in Spain», *Hispania* (Estados Unidos), XXI (1938), 161-172.

Ruiz Veintemilla, Jesús M.: «El *Diario de los Literatos* y sus enemigos», *Actas VI Congreso Internacional de Hispanistas* (Toronto, 1980), 655-659.

Sebold, Russell P.: Introducción a su ed. de *Fray Gerundio* (Madrid, 1960).

Acerca de la eclosión de la prensa periódica en el siglo xviii, es básico el libro de Enciso Recio, y mucho más particularmente el de Guinard. El artículo de Dupuis es fundamental para observar la reacción de la inteligencia periodística española ante el impacto de la Revolución Francesa, y muy informativo el de Ruiz Veintemilla.

IV

EL SIGLO DE LA BURGUESÍA

IV.1. LIBERALISMO Y CONTRARREVOLUCIÓN

Nota introductoria.

IV.1. LIBERALISMO Y CONTRARREVOLUCIÓN

Nota introductoria

Las fronteras parecen borrarse entre aquellas postrimerías del XVIII, que anunciaban ya la voluntad de adaptación de España al capitalismo, y los primeros tanteos del XIX. Más de un punto de enlace une ambas épocas, pues en el XIX se proyectan todavía algunos de los aciertos y equivocaciones de los ilustrados. Importa recordar que los Borbones, particularmente Carlos III, derogaron leyes y decretos para alentar el espíritu empresarial de los nobles y cambiar la configuración del país, y que nuestros autores setecentistas sentaron las bases para la desamortización eclesiástica y para romper el caparazón de las estructuras del Antiguo Régimen. Sin embargo, a poco de iniciarse el siglo ocurren cambios que resultarán decisivos y separan el XIX de los últimos intentos de supervivencia del Antiguo Régimen.

Si la Revolución Francesa no tiene, en este sentido, un impacto inmediato y directo sobre la vida española, no dejará, con todo, de hacerse sentir de modo decisivo. Esquinada y tardíamente, de manera sumamente compleja, ello ocurre ya sin la menor duda con la invasión napoleónica (1808-1813), provocadora de aquella guerra de Independencia que, según justamente explicaba Espronceda, fue una especie de revolución popular dirigida por el clero en defensa de los antiguos privilegios de la clase dominante. No es menos ambiguo y contradictorio el efecto de las invasiones napoleónicas en otros países de Europa, pero quizá en España se dieron las contradicciones de forma más extrema.

La invasión dividió al país en varios bandos. Por una parte, los afrancesados, muchos de los cuales hubieron de morir en el destierro por su alianza con el gobierno del rey José Bonaparte, a quien calificaban de «monarca justo, humano y grande», en tanto que Napoleón era para ellos «el gran soldado, regenerador de la patria española». Estos liberales advocaban una monarquía parlamentaria. Pero pronto surgieron también otros liberales enemigos de la imposición napoleónica y partidarios de la lucha contra los invasores. A su vez, se encontraban también entre los patriotas los defensores a ultranza del absolutismo, en tanto que puede decirse que el pueblo, en el sentido más amplio de la palabra, participó de estas contradicciones. Goya, ilustrado progresista que se opone a la invasión napoleónica, dará recia cuenta de este caos en sus *caprichos* y *desastres*, y en particular en sus cuadros sobre el Madrid del 2 y 3 de mayo.

Las contradicciones se encuentran en todas las Juntas que se organizan contra los franceses y se reflejan también ampliamente en la *Junta Central*, que acabó asumiendo la dirección de la lucha. En ella puede apreciarse, por ejemplo, que mientras algunos de sus componentes, jóvenes liberales, entienden la guerra de Independencia como lucha, a la vez, por las transformaciones sociales, algunos viejos como Floridablanca retroceden a posiciones característicamente antirrevolucionarias. Y mientras tanto, un Jovellanos sigue proponiendo que la educación es la forma más eficaz de cambiar la estructura del país. Absolutistas acérrimos aparte, lo que destaca es que en este inicio del siglo XIX, espantados sin duda por los efectos de la revolución francesa, algunos reniegan de las teorías de igualdad, libertad y republicanismo que se habían ido abriendo paso con la Ilustración. No es otro el espíritu de Jovellanos en su *Descripción del castillo de Bellver* (1805), donde ya la visión poética y política se entrelazan en el sentimentalismo y la evocación del pasado glorioso por oposición al presente inestable (cf. III.2A).

La guerra antinapoleónica desemboca en las Cortes de Cádiz (1810-1812), donde los liberales, aunque en minoría, reducen a los «serviles», defensores de los privilegios y la desigualdad. La constitución del 12 ahí fraguada, aunque no carente de compromisos, por ejemplo con la Iglesia (el artículo 12 explica que «la religión del pueblo español es y será siempre la católica, apostólica y romana, que es la única religión verdadera»), propone una serie de cambios orgánicos en la sociedad civil que la hacen incompatible con el Antiguo Régimen: soberanía popular, división de poderes, supresión de la Inquisición y los señoríos, impulso de la desamortización eclesiástica... Pero los constituyentes más progresistas no tenían, en verdad, una base social en que apoyarse, y el mismo aislamiento en que trabajaron en Cádiz les impidió, sin duda, comprender el profundo tradicionalismo que animaba a los más que luchaban contra los franceses. De ahí la gráfica frase de Marx: «en Cádiz, ideas sin actos; en el resto de España, actos sin ideas». No es extraño que a su llegada al país Fernando VII pudiera liquidar en 1813 la obra de las Cortes, haciendo que triunfara momentáneamente el «vivan las caenas» sobre la España liberal burguesa, tan titubeante entonces.

No puede olvidarse en este panorama que a causa de la guerra, la economía del país estaba casi en ruinas en 1813, y que la represión de Fernando VII no fue sólo política, sino que se dirigió también a limitar la iniciativa privada, capitalista, que hubiese podido alentar a la burguesía. Se trata, según se ha dicho, de un verdadero bloqueo del desarrollo económico que, entre otras cosas, siguió impidiendo a la incipiente burguesía desarrollar una base que le permitiese imponer su voluntad política. Pospuesta así la industrialización del país, logró Fernando VII mantener precariamente la organización sociopolítica del Antiguo Régimen.

Entre 1814 y 1833 el liberalismo-romanticismo está en el extranjero. La España bicéfala —Jano liberal y Jano absolutista— se apresta a la lucha. Alejados del país, en vano intentan los primeros influir sobre una nación que se cerró sobre sí misma y rotuló de extranjero a cuantos defendieron la novedad. El tiempo político levanta la mediocridad e impone la atonía; sin embargo, un breve lapso de tres años (1820-1823), iniciado por una sublevación militar —El grito de Riego— sirve para mostrar que las fuerzas de cambio estaban presentes. En estos años se inicia el pronunciamiento militar como medio para la transformación del país. Desde 1814 a 1823, Fernando VII no hizo otra cosa sino acentuar las divergencias y los problemas; el movimiento democrático se organiza por entonces en sociedades secretas que van comprometiendo más y más al pueblo en la causa de la libertad y en defensa de sus propios intereses. Ante el nuevo régimen constitucional, los conservadores de toda Europa se alían con Fernando VII, y una vez más los franceses penetran en España con la invasión de los Cien Mil hijos de San Luis, aplastando el breve incidente del Trienio Constitucional. El Deseado retoma las riendas del poder apoyado por la Iglesia. Pero la monarquía absoluta se quiebra: las guerras de Independencia, la pérdida de las colonias y por tanto de materia prima y de mercados, dejan una España empobrecida con una gran deuda fiscal.

Fernando teme las fuerzas populares levantiscas o, dicho sea de otro modo, una revolución desde abajo, e intenta reformas liberales para destruir la sociedad señorial e introducir el liberalismo económico. Las reformas de Blasco de Garay, el regreso de Martínez de la Rosa y otros tantos coqueteos con el liberalismo dan prueba fehaciente de los temores y ambiciones del Rey. Pero su política enajenó al campo absolutista y fue adquiriendo fuerza el *Partido Apostólico,* que se convertirá en *carlista.*

Fernando VII reinaba en una España dividida durante esa *ominosa década* que va desde 1823 a 1833; resultado de ello son las guerrillas apostólicas que entre 1826-1827 se levantan en armas en lo que se conoce como la «Guerra de los Agraviados»: fanáticos que provenían de las zonas campesinas de la montaña catalana y aragonesa y del país vasconavarro, dirigidos por curas trabucaires que escondían bajo la sotana el arcabuz o la tea incendiaria. Este mismo sector encabezará el movimiento carlista durante la guerra civil de 1833-1839: realistas puros cuyo programa político no era otro que sustituir al rey por su hermano Carlos. La derogación de la ley sálica poco antes de morir Fernando no hizo sino alimentar el fuego de las discordias.

A la muerte de *El Deseado* en 1833 la restauración liberal burguesa se abre paso en las Cortes, en el gobierno y en la vida cultural. Surgen periódicos importantes, toma arranque el romanticismo y forma el europeísmo y regeneracionismo que dominarán la vida española a fines del mismo siglo. Entre las instituciones más importantes que crea la burguesía se encuentra el *Ateneo Científico, Literario y Artístico de Madrid* (inaugurado en 1835), mezcla heterogénea de academia, biblioteca, sala de conferencias y universidad, por donde, a lo largo de la centuria, habrían de pasar los más de los intelectuales españoles. Empieza también entonces a desbloquearse la economía.

Cierto que el «despegue» de la economía española no empieza hasta después de la guerra carlista y no es perceptible hasta los años sesenta. La política económica de Fernando VII no había hecho sino reforzar otras causas del estancamiento (ruina provocada por la guerra de Independencia, carencia de capitales, lamentable infraestructura de las comunicaciones, pérdida de las colonias, existencia de un solo Banco, bajo nivel cultural de la población), y no era previsible que con su muerte las cosas cambiaran de la noche a la mañana. Pero ya en 1836 quedan abolidas las leyes y ordenanzas de montes y plantíos y se decreta la desamortización (dos desamortizaciones previas fueron también liberales, en 1813 y 1820); en 1832 se había instalado el primer alto horno en Marbella; en 1835 se reorganiza el cuerpo de Ingenieros Civiles y en 1836 la *Compañía de Reales Diligencias.* Poca cosa, sin duda, incluso si omitimos la comparación con otros países de Europa; no parece poder dudarse, sin embargo, que tras la muerte de Fernando VII se empieza a percibir la posibilidad del desarrollo coherente y sostenido de una burguesía con la que, en verdad, no contaron los constitucionalistas de Cádiz.

Entre 1833 y 1854 las fisuras entre los grupos se agigantan; la regente María Cristina nombra un gabinete de ex-liberales, entre ellos Martínez de la Rosa, blanco de las sátiras del joven Mariano José de Larra, cuya obra está volcada en la crítica y caricatura de las timideces y contradicciones de los liberales en el poder. Las Cortes son un ejercicio de retórica parlamentaria y moderación política. Hacia estas fechas surge un partido político de importancia que adquiere nuevos nombres —no siempre nuevos hombres— en la España decimonónica: el *Partido Progresista,* que se opone sistemáticamente al tibio moderantismo de los liberales doceañistas, de programa ya anticuado. El nuevo grupo, al que pertenecen Larra y José de Espronceda, formula sus bases: libertad de imprenta, libertades civiles y soberanía popular. El pueblo, a su vez, irá adquiriendo lentamente conciencia de clase impulsado, en parte, por los vientos del primer socialismo que llegan a España de allende los Pirineos: Saint-Simon, Fourier, Cabet, entre tantos otros que aún faltan por estudiar. De estas fechas es también, según hemos dicho, la obra desamortizadora del banquero Juan Alvarez Mendizábal, apoyada por una burguesía titubeante y elogiada por los intelectuales progresistas, que acabarán criticándola al descubrir lo que realmente era la desamortización: un programa organizado de acumulación de capital. Y ya en octubre de 1833 se forma la *Milicia Nacional,* organización cívica y popular. Un último dato: en 1834 se suprime definitivamente la Inquisición.

Después del Trienio Constitucional, los pronunciamientos militares están a la orden del día. En 1836, los sargentos de La

Granja imponen a la Regente la Constitución de Cádiz, reempla-
zada por otra más moderada en 1837. Con el «abrazo de Verga-
ra» en 1839 entre Espartero y Maroto, las huestes carlistas pare-
cieron aplastadas y María Cristina creyó afirmar su autoridad.

1A. LIBERALES Y ROMÁNTICOS: ESTÉTICA Y POLÍTICA

Sabemos que el mejor romanticismo español está estrechamente vinculado al liberalismo político. No es fortuito que en
1811 el número XX de *El Español,* de José María Blanco-White,
empleara el término *liberal,* en sentido parecido al de José María
Argüelles, que distingue para esas fechas entre aquellos «que se
manifestaron afectos o contrarios al restablecimiento del gobierno
representativo, a las doctrinas que favorecen instituciones constitucionales, una administración ilustrada y vigorosa pero responsable». Blanco es aún más específico y alude desde Londres a una
publicación política gaditana que es una «impugnación del partido
que se llama *filosófico* o *liberal* en España». Ya a fines de 1811,
pues, el partido reformador de las Cortes de Cádiz es conocido
como *liberal;* estos liberales de las Cortes lanzan a rodar no sólo
un nuevo vocablo, sino una concepción distinta de la literatura:
el romanticismo. Son los liberales románticos que emigran en
1823 a Inglaterra, América o Francia, y en esos países se ponen
a tono con el espíritu del tiempo y aceptan el nuevo credo estético.

Los refugiados quisieron unir, no enfrentar, lo tradicional y
lo moderno, lo español y lo europeo. Vieron en la renovación
romántica la única capaz de vivificar con espíritu moderno la raíz
de la tradición española. Como expresión del presente, el romanticismo significó para ellos el método que mejor favorecía el
desarrollo de la naturaleza de cada nación. Así pues, el liberalismo romántico fue una inyección de curiosidades, temas, ideas que
provenían a menudo de allende las fronteras. En España fue una
situación histórica bien definida en la que teoría y *praxis* son anteriores a la creación literaria. Del romanticismo estético idealista
y específicamente antirrevolucionario propugnado por Böhl de Faber en Cádiz en 1814, se pasó al romanticismo político-liberal
defendido por Antonio Alcalá Galiano, José Joaquín de Mora y
José María Blanco-White desde Inglaterra. Pero sólo en la capi-

tal inglesa, cuando el romanticismo perdió el carácter reaccionario y católico que tenía el de Böhl, aceptaron los liberales la nueva escuela como representante de la libertad literaria. Mas todavía en 1823 Blanco aparece en sus *Variedades o el mensajero de Londres* como difusor de Walter Scott y de las «imaginaciones inverosímiles», y en la Península aparece *El Europeo,* dirigido desde la capital catalana por el italiano Luigi Monteggia, con un par de artículos (uno suyo y otro de Ramón López Soler) sobre el romanticismo. Exponen allí que el pasado es la explicación del presente: las cruzadas, el descubrimiento de América han de ser motivos de inspiración, material histórico de útil interpretación. Desde Barcelona un italiano y desde Londres un español, cantan a dúo las mismas voces de libertad literaria e inauguran un nuevo concepto estético de la Historia. El pasado glorioso cobra sentido como lucha contra la tiranía y la opresión, y esta lucha se continúa en el presente en la guerra por la independencia y la libertad.

Pero muy otra fue la nota de Böhl de Faber, y por ello se le enfrentaron José Joaquín de Mora y Antonio Alcalá-Galiano entre 1814 y 1818. El primero comenta las reflexiones sobre Schlegel publicadas por Böhl en el *Mercurio Gaditano,* y no se contenta con agredir la estética romántica, sino que se indigna porque el autor del artículo elogiaba a España como único lugar donde había sobrevivido el espíritu caballeresco a la caída de la caballería. Muy a destiempo defendía Böhl las innovaciones del romanticismo restauracionista ante un público lector que estaba luchando contra los privilegios señoriales. Finalmente Mora engrosará las filas del romanticismo en 1824, al iniciar una serie de artículos sobre la poesía española en la *European Review* de Londres, defendiendo con ardor lo primitivo y espontáneo de los cantos populares. Las *Lyrical Ballads* de William Wordsworth (1798) deben haber estado muy presentes y sin duda habían sido absorbidas ya por nuestros neoclasicistas liberales. No debe sorprender que en Londres se publiquen novelas históricas, cuadros medievales, poemas en torno a la naturaleza, en revistas tales como *Forget Me Not* (1824), de R. Ackermann, que se tradujo rápidamente a un *No me olvides* (1824-1827; 1828-1829), obra de Mora y Pablo Mendíbil. Aquí se estrechan la mano Young, Delille, Thomson —bien conocidos por los españoles— y se alude a un «reverente contemplador de la naturaleza», Wordsworth, cuya obra se comentó también a través del *Correo literario y político de Londres* (1826), de Mora.

En España el debate seguía en pie. En 1828 lo saca a relucir otra vez, como asunto polémico, el joven AGUSTÍN DURÁN (1793-1862) en su *Discurso sobre el influjo que ha tenido la crítica moderna en la decadencia del teatro antiguo y español y sobre el modo en que debe ser considerado para juzgar convenientemente de su mérito peculiar.* En este texto la literatura romántica es ya un «magnífico monumento», que había hecho notables progresos en Alemania, Francia e Inglaterra. Sólo en España la negligencia de los literatos ha impedido que se acepte y el rechazo es ya inoperante. También Larra, este mismo año, se conduele de una España donde nada se había traducido y nada se sabía en torno a la gran disputa sobre el romanticismo (*Duende satírico del día*). Pero Durán continúa identificando romanticismo y catolicismo, y no advierte que en una España absolutista que desde los primeros balbuceos identificó romanticismo y liberalismo como un solo enemigo, mal podía aceptarse una nueva estética que preconizaba la libertad.

Tocará a Alcalá Galiano, el fogoso orador de las Cortes de Cádiz, darle el broche de oro a la polémica desde el destierro, con sus artículos publicados en *The Atheneum* de Londres (1833). Estos textos elogian la originalidad y la libertad creadora frente a la rigidez normativa del neoclasicismo. Alcalá enlaza literatura y política; en ambos casos, Inglaterra es norte a seguir. Idéntico modo de pensar se encuentra en el famoso prólogo a *El moro expósito* (1834), de Angel de Saavedra, duque de Rivas, magnífico ejemplo de la poesía nacional y natural que Alcalá defiende. El texto, considerado como uno de los manifiestos románticos hispánicos, es una ardorosa defensa de los expatriados (Saavedra mismo), de los temas y tópicos caros a esta primera oleada del romanticismo. A nuestro juicio, han pasado inadvertidos los ecos de Wordsworth, cuyo prólogo a sus baladas se considera como manifiesto temprano del romanticismo inglés. No es el momento oportuno para desarrollar el tema, pero Alcalá defiende a la manera de Wordsworth la poesía de la vida diaria, el argumento fundado en una leyenda popular, el lenguaje cotidiano. Más político que Wordsworth, sin embargo, Alcalá subraya una literatura que retrate fielmente la época.

Todo este efervescente mundo romántico en que se mezclan estética y política se refleja de modo característico en la escena teatral. El granadino FRANCISCO MARTÍNEZ DE LA ROSA (1787-1862), diputado en Cádiz y emigrado durante la *ominosa década* (1823-1833), poeta neoclásico antes de salir del país, inicia su carrera con un drama histórico representado en el Cádiz de 1812, *La viuda de Padilla,* exaltación liberal de los comuneros del siglo XVI. Al poco de residir en Francia, Martínez de la Rosa se convierte al credo romántico, y en París estrena *Abén Humeya,* también de tema histórico. De regreso en España y activo en la política con tonos ya marcadamente moderados (que le valieron el remoquete de «Rosita la pastelera»), lleva a la escena en 1834 *La conjuración de Venecia,* en un momento en que era presidente del gobierno. La obra, escrita durante el exilio parisino, insiste en lo histórico —la Italia del siglo XIV esta vez— y presenta los habituales elementos formales del romanticismo, desde el apasionamiento y la exageración hasta el dramatismo fúnebre y trágicamente melodramático. En ese mismo 1834, Larra ofrecía al público madrileño su drama *Macías,* pero será al año siguiente con *Don Alvaro o la fuerza del sino,* del duque de Rivas, cuando el teatro romántico español llegue a su máxima expresión.

ANGEL DE SAAVEDRA, duque de Rivas (Córdoba, 1791-1865), es muy semejante en vida y obra a Martínez de la Rosa. Liberal en política y neoclásico en literatura de joven, se pasa al romanticismo con armas y bagajes durante su exilio, para, de nuevo en España, transformarse en un moderado e incluso conservador de corte aristocrático. Aparte de su obra anterior a 1823, aparte de varios poemas de exilio (*El desterrado, El sueño del proscrito, El faro de Malta*) y del ya citado más arriba, *El moro expósito,* Rivas estrena en 1835 su gran drama *Don Alvaro o la fuerza del sino,* con un héroe byroniano y donjuanesco, de apropiado origen misterioso (se sabrá en cierto momento que es nada menos que un descendiente de los incas). Es obra en que se mezclan elementos de la comedia lopesca, de costumbrismo andaluz y de puro melodrama, con una absoluta libertad formal —versos de los más diferentes tipos y prosa; tiempo y lugar siempre variable—. *Don Alvaro* es el drama más arrebatado y violento del romanticismo español, en que el destino o *sino* trae y lleva a los personajes de modo ciego y funesto; obra, en fin, que además de ser musicalizada por Giuseppe Verdi (*La forza del destino*), llegó a ser considerada como prototípica del extremismo romántico. Un mínimo análisis descubre, con todo, que *Don Alvaro,* como *La conjuración de Venecia,* de Martínez de la Rosa, no es sino una obra escasamente profunda y problemática, en que ese romanticismo no va más allá de la sabia utilización de fórmulas y *clichés* de la época. Rivas, tras el éxito fulgurante y polémico de *Don Alvaro,* cultivó las comedias de capa y espada. Fuera ya del teatro, los *Romances históricos* de Rivas sirven para situar en su adecuada perspectiva moderada el romanticismo historicista de su autor, correlato de sus actitudes políticas una vez vuelto a España en 1833.

Dos dramaturgos menores son ANTONIO GARCÍA GUTIÉRREZ (1812-1884) y JUAN EUGENIO HARTZENBUSCH (1806-1880), que estrenan respectivamente en 1836 y 1837 *El trovador* y *Los amantes de Teruel,* obras ambas de ambiente medieval aragonés, la primera también llevada a la ópera por Verdi (*Il trovatore*). García Gutiérrez es asimismo autor de otros dos dramas históricos de cierta tendencia liberalizante, *Venganza catalana* y *Juan Lorenzo;* de Hartzenbusch recordemos *La Jura en Santa Gadea,* de tema cidiano. El último dramaturgo de la serie es el vallisoletano JOSÉ ZORRILLA (1817-1893), que hace su aparición en la escena literaria en circunstancias bien «románticas»: durante el entierro de Larra (1837) leyendo emocionadamente un poema ante la tumba de *Fígaro.* Seguidor inicial de Espronceda y de Rivas, pasará bien pronto del arrebato juvenil al historicismo moderado y tradicional. La pobreza de sentimiento y de ideas de Zorrilla, como ha señalado más de un crítico, «nacionaliza» definitivamente el romanticismo, esto es, lo edulcora y desvirtúa para transformarlo en una glorificación —como el mismo Zorrilla dice— del pasado español:

> Mi voz, mi corazón, mi fantasía,
> la gloria cantan de la patria mía.

De asombrosa facilidad versificatoria, con abundantes caídas en el ripio y en los tópicos decorativos, Zorrilla escribe una serie de poemas líricos, *Orientales,* y narrativos, *Leyendas* (evocaciones histórico-legendarias), así como el extenso *Granada* (1852), sobre la conquista de la ciudad andaluza por los *Reyes Católicos.* Su teatro, muy abundante, incluye tragedias llamadas «fantásticas», espectáculos fastuosos como *El diluvio universal,* comedias de capa y espada al uso de la Edad Conflictiva, dramas «históricos» (*El puñal del godo, Traidor, inconfeso y mártir.*)

Pero Zorrilla estrena en 1844 su obra fundamental, *Don Juan Tenorio,* en que los defectos y las virtudes de su autor llegan al límite. El *Don Juan* de Zorrilla, incorporado —y no sin motivo— al ritual del casticismo hispano, es una versión pseudorromántica del burlador de Tirso de Molina (cf. II.3B), un burlador que, convenientemente castigado y atemorizado, es redimido y salvado a través del amor y de la pureza femenina. El satanismo ha sido sustituido por una suerte de jesuitismo casuístico: el «vendaval erótico» del primer don Juan ha sido aquí recortado y —sobre todo— moralizado. No se olvide: 1844 es el año en que el general Narváez comienza a gobernar dictatorialmente, y en el cual los tricornios de la Guardia Civil hacen su aparición por los caminos del campo español (cf. Nota Introductoria a IV.2). Si a Don Juan no le hubiera salvado Doña Inés, con toda probabilidad hubiera sido llevado entre corchetes a la cárcel de Corte. El romanticismo, su exaltación apasionada y su progresismo liberal es ya sólo un recuerdo, una sombra de lo que fue, hábilmente aprovechada por José Zorrilla.

1B. ROMÁNTICOS Y SOCIALISTAS: LA SOBERANÍA POPULAR.
   LARRA Y ESPRONCEDA

La década de los treinta trae la espuma de emigrados doceañistas con su liberalismo jurídico-moral que se opone a los arrestos democráticos y de soberanía popular de los jóvenes, particularmente Larra y Espronceda. Romanticismo es ya, sin lugar a dudas, «el liberalismo en literatura», como lo definió Víctor Hugo en su estruendoso prólogo a *Hernani* (1830), donde defiende las libertades civiles y políticas. Hugo, en palabras de Alcalá Galiano (1839), arrancó la cuestión del estrecho marco en que los literatos la tenían encerrada.

El nuevo romanticismo militante y populista, muy distinto al defendido por los románticos doceañistas, está íntimamente ligado a la revolución francesa de julio de 1830, donde se perciben ya los primeros signos del movimiento obrero apoyado por románticos socialistas, Fourier y Cabet, que alcanzaron difusión en España desde los centros de Barcelona, Cádiz y Madrid en la

década de los cuarenta a través de la prensa obrerista y la labor
de difusión de José M. De Abreu, Abel Transón y Fernando
Garrido, entre tantos otros. Antes que esta milicia se aprestara a
la lucha, la batalla es iniciada por dos combatientes aguerridos:
Larra y Espronceda, que murieron antes de que hiciera irrupción
el primer socialismo.

No una, sino dos Españas, son las que se disponen a la lucha,
divididas a su vez en distintos fragmentos. Los contendientes se
llaman la España democrática y la carlista, que luchan a muerte
durante la regencia de María Cristina. Según se ha confirmado,
la obra satírica de MARIANO JOSÉ DE LARRA (1809-1837) se explica en el contexto de aquella retórica parlamentaria de unas
Cortes inmovilizadas por la moderación y la lucha de partidos.
Pero sería minusvalorar su obra el verla en sólo ese sentido: sus
ojos ven más lejos y su flecha apunta más alto. Larra se exaspera
con los opresores en favor de los oprimidos; muchos de sus artículos son una defensa del *Partido Progresista* y un constante
ataque a una Iglesia en armas que fomentaba la contrarrevolución
y la guerra civil, ansiosa por frenar la obra desamortizadora iniciada por Mendizábal. La actividad crítica de Larra es múltiple;
sus artículos son una plataforma desde donde lanza consideraciones sociales, filosóficas y estéticas hábilmente entrelazadas y su-
jetas por casi invisibles hilos.

En lucha cotidiana con la censura, Larra es un cuidadoso se-
leccionador de material para presentar en oblicua línea su punto
de vista. Véanse artículos como *El café* (1833) y *Las casas nuevas* (1833), sólo en apariencia cuadros de costumbres. En el primero explica con minuciosos detalles el procedimiento que emplea
en su selección de material, en el segundo se declara entusiasta
contra la rutina anquilosada. El costumbrismo posee para él una
verdadera importancia histórica porque deja constancia de una sociedad y su evolución. *El álbum* (1835) le sirve para indicar que
el cuadro nunca debe ser pintura de individuos únicos, pensamiento que amplía en *La educación de entonces* (1835), donde
pasa registro de las clases sociales —aristocracia, burguesía, pueblo—. Bien distinto es este costumbrismo del pintoresquismo de
Los españoles pintados por sí mismos.

Todos sus artículos, sean del tema que fueren —crítica literaria, costumbres, filosóficos, políticos— convergen en un mismo
blanco: atacar la hipocresía, la apariencia, la falta de escrúpulos,

al español que cambia de casaca. No en balde en *Los calaveras* (1835), pormenorizada descripción del lechuguino de nuevo cuño, no se deja en el tintero al calavera-cura, que quiere limpiar su fama de carlista y da en el extremo opuesto. Este personaje es de esos «que para exagerar su liberalismo y su ilustración empiezan por llorar su ministerio». Hipocresía, opinión pública (la *honra* antigua), todo es máscara, apariencia. No se salvan los amigos, ni la sociedad, ni la política. El becerro de oro emponzoña, como dice en *La calamidad europea,* nunca publicado en vida suya. El punto esencial de este artículo es que los hombres son mitad víctimas, mitad sacrificadores; la calamidad viene de la preocupación religiosa; de la superstición, del fanatismo. Y, tajante, declara: «Sobre la sangre humeante de los *autos de fe* nace la política, y con ella el soñado equilibrio de los reinos.» La áspera mano dogmática impidió, sin duda, que este feroz ataque a la Iglesia y a las instituciones anticuadas se publicara.

Por el tablado de la obra de Larra pasan en fila todos los males sociales: el español ocioso, los entretenimientos adormecedores (las corridas de toros, por ejemplo), el mal teatro, la mala literatura, las infames traducciones, los espantosos establecimientos y servicios públicos, la despoblación, la destrucción del patrimonio artístico, en antecedente claro de muchos aspectos de la crítica del 98. Como es de esperarse, no faltan los instrumentos de opresión; así en *La policía* (1835), que sale muy malparada, por ser hija del miedo y enemiga de la libertad. España, dice Larra,

> se había dividido en dos clases: gentes que prenden y gentes que son prendidas; admitida esta distinción, no se necesita preguntar si es cosa buena la policía.

Larra emplea un método infalible: destruye y satiriza mediante la afirmación. La ironía aflora justamente en esos precisos momentos:

> De cuantos liberales han muerto judicialmente asesinados en los últimos diez años, acaso no habrá habido uno que no haya tenido algo que agradecer a esa brillante institución...

Como depende de delaciones, no sólo es cosa buena la policía, «sino también los ocho millones...» de habitantes, claro.

Fígaro pudo escribir sus artículos políticos más agresivos en 1833, durante la regencia y la guerra carlista, pasado ya el momento más duro de la censura. El oscurantismo, la cobardía, el ridículo de defender ideas de un fanatismo supersticioso y anacrónico en pleno siglo burgués, democrático y progresista, desataron sus iras. Representativos en este sentido son *La planta nueva o el faccioso* (1833) y *Fin de fiesta* (1833), donde con gran dote de fantasía describe las luchas por Bilbao. Es satírico por convicción, según escribe en su importante *De la sátira y de los satíricos* (1833):

> Somos satíricos, porque queremos criticar abusos, porque quisiéramos contribuir con nuestras débiles fuerzas a la perfección posible de la sociedad a que tenemos la honra de pertenecer.

Aspira a despertar a España al progreso; las ideas habrían de ser proyectiles encaminados a que la sociedad, por sí misma, acabase con las antiguas y arcaicas instituciones. Su idea del cambio es social, harto ya de la politiquería huera y las promesas vanas. En *Los barateros* (1836) anticipa la sacudida del cuarto estado y confía desprenderle de la engañosa bandera que el progresismo agitaba ante sus ojos. Vislumbra allí una sociedad más justa, y la revolución del futuro, imprecando al pueblo para que reclame sus derechos:

> Hombre del pueblo, la igualdad ante la ley existe cuando tú y tus semejantes la conquistéis; cuando yo sea la verdadera sociedad, y entre en composición social el elemento popular...

No es Larra, sin embargo, unidimensional, ni carece su obra de contradicciones. Entre mayo y noviembre de 1836, por ejemplo, llevado sin duda de ambiciones personales y, tal vez, de un lamentable oportunismo político, cesa en su crítica del gobierno moderado y llega incluso a escribir anónimamente en su favor: como recompensa los moderados le apoyan en su candidatura a diputado. Pero vuelve al poder la facción de Mendizábal, obligando a la Reina Regente a restablecer la constitución de 1812 y proponiendo reformas que Larra mismo había defendido un año antes, y el escritor no llega al Parlamento. No sólo se encuentra entonces en oposición al progresismo, con cuyas tendencias se había antes identificado, sino que escribe en su contra. Como consecuencia, entra en ese momento en una profunda crisis que seguramente influye en su suicidio (febrero de 1837) y que, antes, le lleva a escribir sus páginas más pesimistas. Es entonces cuando en *Horas de invierno* (diciembre, 1836) dice aquello de que «escribir en Madrid es llorar», frase que no adquiere todo su sentido si no la ponemos —por lo menos— en este su inmediato contexto:

> Escribir en Madrid es llorar, es buscar voz sin encontrarla, como en una pesadilla abrumadora y violenta. Porque no escribe uno ni siquiera para los suyos. ¿Quiénes son los suyos?

¿Quiénes, en efecto, son ya para Larra «los suyos»? No es extraño que, según se ha dicho, parezca en *Horas de invierno* haber perdido para siempre su anterior fe en la misión pública de su escritura. Y en otro lugar anota:

> inventas palabras y haces de ellas sentimientos, ciencias, artes, objetos de existencia... Y cuando descubres que son palabras, blasfemas y maldices.

Con *Día de difuntos* parece ya Larra dudar de toda racionalidad; domina lo subjetivo, y la realidad histórica se le aparece toda poblada de espectros y fantasmas. Este ensayo-testamento es la elegía de un liberal progresista que presencia el entierro de sus propias esperanzas. Las sombras le han ganado la luz al día.

Larra es también autor de una novela histórico-legendaria, *El doncel de don Enrique el Doliente* y de un típico drama romántico, *Macías*. Ambas obras se ocupan del mismo personaje del siglo XIV, el poeta gallego que da título al drama.

Para estas mismas fechas otro espíritu inconforme, JOSÉ DE ESPRONCEDA (1808-1842), había glosado los fallos sociales de la desamortización, en un clarísimo alegato de lo que para un revolucionario liberal implicaba como instrumento de clases. También increpa al Estado, porque éste dispone de los bienes de la Iglesia para aumentar el capital de los ricos, «pero también el número y malaventura de los proletarios». La riqueza produce pobreza; al dividir las vastas posesiones en pequeñas partes, no se le ocurrió a ese gobierno que «los ricos podrían comprar tantas partes que compusiesen una posesión cuantiosa». Andaríamos mal encaminados si no estableciésemos una relación entre la obra total de Espronceda (poesía, teatro, novela, artículos) y su ideología política. Progresista convencido, también la emprendió contra el neoclasicismo, en favor de la heterogeneidad de formas y géneros, buscando la imaginación sin bridas, el exceso, el sueño. Si Larra sueña «la noche de difuntos», Espronceda busca el sueño romántico que apoyado en la imaginación impulsa al poeta a «la loca fantasía». El poeta es un jinete alborozado que llega al vértigo y a la confusión, disociado de la realidad objetiva. Si la realidad española por entonces equivale a desengaño liberal, a carlismo y a ilusiones perdidas, ¿por qué no unir todo esto y escapar por el sueño? Los primeros alientos del *ennui* y la *rêverie* aparecen en este poeta español desengañado. Valgan estos versos de *El estudiante de Salamanca* (1836-1837), donde asesina al tiempo con las balas de la fantasía y la pesadilla:

> Corre allí el tiempo, en sueño sepultado.
> Las muertas horas a las muertas horas
> siguen en el reloj de aquella vida,
> sombras de horror girando aterradoras,
> que allá aparecen en medroso ruedo.

Espronceda exalta el yo, pero no le falta la nota de melancolía: lo temporal es mezquino. Necesario es, en cambio, exaltar lo marginado que el tiempo y el espacio desechan: el reo, el pirata, el amor avasallador en duelo con la muerte. Véase ese magistral Canto II «A Teresa», inserto en *El diablo mundo,* publicado por entregas en 1840. Con Espronceda cobran sentido las antítesis, los contrastes: individuo/sociedad; amor/muerte; libertad/lejanía. Su *Là-bas,* su lugar de huida, es el Estambul de la exótica *Canción del pirata*, donde el paisaje romántico de noche, luna, vientos, tempestad, es simultáneamente una exaltación de la libertad. Pero no aquí, sino en el país de ensueño, siempre lejano e inaccesible. Si muchas páginas se han escrito sobre Espronceda y Byron, merecería que se dedicaran otras tantas sobre sus puntos de contacto con el romanticismo francés del mismo período: el joven Théophile Gautier de *Cauchemar* (1830), que se recrea en la fantasmagoría; el Alphonse de Lamartine de *La caravane humaine* (1836) y desde luego su humanitario *Principes politiques et sociaux* (1831), el Alfred de Musset de *Le mal du siècle* (1836) y de las *Poèsies* (1833), donde aparecen poemas tales como «Rolla», melodramático, escéptico, desilusionado. Hay también ecos de Alfred de Vigny, *Le poète et la vie* (1831), de Henry de Saint-Simon, y claro está, de Víctor Hugo, con sus poemas humanitaristas y sus exotismos románticos. Mas baste subrayar aquí la complejidad de la obra de Espronceda, a quien se le hace poco favor llamándole el «Byron español».

Su pensamiento tiene amplio registro: discípulo del teórico del neoclasicismo, Alberto Lista, escribió toda su obra entre 1830 y 1840. De sus poemas, trece fueron publicados por él y el resto de su obra es póstuma: dos poemas largos, una novela y tres comedias. Es sabido que entre 1827-1833 estuvo exiliado en Lisboa, Londres, Bruselas, París y Burdeos. Tomó parte activa en la intervención armada de Chapalangarra, y a su vuelta a España se le desterró de Madrid. En 1834 padeció persecuciones y cárcel. Gran parte de su poesía es patriótica y política: cánticos de guerra, tal el *Epitafio a un guardia* y *Al 2 de mayo,* que le sirven para oponer la guerra carlista y el despotismo al ansia de libertad y al progreso. En su temática no faltan alusiones al mendigo, al reo de muerte, al verdugo. Sus dos poemas más ambiciosos son *El estudiante de Salamanca* (1836-37), que apareció en *El Español* y *El diablo mundo* (1840).

El primero consiste en 1.704 versos donde divaga sobre la injusticia social y el mal del siglo, con digresiones rapidísimas. El título es la única nota de color local; el poema mezcla la fantasía con la historia en confusión orquestada de sentimientos y meditaciones. Lo anecdótico es el punto de arranque para hacer volar la imaginación. El protagonista es un segundo don Juan, cínico, materialista y prosaico. Don Félix de Montemar engaña a Elvira, ésta enloquece de amor y, Ofelia atormentada, se suicida. Los lances reales y fantasmagóricos que se precipitan le permiten al poeta introducir largas digresiones sobre el desengaño y la muerte. Lo onírico y la pesadilla son la música de fondo en contrapunto con el mundo frío, cínico y egoísta de este don Juan, burgués de nuevo cuño. Esa especie de calavera-lechuguino de Larra que se juega sus días, las horas, el amor, y se juega la muerte. El dinero es quizá su única pasión:

> Necesito ahora dinero
> y estoy hastiado de amores.

Con altivez se dirige a sus compañeros de francachelas para ofrecer una cadena de oro que apuesta al as de oros, para perderla. Pero «Perdida tengo yo el alma / y no me importa un ardite». El empedernido jugador busca cualquier otra prenda y pone sobre el tapete un retrato con marco de pedrería. Hasta los más encanallados sienten la hermosura de Elvira; él, impertérrito en su cinismo, responde:

> A estar aquí la jugara
> a ella, al retrato y a mí.

El Diablo mundo es un poema de seis cantos y una introducción donde aparecen las ya mencionadas antítesis principales de la obra esproncediana, que enlaza hábilmente con visiones, sensaciones y sentimientos fatídicos. La noche destaca las fuerzas destructoras de la naturaleza y del hombre. Hórridas turbas, genios sombríos rodean al poeta en danzas macabras que bien le aterran o le hacen reflexionar con lirismo en torno al sueño y a la muerte, al amor, al gobierno y la soberana libertad del escritor; «sin ton ni son y para gusto mío»:

> Nada menos te ofrezco que un poema
> con lances raros y revuelto asunto,
> de nuestro mundo y sociedad emblema,
> que hemos de recorrer punto por punto.

Ataca al «necio audaz», el conde de Toreno, a los antiliberales, los antiprogresistas, los ministeriales, los jefes políticos, la policía, la ley marcial, la mordaza de la palabra escrita y la palabra a gritos.

No pocas veces la imaginación poética de Espronceda se anticipa a la de Bécquer (cf. IV.2A): violencia y vértigo se enlazan al mundo del sueño impreciso, de la niebla. Valgan algunos ejemplos como muestra. En *El diablo mundo* alude a «la inerte materia» por donde «vaga incierta» el alma; en otros momentos la relación es más nítida:

> Y como el polvo en nubes que levanta
> en remolinos rápidos el viento,
> formas sin forma, en confusión que espanta,
> alza el sueño en su vértigo violento.

O bien voces vagas y misteriosas le llegan al poeta en la noche. En *El estudiante* una cierta aura becqueriana trasciende una de sus digresiones:

> ¡Ay el que vio acaso perdida en un día
> la dicha que eterna creyó el corazón,
> y en noche de nieblas, y en honda agonía
> en un mar sin playas muriendo quedó!

Y aquella bellísima descripción de Elvira,

> que entre el rayo de la luna
> tal vez misteriosa vaga.

Para resumir, Espronceda ataca la aristocracia y se conduele de los siervos y los marginados. Rompe lanzas por la igualdad, la libertad y la fraternidad; pero también huye a la fantasmagoría y al sueño como rompeolas contra el mundo; vida y obra contradictorias en un difícil y contradictorio momento de transición.

1C. PERIODISMO Y LITERATURA. COSTUMBRISMO PROGRESISTA Y COSTUMBRISMO ESTÁTICO

La primera oleada romántica se centró en la poesía y el teatro, aunque no dejó de haber cierta producción novelística, particularmente novela histórica, iniciada con la famosa *Ramiro, conde de Lucena* (1823) de Rafael Húmara y Salamanca. Siguieron a ésta otras no menos conocidas en su época, hoy relegadas al olvido, tal *Los bandos de Castilla* (1830), de Ramón López Soler, aquel que en 1823 defendía el romanticismo y a Walter Scott desde las páginas de *El Europeo*. Antes que en la novela propiamente dicha, merece la pena detenerse en el costumbrismo, tan enlazado a la historia de la narrativa, y en su vehículo principal, el periodismo, que impulsó el consumo literario, en aumento a lo largo del siglo.

La prensa periódica languideció debido a la censura después de 1814, fecha en que, bajo la represión de Fernando VII, sólo se publicaban la *Gaceta* y el *Diario de avisos*. A partir de 1830 hubo un leve renacer que coincide plenamente con la presión ejercida por los liberales; hacia estas fechas aparecieron las famosas *Cartas españolas* (Madrid, 1831-1832) de José María Carne-rero, desaparecidas por falta de suscriptores. La España fernan-dina no favorecía la literatura. Pero, como a poco, tras la muerte del rey, gracias al decreto sobre libertad de imprenta firmado por el liberal Javier de Burgos en enero de 1834, muchos editores se acogieron a la nueva legislación, la teoría romántica encontró por fin el cauce abierto. Pese a las restricciones y trabas que siempre se dejaron sentir (recuérdese el programa defendido con denuedo por Larra y Espronceda en favor de la libertad de imprenta), se fue desarrollando el periodismo y aumentando el consumo litera-rio. *El Vapor* (1833-1838), *El Guardia Nacional* (1835-1841), de Barcelona; *El Eco del Comercio* (1834-1841), *La Abeja* (1834-1836), *El Español* (1835-1837 y 1845-1847), de Madrid, entre tantos otros, influyeron en gustos y tendencias literarias renova-das. El auge de la prensa se nota, pues, a partir de la regencia de María Cristina; hacia 1837 sólo en Madrid existían veintisiete periódicos y revistas, treinta y cinco en provincias, y nueve bole-tines oficiales. Estas cifras crecerán a lo largo del siglo.

De las revistas importa ahora destacar sólo algunas de las más influyentes en estilos y modas literarias, avanzadas del romanti-cismo y del «realismo» peninsulares: *El Artista* (1835-1836), *El Semanario Pintoresco Español* (1836-1857), *El Museo Universal* (1857-1869). Desde sus páginas dieron la batalla al neoclasicis-mo las traducciones de Hugo, de Byron; cuentos, cuadros de cos-tumbres y poemas de las plumas más conocidas en la época, como Eugenio de Ochoa y Espronceda. Fueron revistas lujosas, con excelente presentación tipográfica e ilustraciones firmadas por los mejores grabadores. Gracias al periodismo —parte esen-cial de lo que podríamos llamar *literatura industrial*—, el escritor se hace oir de un público más extenso. Alguno, como Larra, es-coge ese camino a conciencia y funda *El Duende Satírico del Día,* que debe no poco de su formato y lenguaje satírico a la prensa del *Trienio Liberal,* como *El Zurriago* o *La Tercerola.*

A estas alturas del XIX la prensa es el camino que ha de em-prender el escritor para ganar dinero; redactar todos los días uno o varios artículos, bajo la presión de lo inmediato: crítica de teatro, lo cotidiano. Otras veces se da a conocer con un poema, un capítulo de novela, un esbozo, confiando en que el renombre logrado le proporcionará editor. No en balde, algo después, Béc-quer lamentará escribir «por necesidad material», lo que le lleva

—en su caso— a publicar en la prensa conservadora, a diferencia de, por ejemplo, Espronceda. De la crónica periodística o la colaboración en revistas muchos autores pasarán más tarde a escribir novelas.

Si las revistas mencionadas representan el sistema literario establecido, otros escritores fundaron las propias para hacer oír su voz discrepante (como en el caso mencionado de Larra). Eran publicaciones efímeras, en torno a las cuales se reunían ideologías afines, y, característicamente, defensoras del género *novela*. Así las fundadas por Wenceslao Ayguals de Izco, como *La Risa* (1843-1844) o *El Fandango* (1844-1846); las republicanas, como *La Revolución* (1840) o *El Huracán* (1840-1843), y posteriormente las socialistas, como *La Fraternidad* (Barcelona, 1847-1848) o *El Trabajador* (Madrid, 1850).

El consumo literario, que había comenzado a surgir en el setecientos (cf. III.2D), se desarrolla ahora con el periodismo, con el cual cobra impulso el cuadro de costumbres, el boceto fisionómico y frenológico, subsuelo de la novela realista posterior. Los cuadros de costumbres, en efecto, deben leerse como novelas en proyecto. El lector actual ha de buscar en ellos algo más que una página desvaída de la historia literaria; el costumbrismo ofrece un espléndido retablo de España con su galería de tipos populares que pululan en la urbe y los campos; cada región encuentra su daguerrotipo. Lo que para algunos escritores de costumbres tuvo el primor del pintoresquismo fácil, nos permite ahora reconstruir en cierta medida los personajes —clases sociales— que recorrían el laberinto de calles y las encrucijadas de los caminos: gitanos, vendedores ambulantes de maravillas, contrabandistas, bandoleros, mendigos, aguadores, vinateros, buñoleros, pobres apicarados y buscavidas, conspiradores que en posadas, ferias, cuevas o plazas cruzaban el país de un lado a otro. La «corte de los milagros» asoma su rostro por las celosías.

El costumbrismo recoge tradiciones, usos, actitudes ya desaparecidas, pero que sirven para comprender a esa España decimonónica donde coinciden en un mismo punto el pasado anquilosado y el presente de esperanzas. Algunos autores elogiaban la España pintoresca —*romantique Espagne*—, no contaminada por el espíritu burgués, el capitalismo y la industrialización. En el fondo exaltan los privilegios señoriales del Antiguo Régimen: el pueblo campesino y el que emigraba a la urbe en busca de trabajo es para el costumbrismo conservador y estático o de consolación el depositario de la España eterna, cristiana y monárquica. Pero sólo veían la apariencia o, mejor dicho, le imponían esos valores a un pueblo levantisco, al que temían. Lo español, lo castizo, es ese «castellano viejo» que tan vívidamente pinta Larra, anquilosado en sus tradiciones, temeroso de las novedades: «Es tal su patriotismo, que dará todas las lindezas del extranjero por un dedo de su país.» La ceguera le impide ver sus pésimos modales, su falta de urbanidad y civismo. Líbreme Dios del castellano viejo, concluye Larra.

Vemos, pues, en contraposición, dos caras de la moneda: por un lado el cuadro de costumbres de Larra, cuya obra primeriza se inició en 1828 como el *Duende satírico* y luego en 1832 bajo el pseudónimo de *El pobrecito hablador,* y el de Mesonero Romanos y Serafín Estébanez Calderón. *Fígaro* emplea el cuadro para satirizar, presenta las clases en su variedad, mientras los otros, particularmente Estébanez Calderón, ven sólo un envés, en añoranza por un pasado que se les diluye en las manos. Este costumbrismo de consolación está ampliamente representado en *Los españoles pintados por sí mismos* (Madrid, 1843), donde se idealiza el pasado en aras de las glorias pretéritas. Mejor retratar (parecen decirnos esos breves cuadros) al español obediente y sumiso, amigo de tradiciones regionales y de canto y baile; mejor fomentar su regionalismo que darle sentido de unidad, que fatalmente desembocaría en el internacionalismo incipiente del primer socialismo.

El maestro de este costumbrismo de consolación, pero trabajando en sus propuestas ideológicas de manera más compleja que Estébanez Calderón, de quien hablaremos en seguida, es RAMÓN DE MESONERO ROMANOS (1803-1882). Ha de notarse, en primer lugar, que ya en el artículo con que inicia en 1832 su *Panorama matritense,* acusa a los extranjeros de ser quienes falsifican la imagen de España:

Los franceses, los ingleses, alemanes y demás extranjeros han intentado describir moralmente la España; pero o bien se han creado un país ideal de romanticismo y quijotismo, o bien, desentendiéndose del transcurso del tiempo, la han descrito como no es, sino como pudo ser en tiempos de los Felipes...

Y es que, según él,

El transcurso del tiempo y los notables sucesos que han mediado
desde los últimos años del siglo anterior, han dado a las costumbres nuevas direcciones... Los españoles, aunque más afectos en
general a los antiguos usos, no hemos podido menos de participar
de esta metamorfosis, que se hace sentir tanto más en la corte por
la facilidad de las comunicaciones y el trato con los extranjeros.

A diferencia de Estébanez Calderón, pues, es el suyo un costumbrismo urbano, concretamente matritense. Y su Madrid es el de
la calle Ancha de San Bernardo, de Embajadores, de la Plaza de
la Cebada (tan caras luego a Galdós); el espectáculo de ferias y
romerías con su muchedumbre de puestos de bollos, leche, biz-
cochos, roscones, dulces, golosinas —«tentación perenne de bolsillos apurados»— (cf. *La romería de San Isidro*). Bolsas vacías,
pero labios inflamados por la conversación alegre y animada.
Otras veces penetra en las calladas oficinas de funcionarios o en
el estudio de los letrados; monótonas y sombrías buhardillas que
Galdós describirá con certera mano en sus novelas contemporáneas (cf. III.2C). Abigarramiento y variedad porque, según él mismo explica, «tal es el plan que me propuse abrazando en la
extensión de mis cuadros todas las clases; la más elevada, la me-
diana y la común del pueblo».
    Pero quien declaraba estar tan consciente del cambio y se
ofendía ante los «extranjeros» que seguían describiendo una España de «tiempos de los Felipes», aclara inmediatamente después
de las palabras citadas que aunque sus cuadros van a ser plu-
riclasistas, dedicará lo más de su atención a la pintura de «la
clase media» que es, explica, la que en su tiempo «imprime a los
pueblos su fisonomía particular». Su costumbrismo es, por lo
tanto, decididamente burgués, sólo que no será crítico y angustiado como el de Larra, sino conservador, dándose así en su obra
contradicciones muy distintas de las de *Fígaro*. En *Contrastes*
(1845), por ejemplo, parece captar la contradicción según describe lechuguinos, cofrades, alcaldes de barrio, poetas bucólicos (que,
en metamorfosis no concebida por Ovidio, se transmutan en pe-
riodistas), contratistas, junteros, artistas, lectores. Nuevos tipos
para nuevos tiempos, sin duda. Pero el epílogo del cuadro, reve-

lador de una sociedad en cambio, revela también el profundo conservadurismo de Mesonero Romanos:

> No concluiríamos nunca si hubiéramos de trazar uno por uno todos los tipos antiguos de nuestra sociedad, contraponiéndolos a los nacidos nuevamente por las alteraciones del siglo. El hombre, en el fondo, siempre es el mismo, aunque con disfraces en la forma...

En el antihistoricismo de estas últimas palabras de Mesonero Romanos descubrimos la contradicción esencial que caracterizará a su fracción de clase a lo largo de todo el siglo. Todo cambia, desde luego; pero, de alguna manera, todo sigue siendo lo mismo. No es de extrañar, por lo tanto, que el cortesano que adulaba a los reyes sea ahora el tribuno que empalaga a la «plebe»; que el devoto se haya convertido en humanitario; el vago y calavera en faccioso y patriota; el historiador en hombre de historia; el mayorazgo en pretendiente, y el chispero y la manola en «ciudadanos libres y pueblo soberano». La burla es evidente en este contrapunto de tipos, pero también es evidente el esencialismo.

Costumbrismo estático en su día el de Mesonero por su añoranza del pasado; pero —al igual que, en tono menor, el de Antonio Flores (1818-1865)— documento hoy del dinamismo de una sociedad en transición en un país que para 1857 había saltado a quince millones de habitantes. Este costumbrismo, contradictoriamente, no pinta los colores sombríos de la vida en las casas de vecindad, ni la escualidez ni el hambre de las clases populares de las corralas. Tampoco los barrios obreros desvencijados que en cordón de espanto empiezan a rodear y cercar las grandes ciudades, mientras se destruyen sus moradas para construir nuevos edificios que aposentan empresas o la nueva burguesía comercial e industrial. Por certera paradoja, algún costumbrista —como Mesonero— fue inversionista de las sociedades de seguros o comprador de bienes nacionales, destruyendo el patrimonio nacional para construir inmuebles.

La Andalucía de SERAFÍN ESTÉBANEZ CALDERÓN (1791-1867) trasluce menos la realidad. No aparece el bracero paupérrimo y desposeído, itinerante buscador de trabajo en viñedos y olivares. Muy fuera están de sus *Escenas andaluzas* (1846) los hombres amontonados en los pueblos en larga espera, para que el capataz de un señor feudal señale a dedo —«sí, no»—; dedo que apunta al azar (¿azar o buen conocimiento de ideologías y actitudes?). El andaluz del costumbrismo de consolación es de canto y baile —de charanga y pandereta—, y el escritor burgués no quiere comprender que la saeta es una flecha sollozante de dolor.

Sí, estos costumbristas españoles se pintan a sí mismos: evaden la España levantisca que va adquiriendo conciencia de clase y romantizan al español envalentonado y jactancioso, al español «digno en su hambre» (según ellos), individual (no comunitario, ni asociacionista). En la evasión romantizada de este escritor burgués, el cuarto estado conservaba las virtudes tradicionales —que tan certeramente satiriza Larra— gracias a las cuales el país saldría de su decadencia. La decadencia no parece ser otra que una plebe que exige «soberanía nacional», asociación o muerte. De ahí que Mesonero se imponga la tarea de representar las costumbres para corregirlas, según prólogo de J. E. Hartzenbusch a las *Escenas Matritenses*. Oigamos las palabras del propio Mesonero que son aún más reveladoras: aparecen en su laboratorio —dice— las brillantes cualidades del hombre, y éstas son ajenas «a toda liga terrena, material y tangible». Contradicción en términos, porque a renglón seguido explica que aparecen tal cual son. Recordemos la aseveración anterior: ajenas a todo lo terreno y tangible. Aparecen/apariencia; Mesonero entre líneas lo ha expresado con claridad: él pinta la apariencia, la superficie. A final de cuentas su retrato de la sociedad madrileña decimonónica es como aquel al que alude Platón: sombra de sombras.

1D. FOLLETÍN, NOVELA, «REALISMO»

Inmovilidad y cambio saltan del cuadro costumbrista a la novela. Con la primera marejada de novela de costumbres se analizó algo más a fondo la sociedad española. Recorramos ahora la historia de la novela del siglo XIX, tan llena de altibajos. Se recordará que ya desde los albores del siglo se venía aludiendo a la necesidad de escribir novelas autóctonas, porque las traducciones francesas eran las únicas que alimentaban al lector español. Algunos editores —Mariano Cabrerizo, Tomás Jordán, Pedro María Olive y Manuel Delgado, entre otros— aprovecharon esta coyuntura y lanzaron bibliotecas populares a precios accesibles. Después de estas experiencias los editores de novelas irán aumentando. Todos coinciden en el deseo de publicar narraciones originales, de escritores hispánicos, en volúmenes pequeños, manejables y a precios económicos. Esta primera oleada de novela «original» española surge como doble oposición a la francesa: para evitar la sangría económica en gastos de traducción e importación y, sobre todo, para contrarrestar la avalancha de ideas transpirenaicas vertidas en novelas sociales de tendencia democrática y socialista.

Hacia 1839 se buscaba en España una novela expresión-de-la-época-contemporánea, la sociedad presente con sus matices, sus clases sociales y los intereses que las dividen, según anunciaba la *Revista Gaditana* en prospecto de ese año. Así pues, en la década de los cuarenta, novela es sinónimo de costumbres, la representación de la vida común, al decir de Salvador Bermúdez de Castro. La literatura debía retratar la guerra, los temores y esperanzas del hombre actual. Fiel a esta doctrina de novela expresión-de-la-época, en 1838 Eugenio de Tapia (1776-1860) publica *Los cortesanos y la revolución,* situada en el reinado de Fernando VII; en 1845 Ramón de Navarrete (1818-1897) da a la luz *Madrid y nuestro siglo,* cuya trama transcurre en 1841, y entre 1845-1846 el afamado WENCESLAO AYGUALS DE IZCO (1801-1873) edita *El tigre del Maestrazgo, o sea de grumete a general,* invectiva contra el carlista Ramón Cabrera, de gran éxito editorial, pues ya en 1849 iba por la tercera edición. La «advertencia preliminar» no deja lugar a dudas sobre su propósito: delatar las atrocidades del caudillo de bandoleros que adquirió renombre con sólo agitar el puñal y la tea incendiaria. Advierte además que él presenció las atrocidades de Cabrera, pero que se documentó con una *Historia de la guerra última de Aragón y Valencia,* cuyos autores —Cabello, Santa Cruz y Templado— colocan al carlista en sus verdaderas coordenadas. Entre idílicas descripciones de la naturaleza, aparecen insultos y denuestos contra Cabrera. Al principio de la segunda parte se intercala una «vindicación» que merece rescatarse del olvido. Explica Ayguals que *La Esperanza,* periódico jesuítico, digno abogado de los carlistas, atacó duramente el libro, al que calificó de novela descabellada que intentaba reanimar odios ya extinguidos: «¡Y esto se escribe mientras más fanáticos e iracundos que nunca los amigos de *La Esperanza* se rebelan contra los progresos de la ilustración!» Ayguals escribe por humanitarismo, según dice, para incitar a la fraternidad y evitar discordias civiles. En todo caso, lo que nos interesa subrayar ahora es que la novela es, como señaló *El Propagador Balear,* de Palma, una «historia-novela»:

> Distínguense sus historias-novelas por la copia de documentos aducidos para dar realce a sus asuntos, por la descripción de los lugares y monumentos de que trata, y más que todo por la prodigalidad con que los acaecimientos contemporáneos están delineados.

Esta novela fue publicada por entregas, así como tantas otras en estas primicias del «realismo». En otros casos aparecían antes como folletín en periódicos. Este sistema cobró auge, y algunas empresas publicitarias además de editar sus periódicos ofrecían gratis bibliotecas de novelas y folletines a los suscriptores con el propósito de aumentar las ventas. Folletín-novela; si nos atenemos a la definición de Vicente Salvá en la edición de 1851 de su *Diccionario, folletín* es un neologismo:

> Los artículos de algunos periódicos impresos de letra más menuda en la parte inferior de las páginas, que versan sobre puntos de literatura, o contienen cuentos, novelas, o extractos de las obras recién publicadas, con el fin de hacer ver su objeto e importancia.

Con el tiempo *folletín* pasó a ser definido por su contenido, que en estos primeros tiempos del siglo XIX era el humanitarismo social. O, en palabras del periódico católico *La Censura* en 1844: «doctrinas escandalosas, inmorales, anticristianas y antisociales que se publican en París.» «Desenfrenos» que se vierten en literatura narrativa y al alcance de todos los bolsillos. Se aúnan aquí folletín y novela por entregas, que aunque provienen de distinto tronco desembocan en la literatura de tema social. El bajo precio era aliciente de lectura, para temor de los conservadores. Es difícil determinar con precisión cuál era el público lector; posiblemente la pequeña burguesía de los centros urbanos y algunos obreros educados afiliados al movimiento asociacionista, puesto que también los periódicos demócrata-socialistas publicaban novelas encaminadas a explicar los desafueros de las sociedades absolutistas y monárquicas.

Esta novela de costumbres, que se irá transformando en novela social, comienza imitando la francesa de George Sand, Eugène

Sue, Víctor Hugo, Alejandro Dumas, Paul de Kock, entre otros, particularmente el segundo, que gozó de enorme fama en España y fue objeto de disputas editoriales aspirantes a publicar su notorio *El judío errante*. En resumen, lo que hoy llamamos *realismo* surgió entre 1830 y 1856 y está íntimamente ligado a esta literatura folletinesca, encaminada también al retrato fiel de lo cotidiano. Algunos autores se unieron a las fuerzas democráticas y progresistas; otros, en cambio, lo emplearon para atacar el progreso y defender la tradición.

Es necesario subrayar que lo que hoy llamamos *realismo* fue esgrimido por los contemporáneos como término derogatorio. Se asociaba con la reproducción del mundo obreril y marginado y la acumulación de detalles groseros y de mal gusto. Es decir, el escritor realista daba testimonio del presente tumultuoso y poco atildado de la «corte de los milagros». Estos factores contribuyeron a que se rechazara al primer Balzac y a Dickens, por ejemplo, como autores peligrosos para la moral pública, así como a escritores de menor cuantía, como Sue y, en otra línea de arranque, a George Sand. Entre 1830-1856 el «realismo» se identificó con las ideas democráticas y con las huestes del primer socialismo. Resultaba imposible aislar la estética de la política.

En España el panorama no fue muy distinto; para FERNÁN CABALLERO (Cecilia Böhl de Faber, 1796-1877), por ejemplo, novela, folletín, realismo, democracia y revolución estaban vinculados. Más aún, la novelista veía una relación entre los disturbios políticos y la producción literaria. Aprovecha entonces la novela con una óptica totalmente distinta. Según *Fernán,* los folletinistas perdían y confundían a los lectores; ella, por el contrario, intentaría enderezarlos por el buen camino. Así, escribe cuentos y novelas en los periódicos, para llegar al público español y advertirle el peligro que corría. Cada una de sus obras es una admonición contra el mal del siglo, contra la hidra de la anarquía, defendiendo a ultranza la superstición —con la envoltura de folklore y costumbre— y los privilegios señoriales, tal cual lo hiciera su padre en los albores del siglo. Esta fe ciega en la ortodoxia religiosa y social y su franco rechazo de las fuerzas democráticas y progresistas permiten llamarla, no sin razón, el «Chateaubriand femenino». Como dijera un crítico francés decimonónico,

Fernán Caballero es en España, para la novela, lo que Balmes ha sido para la teología, lo que Donoso Cortés para la política: representante y defensora del pasado.

La primera novela supuestamente realista aparece ligada a las fuerzas del socialismo humanitario. *Fernán Caballero,* sin embargo, hija de Böhl de Faber, emplea la nueva técnica para reconstruir la vida idílica del campesino andaluz. Pinta en «rico colorido romántico o estética romanesca» al pueblo que baila al son de la guitarra, según explica en prólogo a *La familia de Alvareda* (1849). Idéntica intención se trasluce en *La gaviota,* publicada como folletín en *El Heraldo de Madrid* en 1849, que equivocadamente se ha visto como primer espécimen de novela *realista* en España. Si nos atenemos a las digresiones morales del texto —que abundan—, *Fernán Caballero* dista mucho de pintar la cambiante realidad social; su interés radica en los refranes, hábitos y tradiciones del pueblo, sus costumbres y anecdotario. Intención que le revela a Juan E. Hartzenbusch al enviarle el manuscrito francés de 1848, con una carta donde confiesa que la impulsó la necesidad de desarrollar en España «un género que en otros países tanto aprecian, y a tanta perfección han llevado. Esto es, la novela de costumbres».

Mora tradujo la obra y ésta comenzó a aparecer como folletín en 1849, seguida en el mismo diario citado por *La familia de Alvareda.* En 1852 publicó *Clemencia,* cuya primera versión se publicó como folletín de *La España* (1850). Esta novela combina el interés folklórico de *Fernán Caballero* con su intención de escribir novelas; el hilo conductor es la vida de

nuestros pueblos de España, lo que piensan y hacen *nuestros* paisanos en las diferentes clases de *nuestra* sociedad.

El prólogo nos ofrece una pista para comprenderla, pues el argumento se centra en escenas de salón y de tertulias de la clase alta sevillana. Sitúa la obra en 1844, a partir de recuerdos de gente conocida, y termina por ser una idealización del pasado y de su propia vida.

Frente a la pintura idealizada de *Fernán Caballero* destaca la de los novelistas demócrata-socialistas, que delineaban la azarosa existencia del proletariado de las ciudades, en cárceles y zahurdas, así como su vida en las casas de vecindad, guaridas de vicio y de crimen. En esta primera novela «realista» «el malo» se describe como ser corrupto, caricatura grotesca del hombre. El anticlericalismo brota en las descripciones de los sacerdotes, y el sentimiento republicano y democrático se trasluce en la pintura de los aristócratas venales y del burgués de nuevo cuño, perfumados *dandies* que explotan la ingenuidad de los menestrales. Se oponen a menudo al esplendor y el lujo de los palacios de la aristocracia con la escualidez del pobre. El ya mencionado AYGUALS DE IZCO es buen ejemplo de ello: sus novelas contrastan las mansiones de duques y duquesas con las miserables casuchas de los miembros del cuarto estado. En *Pobres y ricos, o la bruja de Madrid* (1849-1850), por ejemplo, las sedas, las sillerías de terciopelo, las antigüedades, los cuadros al óleo y las arañas de cristal aparecen en violento contraste con la oscuridad y la desnudez de las casas de los proletarios.

En otros casos, la contraposición se da en dirección diversa. *María, o la hija de un jornalero* (Madrid, 1845-1846) opone no sólo la opulencia de unos y la sordidez de otros, sino que el contraste aparece además en el plano moral. El autor parece decirnos que los jornaleros virtuosos pueden aspirar al ascenso social, porque el resplandor de su bondad triunfará siempre sobre el medio ambiente y las malas pasiones. María es pura: no obstante las peripecias, el melodrama y las aventuras que experimenta, sale airosa y triunfa como flor purísima que surge del lodo.

Ayguals de Izco no es el único representante de este primer socialismo utópico y nebuloso; otros autores siguieron sus huellas. El extenso catálogo sería todavía incompleto y rebasaría el propósito de estas páginas. Sirvan de guía algunos nombres y novelas: Juan Martínez Villergas, *Los misterios de Madrid* (1845-1846) y *Paralelo entre la vida del militar Espartero y la de Narváez* (Madrid, 1857); Ceferino Treserra (traductor de Cabet), que publicó unos *Misterios del Saladero* (Madrid, 1860). Resta por decir que nuestra intención ha sido sencillamente subrayar la decisiva influencia que tuvo el primer socialismo en el nacimiento de la novela realista. Esta se divide en bandos, como hemos visto: los escritores que como *Fernán Caballero* buscaron en el folklore y el pintoresquismo los rasgos «esenciales» del español, y los que presentaron, consciente o inconscientemente, los antagonismos de clase. Estos últimos fueron sociólogos intuitivos que reprobaron la falta de democracia y soberanía popular, banderas izadas por los partidos progresista y demócrata. El estudio de las costumbres o los «misterios» de las capitales permitió analizar las condiciones sociales de la época. Tanto Hugo como Sue y sus imitadores peninsulares extrajeron idénticas conclusiones: una vez caído en desgracia, es imposible que el pobre se rehabilite, porque la sociedad es injusta y la aristocracia, el clero y el industrial oprimen a los indefensos. Mensaje que ya había dado Larra en *Los barateros*.

Así pues, pertenecieran o no algunos de los novelistas de tema social a los grupos fourieristas o cabetistas, la efervescencia de una literatura de temas sociales es evidente. Estas obras, consideradas habitualmente como carentes de valor artístico, nos ofrecen la ventaja de ser testimonio fiel y directo de las inquietudes de la época. Fueran o no socialistas los escritores, sobresale su interés por las clases humildes; fueron además los primeros en explicar la prostitución desde criterios económicos y sociales. De su pintura surge la idea de que la ignorancia, los bajos salarios y la explotación son los verdaderos responsables de la mala vida. Encontramos además una fuerte vena anticlerical; para muchos el auténtico cristianismo es democrático y progresista. Las tesis que plantean son simples y a menudo las aspiraciones sociales son confusas y vagas. Más que conjunto doctrinal homogéneo, los novelistas de esta primera promoción *realista* presentaron sus ideas y argumentos con gran fuerza de convicción, deseosos de persuadir a sus lectores de la necesidad de armonía y bienestar. Nos equivocaríamos, pues, si quisiéramos ver en estos escritores un socialismo científico: estos autores son expresión del primer socialismo sansimoniano, fourierista, owenista y cabetiano, el socialismo pequeño burgués que se difundió en la Península por medio de la prensa y la prédica de un grupo de hombres que lo llevaba al proletariado español. Si aceptamos la definición de Fernando Garrido —uno de los patriarcas de este socialismo—, en su folleto *El socialismo y la democracia entre sus adversarios,* eran entonces

socialistas todos los que creen preferible para la producción, la distribución y el consumo de la riqueza el principio de la Asociación al del aislamiento y el antagonismo que de él resulta.

Nuestros novelistas no siempre tuvieron la clara conciencia de Garrido (que también hizo pinitos en la novela de tema social), pero trasladaron al argumento de sus melodramas algunos de los problemas esenciales de las clases trabajadoras. Son miembros de la pequeña burguesía optimista, con confianza ilimitada en sus propias fuerzas. Combaten lo religioso, el misticismo, el absolutismo medieval, y aspiran a atraerse a las clases jornaleras, dándoles confianza y prometiéndoles la posibilidad de unirse a las fuerzas económicas.

El mensaje del folletín no cayó en el vacío. Los autores posteriores enriquecieron la novela llevándola hacia un realismo que dará sus mejores frutos al declinar el siglo. No pocos de ellos recuerdan haberse nutrido con folletines como lectura de adolescencia, y algún otro empleó procedimientos técnicos, personajes y temas folletinescos. Galdós publicó novelas por entregas, al igual que Blasco Ibáñez y Baroja; Valle-Inclán hizo amplio uso de la novela popular. La sombra de la novela folletinesca se percibe en la mejor novela decimonónica y noventayochista.

BIBLIOGRAFÍA BÁSICA *

IV.1. LIBERALISMO Y CONTRARREVOLUCIÓN

a) *Historia y sociedad*

* Acosta Sánchez, José: *El desarrollo capitalista y la democracia en España* (Barcelona, 1975).
* Aranguren, José Luis: *Moral y sociedad* (Madrid, 1965).
  Artola, Miguel: *Los afrancesados* (Madrid, 1953).
* ——: *La burguesía revolucionaria, 1808-1869* (Madrid, 1973).
  Elorza, Antonio, ed.: *Socialismo utópico español* (Madrid, 1970).
  ——: *Fourier y los fourieristas* (Madrid, 1975).
* Carr, Raymond: *España, 1808-1939* (Barcelona, 1969).
* Engels, F.: Cf. Marx, Karl.
  Fontana Lázaro, J.: *La quiebra de la monarquía absoluta, 1814-1820* (Barcelona, 1971).
  Gil Novales, Alberto: *Rafael del Riego. La revolución de 1820 día a día* (Madrid, 1976).
* ——: *William Maclure: socialismo utópico en España, 1808-1840* (Barcelona, 1979).
  Goytisolo, Juan: Introducción a su ed. de la *Obra Inglesa* de José María Blanco-White (Buenos Aires, 1972). Hay edición española.

---

* En las presentes bibliografías, un asterisco indica que la obra así señalada se ocupa no sólo de la época en que se incluye, sino también de otras posteriores.

Herrero, Javier: *Los orígenes del pensamiento reaccionario español* (Madrid, 1971).

Jutglar, Antoni: *Ideología y clases en la España contemporánea,* I, 1808-1874 (Madrid, 1968).

* Lida, Clara E.: *Anarquismo y revolución en la España del siglo XIX* (Madrid, 1972).

* Marx, Karl, y Engels, Friedrich: *Revolución en España* (Barcelona, 1970, 3.ª ed.).

* Nadal, Jordi: *La población española* (Barcelona, 1971).

* ——: *El fracaso de la Revolución Industrial en España, 1814-1913* (Barcelona, 1977).

* Ruiz Salvador, Antonio: *El Ateneo Científico, Literario y Artístico de Madrid, 1835-1885* (Londres, 1971).

* Sánchez-Albornoz, Nicolás: *Jalones en la modernización de España* (Barcelona, 1975).

Simón Segura, F.: *Contribución al estudio de la desamortización en España* (Madrid, 1969).

Tomás y Valiente, F.: *El marco político de la desamortización* (Barcelona, 1971).

* Tortella, Gabriel: *Los orígenes del capitalismo en España* (Madrid, 1975).

* Tuñón de Lara, Manuel: *La España del siglo XIX,* 2 vv. (Barcelona, 1975, 6.ª).

Zavala, Iris M.: *Masones, comuneros y carbonarios* (Madrid, 1971).

El libro general de Carr, a pesar de su innegable utilidad, ha de ser manejado con precaución, tanto por sus varios errores factuales como por algunas de sus interpretaciones; más recomendable es, en todo sentido, el de Tuñón de Lara. El de Jutglar es un estudio especializado sobre la estratificación social y las ideologías de las diferentes clases. Acerca de los afrancesados, el trabajo de Artola (1953) es fundamentalmente correcto en términos históricos. Artola es también autor de un excelente estudio (1973) acerca del siglo XIX, centrado en el papel de la burguesía. Lida expone con lucidez y gran información la actuación del anarquismo español (1972). *Revolución en España,* de Marx y Engels, incluye, del primero, una serie de crónicas periodísticas sobre la España isabelina, y del segundo, un crítico análisis de la sublevación bakuninista de Alcoy, ya bajo la Primera República (cf. IV.2). El libro de Herrero es un imprescindible y fascinante compendio de lo que su título indica. Es interesante el panorama que Goytisolo traza de las contradicciones ideológicas del momento en torno a la figura del también contradictorio Blanco-White (cf. asimismo sobre este último Lloréns en III.2A), a quien, sin embargo, ensalza de manera desorbitada y, en el fondo, poco historicista. Fontana ha escrito páginas fundamentales al estudiar la crisis del absolutismo fernandino, que deben leerse junto a la historia que Gil Novales ha hecho de Rafael del Riego. Nada de ello puede comprenderse sin tener en cuenta, al mismo tiempo, el problema de la desamortización, tratado de modo vario por Acosta Sánchez, Simón Segura, N. Sánchez-Albornoz y Tomás y Valiente, así como los básicos estudios económicos de Nadal y Tortella. Acerca del socialismo utópico español, los dos trabajos de Elorza son de suma utilidad; así como el de Gil Novales (1979); sobre las sociedades secretas liberales y radicales, el de Zavala es clarificador. Sobre el papel que el Ateneo de Madrid cumplió dentro de la cultura y la política del siglo XIX, la monografía de Ruiz Salvador es imprescindible; en fin, lo que Aranguren dice sobre el Romanticismo español es sugerentemente agudo.

b) *Literatura*

IV.1A. LIBERALES Y ROMÁNTICOS: ESTÉTICA Y POLÍTICA

Adams, N. B.: *The Romantic Dramas of García Gutiérrez* (Nueva York, 1922).

Alborg, Juan Luis: *Historia de la Literatura española, IV, El Romanticismo* (Madrid, 1980).

* Allison Peers, Edgard: *Historia del movimiento romántico español, 2 vv.* (Madrid, 1954).

Alonso Cortés, Narciso: *Zorrilla. Su vida y su obra* (Valladolid, 1942, 2.ª).

Campos, Jorge: Introducción a las *Obras completas* del duque de Rivas («Clásicos Castellanos», 100-102).

García, Salvador: Introducción a su ed. de *Los amantes de Teruel,* de Hartzenbusch (Madrid, 1971).

García Barrón, Carlos: *La obra crítica y literaria de don Antonio Alcalá Galiano* (Madrid, 1970).

Juretschke, Hans: *Origen doctrinal y génesis del romanticismo español* (Madrid, 1954).

Lomba, J. R.: Introducción a *Venganza Catalana* y *Juan Lorenzo,* de García Gutiérrez («Clásicos Castellanos», 65).

* Lloréns, Vicente: *Literatura, historia, política* (Madrid, 1967).

——: *Liberales y románticos* (Madrid, 1968, 2.ª).

* ——: *Aspectos sociales de la literatura española* (Madrid, 1974).

* Navas Ruiz, Ricardo: *El Romanticismo español. Historia y críticas* (Madrid, 1970).

* ——: *El Romanticismo español. Documentos* (Salamanca, 1971).

Sarrailh, Jean: *Un homme d'état espagnol: Martínez de la Rosa* (París-Barcelona, 1930).

Sebold, Russell P.: «Enlightenment Philosophy and the Emergence of Spanish Romanticism», *The Ibero-American Enlightenment* (Urbana, Illinois, 1972), 11-174.

——: «El incesto, el suicidio y el primer romanticismo español», *Hispanic Review,* XLI (1973), 669-692.

Seco Serrano, Carlos: Introducción a *Obras* de Martínez de la Rosa («Biblioteca de Autores Españoles», 148-155).

Zavala, Iris M.: «Tres libros sobre la emigración», *Bulletin Hispanique,* LXXII (1970), 494-498.

Allison Peers es el autor de la primera historia coherente del Romanticismo español, actualizada y documentada por Navas; Alborg ha trazado un amplio panorama. Juretschke se ha ocupado del origen ideológico del movimiento en una obra —como todas las suyas— marcada por sus concepciones conservadoras. Muy importantes son los dos artículos de Sebold, el primero (1972) acerca de la transición del Siglo de las Luces y de su filosofía hacia la apertura romántica; el segundo, sobre algunos aspectos «demoníacos» del Romanticismo español. Zavala se ocupa de las primeras interpretaciones contemporáneas de los términos «romanticismo» y «romántico». Y Lloréns ha estudiado magistralmente las conexiones íntimas entre ideología liberal y literatura romántica, de modo diverso y consecuente, en los tres libros suyos citados.

Sobre el teatro, destaquemos las introducciones de Campos, S. García y Seco Serrano a las obras del duque de Rivas, Hartzenbusch y de Martínez de la Rosa, así como el viejo libro de Sarrailh acerca de la vida política del último de los mencionados. El libro de Alonso Cortés es convencional y apologético, pero útil, pese a todo, para comprender el verdadero papel de Zorrilla como liquidador del Romanticismo liberal.

IV.1B. ROMÁNTICOS Y SOCIALISTAS: LA SOBERANÍA POPULAR.
LARRA Y ESPRONCEDA

* Alonso, Cecilio: *Literatura y poder, 1835-1868* (Madrid, 1971).
Aranguren, José Luis: «Larra», *Estudios literarios* (Madrid, 1976), 151-176.
Armiño, Mauro: *Larra* (Madrid, 1973).
Benítez, Rubén, ed.: *Mariano José de Larra* (Madrid, 1979).
Campos, Jorge: *Espronceda. Estudio y antología* (Madrid, 1963).
Carnero, Guillermo: *Espronceda* (Madrid, 1974).
Casalduero, Joaquín: *Espronceda* (Madrid, 1975, 2.ª).
Correa Calderón, Evaristo: Introducción a su ed. de *Artículos varios* de Larra (Madrid, 1976).
Kirkpatrick, Susan: *Larra: el laberinto inextricable de un romántico liberal* (Madrid, 1977).
——: «Spanish Romanticism and the Liberal Project: The Crisis of Mariano José de Larra», *Studies in Romanticism,* X.4 (1977), 451-471.
Marrast, Robert: *Espronceda. Articles et discours oubliés. La bibliothèque d'Espronceda* (París, 1966).
——: Introducciones a sus eds. de Espronceda (Madrid, 1970); *Poesías líricas.* Madrid, 1978, *El estudiante de Salamanca* y *El diablo mundo*).
——: *José de Espronceda et son temps. Littérature, politique et société au temps du Romantisme* (París, 1974).
Peral, Diego Mateo del: «*Fígaro,* periodista político en la España del ochocientos», *Tercer Programa,* 12 (1969), 43-61.
——: «Larra y la lucha por la libertad de prensa», *Sistema,* 12 (1972), 83-98.
Pujals, Esteban: *Espronceda y lord Byron* (Madrid, 1951).
Seco Serrano, Carlos: «Estudio sobre Larra», introducción a su ed. de Larra (Madrid, 1960). Hay edición aparte del estudio.
Taléns, Jenaro: *El texto plural* (Valencia, 1975).
Ullman, Pierre: *Mariano José de Larra and Spanish Political Rethoric* (University of Wisconsin Press, 1971).
Varios: Número especial de *Ínsula* sobre Larra, 188-189 (julio-agosto 1962).
Varios: Número especial de *Revista de Occidente* sobre Larra, 50 (mayo 1967).

Yndurain, Domingo: *Análisis formal de la poesía de Espronceda* (Madrid, 1971).
Zavala, Iris M.: *Románticos y socialistas* (Madrid, 1972).

Sobre Larra, además del libro divulgador de Armiño, de los dos básicos artículos de Peral sobre el Larra periodista, de la monografía de Ullman y del estudio general de Seco Serrano, destaca de modo primordial el espléndido análisis de Aranguren, profundo e histórico; en la línea del presente libro son importantes los trabajos de Kirkpatrick. Véase la compilación de Benítez. Y sobre Espronceda mencionemos el útil, si bien excesivamente general, estudio de Campos, el trabajo más formalista de Yndurain, el muy útil de Taléns y, sobre todo, el de Casalduero, con correctas apreciaciones al tiempo que muy personales interpretaciones; destaquemos también el de Carnero. Los estudios de Marrast se ocupan del Espronceda radical, siendo imprescindibles. Tanto sobre Larra como sobre Espronceda es especialmente importante el libro de Alonso; el de Zavala coincide con los puntos de vista de la presente *Historia*.

IV.1C.   PERIODISMO Y LITERATURA. COSTUMBRISMO PROGRESISTA
          Y COSTUMBRISMO ESTÁTICO

Campos, Jorge: «Vida y obra de Estébanez Calderón», introducción a su ed. de *Obras completas* de Estébanez (Madrid, 1954).
Correa Calderón, Evaristo: Introducción a su ed. de *Escenas matritenses* de Mesonero (Madrid, 1964).
Elorza, Antonio: Cf. Tuñón de Lara, Manuel.
Kirkpatrick, Susan: «The Ideology of *Costumbrismo*», *Ideologies and Literature*, II.7 (1978), 28-44.
Montesinos, José F.: *Costumbrismo y novela* (Madrid, 1960, 2.ª).
* ——: *Introducción a una historia de la novela en España en el siglo XIX* (Madrid, 1966, 2.ª).
Pérez Ledesma, M.: Cf. Tuñón de Lara, Manuel.
Rubio Cremades, Enrique: *Costumbrismo y folletín. Vida y obra de Antonio Flores*, 3 vv. (Alicante, 1977-1979).
* Tuñón de Lara, Manuel; Elorza, Antonio; Pérez Ledesma, M.: *Prensa y sociedad en España, 1820-1936* (Madrid, 1975).
Varios: *Madrid en sus diarios, I, 1830-1844* (Madrid, 1961).

Para esta sección, en términos generales, son básicos los libros de Montesinos, llenos de sugerentes opiniones y datos útiles, más en concreto el primero de ellos. De primera importancia es el artículo de Kirkpatrick, y muy informativas las introducciones de Campos y Correa Calderón. Sobre la prensa, aparte del muy ilustrativo de *Madrid en sus diarios,* es necesario el libro de Tuñón de Lara *et al.*

IV.1D.   FOLLETÍN, NOVELA, «REALISMO»

Benítez, Rubén: *Ideología del folletín español: Wenceslao Ayguals de Izco, 1800-1873* (Madrid, 1979).

Ferreras, Juan Ignacio: *Los orígenes de la novela decimonónica, 1800-1830* (Madrid, 1972).
* ——: *La novela por entregas, 1840-1900* (Madrid, 1972).
* ——: *El triunfo del liberalismo y de la novela histórica, 1830-1870* (Madrid, 1977).
* ——: *Catálogo de novelas y novelistas españoles del siglo XIX* (Madrid, 1979).
Fuentes, Víctor: «Sobre realismo y realidad social en las novelas de Fernán Caballero», *Duquesne Hispanic Review,* III (1968), 13-21.
Herrero, Javier: *Fernán Caballero: un nuevo planteamiento* (Madrid, 1963).
Klibbe, Lawrence H.: *Fernán Caballero* (Nueva York, 1973).
Marco, Joaquín: «Sobre los orígenes de la novela folletinesca en España», *Ejercicios literarios* (Barcelona, 1969), 73-96.
Montesinos, José F.: *Fernán Caballero. Ensayo de justificación* (México, 1961).
Rodríguez-Luis, Julio: «Fernán Caballero, entre romanticismo y realismo», *Anales Galdosianos,* VIII (1973), 123-126.
——: Introducción a su ed. de *La familia de Alvareda,* de F. Caballero (Madrid, 1979).
* Romero Tobar, Leonardo: *La novela popular española del siglo XIX* (Barcelona, 1976).
Zavala, Iris M.: «Socialismo y literatura: Ayguals de Izco y la novela española», *Revista de Occidente,* 80 (1969), 167-188.
* ——: *Ideología y política en la novela del siglo XIX* (Salamanca, 1971).
——: «El triunfo del canónigo: teoría y novela en la España del siglo XIX, 1800-1875», en *Para una teoría de la novela,* ed. preparada por S. Sanz Villanueva y C. J. Barbachano (Madrid, 1976), 93-142.
Zellers, Guillermo: *La novela histórica en España, 1828-1850* (Nueva York, 1938).

Ferreras ha compilado un utilísimo catálogo de novelas decimonónicas (1979) y estudiado sus orígenes (1972), y Zavala (1971) la ideología en la narrativa. Sobre la novela histórica, y aparte del viejo libro de Zeller —todavía de utilidad—, véase ahora el de Ferreras (1977). Mucho del interés crítico se centra en torno al folletín y la llamada novela popular. Romero Tobar hace un buen estudio de conjunto del tema, incluyendo a Ayguals y trazando la línea de pervivencia folletinesca que pasando por Galdós, llega hasta el 98 con Baroja; aunque poco claro teóricamente, es útil el libro de Ferreras (*La novela por entregas*); cf. asimismo su estudio de 1977 ya citado. Los dos artículos de Zavala profundizan en el papel y características del folletín, y el de Marco en sus orígenes; Benítez es autor de un libro ambicioso, pero de resultados un tanto decepcionantes, y confuso en cuanto a las nociones histórico-sociales.

Sobre *Fernán Caballero,* el subtítulo de la monografía de Montesinos denota la incomodidad con que la crítica suele enfrentarse con esta narradora; lo mismo ocurre con el más convencional libro de Herrero y con el de Klibbe. Por el contrario, los artículos de Fuentes y Rodríguez-Luis —en particular el del primero— se aproximan mucho a la línea de la presente *Historia.*

IV.2. TRIUNFO DE LA BURGUESÍA.
TRADICIÓN Y REVOLUCIÓN

Nota introductoria.

2A. Positivismo e idealismo: teatro «realista», neorromanticismo y poesía burguesa.
2B. La novela: burguesía, «realismo», contradicciones.
2C. El realismo crítico: *Clarín* y Galdós.
2D. Los ideólogos de la burguesía y el proletariado militante.

Bibliografía básica.

IV.2. TRIUNFO DE LA BURGUESÍA. TRADICIÓN Y REVOLUCIÓN

Nota introductoria

En 1839 termina la larga guerra carlista. Al año siguiente, el vencedor, general Espartero, caudillo armado del progresismo, envía al exilio a la Reina Madre, María Cristina, y se eleva él mismo a la categoría de Regente, ello en nombre de «la inocente niña», Isabel II. Los tres años de la Regencia están marcados, por un lado, por la sublevación moderada del general Diego de León en 1841, fracasada estrepitosamente, y por otro, por la sublevación popular obrera —de signo republicano, incluso— de Barcelona (1842). El progresista Espartero no sintió vacilación alguna para bombardear Barcelona sin piedad. Un golpe militar acabó en 1843 con el poder y la Regencia de Espartero; en octubre, Isabel II es declarada mayor de edad (mientras un desconocido, que habría de cambiar el rumbo de la cultura burguesa española, Julián Sanz del Río, viajaba becado a Alemania para estudiar las corrientes filosóficas de la época). Al año siguiente, 1844, la reacción llega al poder representada por el general Narváez, «el espadón de Loja», una de cuyas primeras medidas de gobierno es la creación de la Guardia Civil (previamente, en ese mismo año, es suprimida la *Milicia Nacional*), que demostrará ser un eficaz instrumento de represión y control al servicio de la oligarquía terrateniente. La mano dura de Narváez gobernará el país, con intermitencias, desde 1844 a 1854, en una primera etapa. Una nueva constitución, la de 1845, de absoluto conservadurismo, combinada con fusilamientos y deportaciones de disidentes, enmarca estos años de reacción, que culminan en 1848. La revolución europea de ese año tiene también repercusiones en España, que Narváez reprime del modo más brutal. Represión que a nivel ideológico aparece de forma meridiana en el famoso *Discurso de la Dictadura* de Juan Donoso Cortés (cf. IV.2D). Señalemos que, junto a todo ello, en 1848-49 se dio a conocer el programa político del *Partido Progresista Democrático,* con Fernando Garrido y José María Orense a la cabeza, quienes fundan escuelas para trabajadores y diversos periódicos, como *La Fraternidad* (Barcelona) y *El Amigo del Pueblo* (Madrid).

Narváez, sin duda, representa los intereses oligárquicos tradicionales, pero también los de una burguesía agresiva y en auge, la que encabeza el conde de San Luis —que es presidente del gobierno en 1853—, Luis Bravo Murillo —que gobierna en 1848-1849— y, sobre todo y especialmente, el marqués de Salamanca, *entrepreneur* de altos vuelos y conexiones con el capital europeo. Salamanca es, además de gran propietario e inversionista urbano —cf. el gran proyecto del barrio madrileño que lleva su nombre—, el creador del ferrocarril español (1848 en Barcelona, 1851 en Madrid). En efecto, y según ya hemos indicado (cf. Nota Introductoria a IV.1), se ha iniciado el despegue económico. Aumenta el número de bancos y de sociedades anónimas; crecen vertiginosamente las inversiones del capital extranjero (en los ferrocarriles, sobre todo, junto a Salamanca); aumenta también la exportación de minerales; la industria textil catalana parece ir solidificando un mercado interno. Correlato inseparable de este desarrollo capitalista es el crecimiento del proletariado, que en 1846 alcanza ya la cifra de 98.000 obreros. Con todo, esa industria se parapeta en un proteccionismo gravoso para la España agrícola, cuya base permanece inmutable. Las dos Españas —centro y periferia, industrial y agraria—, con su economía dual, produce importantes fenómenos políticos y sociales que sacuden la estructura y la superestructura de la sociedad española durante todo el siglo XIX.

En 1854 estalla una sublevación militar liberalizante, dirigida por los generales O'Donnell, Serrano y el inevitable Espartero. Aparece un personaje que andando el tiempo alcanzará categoría histórica, Antonio Cánovas del Castillo, coautor del llamado *Manifiesto de Manzanares,* que resume la ideología progresista del momento. Es también cuando aparece Francisco Pi y Margall, quien publica entonces un folleto de gran importancia dentro del pensamiento radical. Los triunfadores hacen ciertas concesiones al pueblo, como la reinstauración de la *Milicia Nacional.* Se trata de un pueblo que participa activamente en el acontecimiento, creyendo en sus líderes militares, y que en Madrid sale a la calle para incendiar los palacios de María Cristina, San Luis, Salamanca, etc. Será Espartero quien, como moderador, aplaque las iras populares y salve, por esta vez, el trono de Isabel II. La alianza entre el pueblo y la burguesía liberal ha demostrado así su precariedad.

El poder surgido de la sublevación de 1854 instala a O'Donnell y a Espartero en el gobierno. El movimiento popular crece, y en 1855 estalla una huelga general —la primera— en Barcelona, una Barcelona que *aún* confía en el supuesto liberalismo de Espartero. Pero Espartero cae, y en 1856 O'Donnell, solo, aplasta el movimiento popular, en el que participó activamente el demócrata Sixto Cámara, compañero de Garrido. La crisis de los liberales lleva de nuevo al poder a Narváez por dos años, hasta que en 1858 la *Unión Liberal* de O'Donnell recupera las riendas políticas del país, que de un modo u otro conservará hasta 1863. La etapa progresista pone en marcha una nueva desamortización, la de Madoz, desarrolla la construcción y explotación de los ferrocarriles y de las compañías de crédito (todo ello con importante participación del capital extranjero), y crea el banco nacional de *Isabel II y San Fernando,* con el primer papel moneda. A distinto nivel, se abre el frente ideológico de otra burguesía, la liberal y radical, con la presentación en público, en 1857, de la filosofía krausista en la inauguración por Sanz del Río del curso académico, y antes con las actividades de Pi y Margall y de Fernando Garrido. Un frente bastante débil, si se tiene en cuenta que en 1859, por ejemplo, el país contaba únicamente con 56 bibliotecas públicas y con 6.000 estudiantes universitarios, de los cuales 141 eran de ciencias, 38 de arquitectura, 27 de agronomía y —signo de los tiempos— 489 de ingeniería industrial. Lentamente, el capitalismo preparaba su *élite* técnica.

Los cinco años de la *Unión Liberal* (1858-1863), capitaneada por un militar, O'Donnell, y un civil, Ríos Rosas, suponen un gran despliegue nacional a todos los niveles, incluida una corriente colonialista bien típica del siglo XIX. Así, en 1859-1860 tiene lugar la primera guerra de Marruecos, en que se destaca un nuevo militar, Juan Prim, conquistador de Tetuán. De este modo comienza una larga aventura marroquí que ensangrentará al país y contribuirá a desequilibrar su conflictiva economía. Una curiosa sublevación hispanófila en Santo Domingo devuelve este país a la corona española hasta 1865. En 1862 tiene lugar la expedición militar a México encabezada por Prim, en apoyo inconsciente del hegemonismo de Napoleón III, que impone a Maximiliano de Austria (fusilado por los patriotas mexicanos en 1867) como «emperador» de México. Es también la época, por último, de otra aventura militar franco-española, la de Indochina, en que las fuerzas expedicionarias isabelinas ayudan a instalar el imperialismo francés en aquel subcontinente. El militarismo de la *Unión Liberal* es obvio; baste citar que durante su administración el presupuesto de guerra alcanzó el 25 por 100 del total nacional, y que el ejército estaba compuesto por 127.000 soldados y nada menos que 591 generales.

Frente a todo eso, y a las conspiraciones carlistas, las masas populares no permanecen inactivas. El proletariado industrial alcanza ya la cifra de 116.000 obreros, con gérmenes organizativos y capaces, como ya se ha dicho, de lanzar serias huelgas y protestas reivindicativas. El campesinado, por su parte (no se olvide que en 1855 el 66,75 por 100 de la población activa española está en el campo), actúa ya de forma claramente revolucionaria. En 1861, 10.000 braceros andaluces ocupan Loja —la ciudad natal de Narváez— a los gritos bien significativos e internacionalistas de «¡Viva Garibaldi y la República!» y «¡Muera el Papa y la Reina!». Al nivel de la política establecida y aparte del «moderantismo» y de la *Unión Liberal,* se distinguen dos grupos más avanzados, el de los *progresistas* (con Prim, Olózaga, Madoz, Sagasta, que, como Cánovas, reaparecerá con la Restauración de 1875) y el más radical de los *demócratas,* a veces también llamados, confusamente, «socialistas» (Nicolás M. Rivero, Castelar, Ruiz Zorrilla), que desembocará poco tiempo después en el republicanismo.

La crisis de la monarquía isabelina se acentúa a partir de 1863, fecha en que la *Unión Liberal* pierde el poder. Un bienio «moderado» termina en un nuevo gobierno duro de Narváez (1864-1865), coincidente con los famosos documentos sociales de Pío IX. En 1865 tiene lugar «el rasgo» de Isabel II, que enajena posesiones de la Corona —en realidad del Patrimonio Nacional— en un gesto inútil de populismo. «El rasgo» es criticado duramente por Emilio Castelar, que es expulsado de su cátedra universitaria; un homenaje de los estudiantes de Madrid al futuro presidente de la República —la «noche de San Daniel», 10 de abril— termina en un motín antigubernamental reprimido a sangre y fuego. Vuelve con ello al poder O'Donnell, que intenta dotar a la monarquía de una fachada liberalizante: Castelar es repuesto en su cátedra y España reconoce al reino de Italia, frente al cesaro-papismo de Roma. Pero la verdadera cara de la *Unión Liberal* —ya aviejada— se revela en junio de 1866. El cuartel de San Gil de Madrid, y otras unidades militares, junto con la activa participación del pueblo de la capital, se subleva; dominado el movimiento, termina con el fusilamiento de sesenta y seis sargentos implicados; se cierra el Ateneo de Madrid y se prohíbe la entrada de revistas extranjeras... Al mismo tiempo, una nueva aventura pseudocolonialista acaba en un estrepitoso fracaso: es la llamada guerra del Pacífico contra Chile y Perú, en que la escuadra del almirante Méndez Núñez bombardea los puertos de El Callao y Valparaíso, en una inútil demostración de fuerza: el suicidio del almirante José Manuel Pareja, a quien sustituye Méndez Núñez, es un símbolo de la frustración neoimperialista del momento.

En julio de 1866 cae otra vez O'Donnell, que se aleja con un cáustico comentario sobre la reina: «Esta señora es imposible.» Narváez asume de nuevo el poder, para continuar un sistema de represión bien conocido: suspensión de las garantías constitucionales y de la libertad de cátedra, cierre de las Cortes, censura total, cárcel y deportaciones. En 1867 son expulsados los profesores krausistas de los puestos de enseñanza. La muerte del general Narváez en abril de 1868 deja a la Monarquía sin su más firme defensor, a pesar de que al «espadón de Loja» le sustituye un antiguo y duro ministro de Gobernación, Luis González Bravo. Pero así como la frase de O'Donnell sobre la reina explicaba bien poco sobre la situación del país, las acciones de Narváez no pudieron impedir la revolución del 68, que debe entenderse como culminación de un proceso de crisis de varios años. Aún entre desacuerdos y polémicas sobre el asunto, los historiadores tienden a coincidir en que de 1855 a 1864 se había dado en España una fuerte expansión de la economía. Según se ha escrito, sin embargo, esa expansión «tascó el freno» a mediados de 1866, produciéndose en mayo de ese año un *crack* financiero que afectó a la industria, al comercio y, en general, a los propietarios. Al *crack* sigue también una fuerte crisis alimenticia que va en aumento hasta 1868, jalonada por revueltas, saqueos y destrucción de propiedades. Esta profunda crisis económica no puede considerarse mecánicamente como causa de la revolución; pero es un hecho que afecta a muchas de las mismas fuerzas que, en diversas clases sociales, sufrieron la represión de Narváez. Dada tal conjunción de factores, no pudo sorprender realmente que en septiembre de 1868 estallara, al fin, la revolución antiborbónica: se subleva primero la Marina en Cádiz, al mando del almirante Topete, y a renglón seguido, las poblaciones costeras del Sur: Málaga, Almería, Cartagena, y el interior. La revolución viene al grito de «¡Viva España con honra!». El ejército monárquico es derrotado en el puente de Alcolea, cerca de Córdoba, y la reina huye a Francia desde San Sebastián.

El 8 de octubre asume el poder un Gobierno Provisional presidido por el general Serrano, y en el que figuran Prim, Ruiz Zorrilla y Sagasta. Sus medidas son típicas de una revolución burguesa y liberal: separación de la Iglesia y el Estado, supresión de los jesuitas y de ciertas órdenes religiosas y conventos, matrimonio civil; sufragio universal; libertad de imprenta, cátedra, cultos y asociación; libertad de industria y comercio; nuevo sistema impositivo... A nivel político, «la Gloriosa» presenta serias contradicciones entre partidarios de la República y de una Monarquía no borbónica. A nivel social, esas contradicciones son menores, pues el signo burgués progresista unifica los criterios de la mayoría, no así del pueblo, un pueblo cuyo salario medio diario en 1867-1868 es de 3 pesetas, cuando el precio de un kilo de carne es de 1,50 pesetas y el de un kilo de pan es de 35 céntimos. En la década de los sesenta continúan los progresos industriales en minería (Asturias) y siderurgia (Bilbao), de capital extranjero de modo preponderante, y en textiles (Barcelona), donde la burguesía nacional continúa su desarrollo.

Mil ochocientos sesenta y ocho es también el año en que el anarquista Fanelli visita España, ligando el movimiento obrero español a la Primera Internacional y —en cuanto que Fanelli era bakuninista, antimarxista— sembrando las semillas de la ideología libertaria que no tardarán en fructificar.

El Gobierno Provisional convoca elecciones generales en enero de 1869. Las candidaturas monárquicas triunfan en el campo y pierden en las ciudades (un esquema que se habrá de repetir en 1931), de tal manera que una figura republicana pudo decir: «El rey que traigáis no podrá llamarse rey de las ciudades, sino de las selvas.» El nuevo Parlamento refleja el resultado de las elecciones del siguiente modo: 156 progresistas, 69 republicanos, 69 de la *Unión Liberal,* 18 carlistas, 14 borbónicos. Consecuentemente, España es declarada reino, y promulgada una nueva constitución, la de 1869, la más liberal de todas. En espera de un rey, Serrano es nombrado Regente en junio y Prim presidente del gobierno. Las Cortes eligen monarca en noviembre, con este resultado: 191 votos para Amadeo de Saboya, duque de Aosta; 60 para la República Federal; 27 para el duque de Montpensier, hijo de Luis Felipe de Francia (utilizado como pretexto, dicho sea de paso, para la agresión prusiana contra la Francia de Napoleón III, que termina con la derrota de éste, la proclamación de la República Francesa y la Comuna en París); 8 para Espartero; 2 para la República Unitaria, y 2 para Alfonso de Borbón, hijo de la destronada Isabel II. Al margen del sistema quedan el carlismo, que bien pronto iniciará una nueva y violenta guerra civil, y el proletariado, que ese mismo 1869 se organiza en la Sección Española de la *Asociación Internacional de Trabajadores,* que en 1870 celebra un importante congreso obrero en Barcelona y comienza la publicación de un influyente periódico, *La Federación.* Para 1873 la militancia de la *AIT* alcanzará ya las cifras de 38.439 en Andalucía, 13.201 en Cataluña y 2.355 en Valencia.

En diciembre de 1870 es asesinado el general Prim, principal apoyo de Amadeo, quien comienza su reinado con siniestros augurios el 2 de enero de 1871. Es éste un reinado marcado por la guerra carlista en la Península y por la «guerra larga» de Cuba, que iniciada en 1868 no concluirá —provisionalmente— hasta la llamada «Paz del Zanjón» de 1878. Pero otros signos ominosos se hacen también presentes bajo la nueva monarquía liberal. En mayo de 1871 y como consecuencia del terror producido entre la burguesía por la Comuna de París (1870-1871), se abre un debate en las Cortes sobre la Internacional obrera, unas Cortes en que ya figura un diputado internacionalista, Bartolomé Lostau. En ese debate, acalorado y apasionado, se lanzan las más groseras y truculentas acusaciones contra la Internacional, y se termina en el mes de noviembre, declarándose la ilegalidad de la Sección Española. En ese mismo año de 1871 se funda la *Asociación del Arte de Imprimir* de Madrid, en que figura Pablo Iglesias, próximo fundador del *Partido Socialista Obrero Español,* y Paul Lafargue, yerno de Karl Marx, viene a España, donde hasta 1872 ayudará eficazmente a la construcción de las organizaciones obreras de carácter marxista. El terrorismo carlista llega hasta las Cortes, donde también se lanza la famosa y falaz disyuntiva de «Don Carlos o el petróleo». La crisis de la joven monarquía estalla sin remedio en febrero de 1873, en que Amadeo I abdica la corona y abandona España, en medio de la indiferencia nacional.

La Primera República Española es proclamada el 11 de febrero de 1873. (A nivel literario también es digno de recordación el hecho de que en ese mismo 1873 inicia Pérez Galdós su publicación de los *Episodios Nacionales*.) El resultado de la votación parlamentaria es de 256 a favor del nuevo régimen y 32 en contra. Hasta su liquidación *manu militari* el 3 de enero de 1874, la República, brutalmente trabajada por toda clase de contradicciones internas, de inseguridades y de ataques, conoce cuatro presidentes y varias formas políticas. El 11 de febrero es elegido el primer presidente, Estanislao Figueras, burgués liberal y republicano unitario, que confrontado con la violencia carlista, alfonsina y popular, cede el poder el 11 de junio a Francisco Pi y Margall, federalista y anarquizante. Se redacta un proyecto de constitución federal, se crean los primeros jurados mixtos europeos de patronos y obreros, y estallan con violencia inusitada el cantonalismo por una parte y el bakuninismo anarquista por otro. Alcoy y Montilla, entre ejemplos menores, son la prueba de fuego del bakuninismo español. La manifiesta impotencia de Pi y Margall para controlar la situación produce el 18 de julio su sustitución por Nicolás Salmerón, que cuenta con el apoyo de las fuerzas conservadoras y militares; el cantón de Cartagena, el más poderosamente organizado, es dominado tras larga lucha y cruento asedio. Se procede al aislamiento del obrerismo, y si bien desde el punto de vista conservador las cosas van por buen camino, Salmerón, krausista convencido, dimite por no verse obligado a firmar varias sentencias de muerte que se consideran necesarias. El 5 de septiembre accede al poder el tribuno Emilio Castelar, que acentúa el orden y el autoritarismo republicano. El 3 de enero de 1874 la izquierda gana en las Cortes una votación que supone la caída de Castelar. Pero durante la sesión misma, el capitán general de Madrid, Pavía (el mismo que fue derrotado en Alcolea en 1868), envía la Guardia Civil al Parlamento, que es disuelto. El ejército ocupa Madrid y España. La experiencia republicana termina así pisoteada por las botas militares.

El golpe tiene como consecuencia la instauración de un Gobierno provisional, en que el general Serrano —otra vez— figura como Jefe de un Estado sin forma política definida. Mas no hay que engañarse: ello no es sino el primer paso hacia la restauración monárquica, que llega aceleradamente gracias a la sublevación del general Martínez Campos en Sagunto. Un ministerio-regencia presidido por Antonio Cánovas del Castillo allana todas las dificultades formales, y el 14 de enero de 1875 el nuevo rey, el joven Alfonso XII, hace su entrada en Madrid.

En la Restauración culminará el largo y difícil proceso de desarrollo económico de que hemos hablado, y se afianza en el poder la fracción más conservadora de la burguesía, que inicia su larga marcha de más de un tercio de siglo con medidas decididamente reaccionarias, tales como la implantación del catolicismo de Estado, que incluye la anulación del matrimonio civil, entre otras cosas. La política cultural del nuevo régimen puede quedar definida por un significativo dato: desde 1875 a 1904, el presupuesto nacional para material científico alcanzaba la irrisoria cifra de 35.000 pesetas anuales. En el mismo 1875 ocurre la segunda y definitiva separación de los filósofos krausistas de sus cátedras, lo que tiene como consecuencia la creación al año siguiente de la *Institución Libre de Enseñanza* (cf. IV.2D). Mil ochocientos setenta y seis es también el año en que termina la guerra carlista y el año en que Pérez Galdós publica *Doña Perfecta* y —signo contrario— Menéndez Pelayo inicia su polémica de *La Ciencia española* (cf. IV.2D). Y se promulga también la nueva constitución —que habrá de durar hasta 1931, de una forma u otra—, una constitución cuidadosamente planeada por la oligarquía representada por Cánovas, y tan poco nacional, a pesar de todo, que el tribuno será capaz de pronunciar la famosa frase de «Son españoles los que no pueden ser otra cosa». La ya citada Paz del Zanjón acaba muy provisionalmente con la sublevación independentista de Cuba. El Régimen se lanza entonces en Cuba a una tarea de «pacificación» y «normalización». En España, consciente de su fuerza —esto es, respaldado por el Ejército, la Guardia Civil, la Iglesia, el caciquismo y el capital—, se permite el lujo de volver a legalizar en 1881 la Sección Española de la

Asociación Internacional de Trabajadores, organización que al año siguiente cuenta con 49.000 militantes.

Antes, en 1879, se había fundado en Madrid el *Partido Socialista Obrero Español,* de tendencia marxista, formado inicialmente por 249 militantes, y que en 1880 publica su programa definitivo (cf. IV.2D), el mismo año, precisamente, en que Menéndez Pelayo comienza sus *Heterodoxos Españoles.* La inquietud y el malestar del pueblo se manifiesta de modo notorio entre el campesinado andaluz, con la famosa sociedad secreta de *La Mano Negra,* descubierta y perseguida brutalmente en 1882-1885. Ocasionales conspiraciones republicanas (1883) no alteran la estabilidad del sistema, como tampoco las discusiones públicas sobre la llamada «cuestión social». Estas discusiones producen, entre otras cosas, un documento de extraordinaria importancia dentro de la historia del movimiento obrero español, el *Informe* del doctor Jaime Vera ante la *Comisión de Reformas Sociales.* El espectro político está dominado por el *Partido Conservador* de Cánovas (y más tarde de Antonio Maura) y el *Liberal* de Sagasta. Ambos controlan amistosa y caciquilmente el país, a pesar de la existencia —más o menos precaria— de otros partidos: *Izquierda Dinástica* de Serrano, *Republicano Federal* de Pi y Margall (desde 1882), *Republicano Histórico* de Salmerón, *PSOE* y *Carlista.*

La muerte de Alfonso XII en noviembre de 1885 parece significar la crisis del Régimen, toda vez que el rey no deja hijos varones, pero sí una esposa, María Cristina de Habsburgo, embarazada. Tiene lugar entonces el llamado «Pacto de El Pardo», en que conservadores y liberales acuerdan una tregua en sus escasas diferencias políticas. El sistema de turno de partidos adquiere así consistencia oficial, y en efecto, desde 1885 hasta fin de siglo (e incluso después), unos y otros se alternarán compañerilmente en el poder. El nacimiento en mayo de 1886 de un hijo varón del fallecido rey, el futuro Alfonso XIII, inicia la Regencia de la Reina Madre, María Cristina, que durará hasta 1902, en que el nuevo monarca es declarado mayor de edad. El nacimiento de Alfonso XIII coincide con el de *El socialista,* el periódico del *PSOE,* con un fracasado alzamiento republicano y con *Fortunata y Jacinta,* que Pérez Galdós comienza a escribir ese mismo año (cf. IV.2C).

La Regencia ha de enfrentarse, por debajo de la superficie de un régimen aparentemente fuerte y bien establecido, con una serie de importantes problemas que amenazan su existencia misma y la de la oligarquía que en él se cobija. Crece el movimiento socialista: 1885, fundación de la *Unión General de Trabajadores*; 1890, huelga general en el Norte y celebración por vez primera de la festividad obrera del 1 de mayo. En 1896 la UGT contará ya con 6.154 asociados y con 15.264 en 1899. El anarquismo es una fuerza también omnipresente, con sus peculiares métodos: 1892, toma campesina de Jerez de la Frontera; 1893, bomba en el teatro del Liceo de Barcelona; 1895, publicación de *Ciencia Social*, la revista de Anselmo Lorenzo; 1896, bomba de la calle de Cambios Nuevos de Barcelona; 1897, asesinato de Cánovas por el anarquista Angiolillo... La violencia anarquista tiene su correlato en la violencia gubernamental, representada por las ejecuciones de Montjuich, 1894 y 1897 como ejemplos máximos, y por el uso sistemático de la «Ley de Fugas». España es un país que en 1887 tiene un 71,5 por 100 de analfabetos y una industria —excepto en Cataluña y parcialmente en Vizcaya— en manos del capital extranjero. También en 1887 hay 300.000 obreros industriales y cinco millones de trabajadores del campo, de los cuales tres millones no poseen tierra alguna. Es una sociedad, además de analfabeta y caciquil, militarista: en 1893 se cuentan 561 generales, 582 coroneles y 19.790 oficiales. El régimen se lanza en 1893-1894 a la aventura colonialista conocida modestamente como «guerra de Melilla»: Marruecos será una espina agudamente trágica en la vida española. Por otra parte, en 1895 estalla de nuevo la insurrección cubana tras el «grito de Baire», lanzado por José Martí; en Filipinas también está en marcha el movimiento independentista, el cual no será interrumpido por el fusilamiento en 1896 de los patriotas José Rizal y Aguinaldo.

La situación del país es tal que la pequeña burguesía sale a la palestra para mostrar sus frustraciones e insatisfacciones; así, entre varios ejemplos posibles, Lucas Mallada publica en 1890 su importante libro *Los males de la Patria*, Unamuno *En torno al casticismo* en 1895 y en 1897 Angel Ganivet su *Idearium español*. Al fin, el decadente imperialismo español entra en conflicto directo con el nuevo y agresivo de los Estados Unidos. 1898 es el año de la agresión decisiva norteamericana y de la liquidación del Imperio: Cuba, Puerto Rico y Filipinas pasan a poder de Washington. Con «el Desastre» comienza una nueva era para España, que parece obligada a cumplir con el conocido lema de Joaquín Costa:

«Despensa, escuela y siete llaves al sepulcro del Cid.» Lema que, sin embargo, no tuvo realidad práctica (cf. IV.3, Nota introductoria).

2A. POSITIVISMO E IDEALISMO: TEATRO «REALISTA», NEORROMANTICISMO Y POESÍA BURGUESA

Con el *Don Juan Tenorio* de Zorrilla (1844), el romanticismo español había lanzado su canto del cisne, canto que es contemporáneo de la mayoría de edad de Isabel II (1843), de la subida al poder del general Narváez y de la creación de la Guardia Civil (1844). Los últimos resplandores de un romanticismo domesticado, como es el de Zorrilla (cf. IV.1A), comienzan a fundirse con los primeros del realismo, consecuencia directa del empuje de la burguesía, a que ya nos hemos referido (cf. Nota introductoria), cuya ramplona ideología, en contraste violento con los más caros ideales románticos, podría resumirse en la actitud hacia la mujer, representada ahora en unos inefables versos de *La cruz del matrimonio*, comedia de Luis de Eguilaz:

> ... la mujer
> que ama a su hijo con tibieza,
> que no cose y que no reza,
> honrada no puede ser.

Se prepara así el camino escénico hacia lo que ha dado en llamarse «alta comedia», es decir, el teatro de costumbres de la «buena sociedad», con su nueva carga de realismo mezclada con sentimentalismo, y con su grandilocuencia expresada en sonoros y muchas veces ripiosos versos. Todo hace de este tipo de teatro un interesante documento sociológico, al tiempo que artísticamente no es sino un objeto arqueológico (que, sin embargo y con los apropiados retoques y adaptaciones, habrá de continuar tiempo después en Jacinto Benavente; cf. IV.3A).

La serie se abre en 1845 con *El hombre de mundo* de VENTURA DE LA VEGA (1807-1865), que había comenzado como escritor de tragedias históricas y clásicas. Al lado de una crítica de las habituales ligerezas e inmoralidades de la clase dominante, *El hombre de mundo* presenta una de las más típicas tesis burguesas, la defensa del «justo medio» como base ideal del sistema. ADELARDO LÓPEZ DE AYALA (1828-1879) se inició también con temas históricos y con zarzuelas, pero halló su camino real a partir de 1857 con *El tejado de vidrio, El tanto por ciento* y *El nuevo don Juan*. Dejadas ya muy atrás las posibilidades subversivas de un romanticismo liberal, rebelde al poder de las instituciones, *El tanto por ciento* es un ataque neorromántico contra el positivismo ya imperante, que aparece ahora como el enemigo de la burguesía más conservadora. *El tejado de vidrio* representa el triunfo de la virtud y de la institución matrimonial, al igual que *El nuevo don Juan,* que ofrece, además, el conveniente añadido del fracaso ridículo del burlador ante la solidez moral de la vida familiar, núcleo del sistema burgués.

MANUEL TAMAYO Y BAUS (1829-1898), tras un ensayo de tragedia neorromántica (*Virginia,* 1853) y de un popular drama histórico (*Locura de amor,* 1855), continúa por fin la línea de sus predecesores con *Lo positivo* (1862), furibundo ataque contra el pragmatismo materialista y defensa de los valores sentimentales y espirituales. *Lances de honor* (1863) es propaganda católica que culminará en *Los hombres de bien* (1868), drama de la intolerancia conservadora contra «el racionalismo invasor», en que el «impío» es compendio de todos los males y las mujeres que leen a Renán están predestinadas a la pérdida de su honor. *Un drama nuevo* (1867) es obra más ambiciosa y compleja, con el tema del teatro en el teatro, en que un ensayo y representación de Shakespeare se mezcla con los problemas y pasiones auténticas de los actores, hasta el punto de que adulterio, celos y muerte violenta se transforman en realidad. Su consciente efectismo y su prosaísmo excesivo desmejoran de modo notorio una obra de estructura relativamente novedosa, aunque de ideología harto conocida.

Se perfila en este teatro un antagonismo —que todavía está por estudiar— entre una ideología burguesa conservadora, que durante la Restauración será ya hegemónica, y la ideología, minoritaria, de una burguesía progresista que, aunque desde luego respetuosa con las instituciones más estables (la familia, por ejemplo), es, sin embargo, racionalista, crítica del casticismo católico y, por supuesto, pragmatista. La línea dominante en este teatro, con todo, es la conservadora, y el último de sus representantes será JOSÉ DE ECHEGARAY (1832-1916), ingeniero y matemático que llegó a conseguir los honores de un Premio No-

bel compartido. Su obra teatral, abundante, neorromántica todavía y también torpemente ripiosa, de efectismos arrebatados y
fáciles, ha podido ser calificada, incluso por críticos bien tradicionales, como de «engendro del fin de siglo»; lo que en otros
casos suele llamarse «carpintería teatral» aquí se ha llamado «ingeniería dramática». Aparte de varias tragedias históricas, sus
obras características son *O locura o santidad* (1877) y *El gran
galeoto* (1881), esta última sobre el tema del honor y la primera
sobre el papel de la religión en la sociedad moderna, verdadera
caricatura de un problema que Galdós llevará a un nivel inigua-
lable en su novela *Nazarín* (cf. IV.2C). Otros títulos de Echegaray son *Mancha que limpia, El loco Dios* y *El hijo de don
Juan,* las dos últimas de obvia influencia ibseniana.

Si el teatro «realista» del siglo xix forma un conjunto ideológicamente coherente y sin fisuras, no ocurre lo mismo con la
poesía, dividida en dos grupos bien diferentes desde cualquier
punto de vista, el representado por un lado por Campoamor y
Núñez de Arce, y el formado por Bécquer y Rosalía de Castro por
otro. RAMÓN DE CAMPOAMOR (1817-1891), asturiano y gobernador de provincias mediterráneas, alto funcionario de gobiernos
conservadores, senador y académico, encarna en su obra poética,
como tanto se ha dicho, los posibles conflictos dramáticos de
una sociedad cursi que aún gustaba de lo romántico, pero en lo
más marchito y exterior, de sensiblería barata. Sus famosas *Doloras* (1846) corresponden a la época conservadora de Narváez, y
ya en ellas están presentes todas las características de su autor:
sentido —y muchas veces forma— epigramático; la vulgarización
sentimental neorromántica al lado de un prosaísmo abrumador;
un cierto sentido del humor que suele ir unido a un irónico
escepticismo de «buen tono» y sin duda falso; una llamada «filosofía» que no es otra cosa sino el más pedestre sentido común;
una no menos pedestre apelación a los sentimientos más elementales..., y un inevitable, a pesar de todo, sentido de lo Ideal
y de lo Absoluto. El poema titulado «El beso», de las *Doloras,*
puede servir para ejemplificar lo dicho. Tras un característico
comienzo en que el autor explica que:

> Me han contado que al morir
> un hombre de corazón
> sintió o presumió sentir

en Cádiz repercutir
un beso dado en Cantón,

Campoamor intenta elevarse a esferas superiores y define el beso
como

... el conductor
de ese fuego encantador
con que este mundo que ves
lo ha animado el Criador.

En un poema extenso, *El drama universal* (1862), Campoamor
pretendió nada menos que trazar el panorama de los problemas
y temas «eternos» de la Humanidad, con resultados sencillamente
lamentables. Los *Pequeños poemas* (1872-1874) incluyen obras
de más aliento que las *Doloras*; el conocidísimo «Tren expreso»
ha sido definido, a pesar de sus pretensiones trágicas, como el
mejor poema de humor de la literatura española; el titulado
«Cómo rezan las solteras», irónico, ligero, y de nuevo, con intenciones de profundidad, puede ser considerado en cierto sentido
como el poema de la Restauración, con su hipocresía neocatólica,
convencional y formalista; la acotación final con que se cierra este
«Monólogo representable» es bien reveladora: «El telón cae al
son de la *Marcha Real* tocada en el harmonium.» Las *Humoradas*
(1886-1888), en fin, continúan los pasos de las *Doloras,* quizá con
una cierta insistencia en los elementos escépticos y en las características positivistas de la época («En guerra y en amor es lo primero / el dinero, el dinero y el dinero»). Campoamor, que llegó
a ser considerado por algunos de sus contemporáneos como filósofo y como poeta a partes iguales, no es ni lo uno ni lo otro;
su «filosofía» y su «poesía» no son sino la manifestación suprema
de la mediocridad ideológica de la burguesía conservadora. Esta
ideología aparece transparente en los versos finales de *Dies Irae,*
drama histórico acerca de. la rebelión anabaptista-socialista de
Münster en la Alemania del siglo XVI. Las «hordas» revolucina-
rias —asesinas e incendiarias— cambian radicalmente de actitud
al ver que el hijo de una de sus víctimas (un caballero español,
precisamente) ha confundido y mezclado los restos humanos del
cementerio de la ciudad en una gigantesca fosa general y colocado
encima el cartel *Comunidad*:

> Recordad, recordad a la memoria
> de esa turba...
> ... ...
> que aunque insulten el mérito y la gloria
> del Cielo no echarán la Providencia,
> ni la Justicia eterna de la Historia.

Somos nosotros quienes debemos recordar que en 1871 tiene lugar en el Congreso de Madrid el debate sobre la Internacional Obrera y su subsiguiente condenación, tras la apropiada enumeración de los horrores populares. Un fantasma bien conocido recorría ya Europa.

Gaspar Núñez de Arce (1834-1903) coincide, incluso biográficamente, con Campoamor (es gobernador, diputado, ministro, subsecretario de la Presidencia, académico), y continúa con el falso escepticismo campoamorino —se le ha llamado nada menos que «el cantor de la duda»— y el aprovechamiento de las formas poéticas para la transmisión de la ideología conservadora. Aparte de algún drama histórico, es su colección *Gritos del combate* su obra más representativa, publicada apropiadamente en 1875, poco después de la Restauración borbónica. Un neorromanticismo lacrimoso y un mecánico tecnicismo formal califican también los poemas de Núñez de Arce. El titulado «La duda» refleja los trastornos de 1868 («Ruedan los tronos, ruedan los altares») y el positivismo en auge:

> Que en este siglo de sarcasmo y duda
> sólo una musa vive: musa ciega,
> impalpable, brutal...
> La musa del análisis, que, armada
> del árido escalpelo, a cada paso
> nos precipita en el oscuro abismo
> o nos asoma al borde de la nada.

Es una musa, según él, que reina «en el Libro, en la Cátedra, en la Escena». La solución, naturalmente, no es otra que la religión y —harto sintomático— la soledad. El más famoso poema de la colección es «Tristezas», autobiográfico, de bien construida arquitectura estrófica y sugerente evocación religiosa; el enemigo es, otra vez, «la ciencia sin fe»; la solución, de nuevo, el catolicismo tradicional y la resurrección espiritual.

En febrero de 1873 se proclama la Primera República Española. Núñez de Arce dedica un poema —dentro de lo que Juan Valera calificó de «artículos de fondo rimados»— a Emilio Castelar («¡Ya triunfó la República! Has vencido»), para que, ante los nuevos horrores, reaccione:

> ¡Valor, Emilio! El pueblo se desborda
> y nuestra gloria secular destruye.
> ¡Ya no existe el ejército! ¡Ya es horda
> la que fue hueste, y se desmanda y huye!
> La anarquía los ámbitos asorda,
> la honrada libertad se prostituye,
> y óyense los aullidos de la hiena
> en Alcoy, en Montilla, en Cartagena.

Y así fue: primero Castelar y los «Republicanos puros» y poco después los generales y la Guardia Civil escucharon el llamamiento de Núñez de Arce y de la burguesía española.

Mucho más importante y complejo es el caso del sevillano GUSTAVO ADOLFO BÉCQUER (1836-1870), creador en medio de aquel prosaísmo ambiental de una obra estilizadamente neorromántica y auténticamente lírica.

Él mismo ha contado —en términos no carentes de *clichés* propios del primer romanticismo— cómo sus sueños de artista adolescente le llevaron a Madrid, donde esperaba alcanzar la gloria literaria. Desde el principio, sin embargo, se le plantea en la capital el problema de la supervivencia, y no tarde en verse obligado a practicar el periodismo. Pero, a diferencia, por ejemplo, de Larra o Espronceda, para quienes el periódico era un instrumento en la lucha por la difusión de las ideas, vehículo de transformaciones sociales que propiciaba nuevas maneras posibles de producción literaria, para Bécquer no es sino el vulgar y esclavizante sucesor de los ya desaparecidos mecenas del Antiguo Régimen. Ya hemos visto cómo entre las «metamorfosis» características de los nuevos tiempos descritas por Mesonero Romanos (cf. IV.1C) se encuentra la del poeta convertido en periodista. En efecto, el fenómeno es típico de la Europa burguesa de mediados del XIX, y en aquellos poetas que sobrevivieron como tales provoca una radical esquizofrenia: desprecian la escritura que producen para ganarse el pan dirigiéndose a lectores medios incapaces —según ellos— de visión poética, y ensalzan como nunca antes en la historia de la literatura la pureza de la poesía como expresión de lo privado, dirigida a los pocos que, como el poeta mismo, rechazan los quehaceres utilitarios y «mediocres» de la sociedad burguesa. El desfase socioeconómico de España con respecto a Europa no impide que se plantee el problema de la misma forma: ya Larra lo había intuido; aunque superficialmente, lo describe Mesonero; en tiempos de Isabel II, cuando ya por fin está lanzado el desarrollo económico (cf. Nota Introductoria) y se afianza la burguesía conservadora, el peculiar talento lírico de Bécquer revela radicalmente el conflicto.

Bécquer trabaja primero en *El Contemporáneo,* donde su labor fue principalmente de tipo literario. Pasa luego a *El Museo Universal,* semanario conservador de la tendencia moderada, para el que se ve obligado a escribir sobre asuntos del interés general de sus lectores, asuntos que pueden ser artísticos, políticos o, incluso alguna vez, comentarios sobre la crisis económica de 1866, de la que ya hemos hablado (cf. Nota Introductoria). Por influencia de Luis González Bravo, el moderado responsable —junto con Narváez— de la represión violenta de los últimos años del reinado de Isabel II, fue también censor de novelas con un sueldo de 12.000 reales anuales. Comentaban algunos de sus amigos que Bécquer no ejercía esta función con gran rigor; paralelamente, tampoco encontramos en sus comentarios políticos una gran virulencia reaccionaria (con excepción, tal vez, de sus patrioteras páginas acerca de la guerra contra Chile y Perú). De ahí, en parte, que esta cuestión del periodismo de Bécquer se haya tratado, por lo general, de manera idealista y que, con alguna notable excepción crítica, se haya pretendido restar importancia a su relación con los políticos conservadores y a su trabajo de censor ideológico. Nos parece fundamental, sin embargo, tener en cuenta estos datos para una mejor comprensión del significado de la obra del sevillano. Y no sólo en su apariencia escueta —fue censor poco estricto; fue periodista sin vocación—, sino entendiendo, entre otras cosas, que una de las funciones del intelectual orgánico «moderado» —que eso fue Bécquer— era desvalorizar la política, tranquilizar a las «capas medias», pretender, como el mismo Bécquer escribe, que había cosas más nobles, más importantes que el quehacer histórico cotidiano. Claro está que tal interpretación de su dejadez ante las cosas del mundo, que contrasta notablemente con la intensidad de su creación poética, no ha de oscurecer, por una parte, su servilismo, ni ha de servirnos, por otra, para establecer una relación mecánica entre el conservadurismo de su actividad política y un correspondiente conservadurismo de su obra literaria.

Y así, en Bécquer se refleja tardíamente en España una ya para entonces vieja contradicción de la visión liberal del mundo. El modo de producción burgués se basa en la apropiación privada del trabajo social y propone una ideología individualista en la cual, sin embargo, la producción del individuo sólo se considera útil —y merece, por lo tanto, pagarse— si es social (y, por lo tanto, práctica, masiva, etc.). La contradicción, naturalmente, no deja de afectar a la producción cultural. Y en ese ámbito son los poetas, a lo largo del XIX, quienes más radicalmente pretenden rechazar las propuestas burguesas dividiendo la actividad literaria en dos zonas aisladas y contrarias: la producción pública o mayoritaria, en la que se someten más o menos a regañadientes al sistema dominante, y la producción privada, en la que se supone ha de expresarse el verdadero talento. La poesía sería así el reino de lo privado, el exilio interior, según ha dicho un crítico, en que el artista podía y debía existir independientemente de su relación extraña, superficial, según tales autores, con el mundo contrario del quehacer cotidiano.

El esquema podría, sin duda, aplicarse a otros escritores españoles de la época, pero a ninguno como a Bécquer, quien con absoluta inocencia, pretendía ser apolítico y vivir como si no existiera relación alguna entre el mundo de su producción literaria «pura» y su labor periodística o su trabajo de censor. No encontraremos, por lo tanto, un reflejo *directo* de su «apoliticismo» conservador en su poesía o en sus leyendas. En vez de ello, su obra literaria se caracteriza por la no-presencia en ella de la Historia contemporánea y por un subjetivismo en el que, fundamentalmente, se plantea el conflicto entre la imaginación «libre» y la necesidad poética de «domarla» —es palabra suya— con (o en) el lenguaje.

Estas características se encuentran en su *Historia de los templos de España* (1857) y en *Cartas desde mi celda* (1864); pero de manera aún más acusada en las *Leyendas* (publicadas póstumamente en volumen en 1871, pero la mayoría aparecidas antes en la prensa periódica), narraciones situadas en Soria, Sevilla,

Toledo, que no sólo nos remontan a tiempos muy anteriores —fines de la Edad Media, tiempo de los Felipes—, sino que, obsesivamente, nos cuentan historias que serían incomprensibles para la razón: cómo un viejo órgano vuelve a sonar un día prodigiosamente cuando el alma de un gran organista muerto guía las manos de un músico mediocre; la muerte de un aristócrata cazador que se pierde en la búsqueda de unos ojos verdes aparecidos al borde de una fuente; la locura de un músico cuya música inverosímil no puede ser transcrita... Se trata siempre de algún «milagroso portento» y, no pocas veces explícitamente, de la lucha del artista por dar forma comunicable a lo que sólo la imaginación más secreta ha percibido. El resultado de esta voluntad de comunicación de lo que se describe como inefable es una prosa musical y simbólica, única en su tiempo, cuyos mejores momentos influirán todavía en el muy posterior cuento modernista.

Este gran tema romántico es también el núcleo esencial de la poesía de Bécquer, recogida en las *Rimas* y publicada en forma conjunta también póstumamente. Ya la Introducción a las *Rimas* trata del «abismo» que existe «entre el mundo de la idea y el de la forma» y la primera Rima habla de «un himno gigante y extraño» que ninguna «cifra» es «capaz de encerrarlo». Lo notable es que los doce versos que plantean el problema son, precisamente, su resolución, debido a su musicalidad y a una sutil precisión conceptual, de lo que resulta que el «himno» indecible queda dicho en las «cadencias que el aire dilata en la sombra».

La misma Rima primera nos anuncia también el otro elemento central en la visión de Bécquer: los «himnos», las vagas intuiciones, los «fantasmas» que la imaginación percibe en un mundo en que al poeta le «cuesta trabajo saber qué cosas he soñado y cuáles me han sucedido»; todo gira alrededor de la pasión amorosa. Se identifican así poesía y amor, poesía amorosa y poesía acerca de la poesía. Recuérdense algunos de sus más conocidos pensamientos: «La poesía es el sentimiento, y el sentimiento es la mujer»; «La mujer es el verbo poético hecho carne»; «El amor es la suprema ley del universo; ley misteriosa por la que todo se gobierna y rige».

Ahora bien —y de ahí que no podamos perder de vista su idea de la relación excluyente entre poesía y vida periodística o política, o, si se quiere, de la relación entre poesía y realidad—, tanto su idea de la poesía como del amor son profundamente idealistas, ya que si, por una parte, Bécquer concibe la poesía (la visión artística en general) como anterior a la palabra o a la forma (e incluso como independiente de ellas), también el amor es concebido como anterior (y, en principio, ajeno) a la existencia de cualquier amada concreta. De ahí que las *Rimas,* según la extraordinaria ordenación que de ellas hizo su editor, reflejen no sólo la lucha entre la imaginación y su realización concreta, sino también la angustiosa conciencia, *in crescendo* de rima a rima, de que amor y poesía no son sino sueño si no adquieren forma definida; una forma que, por otra parte, nunca es satisfactoria para el poeta.

El tema se desarrolla en las *Rimas* en un progresivo ahondamiento de gran coherencia: son primero el amor en sí y la amada indefinida quienes dominan; aparecen luego mujeres concretas (pero varias: ojos azules, ojos verdes, etc.); parece al fin concentrarse todo en una sola amada, mas la persona concreta que «encarna» el amor no corresponde a la idea que de ella se tenía; fracasa, por lo tanto, la relación amorosa (de modo que, por ejemplo, el poeta prefiere contemplar a la amada dormida; es decir, no actuando en cuanto quien es, a diferencia de cómo el poeta quiere que sea); surgen entonces el escepticismo y algunos rasgos de cinismo mundano; las *Rimas* terminan con la meditación sobre la muerte. Por todo ello, el contraste de la lírica de Bécquer con el utilitarismo burgués de su época es sencillamente brutal y, al tiempo, contradictorio. Así, mientras por un lado puede escribir que la poesía existirá mientras existan la mujer y el misterio,

> mientras la ciencia a descubrir no alcance
> las fuentes de la vida,
> y en el mar o en el cielo haya un abismo
> que al cálculo resista,

es también autor de los siguientes versos, en que pretende alcanzar la distancia irónica de los poetas «malditos»:

> voy contra mi interés al confesarlo;
> pero yo, amada mía,
> pienso cual tú que una oda sólo es buena
> de un billete del banco al dorso escrita.

El resultado es —en la España de Campoamor y Núñez de Arce— una tardía y extraña lección de romanticismo visionario. Tan extraña como para que el mismo Núñez de Arce calificara los versos de Bécquer de «suspirillos germánicos». Tuvieron que ser poetas muy posteriores —Machado, Cernuda, Alberti, Salinas, Guillén— quienes descubrieran en Bécquer un metapoeta —según se le ha llamado— de gran sencillez antirretórica, de extraordinaria sensibilidad y sutileza, un «huésped de las nieblas». Lectores tan alertas no prestaron, sin embargo, la suficiente atención a la peculiar contradicción que aquí hemos tratado de describir; al hecho de que lo que tan nítidamente distingue la poesía de Bécquer del prosaísmo burgués conservador de su época tiene su fundamento en (es teoría y *praxis* de) una indeleble internalización de esa misma ideología burguesa conservadora de la España de su tiempo. Contradicciones y polarizaciones auténticas que resaltan aún más el papel señero de la obra de Bécquer en el asfixiante ambiente, cuyo rechazo radical le era, por necesidad y educación, imposible.

La poesía de ROSALÍA DE CASTRO (1837-1885) es quizá incluso más interesante y rica que la del propio Bécquer, aunque aquí, desgraciadamente, sólo quepa mencionar su producción castellana, contenida en el volumen *En las orillar del Sar* (1884). Su lírica gallega (*Cantares gallegos,* 1863 y 1872; *Follas novas,* 1880) se sale del marco del presente libro, pero es imprescindible señalar, en cualquier caso, su auténtico galleguismo y su defensa apasionada y emotiva del *hecho diferencial,* manifestado ello no sólo por su temática y sensibilidad, sino más en concreto también, por sus directos y violentos ataques contra el centralismo imperante, con notas incluso claramente sociales. Recuérdense sus poemas «Castellanos de Castilla» y «Castellana de Castilla»; a otro nivel, sobre el pavoroso problema de la emigración gallega, «¡Pra a Habana!» o «N'é de morte»: por ese camino, se llegará más tarde a la coherente obra de un Curros Enríquez. *En las orillas del Sar* fue libro recibido de modo bien poco comprensivo en su época; el fantasma de los «suspirillos germánicos» fue invocado también contra Rosalía. En este sentido, el informe de la Real Academia Española sobre dicho libro es bien revelador: según la *Docta Institución,* las dotes literarias de la autora («poetisa de mucha sensibilidad, de imaginación arrebatada, quizá con exceso») quedan oscurecidas «por no pocos deslices artísticos, extravagancias de forma y nebulosidades metafísicas que generalmente proceden del prurito de imitar la escuela germana, que no siempre están al alcance de la mujer española». Comentario sin desperdicio; el sistema se considera obligado a defenderse de una serie de peligros ofrecidos por Rosalía de Castro: novedades formales, imaginación y sensibilidad, la «filosofía» alemana, la mujer compitiendo con el hombre, y, aunque no se dice, el galleguismo frente al centralismo. La Restauración tiene sus reglas, no sólo literarias.

2B. LA NOVELA: BURGUESÍA, «REALISMO», CONTRADICCIONES

Fue Leopoldo Alas, *Clarín*, agudo crítico de su tiempo, quien señaló que en la novela de la época hay dos bandos en que luchan el pasado y el presente, la libertad y la tradición. El escritor se ve obligado a una toma de posición frente a los profundos conflictos económicos, sociales y políticos de la centuria; conflictos representados básicamente (cf. Nota introductoria) en los problemas de la industrialización y la penetración del capital extranjero, del latifundio y el absentismo agrarios, la polarización regionalista, el colonialismo y el militarismo, el caciquismo, la lenta formación de un proletariado militante, las guerras carlistas, la intolerancia religiosa, todo ello enmarcado en el período revolucionario primero de 1868-1874 y en la subsecuente Restauración borbónica. Si bien en el teatro, e incluso en la poesía, el reflejo de la realidad era ya patente, los conflictos se revelan avasalladoramente en la novela, el famoso «género burgués» por excelencia: una novela marcada por el signo del realismo, a diferentes niveles, y también con diferentes variantes, limitaciones y mediaciones. Suele hablarse de una generación literaria del sesenta y ocho, pero quizá sería más apropiado hablar de una generación de la Restauración, si se tiene en cuenta que las obras representativas de ese realismo comienzan a aparecer precisamente en 1875. Mas, en todo caso, lo incuestionable es la dicotomía de la narrativa hispánica del XIX en los dos bandos vistos por *Clarín,* con sus inevitables medias tintas y medios caminos. Alarcón, Pereda y Coloma, cada uno a su manera, integran por derecho propio el grupo claramente conservador a ultranza.

PEDRO ANTONIO DE ALARCÓN (1833-1891), nacido en Guadix, tras una primera y juvenil etapa rebelde, durante la cual llegó a dirigir el conocido periódico anticlerical *El látigo,* termina por transformarse en un propagandista reaccionario de la más pura especie. Consejero de Estado y académico, su discurso de ingreso en la *Docta Casa* (1877) versó, apropiadamente, sobre «La Moral en el Arte».

En 1859, la aventura colonial isabelina en Marruecos, en la que participa como voluntario, le inspira su *Diario de un testigo de la guerra de África,* documento, a pesar de todo, de marcada tendencia realista y crítica. La afición de Alarcón a la crónica reaparece en 1873 con *La Alpujarra* y los cuentos de las *Historietas Nacionales,* pero ya aquí la actitud crítica ha desaparecido. Tras *El final de Norma* (1861), que ha de ser una de las peores novelas neorrománticas jamás escritas; y después del tradicional —pero, a su modo, brillante— *Sombrero de tres picos* (1874), la primera obra interesante de Alarcón es *El escándalo* (1875), calificada generalmente de «novela de tesis religiosa», lo cual, sin dejar de ser cierto, es también engañoso. Pues *El escándalo,* en efecto, enfrenta en ingenua dialéctica al «impío» racionalista decimonónico, producto de una sociedad materialista y fría —al tiempo que «románticamente» apasionada— con el sabio jesuita conocedor de los misterios del alma humana, de las miserias de la sociedad y capaz de ofrecer soluciones instantáneas a todo problema que se le plantee. Pero *El escándalo* es más que un conflicto religioso-moral; por debajo de él se transparenta con nitidez la insatisfacción tradicionalista ante los avances y progresos de un sistema social «moderno» y lo que sin remedio conlleva: la amenaza contra un patriarcalismo sometido a los embates del positivismo burgués por un lado y del movimiento obrero por otro. La conversión de Fabián Conde, el «hombre de mundo» y don Juan arrepentido, que viene a ser el triunfo de las venerandas tradiciones representadas por el P. Manrique, hizo escribir irónicamente a *Clarín* algo que se hace necesario citar aquí:

> Los partidarios de la tradición y de la autoridad estaban de enhorabuena; tenían un novelista filosófico, *trascendental,* que resolvía los más apurados casos de conciencia con el criterio de Loyola y simbolizaba el libre pensamiento en un mozalbete aturdido, calavera..., aunque de buen corazón; un corazón tan bueno que le llevaba, después de mil tropiezos, al redil santo, abdicando de mil errores que no tenía, porque en realidad, Fabián Conde había pensado poco en los casos de allá arriba. Fácil triunfo.

Fácil triunfo, en verdad. Pocas veces las gentes bien pensantes de nuestro país habrán podido tranquilizar sus conciencias y sus temores de manera más agradable y sencilla. En cuanto al realismo de *El escándalo* baste decir que está al mismo nivel que el del teatro de su época, que no pasa de la superficie y de ciertos atrevimientos también exteriores y convenientemente dosificados en apoyo del fin moral propuesto.

En 1880 publica Alarcón *El niño de la bola,* novela de intención exacta a la anterior y de similares características formales. Aquí Alarcón va aún más lejos, al identificar no ya racionalismo con perversión, sino incluso con fealdad física. Así, el personaje de significativo nombre, Vitriolo, es «de lo más feo que Dios ha criado. Hacía daño a los nervios el extravío de sus ojos; ofendía su sonrisa...»; su dentadura se halla en pésimo estado, es jorobado y sufre de halitosis. Recordemos de nuevo a *Clarín:*

> ¡Ah, señor Alarcón! Cuánto ganaríamos todos con dejar esta pícara carcoma de los años y volver a la Arcadia de nuestros ensueños infantiles, donde no había ni filosofías ni símbolos morales que a usted le echan a perder las novelas y a nosotros —*los Vitriolos*— el alma!

La pródiga (1881) resume admirablemente la ideología de su autor: la pasión amorosa es un peligro para la institución matrimonial; es preciso evitar el escándalo a todo precio y mantener las apariencias; la cultura corrompe. La heroína Julia compendia estos tres perniciosos elementos: amor pecaminoso, escándalo, lecturas perversas (Voltaire, Byron); está claro que el suicidio ha de ser para ella una consecuencia inevitable. *El capitán Veneno,* en fin, también de 1881, narra la domesticación de un exaltado militar y su integración definitiva en el sistema por la vía del matrimonio y la familia: los heterodoxos alarconianos (a diferencia de los cuidadosamente catalogados por Menéndez Pelayo) acaban siempre por ver la luz, la santidad del orden establecido y en crisis.

Más complejo e interesante es el caso del santanderino JOSÉ MARÍA DE PEREDA (1833-1906). Es el continuador del regionalismo estático de *Fernán Caballero* (cf. IV.1D) por un lado y del costumbrismo «típico» por otro, envuelto todo ello en esa especie de «realismo» que ya fue mencionado al tratar de Alarcón. Para Pereda, la región —y ni siquiera toda ella, sino únicamente sus

partes más recónditas y montaraces—, la vuelta al «terruño», es
la solución a las peligrosas novedades del día, que transforman
a la vieja España en un fantasma de sí misma, según el propio
Pereda se preocupa de explicar con palabras que recuerdan el famoso y más reciente concepto de la *Anti-España*:

> A la francesa... o a la inglesa se vive hoy en la clásica tierra cas-
> tellana, y se anda y se legisla y se viaja y se piensa.

Región, es decir, campo primigenio, castizo y puro frente a la
corrupción de la ciudad, donde anida el progreso y el liberalismo
—de *novela idilio* se ha calificado, precisamente, la novelística
de Pereda—; patriarcalismo contra burguesía urbana, de un modo
que acerca sospechosamente el pensamiento de Pereda al carlismo
de la época. Véase lo que escribe para justificar su propia obra:

> Si es cosa resuelta ya, a lo que parece, que en la novela que de
> seria presuma no han de admitirse otros horizontes que aquellos a
> que estén avezados los ojos de la *buena sociedad;* si no han de acep-
> tarse como asuntos de *importancia* otros que los que giren y se des-
> envuelvan en los grandes centros urbanizados a la moderna; si la le-
> vita y el *boudoir* y el banquero agiotista y el político venal... han de
> ser los temas obligados de la *buena* novela de costumbres, ¿cómo he
> de aspirar yo a la conquista del aplauso general...?

La base ideológica de Pereda se halla, como era de esperar, en
la Religión: «hasta por razones de estética se impone la ortodoxia
católica al escritor de costumbres populares». Para llevar adelante
su tesis, crea personajes divididos sucinta y radicalmente en buenos y malos, en blanco y negro, de desarrollo y complejidad psicológica mínima, enmarcados en una sociología elemental, rudi-
mentaria y falsa. El resultado no es otro que una novelística de
tendencia tan obvia como totalizadora, marcada indeleblemente
con el sello de la intolerancia: Pereda no puede ser calificado, en
rigor, de conservador, sino de reaccionario. Por todo lo anterior
se resiente su forma narrativa, de escasa trama y complejidad,
pero de gran riqueza descriptiva, tanto por lo que se refiere al
paisaje como a su presentación de tipos locales, lo que contribuye
poderosamente a resaltar más y mejor su valoración de lo regional.

La revolución de 1868 fue el catalizador ideológico de Pereda; hay en efecto una diferencia notable entre sus *Escenas monta-*

ñesas, de 1864, y el conjunto de su obra posterior. Tras aquellas *Escenas,* abre el fuego en 1877 con una defensa del matrimonio como institución social básica, *El buey suelto...,* pero es al año siguiente con *Don Gonzalo González de la Gonzalera* cuando Pereda marcha ya con paso firme por el camino que no abandonará. Recordemos dos ideas fundamentales de esta novela, que tiene por tema la llegada de las luchas políticas y sociales a una «aldea perdida»: la revolución de 1868 fue obra de «cuatro pícaros engañando a cuatrocientos ignorantes»; el mayor bien humano es el de la «sencilla y honrada ignorancia»; dos ideas que, al propio tiempo, no dejan de ser curiosamente contradictorias. En 1877 publicaba Galdós el segundo volumen de *Gloria,* un canto a la tolerancia y un ataque contra el fanatismo religioso deshumanizador. Pereda —amigo de Galdós— responde al poco con *De tal palo tal astilla.* En carta a Menéndez Pelayo, escribe:

> El amigo Galdós cayó al fin del lado a que se inclinaba... *Gloria* se mete de patitas en el lodazal de la novela volteriana... Dime si por este camino, durante el cual se crucifica cincuenta veces la dichosa *hipocresía* católica, se puede llegar a arraigar en el lector la verdadera creencia.

Y Pereda se entrega animosamente en *De tal palo tal astilla* a tales tareas de arboricultura religiosa. El amor entre cristianos auténticos y racionalistas incrédulos es imposible; si los primeros caen en las redes de tan funesta pasión, deben sacrificar ésta a la pureza de su fe, e incluso sacrificar a los segundos. El ateo terminará suicidándose, lógico final de una vida depravada, y más lógico todavía si resulta que el suicida es hijo —de ahí el título del libro— de un doctor positivista que alardea de no haber hallado nada que se parezca al alma en el curso de sus investigaciones científicas, ni siquiera recurriendo al uso del microscopio. La muerte del hijo es doblemente ejemplar, pues el castigo del vástago lo es al propio tiempo de su progenitor. Ya sabemos, además, que una de las bestias negras de los tradicionalistas decimonónicos —y no sólo de ellos— es el libro «pernicioso». En la biblioteca del doctor, como dice Pereda, «nada faltaba», desde herejes clásicos como Arnaldo de Vilanova y Miguel Servet, a los materialistas del XVIII y del XIX y los positivistas; «en lugar preferente y más al alcance de la mano» estaban las obras de Haeckel, Draper, Büchner, Feuerbach...

El sabor de la tierruca —prologado generosamente por Galdós— es como un remanso tranquilo e idílico entre *De tal palo tal astilla* y *Pedro Sánchez* (1885). El tema ahora es la llegada del mundo moderno (hacia 1850) a otra recóndita aldea, representado por el ferrocarril (recuérdese que el primero comenzó a circular en España en 1848). Las palabras de Pereda, cuidadosamente elegidas, no tienen desperdicio: «de repente, y como reflejo de lejana tempestad... llegó el tufido de la locomotora a confundirse con el bramar de las olas»; el ferrocarril —símbolo de la civilización burguesa— arrebató a los habitantes de la región «con la tranquilidad, que era su mayor bien, cuanto de pintoresco y atractivo conservaban: el amor a sus costumbres indígenas, el color de localidad, el sello de raza». Un lector ingenuo podría preguntarse acerca de las características de esa «raza» tan prontamente aplastadas por la «sierpe de acero» (la cual, como era de esperar, procede de la capital, de Madrid, compendio de todos los males y perversiones del siglo). Mas por fortuna, Pereda tiene también solución para ello, en la más pura tradición bíblico-apocalíptica:

> Un recadito secreto a las gentes honradas para que escurrieran el bulto; luego una lluvia espesa de pólvora fina, enseguida otra lluvia de rescoldo... y como en la gloria todos los españoles.

Aparte de una novela que insiste en la tesis antiurbana y que recuerda de inmediato *El escándalo* de Alarcón por un lado y por otro *Pequeñeces* del P. Coloma (cf. más abajo), *La Montálvez* (1888), dos textos *en pendant* cierran el ciclo regionalista de Pereda, *Sotileza* (1885) y *Peñas arriba* (1894). *Sotileza,* la novela del mar, como suele decirse, se remonta al Santander anterior a 1850, es decir, al todavía escasamente contaminado por el liberalismo burgués. Novela claramente antinaturalista en que la heroína Sotileza —«la flor en el lodo», como ha dicho un crítico— destaca por sus perfecciones y cualidades en un medio sórdido, en la línea del mejor folletín. *Peñas arriba* es, por el contrario, la novela de la montaña agreste. La acción transcurre hacia 1870, época revolucionaria e inquieta, y es aquí donde aparece el mejor Pereda, esto es, donde su ideología y tendencia brillan de modo singular, así como sus capacidades descriptivas, ya que no estrictamente novelescas. Patriarcalismo y antiliberalismo, campo contra ciudad, idilio de nuevo, idealismo triunfante en que la región, el valle y lo que significan vencen a lo foráneo y peligroso gracias a la asimilación del personaje que representa lo madrileño, el progreso y la sociedad burguesa. Baste, como ejemplificación de lo que Pereda piensa y propaga, lo que escribe acerca del «famoso río» —el Ebro— que nacido en La Montaña se aleja ingratamente de ella:

> escapa de allí, a todo correr, a escondidas de la luz siempre que puede, como todo el que obra mal, para salir pronto de su tierra nativa, llevar el beneficio de sus aguas a extraños campos y desconocidas gentes... Sería obra bien fácil y barata atajar al fugitivo a muy poca distancia de sus fuentes, y en castigo de su deslealtad, despeñarle monte abajo... hasta entregarle, macerado y en espumas, a las iras de su dueño y natural señor, el anchuroso y fiero mar Cantábrico.

El tercero de los narradores de este primer grupo es el jesuita LUIS COLOMA (1851-1914). Su novela *Pequeñeces,* publicada como libro en 1890, fue apareciendo el año anterior como folletín en el lugar sin duda más apropiado: *El Mensajero del Corazón de Jesús.* Con fina ironía, con medido y expresivo realismo, Coloma escribe un libro *en clave,* lo que contribuye a su gran éxito, en que la aristocracia madrileña es fustigada en sus inmoralidades habituales y ya «costumbristas». El puritanismo moral por una parte y la exaltación de la *Compañía de Jesús* por otra enmarcan ideológicamente la novela providencialista del catolicismo militante de la Restauración.

El segundo grupo de novelistas, ya no coincidentes en modo alguno con el reaccionarismo distintivo de los recién mencionados, está formado por Valera, Pardo Bazán y Palacio Valdés, representantes, cada cual a su manera, de la ideología burguesa imperante y de sus contradicciones. El andaluz JUAN VALERA (1824-1905) podría, precisamente, personificar en vida y en obra esas contradicciones. Pequeño terrateniente en apuros, hijo de una marquesa medio arruinada y de un militar liberal que le aconsejaba prudencia y disimulo político y social, aristócrata más espiritual que real, diputado, académico ya en 1861, diplomático en Europa y América, poseedor de una amplia cultura y abierto a las novedades literarias —elogió la aparición del modernismo de Rubén Darío, gustó de Baroja y de Unamuno—, Valera suele escapar a los intentos clasificatorios habituales. Un crítico tan agudo como *Clarín* habla de la independencia de su espíritu, a pesar de sus protestas de ortodoxia; críticos de nuestro tiempo consideran el «caso Valera» como «anomalía literaria» y definen su obra como «novela en libertad». Mas veamos de cerca en qué puede consistir esa «anomalía», que quizá, en sentido estricto, rebase los límites de lo puramente literario.

Suele decirse que tras un escepticismo amable, irónico y de buen tono (Valera mismo decía que «nuestro escepticismo, en fuerza de ser escéptico, nada niega. Niega sólo la negación rotunda y se inclina a creer toda afirmación si es bonito lo afirmado»), oculta una vocación de moralista, debido a su condición de observador de la llamada condición humana, y más en concreto, del amor y de la mujer. Es también cierto, desde luego, que Valera pertenece de algún modo a esa difusa escuela del realismo español decimonónico. Acudamos a lo que el propio novelista nos dice acerca de sus ideas artísticas. En una obra relativamente temprana, *De la naturaleza y carácter de la novela* (1860), hallamos conceptos como los siguientes: la novela no es historia, sino poesía, y «el único fin y objeto de la poesía es la realización de lo bello». Por si esto no fuera suficientemente claro, ataca toda novela de tesis o de tendencia, el realismo habitual que considera estrecho y limitado, y defiende la libertad imaginativa y el propósito de «entretener» a los lectores, al tiempo que manifiesta su interés por «lo interior» o psicológico y su desinterés por «lo exterior». Más de veinticinco años después continúa fiel a sus principios en *Apuntes sobre el nuevo arte de escribir novelas* (1886-87), verdadero manifiesto antinaturalista: el arte es sinónimo de belleza y es libre; no reconoce más límites que lo desagradable, lo torpe y lo deprimente; el naturalismo es, por definición, «indecente». Más tarde aún, en el prólogo a *Juanita la Larga* (1895) truena contra las novelas de moda, «copia exacta de la realidad y no creación del espíritu poético», insistiendo en que el posible mérito de una obra «ha de estar en que divierta». En dos diferentes prólogos a *Pepita Jiménez,* en fin, nos dice que una novela ha de ser «bonita», «poesía y no historia; esto es, debe pintar las cosas no como son, sino más bellas de lo que son, iluminándolas con luz que tenga cierto hechizo». A la vista de tales afirmaciones parece bastante correcto lo dicho por un crítico decimonónico, para quien las novelas de Valera parecen concepciones *a priori* que no se han tomado de la realidad palpitante, sino de la libre idea del autor. Pero debemos preguntarnos si esa idea es en verdad «libre», pues resulta claro que la estética de Valera es, precisamente, una estética *burguesa*, sin duda inteligente y refinada y, en cierto modo, cercana al pensamiento de la burguesía liberal. Pero no sin contradicciones notorias. El mismo Valera, como oponiéndose a una idea que, veremos, es fundamental en Galdós, llegó a escribir con rotundidad que

> la vida burguesa carece de condiciones poéticas para ser llevada a la novela. El mundo de la mediocridad, de la pobreza y la miseria no son novelables.

Aunque de hecho dista mucho de ser Valera el único que no veía «condiciones poéticas» en la burguesía, sorprende, sin embargo, que no haya sido capaz de concebir (¡después de Balzac, en plena época de Galdós!) que lo precisamente posible era la novela burguesa. Es inevitable pensar en Galdós, el Galdós cuyo discurso de ingreso en la Real Academia Española se titulaba nada menos que *La sociedad presente como materia novelable* (cf. IV.2C). Entramos así en el complejo mundo de las contradicciones de Valera, las cuales, obviamente, no son sólo suyas. Pues no cabe en verdad nada más ecléctico y contradictorio que lo dicho por el novelista en el prólogo de 1886 a *Pepita Jiménez*:

> Que el alma de un autor venga a ser como limpio y hadado espejo donde se reflejen las ideas y los sentimientos todos que agitan el espíritu colectivo de un pueblo y *pierdan allí la discordancia y se agrupen y combinen en suave conciliación y armonía.*

La literatura se convierte así en el ámbito ideal en que se resuelven las contradicciones e incoherencias sociales que caracterizan el último tercio del XIX. Debemos tener presente que quien esto escribía era capaz de defender valerosamente el krausismo a la vez que afirmaba su catolicismo; era agudo crítico de lo español en cuanto nacionalismo colonialista —véase su actitud ante el problema de Cuba—; conservador en materias sociales y liberal en política; creyente en el ideal absoluto y presentador de la quiebra de los valores absolutos en sus novelas. Valera, en fin, podría ser definido como una rara especie de burgués marginal, como un «espectador» más rigurosamente tal que el orteguiano. Otro dato: quien así rechazaba el realismo artístico se inspiraba en hechos reales para sus novelas.

La primera de las cuales, *Pepita Jiménez,* aparece en 1874. La trama se reduce al paso de un supuesto amor místico al profano: el seminarista Luis de Vargas, tras una etapa de luchas interiores, acaba por reconocer la pasión auténtica que siente por la joven y hermosa Pepita Jiménez, con quien finalmente se casa. Los problemas de conciencia, tratados dentro de un evidente casuismo formal, se disuelven amablemente ante los embates del vitalismo y de la sensualidad; se produce la ruptura de un ideal absoluto —la Religión—, es cierto, mas para ser sustituido por otro, el Amor, el cual, a su vez, va descendiendo de las altas esferas iniciales hasta llegar al escenario concreto de un matrimonio andaluz de la clase dominante, creando, para terminar, un a-histórico mundo de armonía social y de optimismo: armonía y optimismo muy alejados de la ominosa realidad de la Andalucía de la época. Pues Luis de Vargas, como se dice en el texto, es el hijo del cacique de la comarca y su heredero, terrateniente poseedor de olivares, viñas y cortijos:

> Se concibe allí la vida de los antiguos patriarcas y de los primitivos héroes y pastores, y las apariciones y visiones que tenían de ninfas, de deidades y de ángeles en medio de la claridad meridiana.

Por su parte, Pepita es viuda del típico usurero agrario, que «no solía llevar más de un diez por ciento al año, mientras que en toda esta comarca llevan un veinte y hasta un treinta por ciento». El señoritismo andaluz aparece retratado amablemente por Valera: el casino y el juego, las riñas de gallos, las inspecciones de las labores campesinas y de las bodegas, los caballos, las ferias y los toros, las romerías y el donjuanismo: «hay aquí una holganza tan encantadora, que más no puede ser». Naturalmente, no existe ni la miseria, ni la explotación, ni la lucha de clases; por el contrario, los de abajo viven tan felices como los de arriba, y así, con ocasión de la boda de Luis y Pepita, por ejemplo,

> Criados y señores, hidalgos y jornaleros, las señoras y señoritas y las mozas del lugar asistieron y se mezclaron... como en la soñada primera edad del mundo, que no sé por qué llaman la del oro.

El final es apoteósicamente «bonito» de acuerdo con la ter-
minología de Valera, en que la armonía social y el enriquecimiento
del patrimonio familiar de los personajes marchan de consuno; el
padre de Luis, en efecto, dice:

> Todo prospera en casa. Luis y yo tenemos unas candioteras que no
> las hay mejores en España, si prescindimos de Jerez. La cosecha de
> aceite ha sido este año soberbia. Podemos permitirnos todo género de
> lujos, y yo aconsejo a Luis y a Pepita que den un buen paseo por
> Alemania, Francia e Italia... Los chicos pueden, sin imprevisión ni
> locura, derrochar unos cuantos miles de duros en la expedición y
> traer muchos primores de libros, muebles y objetos de arte para
> adornar su vivienda.

La habilidad formal y narrativa de Valera, su elegancia de esti-
lista, su esteticismo y su ironía delicada, contribuyen a crear esta
falacia que es *Pepita Jiménez,* falacia en que el propio autor creía,
si hemos de hacer caso a su comentario: «mi novela es, por la
forma y por el fondo, de lo más castizo y propio nuestro que
puede concebirse». ¿Nuestro? De la oligarquía andaluza, en todo
caso.

En 1875 aparece la nueva novela de Valera, *Las ilusiones del
doctor Faustino,* teniendo como héroe al hombre mediocre y gris
de la burguesía española, según el autor explica una y otra vez.
Valera vuelve a lo femenino con *Doña Luz* (1879), muy semejante
a *Pepita Jiménez* pero de trama más complicada: una mujer
y dos galanes bien disímiles, un fraile místico y erotizado y
un cazador de dotes. Más significativa es *Juanita la Larga* (1895),
que ha sido definida como el último idilio clásico de la literatura
española, y en que el peculiar andalucismo de Valera reaparece
tan falsamente esplendoroso como en *Pepita Jiménez. Genio y
figura* (1897), aun estando a un nivel de realismo más auténtico
y aun conteniendo materiales «crudos» —el intento de regeneración de una prostituta, su suicidio final— sigue siendo una novela
idealista, ahora muy próxima al folletín. En 1899 aparece *Morsa-
mor,* alegoría histórica que se inserta en la corriente de la literatura del *Desastre:* la inutilidad de los esfuerzos humanos, la vida
como sueño, un consejo último de corte ganivetiano: *Noli foras
ire, Hispania;* todo ello apartan este libro de la línea habitual del
buen conservador, amable y optimista, que había sido Juan Va-

lera. Citemos, como obra de claro contenido personal, *El comendador Mendoza.*

EMILIA PARDO BAZÁN (1851-1921), aristócrata gallega de gran inteligencia y cultura, periodista, crítico literario, cuentista, llegó a presidir la sección literaria del Ateneo de Madrid, a ocupar una cátedra en la Universidad Central y un puesto de consejero de Instrucción Pública. Ha sido llamada «Lope con faldas», y no sólo por sus actividades en el campo de la literatura, ya que fue amiga íntima de innúmeros personajes de la época: Galdós, *Clarín,* Castelar, Cánovas, el pretendiente don Carlos, Blasco Ibáñez... Ya era famosa cuando en 1883 publicó *La cuestión palpitante,* exposición crítica del naturalismo francés y en particular de su creador, Zola. El libro provocó una violenta polémica en la apacible charca cultural de la Restauración, polémica que hoy nos parece exagerada, pues Pardo Bazán declara paladinamente lo que le atrae del naturalismo, pero mucho más aún lo que le repele. Partiendo de su catolicismo, la autora señala con nitidez su oposición al determinismo materialista de Zola, y a otro nivel, el uso que hace de lo que se dio en llamar su «retórica del alcantarillado» y los temas «soeces» y «groseros». Por otro lado, deseosa de salvar ciertos aspectos del naturalismo, llega a entroncar éste de alguna manera con la tradición realista y picaresca de los clásicos españoles. Busca, en efecto, antecedentes indígenas y castizos que justifiquen ante los severos ojos de sus connacionales —y ante sí misma— sus escarceos naturalistas. Los cuales difícilmente rebasan el marco puramente literario, como ella misma dijo:

> Aceptemos del naturalismo de Zola lo bueno, lo serio, el método, y desechemos lo erróneo, la arbitraria conclusión especulativa, *antimetafísica,* que encierra.

Fue precisamente el propio Zola quien hizo el comentario más inteligente sobre *La cuestión palpitante:*

> Lo que no puedo ocultar es mi extrañeza de que la señora Pardo Bazán sea católica ferviente, militante, y a la vez naturalista; y me lo explico sólo por lo que oigo decir de que el naturalismo de esa señora es puramente formal, artístico y literario.

La condesa de Pardo Bazán justifica sus dos primeras novelas, *Pascual López, autobiografía de un estudiante de Medicina* (1879) y *Un viaje de novios* (1881) en el prólogo a la segunda:

> Si a algún crítico se le ocurriese calificar de realista esta mi novela, como fue calificada su hermana mayor, *Pascual López*, pídole por caridad que no me afilie al realismo transpirenaico, sino al nuestro, único que me contenta y en el cual quiero vivir y morir.

Casticismo, pues, realismo al hispánico modo, y por fin, naturalismo vergonzante, que aparecerá con claridad en una interesante novela de 1883, *La tribuna,* que sigue de cerca a Zola en numerosos aspectos: lenguaje y costumbres del pueblo, descripciones minuciosas, situaciones consideradas como escabrosas. Es un intento de novela proletaria enmarcada en La Coruña de 1868. La heroína, trabajadora de la Fábrica de Tabacos, es un caso prematuro de obrero consciente, una revolucionaria que —no faltaba más— se deja seducir por un señorito, con lo cual la autora cae en uno de los más tradicionales tópicos del folletín. Mas no nos engañemos: la aproximación de la condesa al proletariado no tiene sino un fin brutalmente ideológico, como nos explica con total honestidad:

> Es absurdo el que un pueblo cifre sus esperanzas de redención y ventura en formas de gobierno que desconoce [la República], y a las cuales por lo mismo atribuye prodigiosas virtudes y maravillosos efectos.

Admirable conservadurismo, envuelto y decorado con efectos zolescos.

Mas es *Los pazos de Ulloa* (1886) el *tour-de-force* naturalista de Pardo Bazán, en que al menos formulaicamente figuran todos los elementos necesarios, incluso el determinismo racial y ambiental y la doctrina de la selección de las especies. Hasta la acción narrativa se halla subordinada a la mencionada fórmula. Por otro lado, paisajismo, costumbrismo, y regionalismo —gallego en este caso— acercan *Los pazos de Ulloa* a la conocida narrativa de un Pereda, si bien con una inversión radical de los términos, pues aunque es cierto que la condesa enfrenta dialécticamente ciudad y campo, es en éste donde se compendian ahora todos los males humanos y sociales; la aldea, en efecto, como se dice en el texto, «envilece, empobrece y embrutece». La aristocracia feudal gallega, un pasado glorioso ya degradado y degradante, hidalgos carlistas y curas trabucaires, caciques, luchas electorales que son auténtica caricatura de la política «moderna» de las grandes ciudades, todo contribuye a recargar las negras tintas con que la autora retrata la situación de la Galicia campesina y decimonónica, fondo sobre el que se destaca un poderoso drama en que los seres humanos son víctimas de un destino marcado mecánicamente por la Naturaleza misma. Señores decadentes y criados brutales, idealistas que fracasan, una pareja de niños, hermanastros, que serán los protagonistas de la siguiente novela, *La Madre Naturaleza*. Un obvio elemento simbolista denuncia un hecho significativo en *Los pazos de Ulloa*: que a pesar de todo, su autora busca, quizá instintivamente, una vía de escape al materialismo naturalista; baste recordar la blanca mariposa que revolotea por entre las tumbas del cementerio en las páginas finales, como indicación de que hay algo más allá de la muerte, del determinismo y de la tragedia. Y ello se hará patente en la secuela de *Los pazos de Ulloa*, *La Madre Naturaleza* (1887), a pesar de su —otra vez— formal y casi brutal naturalismo. Perucho, hijo del aristócrata montaraz de la primera parte y de su criada, y Manuela, su hija legítima, crecen juntos y libres sin saber de su parentesco; entre ellos nace una pasión «natural» por encima de la fuerza de una sangre que no conocen:

> ...pon a una pareja linda, salida apenas de la adolescencia, sola, sin protección, sin enseñanza, vagando libremente, como Adán y Eva en los días paradisíacos, por el seno de un valle amenísimo, en la estación apasionada del año... ¿Qué barrera, qué valle los divide?

La sociedad caerá sobre los inocentes culpables: ella terminará en un convento y él será enviado a Madrid. El paraíso ha sido arrasado para siempre.

El razonamiento ofrecido por Pardo Bazán es bien revelador de cómo su supuesto naturalismo no es sino una mera fachada e imitación libresca sin profundidad ideológica; las siguientes palabras hacen ocioso todo comentario y discusión, y ello a pesar de otros posibles puntos de vista expresados en la novela:

Lo que la naturaleza yerra, lo enmienda la Gracia... La ley de la naturaleza, aislada, sola, invóquenla las bestias; nosotros invocamos otra más alta... Para eso somos hombres, hijos de Dios y redimidos por Él.

Después de esto, sólo será preciso hacer breve mención de otras novelas de la condesa. En *Una cristiana* y *La prueba* (1890), publicadas conjuntamente, presenta cuatro tipos de mujer: la española típica, muñeca frívola e ignorante; la *cocotte* inmoral; la *mujer nueva,* que gracias a su liberación de prejuicios ancestrales se transforma en un ser frío y calculador; la cristiana y española verdadera, capaz de los mayores sacrificios y renunciaciones. En *La quimera* (1905), Pardo Bazán contrasta la verdad de la Fe con la falacia engañosa y perversa de la Ciencia. *La sirena negra* (1908), en fin, influenciada por ciertos aspectos del modernismo ya imperante, termina siendo una apología apasionada del sentimiento religioso, espiritualista. La condesa de Pardo Bazán resulta así, en conjunto, un valor más del casticismo tradicional hispano, decorado convenientemente con una sensibilidad cosmopolita que no denota otra cosa que una variante del pensamiento burgués de la Restauración.

Se ha dicho que con ARMANDO PALACIO VALDÉS (1853-1938) se liquidan el realismo decimonónico y, desde luego, las veleidades naturalistas. Escritor fecundo y de fama en su época y hoy casi ignorado, quizá injustamente, si lo comparamos con alguno de los narradores mencionados en el presente capítulo. Ironía amable, humor en tono menor, escasa complejidad y profundidad —a pesar de sus alientos psicologizantes—, suave escepticismo crítico..., todo hace de Palacio Valdés el novelista más auténtico de la burguesía española moderna, mucho más que, por ejemplo, la Pardo Bazán. Es un autor desigual, incapaz, con alguna excepción notable, de causar grandes inquietudes a sus lectores; una dorada medianía, como se ha dicho, que oscila entre lo agradable y lo resignado, y que en ningún momento utiliza la novela como arma panfletaria de combate, de acuerdo con su credo estético:

No hay nada más perjudicial a la belleza de una novela que esta filosofía vulgar, cuando no pueril, con que muchos novelistas sazonaban sus producciones... En la novela no es el autor el que debe hablar, sino los hechos y los caracteres, y si alguna filosofía se desprende de ella, que el lector la saque por sí mismo.

Algo parece así acercar a Palacio Valdés a la estética de Valera, mas es obvio que en la práctica van por caminos muy diferentes. Su temática es muy amplia. Una primera clasificación y sin duda la más elemental sería la regionalista: Palacio Valdés, asturiano, sitúa varias de sus novelas en su ambiente natal, otras en Andalucía y alguna en Valencia. Pero le interesa más que un regionalismo más o menos auténtico —que no suele serlo— otro tipo de problemas, condicionados a su ideología personal. Así *Marta y María* (1883) ofrece una serie crítica del falso misticismo, del jesuitismo y del neocatolicismo de la Restauración alfonsina, más allá del marco asturiano en que se encierra la narración. Dos novelas, *La espuma* (1890) y *La Fe* (1892) suelen calificarse de naturalistas. En *La espuma,* de ambiente obrero, aparece uno de los primeros ʼiéroes socialistas literarios, el médico de los mineros, probable trasunto del doctor Jaime Vera, dirigente del *Partido Socialista Obrero Español* y uno de los primeros marxistas serios de su tiempo (cf. IV.2D). En *La Fe* se plantean los habituales conflictos de conciencia de la época y se ataca la Iglesia institucionalizada y materializada, pero, como era de esperar, el problema se halla edulcorado hispánicamente: «Averiguó, en fin, de una vez para siempre, que el hombre no puede salvarse del dolor y de la muerte por la razón, sino por la fe.»

Palacio Valdés, que ha pasado por una época de liberalismo y escepticismo, retorna en 1899 con armas y bagajes al seno de la Iglesia Católica, lo cual se reflejará en su obra. *Tristán o el pesimismo* (1906) es bien significativa al respecto: un marido engañado que no venga la infidelidad de su esposa y que abandona Madrid para refugiarse en la vida campesina; un matrimonio roto que recupera finalmente la felicidad tras el arrepentimiento de la mujer; un seductor que termina moralmente deshecho y solo. Con *La aldea perdida* (1909), Palacio Valdés vuelve al viejo y querido asunto de los tradicionalistas al estilo de Pereda: la llegada del mundo moderno a valles remotos, en este caso concreto la industrialización y explotación carbonífera en Asturias, en una lamentación quejumbrosa ante la pérdida del bucolismo y la felicidad patriarcales. Tras una narración de corte autobiográfico, subjetivista e idealista, *Papeles del doctor Angélico* (1911), la publicación de *Santa Rogelia* en 1926 marca el punto final del proceso ideológico y literario de su autor: los milagros son una realidad con la cual es preciso contar; el matrimonio es indisoluble y divino; el adulterio es superado por el sacrificio cristiano. El prólogo que Palacio Valdés escribió para la edición de 1922 de *Marta y María* termina con estas palabras: es una novela, dice, que no tiene «otra significación que la que pueda acordarse con la fe cristiana y con las enseñanzas de la Iglesia Católica, a las cuales me glorío de vivir sometido».

2C.   EL REALISMO CRÍTICO: *Clarín* Y GALDÓS

En un plano muy diferente al de los novelistas hasta aquí estudiados se sitúan Leopoldo Alas y Benito Pérez Galdós, que se destacan muy por encima, desde cualquier punto de vista, sobre los narradores anteriores.

LEOPOLDO ALAS (Zamora, 1852-1901), *Clarín* en la literatura, fue catedrático de derecho de la Universidad de Oviedo desde 1883, además de periodista, ensayista y agudo crítico literario de muy particular interés. Relacionado con la *Institución Libre de Enseñanza*, *Clarín* reconocía a Francisco Giner de los Ríos como uno de sus padres espirituales. Este «provinciano universal» estaba al corriente del desarrollo de la vida cultural y científica europea; leía a Flaubert, Hugo, Verlaine, Renan, Tolstoy, Zola (a quien tradujo)... *Clarín* es un espíritu liberal, abierto lo más de su vida, con una primera época escéptica y racionalista —no positivista— que tras una profunda crisis personal ocurrida en 1892, desemboca en un deísmo espiritualista que le aproxima al cristianismo de Renan. Mas el Renan de *Clarín*, como se ha dicho, es el crítico que destruye dogmas y alimenta la fe, que abate las religiones y exalta el sentimiento religioso, el apóstol de la tolerancia. Creador de la Extensión Universitaria de Oviedo, precedente de las Misiones Pedagógicas de la II República —una y otras de inspiración institucionista—, *Clarín* pudo ser definido como un predicador laico que se complacía con arte soberano en agitar las conciencias de estudiantes, de burgueses, de obreros..., acicateado por la situación social de la época y por el papel oficial de la Iglesia Católica.

Con notables semejanzas y también con diferencias importantes, *Clarín*, al igual que Galdós, escribe *desde* una facción de la burguesía, pero *contra* las aberraciones de la burguesía. Aparte de una serie de cuentos y de una narración breve, *Su único hijo*

(1890), *Clarín* es autor de *La Regenta* (1884), sólo comparable en profundidad, complejidad e intención a las mejores obras de su amigo Galdós, quien dijo precisamente de *La Regenta* lo que sigue:

> Lo que verdaderamente es maravilloso y único en su obra de usted es la vena satírica, aquella gracia digna de Quevedo con que persigue los lugares comunes de la conversación, de la literatura y del periodismo. En esto es usted iniciador... Pienso robarle, en la parte pequeña que pueda, este método suyo.

Sátira, ironía y humor en una concepción básicamente trágica; detallismo realista con importantes elementos naturalistas; psicologismo profundo y auténtico; utilización del sueño, el recuerdo y el monólogo interior; el tiempo como elemento estructural en el desarrollo de la obra y de los personajes mismos; una técnica perspectivista... todo hace de *La Regenta* una novela que si bien entroncada con la mejor tradición del realismo decimonónico, la acerca también a una literatura más moderna, abierta y experimental. Sus fuentes literarias han de encontrarse en Zola en cuanto a la técnica y a la importancia de lo social; en Flaubert y Stendhal en lo psicológico; en Galdós para la crítica de la España del momento. Todo ello hábilmente manejado y articulado para producir una novela en verdad extraordinaria en el medio peninsular.

La Regenta constituye una auténtica anatomía de la sociedad de la Restauración en el marco de una capital de provincia, Vetusta, esto es, Oviedo. La frase con que se abre la obra aparece cargada ya de intencionalidad: «La heroica ciudad dormía la siesta.» *La Regenta* es, sin duda, la historia de un adulterio: la heroína Ana Ozores —junto con la Fortunata de Galdós, una de las mujeres más patéticas de la literatura española—, casada con un viejo calderoniano y ridículo, oscila entre un imaginario misticismo y un erotismo frustrado, sometida a los embates amorosos del canónigo magistral de la catedral y del donjuanesco y «hombre de mundo» Alvaro Mesía. Un temperamento sensible y nervioso en un ambiente achatado y gris contribuirán a producir la inevitable tragedia:

> Ella se moría de hastío. Tenía veintisiete años, la juventud huía... Y no había gozado una sola vez esas delicias del amor de que hablan todos... El amor es lo único que vale la pena de vivir, había ella oído

y leído muchas veces. Pero ¿qué amor? ¿Dónde estaba ese amor? Ella no lo conocía. Y recordaba, entre avergonzada y furiosa, que su luna de miel había sido una excitación inútil, una alarma de los sentidos, un sarcasmo en el fondo..., la primera noche, al despertar en su lecho de esposa, sintió junto a sí la respiración de un magistrado.

Ana Ozores busca la libertad y el amor, su realización como mujer, como ser humano; no logrará sino el tedio, la frustración continua, la soledad definitiva.

El profundo drama personal de *La Regenta,* por otro lado, no puede en modo alguno comprenderse en sus justas coordenadas sin tener en cuenta el medio en que se produce: el de la hipócrita sociedad positivista y burguesa, inserta en unos moldes tradicionales, con una religiosidad institucionalizada, una sociedad que asfixia todo lo vital y espontáneo y que oprime tanto por sus injusticias e inmoralidades como por su mediocridad mefítica, una sociedad que alimenta la disociación entre el *ser* y el *existir,* la alienación. Iglesia, aristocracia, clase media y proletariado forman la estructura social de Vetusta. Hipocresía y mediocridad marcan también a la Iglesia, pero asimismo la ambición y el deseo de compartir con la clase dominante el control del sistema y sus beneficios. Recuérdese, al comienzo de la novela, cómo aparece el magistral observando con su catalejo la ciudad, desde la torre de la catedral:

> Vetusta era su pasión y su presa. Mientras los demás le tenían por sabio teólogo, filósofo y jurisconsulto, él estimaba sobre todas su ciencia de Vetusta. La conocía palmo a palmo, por dentro y por fuera, por el alma y por el cuerpo, había escudriñado los rincones de las conciencias y los rincones de las casas. Lo que sentía en presencia de la heroica ciudad era gula; hacía su anatomía no como el fisiólogo que sólo quiere estudiar, sino como el gastrónomo que busca los bocados apetitosos...

Por otra parte, dispuesta al compromiso con ciertos valores burgueses, la Iglesia tiene una nueva misión: servir de freno a los avances del proletariado militante, verdadero y único rival posible:

> El humo y los silbidos de la fábrica le hacían dirigir miradas recelosas al Campo del Sol; allí vivían los rebeldes; los trabajadores sucios, negros por el carbón y el hierro amasados con su sudor; los que

escuchaban con la boca abierta a los energúmenos que les predicaban igualdad, federación, reparto, mil absurdos, y a él no querían oírle cuando les hablaba de premios celestiales, de reparaciones de ultratumba... El magistral no se hacía ilusiones. El Campo del Sol se les iba... No, aquel humo no era de incienso; subía a lo alto, pero no iba al cielo; aquellos silbidos de las máquinas le parecían burlescos, silbidos de sátira, silbidos de látigo. Hasta aquellas chimeneas delgadas, largas, como monumentos de una idolatría, parecían parodias de las agujas de las iglesias...

La cita es larga, pero imprescindible para ver hasta qué punto *Clarín* había logrado captar la realidad social de su época y hasta qué punto, por lo mismo, se aparta del marginalismo histórico de algunos novelistas del XIX o de la intransigencia conservadora de otros. *Clarín* traza un auténtico plano sociológico de Vetusta: en el centro, la Catedral, en medio del barrio antiguo, La Encimada, habitado por los nobles y también por gentes miserables; hacia el sur, el Campo del Sol, barrio industrial y proletario; hacia el norte, la Colonia, donde viven los indianos, los nuevos ricos y la alta burguesía. La cual, desde luego, no es monolítica, sino que tiene sus fisuras, divisiones, estratos, ideas políticas diferentes, desde el carlismo hasta el alfonsismo, pasando por la rara fauna de liberales y librepensadores, mas todos marcados, en cualquier caso, por la estupidez y la mediocridad. Lo moderno no es otra cosa que «*sport* y catolicismo»; los radicales se dedican a comer carne el Viernes Santo; los liberales están representados por un ex-alcalde que

entendía así la libertad: o se perseguía o no se perseguía al clero. Esta persecución y la libertad de comercio era lo esencial. La libertad de comercio para él se reducía a la libertad del interés. Todavía era más usurero que clerófobo.

Al llegar aquí conviene hacer notar que *Clarín* señala agudamente que el nuevo proletariado está superando ya el anticlericalismo elemental:

Se hablaba sólo de revolución social, y ya se decía que los curas no son ni más ni menos malos que los demás *burgueses*. Malo era el fanatismo, pero el *capital* era peor.

¿Cómo son, pues, los capitalistas de Vetusta, que incluyen a los aristócratas, que han adquirido ya usos burgueses? Se reúnen, desde luego, en su Casino, donde se dan fiestas y bailes y se juega fuerte; su cultura se refleja en la biblioteca, donde «estaban representando la sabiduría de la sociedad el *Diccionario* y la *Gramática* de la Academia». Entre las escasas revistas del Casino figura *La Ilustración* francesa, retirada

en un arranque de patriotismo, por culpa de un grabado en que aparecían no se sabe qué reyes de España matando toros. Con ocasión de esta medida radical y patriótica se pronunciaron en la junta general muchos y buenos discursos en que fueron citados oportunamente los héroes de Sagunto, los de Covadonga y por último los del año ocho. En los cajones inferiores del estante había algunos libros de más sólida enseñanza, pero la llave de aquel departamento se había perdido.

La burguesía en su conjunto aparece así, vista por el catalejo eclesiástico, en párrafo inestimablemente revelador:

...alardes de piedra inoportunos, solidez afectada; lujo vocinglero. La ciudad del sueño de un indiano que va mezclada con la ciudad de un usurero o de un mercader de paños o de harinas que se quedan y edifican despiertos... El magistral no atiende a nada de eso; no ve allí más que riquezas; un Perú en miniatura, del cual pretende ser el Pizarro espiritual. Y ya empieza a serlo. Los indianos de La Colonia, que en América oyeron muy pocas misas, en Vetusta vuelven, como a una patria, a la piedad de sus mayores... Además, los indianos no quieren nada que no sea de buen tono, que huela a plebeyo, ni siquiera pueda recordar los orígenes humildes de la estirpe; en Vetusta los descreídos no son más que cuatro pillos que no tienen sobre qué caerse muertos; todas las personas pudientes creen y practican, como se dice ahora..., sí, hay mucha tierra que descubrir en aquella América abreviada; las exploraciones hechas, las *factorías* establecidas, han dado muy buen resultado...

Con *La Regenta, Clarín* no solamente hunde su escalpelo en las mismas raíces de la Historia de España, en su estructura social y mental, en sus costumbres, sino que al propio tiempo, con el drama de Ana Ozores, señala acusadoramente las deshumanizadoras consecuencias, al nivel personal, de un miembro de la clase dominante misma, de un sistema y una ideología amenazados por una transformación social que pretendía hacer tabla rasa de todo ello. Terminemos con un dato anecdótico, pero bien revelador. El obispo de Oviedo, monseñor Martínez Vigil, condenó públicamente a *La Regenta* y a su autor en una famosa y espectacular pastoral. El prelado y el novelista terminaron, tiempo después, siendo excelentes amigos. Lo cual, por otra parte, no ha de resultar del todo extraño, ya que los últimos años de *Clarín* —según se descubre, por ejemplo, en su comportamiento frente a la rebeldía de los jóvenes del 98— son de una extremada ambigüedad por lo que respecta a su actitud sociopolítica.

BENITO PÉREZ GALDÓS (1843-1920), nacido en Las Palmas de padre militar y madre hija de un inquisidor, llegó por primera vez a Madrid como estudiante en 1862, y será ya para siempre madrileño. Dejó pronto de asistir a la universidad y —además de dedicarse con entusiasmo a la vida nocturna— empezó a frecuentar el Ateneo, donde se hizo cotidiano lector, y con el tiempo, apasionado conocedor de la Historia española, en particular de la de su propio siglo. Al dejar de depender de su familia se hizo periodista, y ya en 1865 era traductor de Dickens. Dos años después visita París, donde entra en contacto con la obra de Balzac. Publica en 1870 su primera novela —escribirá 77, y 22 obras de teatro a partir de 1892, muchas de éstas adaptaciones de aquéllas—. Galdós adquirió una extraordinaria fama nacional desde bien pronto, y en especial desde que en 1873 inició la publicación de sus *Episodios Nacionales,* que continuaría hasta 1912. Intervino activamente en la vida política del país, desde que en 1886 fue diputado por Puerto Rico del *Partido Liberal Dinástico* de Sagasta, puesto obtenido, justo es decirlo, gracias a los conocidos métodos caciquiles. Con todo, Galdós justifica así su presencia en el Congreso:

> He ido al Congreso porque me llevaron, y no me resistí a ello porque deseaba ha tiempo vivamente conocer de cerca la vida política... voy comprendiendo que es imposible en absoluto conocer la vida nacional sin haber pasado por aquella casa. ¡Lo que allí se aprende! ¡Lo que allí se ve! ¡Qué escuela!

Galdós ingresa en la Real Academia Española en 1889, con un discurso bien significativo al que será preciso volver después: *La sociedad presente como materia novelable.* Ya viejo Galdós, en 1901, el estreno en Madrid de su drama *Electra,* violentamente anticlerical, se transforma en una manifestación pública contra el gobierno conservador, y atrae hacia su autor tanto el entusiasmo popular como el de los jóvenes miembros de la generación del 98. En 1907 Galdós es ya declaradamente republicano, y explica así su actitud:

> A los que me preguntan la razón de haberme acogido al ideal republicano les doy esta sincera contestación: tiempo hacía que mis sentimientos monárquicos estaban amortiguados; se extinguieron absolutamente cuando... vimos... que el Régimen se obstinaba en fundamentar su existencia en la petrificación teocrática..., condenarnos a vivir adormecidos en el regazo frailuno..., añadir a las innumerables tiranías que padecemos el aterrador caciquismo eclesiástico... Sin tregua combatiremos la barbarie clerical..., haremos frente a los desafueros del ya desvergonzado caciquismo, a los desmanes de la arbitrariedad enmascarada de justicia...

La grave situación del país radicaliza aún más a Galdós, quien en 1909 —el año de la guerra de África, de la *Semana Trágica* de Barcelona— llega a ser presidente de la *Conjunción Republicano-Socialista* y es llevado de nuevo al Congreso, esta vez por 42.419 limpios votos madrileños. El republicanismo histórico y burgués termina por desencantarle, y se produce su aproximación al *PSOE*. En 1910, escribe que el *Partido Republicano*

> está pudriéndose por la inmensa gusanera de caciques y caciquillos. Tiene más que los monárquicos... Si éstos trajeran la República, estaríamos peor que ahora... Voy a irme con Pablo Iglesias. El y su partido son lo único serio, disciplinado, admirable, que hay en la España política.

E insiste en 1912:

> ... y así seguiremos viviendo hasta... Hasta que del campo socialista sobrevengan acontecimientos hondos, imprevistos, extraordinarios... ¡El socialismo! ¡Por ahí es por donde llega la aurora!

Es preciso recordar que Galdós había sentido desde muy pronto un auténtico interés por el movimiento obrero. Ya en 1872, y a raíz de la discusión sobre la Internacional en las Cortes, se preguntaba: «¿Qué es preferible: el pueblo supersticioso, según la escuela antigua, o el pueblo filósofo, según la escuela de la Internacional?» En 1890, en que comienza a celebrarse en España la fiesta del Primero de Mayo, Galdós publica un artículo simpatizante, lo que hará en numerosas ocasiones desde entonces; incluso participará alguna vez en las manifestaciones madrileñas y obreras. En 1912, su candidatura para el Premio Nobel fracasa, ante los ataques del reaccionarismo hispánico. Ciego y empobrecido, pero rodeado del fervor popular, muere en 1920. Su entierro fue una auténtica, genuina demostración de dolor del pueblo de Madrid.

La vida de Galdós, obviamente, es un proceso de concienciación política y social que se refleja en su obra literaria. De un inicial radicalismo liberal que podría representar *Doña Perfecta* (1876), avanza hacia una comprensión totalizadora del papel histórico cumplido por la burguesía y —siempre desde una perspectiva afín a la de la facción burguesa progresista— llega a adquirir una visión radicalmente crítica frente a su propia clase. En su última época, por ejemplo en *El caballero encantado* (1909), aparece sin ambages su republicanismo social y llega incluso a concebir la necesidad de una auténtica revolución —producto sin duda de su aproximación al socialismo—, según puede verse nítidamente en el siguiente y conocido párrafo de *Cánovas,* que cierra la serie de *Episodios Nacionales* (1912):

> Alarmante es la palabra revolución. Pero si no inventáis otra menos aterradora no tendréis más remedio que usarla los que no queráis morir de la honda caquexia que invade el cansado cuerpo de tu Nación. Declaráos revolucionarios, díscolos, si os parece mejor esta palabra; contumaces en la rebeldía. En la situación a que llegaréis andando los años, el ideal revolucionario, la actitud indómita, si queréis, constituirán el único síntoma de vida. Siga el lenguaje de los bobos llamando paz a lo que en realidad es consunción y acabamiento... Sed constantes en la protesta, sed viriles...

Debido precisamente a esa continua evolución ideológica, acompañada de una también continua experimentación literaria, la obra de Galdós constituye sin duda un conjunto tan coherente como complejo, que incluye, como se ha dicho, una investigación en todos los campos posibles: fisiología, psicología, sociología, ciencias físicas, tecnológicas, las consecuencias de la industrialización, el papel dominante de la burguesía, la organización del proletariado, una consciencia filosófica e histórica ni remotamente alcanzada por los restantes novelistas del XIX español, excepción hecha, quizá, de *Clarín.* Galdós significa, en efecto, la superación total de la literatura seudorrealista y plúmbeamente reaccionaria de sus contemporáneos, de sus limitaciones ideológicas y estilísticas. Recuerdos, sueños, imaginación, locura, símbolos, todo manejado inteligentemente por Galdós, contribuyen a formar un *realismo total*. La corriente de la conciencia y el monólogo interior, tan característicos de la narrativa contemporánea, adquieren ya en Galdós carta de naturaleza que va más allá de lo puramente experimental. Ese realismo total galdosiano incorpora, desde luego, notables elementos naturalistas de auténtica inspiración zolesca; a otro nivel, incorpora asimismo el realismo genuino de Dickens y de Balzac y el espiritualismo de un Dostoyewski. Ello ocurre también con la obra teatral galdosiana, iniciada en 1892 compuesta en buena medida por adaptaciones escénicas de las novelas: un diálogo «natural», una preocupación social y un simbolismo espiritualista hacen que también el teatro de Galdós se distinga notoriamente del habitual gusto burgués de su época.

Es igualmente evidente que la novelística de Galdós hunde sus raíces en el mejor Cervantes, como puede verse en su peculiar sentido del humor y de la ironía, en la concepción perspectivista de la realidad y en tantas otras cosas, algunas de ellas en verdad fundamentales. Así el concepto de la Naturaleza y sus relaciones dialécticas con el ser humano; así el Amor como elemento vital y animador del orden cósmico, muy alejado del idealismo vulgar romántico.

Lo que en el caso de Cervantes se ha llamado «la doctrina del error» funciona también en Galdós. El primero crea toda una galería de personajes que, equivocados a diferentes niveles y por diferentes motivos, sufrirán las consecuencias de sus errores: toda infracción del orden natural conlleva su castigo también natural (la muerte de Grisóstomo, la frustración de Camacho *el Rico,* la tragedia de *El celoso extremeño,* por ejemplo; cf. II.3A). ¿Y en Galdós? Entre tantos otros casos, baste recordar aquí la locura de Maximiliano Rubín y la muerte del viejo Feijóo, destruidos como consecuencia de su relación con Fortunata. Pues Galdós lo dice bien claro: quien «no pueda o no sepa dar a la Naturaleza lo que es de la Naturaleza y a la Historia lo que es de la Historia, que se calle». Los ecos cervantinos se confunden ya con los hegelianos: Naturaleza e Historia tienen sus leyes propias; quienes son incapaces de comprender su funcionamiento, son incapaces también de captar la realidad, y ello por varias razones:

mediaciones ideológicas y culturales; mediaciones de clase; deshumanización producida por un sistema social opresor y alienante. Todo ello podría resumirse en un conocido conflicto, agudamente intuido y sufrido ya por Cervantes y sus personajes: el individuo frente a su sociedad. Pero los cambios históricos han sido enormes desde principios del siglo XVII, y en tiempos de Galdós está ya plenamente afianzado el modo de producción capitalista, incluso en España. Cervantes se encontraba en los orígenes del problema, y el conflicto que en el *Quijote* se da —necesariamente— en la lucha del personaje contra fuerzas cuyo significado real no acaba de captarse (molinos de viento, cueva de Montesinos), aparece en Galdós muy concretamente determinado por fuerzas históricas ya analizables y analizadas.

Galdós parte de su extraordinario conocimiento de la realidad estructural de la sociedad española, la cual refleja oscilando entre el detallismo minucioso y la amplia concepción histórica. O de otro modo: para Galdós todo es Historia, incluso su propia creación literaria. Ello es por demás evidente en la monumental serie de *Episodios Nacionales,* extraordinaria fusión de narrativa y de Historia en que lo anecdótico e individual se integra en las líneas de fuerza históricas y sociales, en una trayectoria que abarca desde la batalla de Trafalgar hasta la Restauración alfonsina. A los *Episodios Nacionales* —como en conjunto a toda la obra galdosiana— se les puede aplicar sin mayores dificultades las conocidas palabras de F. Engels:

> El realismo, en mi opinión, supone, además de la exactitud de detalles, la representación exacta de *caracteres típicos en circunstancias típicas.*

Pero no sólo en los *Episodios* es patente la historicidad de la novela galdosiana. A la vez que va narrando en ellos la Historia española del XIX, se concentra en sus «novelas contemporáneas» en la explicación y análisis de los años en que la Restauración se afianza e impone un modo de vida que durará más allá del novecientos.

En su discurso de ingreso en la Academia (1889) Galdós explicaría que la «sociedad presente» era «materia novelable». Ahora bien, esa «sociedad presente» era, por primera vez de forma clara en España, la sociedad burguesa, y ya en 1870 Galdós había pensado que la clase media era «el modelo, la fuente inagotable» de la narrativa de su tiempo, y que a «ser la expresión de cuanto bueno y malo existe en el fondo de esa clase» habían de dedicarse los novelistas. Él fue, en verdad, el único que lo hizo y, en este sentido, es absolutamente justa la difundida idea de que Galdós fue el novelista de la burguesía española. Más aún: puede afirmarse que la idea primera que Galdós tiene de la burguesía es una idea positiva, puesto que, con toda razón, considera que fue la burguesía la fuerza transformadora que arrumbó las estructuras del Antiguo Régimen. Véanse estas palabras suyas de *Los Apostólicos* (1879):

> La formidable clase media, que hoy es el poder omnímodo que todo lo hace y deshace, llamándose política, magistratura, administración, ciencia, ejército, nació en Cádiz, entre el estruendo de las bombas francesas... El tercer estado creció abriéndose paso entre frailes y nobles; y echando a un lado con desprecio estas dos fuerzas atrofiadas y sin savia, llegó a imperar en absoluto, formando con su grandeza y sus defectos una España nueva.

A esta idea responde, por ejemplo, el radicalismo, tanto temático como formal, de *Doña Perfecta* (1876). *Doña Perfecta,* en efecto, narra la lucha a muerte entre un representante de la nueva clase ascendente, Pepe Rey (es ingeniero, cree en los ferrocarriles y el progreso, es europeizante, se burla de las ropas cursis de los santos de una iglesia de provincia, etc.), y el oscurantismo de doña Perfecta, basado en su poder de terrateniente y en el apoyo de la Iglesia. Correspondiendo a tal radical manera de enfrentamiento entre las dos fuerzas, la estructura de la novela es simple, apresurada y dramática, con abusos, incluso, del procedimiento que hoy conocemos como *suspense*. El fracaso y muerte del ingeniero no presagia, desde luego, nada bueno para el futuro de la burguesía española; pero ha de considerarse que por su inocente idealismo radical, no muy distinto del que «nació en Cádiz, entre el estruendo de las bombas francesas», por su ignorancia de la sociedad en que debe moverse, este representante de la burguesía progresista bien puede simbolizar para Galdós el inicio en falso —aunque necesario— de una tendencia que, de todos modos, triunfaría a la larga sobre doña Perfecta.

Las otras novelas escritas entre 1876 y 1878 (*Gloria, La familia de León Roch* y *Marianela*), son ya narraciones más com-

plejas y ricas de matices. Es también central, sin embargo, a todas ellas la misma difícil lucha contra el oscurantismo, trátese de
la cuestión de la tolerancia religiosa en *La familia de León Roch*
o de la búsqueda del ideal, de la luz que simboliza la ciega Marianela.

El siguiente núcleo de novelas, las escritas entre 1881 y 1884,
meollo de las que Galdós mismo llamó «contemporáneas», significa un enorme avance en la narrativa galdosiana. Han desaparecido ya, prácticamente, los enfrentamientos simplistas (progreso-
oscurantismo, tolerancia-intolerancia, luz-oscuridad), la función
abstracta de lo simbólico e, incluso, nos atreveríamos a decir, el
planteamiento de los «grandes» problemas. Parece ahora Galdós
encontrarse totalmente inmerso en la «España nueva», minuciosamente atento al funcionamiento de unas relaciones sociales que
están ya sólidamente establecidas y en el contexto de las cuales
no aparecen ya personajes de inocente voluntad heroica, como
León Roch o Pepe Rey (o, incluso, la misma doña Perfecta), sino
seres mucho más comunes y corrientes que, tratados con un mínimo de pretensiones simbólicas, son representantes típicos de la
mediocre vida burguesa imperante.

A pesar de lo cual, sin embargo, son estos seres, *en cuanto
personajes,* de una enorme riqueza vital. Porque el novelista de la
vida burguesa de la Restauración que fue, en efecto, Galdós no
cae jamás en estas grandes novelas (*La desheredada,* 1881; *El
amigo Manso,* 1882; *El doctor Centeno,* 1883; *La de Bringas,*
1884; *Tormento,* 1884; *Lo prohibido,* 1884-1885) en la llamada
«falacia imitativa». Es decir, la mediocridad y chatura de la vida
burguesa y pequeño-burguesa de la Restauración no aparece jamás narrada mediocre y aburridamente, sino con una enorme capacidad fabuladora, con gran complejidad y con una asombrosa
riqueza dialéctica en el tratamiento de la relación que constantemente se establece entre la crítica del sistema dominante y el juego de los puntos de vista.

Difícil sería, por ejemplo, concebir un personaje más «mediocre» que Máximo Manso, el insignificante e idealista profesor de
filosofía; o, peor aún, alguien en principio menos interesante que
«la de Bringas», quien en pleno derrumbe del trono de Isabel II,
siendo su marido uno de los funcionarios de Palacio, vive durante
cientos de páginas atenta exclusivamente a sus compras y deudas,
grandes y pequeñas. Sin embargo, asistimos en esta serie de no-

velas a la creación de un mundo que aparece no sólo descrito minuciosamente (de manera «objetiva» unas veces, irónicamente otras), sino *historiado,* relacionado en todo momento con sus orígenes y su razón de ser. Sólo el observar la enorme productividad que revela este ciclo de seis novelas mayores escritas en apenas cuatro años, nos da idea de la enorme energía creadora del novelista. Notable paradoja: inmerso en aquella sociedad vulgar y mediocre en la que un Máximo Manso no sabe nunca cómo llevar a la práctica ningún proyecto, en que la de Bringas va de tienda en tienda y de prestamista en prestamista, Galdós no sólo les da un vivir apasionante, sino que, al hacerlo, *produce* vertiginosamente.

Mas podría decirse que no hay tal paradoja ya que los años ochenta son, sin duda, los del verdadero despegue de la economía española del xix. Y, en efecto, los cientos de personajes que aquí empieza a crear Galdós y que, a la manera de Balzac, irán reapareciendo de novela en novela (donde nunca los mismos ocupan los primeros planos), están todos ellos envueltos en la trama de las grandes transformaciones sociales. Es el novelista quien entiende perfectamente el sentido de las transformaciones, insistiendo siempre en su razón histórica, y así, a la manera de los grandes narradores, ejerce un control total sobre su ficción, mientras parece dejar que los personajes hagan sus vidas sin interferencia autoritaria alguna de quien las narra.

Lo prohibido, por ejemplo, es una magistral lección sobre el fetichismo de la mercancía (lección que, por supuesto, no hubiese podido concebirse en una sociedad no burguesa) y, seguramente, la primera representación española de cómo en el contexto de la sociedad capitalista llega la mujer a ser un objeto, una verdadera mercancía. En gran medida éste es también el problema de la de Bringas, quien sólo entra en relación con su entorno por mediación de las cosas inútiles que cree necesitar y que quiere comprar o compra. *El amigo Manso,* por su parte, escrita como crítica amistosa del idealismo krausista y, en particular, de la *Institución Libre de Enseñanza,* no sólo revela el oportunismo y la vacuidad de un sistema social que manipula la educación para convertirla en material de acarreo de la retórica de sus discursos, sino —del otro lado— la insuficiencia de una idea de la transformación social que se apoya sólo en la educación, concebida además en términos elitistas.

Pero no son éstas novelas de tesis en el sentido en que, tal vez, puede decirse de *Doña Perfecta* o *La familia de León Roch.* Bien claras deben de estar en las «contemporáneas» las ideas centrales para que un Pereda o un Menéndez Pelayo se sintieran agredidos por ellas; pero no será porque Galdós —a diferencia, dicho sea de paso, de Pereda— aproveche la narración para sermonear desde una perspectiva crítica carente de ambigüedades. Desde luego que muy poco vemos en este ciclo de la «grandeza» de España a que Galdós se refería en las palabras citadas de *Los Apostólicos,* pero no se trata tampoco de que Galdós se haya propuesto subrayar lo que en 1870 llamaba «lo malo» de la sociedad burguesa. Son sin duda evidentes en todo momento la mediocridad, el oportunismo, la penetración cada vez más honda de elementos e ideas reaccionarias en la hegemonía de la nueva clase; pero frente a ello lo que destaca es la riqueza vital, la capacidad de supervivencia de los personajes. Y, tal vez por encima de todo, según se ha dicho frente a quienes todavía tratan de Galdós como «garbancero», lo fundamental es la gran capacidad narrativa: en la precisión estructural de cada novela y del mundo todo que se va creando entre unas y otras novelas; en la riqueza del lenguaje, insistimos en ello; en la sorprendente capacidad de creación vital.

Muy poco después, en 1886-1887, Galdós publica *Fortunata y Jacinta,* narración de mil y pico de páginas en que culmina, a nuestro entender, el primer gran ciclo de novelas contemporáneas. Un subtítulo folletinesco explica que se trata de «Dos historias de casadas» y, en efecto, la trama parece adecuada para el folletín. Juanito Santa Cruz, señorito de rica familia de comerciantes, tiene amores con Fortunata, joven mujer del pueblo. Por supuesto que no se casa con ella, sino con Jacinta, hija predilecta de otra gran familia del comercio madrileño. Tras el matrimonio, Juanito vuelve una y otra vez a Fortunata. También Fortunata acaba por casarse, lo que no le impide volver con Juanito cuando éste se lo pide. Al final, abandonada definitivamente por el señorito, Fortunata tiene un hijo de Juanito que entrega a la familia Santa Cruz (ya que Jacinta no ha tenido hijos). Inmediatamente después, Fortunata muere. Con tal material de melodrama construye Galdós una de las novelas más extraordinarias de toda la literatura europea, de una riqueza exuberante en la creación de personajes, en la flexibilidad de los procedimientos narrativos, en la representación de una ciudad (Madrid) en la cual miembros de las diferentes clases sociales entran constantemente en relaciones de interdependencia con grados diversos de conciencia acerca de lo que les une y les separa, con un control sutil y firme del juego de las ideas en conflicto, del papel que juegan la Historia y la clase en el comportamiento de los individuos, en la conformación de las ideologías y, en fin, en la lucha cotidiana de todos por adaptarse o rechazar coherentemente el medio en que viven.

Es *Fortunata y Jacinta*, además y en su esencia misma, una novela profundamente crítica de la Restauración, tal vez sólo comparable en este sentido a la serie de las novelas de Torquemada: *Torquemada en la hoguera* (1889), *Torquemada en la cruz* (1893), *Torquemada en el Purgatorio* (1894) y *Torquemada y San Pedro* (1895). Podría decirse que con esta serie Galdós termina su exploración y análisis de la sociedad de la Restauración en cuanto producto de circunstancias históricas específicas y aprehensibles.

Torquemada es un vulgar pero inteligente prestamista que ya había aparecido en anteriores novelas (ayudando, por ejemplo, a la trapisondista Rosalía Bringas). En su adolescencia emigrante pobre en la ciudad ha ido con los años acumulando algún capital. No es sino hasta la revolución de 1868, sin embargo, cuando —coincidiendo con el principio de salida de la crisis del 66 de toda la economía española— empiezan a prosperar seriamente sus negocios. De todos modos, dista mucho todavía de ser un financiero de altos vuelos. Pero ciertas circunstancias personales —muerte de su esposa y de su primer hijo, la amistad que desarrolla con Donoso, alto burócrata amigo de unas damas aristocráticas arruinadas— contribuyen a desarrollar sus ambiciones. Acaba creyendo en la posibilidad de su matrimonio con la familia de las Aguila y, en efecto, se casa con una de las hermanas. A partir de ahí —y guiado al principio por los consejos y opiniones de Donoso— va ampliando su campo de acción. Paso a paso vemos a Torquemada convertirse en un gran banquero, al ritmo justo en que prospera en España la burguesía financiera. Al final llega incluso a marqués. Se ha consumado, pues, el matrimonio entre la nueva clase ascendente y la vieja aristocracia que no lucha ya contra lo nuevo (como doña Perfecta contra Pepe Rey), sino que se acomoda por necesidad a ello, pero imponiendo su ideología conservadora a la vida civil y política que resulta de la dinámica del crecimiento económico. La dominante cuñada de Torquemada y su cura confesor, Gamborena (el «San Pedro» del título de la última de la serie), desprecian al financiero de extracción plebeya y, de hecho, llegan a manipularle ideológicamente. Pero no hay duda de que el transformador ha sido Torquemada, cuya inteligencia y conciencia crítica es muy superior a las de quienes le rodean, de modo que ve perfectamente la contradicción que se ha establecido entre la dinámica del desarrollo capitalista que él representa y una ideología que pretende no creer en el capitalismo gracias al cual sobrevive.

Ha triunfado, pues, en cierto modo la casta de doña Perfecta; pero sólo Torquemada y el hermano ciego de las Aguila, interesante personaje *pre-fascista*, entienden que ese triunfo ha exigido una gran metamorfosis en la estructura de la sociedad, debido a la cual se han creado nuevas contradicciones en las que ya no se oponen burgueses contra tradicionalistas, sino el pueblo bajo (o «cuarto estado», según se le llama en *Fortunata y Jacinta*) y la nueva clase dominante. España toda, y no sólo Fortunata, según en un momento se dice de ella, ha pasado «por el aro»; mas se anuncian, a pesar de todo, nuevas maneras de transformación social. Ya su amigo el burócrata Donoso le había explicado a Torquemada que era responsabilidad de las «clases directoras» llevar a cabo un desarrollo («bienestar y progreso») que sirviese de «valladar a las revoluciones»; al final de su vida, cuando Torquemada va a morir de una violenta indigestión causada por una vuelta gastronómico-sentimental a sus orígenes plebeyos, se dice a sí mismo que, ahora sí, «sin duda hay levadura de revolución o de anarquismo en estas interioridades mías»: como quien dice que en las entrañas mismas del capitalismo se crean sus propios enterradores.

Torquemada, su amigo Donoso, el señorito del Aguila, así como don Baldomero, el padre de Juanito Santa Cruz, y hasta Juanito mismo, en cuanto miembros de la clase dominante, intuyen con más o menos claridad que en la aparente paz de la Restauración germinan nuevas formas de la lucha de clases. No en balde, sin duda, es Galdós el novelista de la burguesía española de fin de siglo; pero en el largo trayecto que va de *Doña Perfecta* (1876) a *Torquemada y San Pedro* (1895) entendemos claramente lo que eso significa: una clara conciencia de los orígenes de la burguesía española, de su función histórica y de su giro hacia el conservadurismo represivo cuando las fuerzas «atrofiadas y sin savia» que los primeros burgueses creían haber echado de lado, reaparecidas bajo nueva forma, dominan a la sociedad toda. Novelista de la burguesía, pues, y, por lo tanto, novelista histórico; por lo cual no ha de entenderse, según es común, que sus novelas están plagadas de datos, fechas y hechos de la Historia española del XIX (que serían como una especie de «trasfondo» para lo que en ellas ocurre), sino que, de manera dialéctica, la ficción toda de Galdós es conformada por la Historia.

No es extraño, por lo tanto, que nos lleguen esos vislumbres del peligro que significaba para la clase dominante el «cuarto estado». No esperemos, sin embargo, que sea Galdós quien narre las vicisitudes de este conflicto: no era eso lo suyo; pero no sólo en estas novelas cimeras del ciclo de las «contemporáneas», sino a lo largo de toda su obra, es claro que Galdós sabe perfectamente que si bien el control de un país está en manos de la burguesía conservadora, no son por ello menos evidentes otras realidades sociales. Galdós habla continuamente del *pueblo* en términos, por lo general, idealistas: «El pueblo posee las verdades grandes y en bloque, y a él acude la civilización conforme se le van gastando las menudas de que vive.» Sin embargo, primero ocasionalmente y después coherentemente —de acuerdo con su evolución personal y su progresiva concienciación—, Galdós nos habla también en términos más ajustados: existe el campesinado, existe el proletariado, no ya el *pueblo* en abstracto, ni siquiera el *pueblo* madrileño. Véase —y es sólo una muestra— el siguiente fragmento de *Narváez* (1902):

> Quien dice labranza dice palos, hambre, contribución, apremios, multas, papel sellado, embargo, pobreza y deshonra..., la cuestión del tuyo y mío, o del averiguar si siendo mío el sudor, mía, verbigracia, la idea, y míos los miedos del ábrego y del pedrisco, han de ser tuyos los terrones abiertos y la planta y el fruto... el amo de la tierra, el amo del agua, el amor del aire, el amo de la respiración y tantos amos del infierno, que no puede uno moverse, pues de añadidura viene el sacerdote con sus condenaciones, y delante de todos el guardia civil, que se echa el fusil a la cara y si uno chista, cátate muerto.

¿Y el proletariado? La crítica suele olvidar importantes textos galdosianos. Recuérdese que Galdós quiso, hasta el final de su vida, escribir una novela sobre los mineros de Río Tinto, que en *Marianela* (1878) constan ya impresionantes descripciones de las condiciones de trabajo en las minas, digna de figurar en una antología obrerista. En *El caballero encantado* (1909), Galdós compara, en frase que debería ser más tenida en cuenta, al obrero con el campesino: «Noble era el arado; mas la barra y su manejo agrandaban y hermoseaban la figura humana.» En *Fortunata y Jacinta* (1886-87), el curioso viaje de novios de Juanito Santa Cruz y de Jacinta les lleva a Barcelona, donde visitan las grandes fábricas textiles, en un pasaje que es complemento tan lógico como necesario de todo lo que el novelista ha explicado previamente acerca del comercio madrileño, alimentado de modo especial por la industria catalana. Y Galdós va a decir cosas que aunque puedan parecer sorprendentes, son en verdad características de un narrador burgués progresista que va superando las contradicciones de su clase. Así, las máquinas son «maravillosas armas que ha discurrido el hombre para someter a la Naturaleza»; el trabajo en las fábricas, y la explotación de las obreras, le hacen escribir:

> esas infelices muchachas que están aquí ganando un triste jornal, con el cual no sacan ni para vestirse. No tienen educación; son como máquinas, y se vuelven tan tontas...; más que tontería debe de ser aburrimiento... Llega un momento en que dicen: «Vale más ser mujer mala que máquina buena».

Galdós formula aquí de modo extraordinariamente claro el problema de la cosificación y alienación del proletariado. No puede decirse, después de todo lo mencionado, que el autor de *Fortunata y Jacinta* y de *Torquemada* ignore «la cuestión obrera».

Las intuiciones de Galdós, y su capacidad de observación de la realidad, le conducirán, como ya se dijo, al republicanismo primero y a aproximarse al *Partido Socialista Obrero Español* después. Con todo, para Galdós será difícil superar ciertos condicionamientos ideológicos de su primer radicalismo liberal, como el anticlericalismo, sentimiento que mantuvo vivo hasta el fin de su vida y que en muchas ocasiones le hizo marginar la auténtica problemática social. El propio Pablo Iglesias criticó así *Electra*, el famoso drama anticlerical de su buen amigo Galdós:

> El autor de *Electra* ha entusiasmado a las gentes sencillas... Para un socialista, la cuestión esencial es la cuestión económica. El problema religioso, por muy importante que pueda ser en España, no domina a los otros.

Doña Perfecta (1876), *Gloria* (1876-77), *La familia de León Roch* (1878), forman la trilogía declaradamente anticlerical de la novelística galdosiana, pero en la práctica, toda su obra se halla como obsesionadamente marcada por tal idea; incluso en una obra tan tardía como *Cánovas* (1912) leemos cosas como la siguiente:

> Fortalecerán su poder educando a las generaciones nuevas, interviniendo la vida doméstica y organizando sus ejércitos de damas necias y santurronas, paulatinamente dotadas con el armamento piadoso que les llevará a una fácil conquista... Cuando salgamos de paseo y nos encontremos con un ignaciano, yo me quitaré el sombrero y tú darás una discretísima cabezada en señal de aparente sumisión, rezongando para nuestro sayo: «Adiós, reverendo; vive y triunfa, que ya te llegará tu hora».

Galdós sublimará ese anticlericalismo, por otro lado, en sus creaciones «espiritualistas» de tipo tolstoyano, como *Nazarín* (1895), *Halma* (1895) o *Misericordia* (1897) y, desde luego, según hemos indicado, en su obra central, en la que ya la cuestión religiosa es tratada con gran objetividad, aunque sin que se le quite importancia en cuanto «problema» característicamente español.

Ya se ha hablado de cómo Galdós supera el realismo elemental y las limitaciones del naturalismo. Hemos también apuntado cómo en esta tarea de superación —y de integración coherente— Galdós utiliza y se apropia igualmente del folletinismo, otro elemento más del mundo decimonónico. Conviene precisar ahora su actitud hacia novedades literarias más próximas a nosotros, tales como el modernismo y el noventayochismo. Para justificar por la vía literaria la última época de Galdós, con su libre uso integrador de imaginación y realismo, se ha acudido a la posible influencia modernista. La inexactitud de tal aproximación es fácilmente comprobable; bastará aquí mencionar un breve fragmento de *Misericordia* (de 1897, recuérdese la fecha):

> su peinadora le dijo que se fuera al Retiro, donde vería esas cosas, y todas las fieras del mundo, *y además cisnes, que son, una comparanza, gansos de pescuezo largo.*

La ironía galdosiana recuerda de inmediato el conocido «Tuércele el cuello al cisne», del mexicano Enrique González Martínez (1911).

Mucho más complejo es lo que se refiere a las relaciones entre Galdós y la generación del 98, comenzando primero con la literatura estrictamente regeneracionista de un Francisco Silvela, Lucas Mallada y, mucho más preponderantemente, de Joaquín Costa. *El caballero encantado,* y en conjunto toda su última obra, así como diferentes artículos y ensayos, coinciden en muchos aspectos con esa corriente relacionada con el *Desastre.* Mas con una radical diferencia; Galdós reacciona con violencia contra el tono quejumbroso y pesimista, como en su artículo «Soñemos, alma, soñemos» (1903):

> El pensamiento que la España caduca nos predica para prepararnos a un deshonroso morir ha generalizado una idea falsa. La catástrofe del 98 sugiere a muchos la idea de un inmenso bajón de la raza y de su energía...

En cuanto al noventayochismo galdosiano, baste decir aquí que aspectos básicos de la generación están presente en Galdós: Castilla, lo castellano y su paisaje; pero como en los mejores momentos del 98 (*En torno al casticismo* de Unamuno, el conjunto de la obra de Antonio Machado, por ejemplo) el paisaje de Galdós es *histórico,* porque en él figura el hombre real que lo puebla. Es un campo con sus campesinos y sus penosas condiciones de vida, no un campo idealizado ni estático, refugio escapista estetizante, al estilo de un *Azorín.* También aparece en Galdós el concepto tan unamuniano del casticismo y de la intrahistoria, como señala en el artículo poco antes mencionado, de 1903:

> Aprendamos, con lento estudio, a conocer lo que está muerto y lo que está vivo en el alma nuestra, en el alma española... Debajo de esta corteza del mundo oficial, en la cual campan y camparán por mucho tiempo figuras de pura representación, quizá necesaria, y la comparsa vistosa de políticos profesionales, existe una capa viva, en ignición creciente, que es el ser de la Nación... Vida inicial, rudimentaria, pero con un poder de crecimiento que pasma. Un día y otro la vemos tirar hacia arriba...

Por lo demás, no debemos olvidar que, en su primera época, los jóvenes del 98 fueron, mayoritariamente, respetuosos admiradores suyos.

Todo esquema de las relaciones entre Galdós y el 98 quedaría incompleto sin mencionar la *Institución Libre de Enseñanza*; ya Costa, como ha sido visto, es en este sentido un nexo evidente. No hay que olvidar los contactos de Galdós con Giner de los Ríos y con el institucionismo, bien conocido (cf. *La familia de León Roch,* 1878), si bien aquí como en tantos otros aspectos de su pensamiento, Galdós evoluciona históricamente. Así, según hemos indicado, *El amigo Manso* (1882) puede ser considerada ya como la novela que refleja de modo crítico los peligros de una filosofía abstracta e idealista: «uno de esos engaños cardinales en que vivimos mucho tiempo, o quizá toda la vida, sin darnos cuenta de ello»; «aquel funesto don de apreciar arquetipos y no personas»; «los metafísicos... no engañan ya a nadie más que a sí mismos». Con todo, Galdós cree en el poder de la educación para cambiar las sociedades; toda su obra es una afirmación continua de tal pensamiento. Pero Galdós, una vez más, ha visto claro. Pues si de transformar el país se trata, no basta con educar a niños presentes y futuros, sino que es preciso hacer llegar esa educación a quienes tradicionalmente se les ha negado, a las clases trabajadoras; así es como se contribuirá a lograr esa «perfecta revolución social» de que habla en *La primera república* (1911); muchos años atrás ya, en 1878, señalaba acusadoramente en *Marianela* que campesinos y obreros.

se pierden en los desiertos sociales...; en lo más oscuro de las poblaciones, en lo más solitario de los campos, en las minas, en los talleres.

Una última observación, complementaria mas al propio tiempo fundamental. Se dice hasta la saciedad que la lengua de Galdós oscila entre la expresión habitual y diaria y la popular, vulgar incluso, que no ofrece la riqueza expresiva de otros autores, «estilistas», que es incluso «garbanceril». Pero lo que no suele decirse es que Galdós tiene en este aspecto unas concepciones tan nítidas como revolucionarias. Utiliza, en efecto, un lenguaje de apariencia cotidiana y «normal». Mal leído (o lo que es peor: no leído) por diversos entusiastas de la «escritura» que caen en la falacia imitativa, se ha pasado a veces por alto que esa su «llaneza» lingüística va en gran medida dirigida contra quienes, conscientes del poder social de la lengua, utilizan ésta por encima de sus capacidades personales y de clase. El ejemplo más extraordinario es el de Torquemada, quien según asciende en su carrera de financiero, a la vez que acumula capital, va apropiándose de frases hechas, metáforas y conceptos que escucha o lee sin captar su significado («las puertas estaban herméticamente abiertas» es uno de los disparates que leemos en *Fortunata y Jacinta*). Mas lo extraordinario es que Torquemada no sólo triunfa como financiero, sino incluso como *orador*: ello se debe a que con su gran intuición crítica lo que sí ha entendido es que el lenguaje dominante, es decir, el lenguaje empleado y difundido por la clase hegemónica, es todo él un lenguaje mostrenco, de acarreo, vacío de capacidad creadora, incapaz de superar sus propios tópicos y lugares comunes; y que, de hecho, lo que manda es el poder real (económico, político, policíaco), no la lengua en que se expresa. En verdad, pues, la crítica lingüística de Galdós, su mismo lenguaje directo, no van dirigidos contra Torquemada (y tantos otros), sino contra el poder mismo que se esconde tras la retórica. Lo explica nítidamente en *El caballero encantado* (1909):

> El abuso de las pompas rituales es uno de mis mayores suplicios en la época presente... Así los que dirigen mi nacional cotarro, como la turbamulta gregaria que se deja dirigir, viven en un mundo de ritualidades, de fórmulas, trámites y recetas. El lenguaje se ha llenado de aforismos, de lemas y emblemas; las ideas salen plegadas de motes, y cuando las acciones quieren producirse, andan buscando la palabra en que han de encarnarse y no acaban de elegir...

Se trata de un problema que se plantea periódicamente como consecuencia del proceso dialéctico de la Historia, siempre que el sistema político-social de un momento determinado se encierra en sí mismo y pretende, tan ciega como inútilmente, autoperpetuarse. Por lo demás, tratándose de cuestiones de «lenguaje literario», importa insistir en que es Galdós un novelista de un rigor y complejidad estructural inusitados, comparable en este sentido fundamental sólo a los mayores maestros de la novela.

La talla de Galdós en el contexto histórico y literario de su época se agiganta conforme podemos penetrar más y mejor en el entramado de su sociedad. Él mismo explicó así en su discurso de ingreso en la Academia, con notoria modestia, en qué consistía su quehacer artístico:

Imagen de la vida es la novela, y el arte de componerla estriba en reproducir los caracteres humanos, las pasiones, las debilidades, lo grande y lo pequeño, las almas y las fisonomías, todo lo espiritual y lo físico que nos constituye y nos rodea, y el lenguaje, que es la marca de la raza, y las viviendas, que son el signo de la familia, y la vestidura que diseña los últimos trazos externos de la personalidad: todo esto sin olvidar que debe existir perfecto fiel de balanza entre la exactitud y la belleza de la reproducción.

2D. LOS IDEÓLOGOS DE LA BURGUESÍA Y EL PROLETARIADO MILITANTE

Las convulsiones políticas y sociales en la España de la primera mitad del siglo XIX tuvieron también frentes de batalla puramente intelectuales, en los que se dieron grandes enfrentamientos polémicos entre el tradicionalismo católico de signo reaccionario y el reformismo liberal de tipo racionalista. Más tarde, al producirse las condiciones necesarias para ello, superando orígenes utópicos y federalistas, surgirá también una tercera corriente de ideas, la del proletariado militante, en sus versiones anarquista y socialista-marxista.

La guerra civil de 1833-1839 entre carlistas e isabelinos, esto es, entre Tradición y Liberalismo, y sus consecuencias, es el punto de partida inmediato de los dos principales ideólogos conservadores de mediados de siglo, el sacerdote catalán JAIME BALMES (1810-1848) y el aristócrata castellano Juan Donoso Cortés. La obra de Balmes se desarrolla entre 1840 y 1848, es decir, durante la época de los gobiernos isabelinos «moderados» y reaccionarios. El pensamiento de Balmes podría ser reducido sin dificultad a tres puntos: el origen de la soberanía reside en Dios mismo; para evitar las revoluciones, es preciso hacer evoluciones; integración de las dos Españas, representadas en las dos ramas dinásticas, mediante el matrimonio de Isabel II con el heredero carlista, el conde de Montemolín.

Balmes abre el fuego en 1840 con sus *Consideraciones políticas sobre la situación de España*, folleto antiliberal y antiprogresista en que el enemigo aparece personalizado en el Regente, general Espartero. Los cuatro volúmenes de *El protestantismo comparado con el catolicismo* (1842-44), obra considerada por todos los clerical-autoritarios del futuro —hasta hoy mismo—

como una verdadera «Filosofía de la Historia» (definición, por lo menos, algo exagerada), constituye ya un auténtico *corpus* de la ideología conservadora de su autor. Los conceptos básicos de tal libro son ortodoxamente católicos: sólo puede existir unidad social en la unidad católica; la libertad es un don divino, no creación del hombre; la libertad estrictamente humana conduce —como era de esperar— a la anarquía y al despotismo; la verdadera democracia es la católica (más adelante Menéndez Pelayo definirá la España Imperial como «democracia frailuna»). La obra de Balmes desborda unos supuestos límites de historia religiosa para adentrarse con decisión en el análisis político-social de la realidad de la época, dotando así a la España tradicional de su primer ideario coherente y organizado. *El criterio* (1845) es un tratado de lógica balmesiana, «una higiene del espíritu» según Menéndez Pelayo, o como explicaba el propio autor, «un ensayo para dirigir las facultades del espíritu humano» bajo la inspiración de la doctrina católica (intento éste más desarrollado en *Filosofía fundamental,* 1846). De este mismo año son las *Cartas a un escéptico en materia de religión,* escritas bajo la bandera —según Balmes, que no oculta en ningún momento sus verdaderas intenciones— de «abajo la autoridad científica».

Junto a todo este trabajo de pretensiones teóricas, Balmes, además, desarrolla una verdadera *praxis* al crear y animar el *Partido Monárquico Nacional o Católico,* que en 1844 contaba con veinte diputados en las Cortes. Tres periódicos, también fundados por «el filósofo de Vich» entre 1841 y 1844, difunden sus ideas: *La civilización, La sociedad* y *El pensamiento de la nación,* de significativos títulos. Sus propósitos de integración nacional en torno al trono de Isabel II, convenientemente depurado de sus magmas liberales, fracasarán sin remedio, lo mismo que el deseo de reconstruir la España única, todo ello debido al simple hecho de que, a fin de cuentas, el de Balmes era un intento ahistórico de regreso a un pasado considerado como ideal. Balmes muere en 1848, fecha bien simbólica. Pero a sus ideas volverán una y otra vez las sucesivas generaciones tradicionalistas de intelectuales católicos, como Menéndez Pelayo, los derechistas de antes de 1936 y los clerical-autoritarios de después de 1939, incluyendo el *Opus Dei* (cf. más abajo notas introductorias a VI.1 y VI.2).

El caso de Juan Donoso Cortés (1809-1853), marqués de Valdegamas, hombre culto, diplomático, es más complejo que el de Balmes. Tras pasar por una primera etapa ecléctica, con notorios ribetes liberaloides, se transforma en un defensor apasionado —es un «tribuno» de notables recursos oratorios— no ya de la tradición, sino del más puro reaccionarismo. Ya en 1842 afirmaba que «la razón humana es la mayor de todas las miserias del hombre»; desemboca después, de modo particular a partir de las revoluciones europeas de 1848 (cuyo brote español fue sofocado violentamente por Narváez), en un neocatolicismo obsesionado por la cuestión social. Así, en enero de 1849 pronuncia ante las Cortes su famoso «Discurso de la Dictadura», al que pertenecen estos fragmentos:

> Cuando la legalidad basta para salvar la sociedad, la legalidad; cuando no basta, la dictadura... Señores, si aquí se tratara de elegir, de escoger entre la libertad, por un lado, y la dictadura, por otro, aquí no habría disenso ninguno; porque ¿quién, pudiendo abrazarse con la libertad, se hinca de rodillas ante la dictadura?... Se trata de escoger entre la dictadura que viene de abajo y la dictadura que viene de arriba: yo escojo la que viene de arriba, porque viene de regiones más limpias y serenas; se trata de escoger, por último, entre la dictadura del puñal y la dictadura del sable: yo escojo la dictadura del sable, porque es más noble.

Donoso Cortés cree —católicamente— en la naturaleza caída y enferma del ser humano, precisada de guía rectora y también represiva; en una carta de 1849 ve el mundo escindido entre la *civilización católica* y la *filosófica,* en la que incluye liberalismo, socialismo y comunismo, variantes todas de lo que llama civilización «apocalíptica». El pensamiento de Donoso Cortés se articula por fin, en 1851: *Ensayos sobre el catolicismo, el liberalismo y el socialismo considerados en sus principios fundamentales,* libro en el cual se dice, por ejemplo, que «las escuelas socialistas» son sencillamente «satánicas». Se trata, en suma, de la defensa de unos privilegios sociales establecidos por la tradición, defensa desesperada, pues Donoso Cortés cree que el socialismo triunfará en Europa por largo tiempo, aunque finalmente será vencido por una violenta reacción católica. Curiosamente, y quizá debido a la fuerte dosis de pesimismo que Donoso Cortés manifiesta en sus ideas —y ello a pesar de sus invocaciones a la dictadura salvadora— no ha gozado de tanto prestigio entre los ideólogos posteriores de la reacción, aunque sus ideas sean citadas y manejadas con fruición.

Será en cambio MARCELINO MENÉNDEZ PELAYO (1856-1912), cuya obra crítica cubre todo el tercio final del siglo, quien corone de modo tan espectacular como coherente las corrientes tradicionales anteriores. Él será la fuente perenne de inspiración de todo el pensamiento reaccionario futuro: la derecha clerical, Ramiro de Maeztu y su *Acción Española*, abundantes integristas del carlismo (a pesar de ciertas disensiones y choques anteriores), *Opus Dei*; toda la inteligencia franquista, en fin, se apropiará de Menéndez Pelayo. Pues el gran polígrafo santanderino representa para ellos, como se ha dicho, la encarnación del «humanismo clásico español», de «la eterna metafísica de España». No es posible tratar aquí ni siquiera muy por encima de los aspectos estrictamente estéticos y literarios de Menéndez Pelayo, si bien será preciso señalar que toda su obra erudita se orienta hacia la identificación de la cultura española en unas coordenadas de claro sabor tradicionalista. Su furibunda erudición y una pasión intelectual muy superior a la de los más de sus correligionarios hicieron también que Menéndez Pelayo alcanzase honores bien merecidos desde la perspectiva de la Restauración: 1881, miembro de la Real Academia Española; 1891, de la de Ciencias Morales y Políticas; 1898, director de la Biblioteca Nacional; 1901, miembro de la Academia de Bellas Artes de San Fernando; 1910, de la Real Academia de la Historia... Todo ello va acompañado de una actuación política activa dentro del *Partido Conservador* de Cánovas como dirigente del grupo llamado *Unión Católica,* del que escribe:

> Todos estáis conformes conmigo en la proclamación de la unidad católica, que hizo nuestra grandeza en el Siglo de Oro. Todos lo estáis en la glorificación de la España antigua, y en que sus principios santos y salvadores tornen a informar la España moderna. Por algo nos llamamos *Unión Católica.*

Por los bien conocidos métodos del caciquismo canovista, Menéndez Pelayo fue diputado en 1884 por Palma de Mallorca y en 1891 por Zaragoza; de 1893 a 1895 fue senador por la Universidad de Oviedo, y desde 1899 por la Real Academia Española. Señalemos, en fin, que pese a su integérrimo catolicismo y tradicionalismo, Menéndez Pelayo fue criticado con violencia por los carlistas, por razones de partidismo dinástico.

Ideológicamente, Menéndez Pelayo se enfrenta desde muy temprano con los intelectuales liberales y racionalistas del krausismo español y de la *Institución Libre de Enseñanza* (cf. más abajo). Así, publica en 1874 un primer artículo contra Castro y Revilla, mientras es suspendido en Metafísica por Salmerón, con lo cual se hace patente la personalización del conflicto ideológico. En 1876 comienza la publicación de su polémica obra *La ciencia española,* dirigida contra Gumersindo de Azcárate, para mostrar con acopio de datos, asombrosa y arbitraria erudición, la existencia —negada por Azcárate— de una ciencia y un pensamiento españoles durante los siglos llamados de oro y posteriores. Pero esta ciencia y pensamiento son, desde luego, no sólo católicos, sino radicalmente antagónicos a todo lo que el mundo moderno puede llamar ciencia. Entre sus supuestos «científicos» es absolutamente abrumadora la lista de teólogos incapaces de asimilar, por ejemplo, a Copérnico. De ahí que Menéndez Pelayo predique que la Inquisición y la intolerancia no mataron el intelecto hispánico, sino al contrario. Quizá el comentario de Miguel de Unamuno resulte esclarecedor:

> Siempre creía que en España no ha habido verdadera filosofía; mas desde que leí los trabajos del señor Menéndez y Pelayo, enderezados a probarnos que había habido tal filosofía española, se me disiparon las últimas dudas... Me convenció de ello el ver que se llame filósofos a comentadores o expositores de filosofías ajenas, a eruditos y estudiosos de filosofía. Y acabé de confirmarme, corroborarme y remacharme en ello cuando vi que se daba el nombre de filósofos a escritores como Balmes, el padre Ceferino González, Sanz del Río y otros más...

El *tour-de-force* de Menéndez Pelayo lo constituye, sin duda, su *Historia de los heterodoxos españoles* (1880-1882, 3 vols.), iniciada cuando su autor tenía la temprana edad de veinticuatro años. Brilla aquí de nuevo y de modo espectacular la acumulativa erudición de Menéndez Pelayo, otra vez puesta al servicio de «la España metafísicamente eterna». Pasa revista Menéndez Pelayo a los hispanos y españoles que desde los más lejanos tiempos se apartaron notoria o minúsculamente de la ortodoxia católica, o por mejor decir, de la ortodoxia católica interpretada por él. Es a partir de lo referente al siglo XVIII donde la intransigencia de

Menéndez Pelayo adquiere ya caracteres épicos, negando el pan y la sal a todo intelectual renovador o reformista, para coronar su estudio con los krausistas contemporáneos suyos. Baste recordar el siguiente párrafo sobre estos últimos:

> Porque los krausistas han sido más que una escuela, han sido una logia, una sociedad de socorros mutuos, una tribu, un círculo de *alumbrados,* una *fratría,* lo que la pragmática de don Juan II llama *cofradía* y *monipodio,* algo, en suma, tenebroso y repugnante a toda alma independiente y aborrecedora de trampantojos. Se ayudaban y se protegían unos a otros: cuando mandaban se repartían las cátedras como botín conquistado; todos hablaban igual, todos vestían igual, todos se parecían en su aspecto exterior... Todos eran tétricos, cejijuntos, sombríos; todos respondían por fórmulas hasta en las insulseces de la vida práctica y diaria; siempre en su papel; siempre *sabios,* siempre absortos en la *vista real* de lo absoluto...

Este texto de Menéndez Pelayo ha sido utilizado una y otra vez con morosa complacencia por todos los clerical-autoritarios, y de manera muy especial —quién habría de decirlo— por los intelectuales del *Opus Dei.* En 1881 se celebra el II centenario de Calderón; Menéndez Pelayo pronuncia un famoso discurso, el llamado *Brindis del Retiro,* en que se identifica de modo absoluto con todo lo representado por el autor de *La vida es sueño,* es decir, con la España imperial y teocrática:

> nosotros, los que sentimos y pensamos como él, los únicos que con razón, y justicia, y derecho, podemos enaltecer su memoria, la memoria del poeta español y católico por excelencia; el poeta de todas las intolerancias e intransigencias católicas; el poeta teólogo; el poeta *inquisitorial,* a quien nosotros aplaudimos, y festejamos, y bendecimos, y a quien de ninguna suerte pueden contar por suyo los partidos más o menos *liberales...*

La cerrada y castiza época imperial es, en fin, definida por Menéndez Pelayo en otras ocasiones como de «teólogos armados», y aquella España —por desgracia lejana, dice él—, como «pueblo escogido para ser la espada y el brazo de Dios» (1889, discurso ante el I Congreso Católico Nacional Español).

Se han hecho ciertos intentos de integrar a Menéndez Pelayo en una España más comprensiva y abierta, menos intolerante (y más auténticamente científica); se ha dicho que el nuevo «monstruo de la Naturaleza» rectificó con el tiempo esta postura intransigente ya conocida; se habla, incluso, de las «palinodias» de don Marcelino. Mas él mismo, ya en 1910, al tratar de los krausistas vilipendiados en 1880-82, escribía con toda claridad que «de casi todos [ellos] pienso hoy lo mismo que pensaba entonces». La única diferencia es que Menéndez Pelayo adquirió a partir de su *Historia de las ideas estéticas en España* (1883-91, 9 vols.) una suerte de madurez y serenidad que, con todo, brilla por su ausencia en otras ocasiones, como por ejemplo al ser derrotada su candidatura para senador del reino por la Universidad de Oviedo en 1896 (fueron los krausistas los entonces vencedores). Menéndez Pelayo, en fin, es un seguidor exacto de las enseñanzas de la Iglesia no sólo trentina, sino también de la Iglesia militante de Pío IX, quien en 1864 (*Syllabus, Quanta Cura*) condenara todo brote de pensamiento liberal, y quien en 1870 declarara dogma católico la doctrina de la infalibilidad papal. Terminemos citando sin necesidad de más comentario el conocido epílogo de los *Heterodoxos,* que aparecerá después de la guerra civil como primera página de la monumental *Historia de la Cruzada Española,* muestra de la supervivencia del pensamiento de Menéndez Pelayo entre los vencedores de esa guerra:

> ¡Dichosa edad aquella, de prestigios y maravillas, edad de juventud y de robusta vida! España era o se creía el pueblo de Dios, y cada español, cual otro Josué... España, evangelizadora de la mitad del orbe; España, martillo de herejes, luz de Trento, espada de Roma, cuna de San Ignacio...; esa es nuestra grandeza y nuestra unidad: no tenemos otra. El día en que acabe de perderse, España volverá al cantonalismo de los arévacos y de los vectones, o de los reyes de taifas...

La bestia negra de los clerical-autoritarios españoles durante más de cien años será, a nivel intelectual, la presencia de un movimiento ideológico, el KRAUSISMO, de innegables consecuencias en la vida del país. En 1843, un profesor de Filosofía de la Universidad de Madrid, JULIÁN SANZ DEL RÍO (1814-69), es becado para ampliar estudios en Alemania (cf. IV.2A, Nota introductoria); llegado a Heidelberg, sigue los cursos de los discípulos de un neokantiano fallecido once años antes, K. C. F. Krause. Vuelto a España, Sanz del Río no acepta hasta 1854 una cátedra en Madrid, con objeto de dar forma más precisa a sus ideas y de prepararse convenientemente. Quizá sea en su discurso de inauguración del curso académico de 1857-58 donde Sanz del Río expone públicamente y coherentemente por vez primera su filosofía krausista, articulada de modo definitivo en el *Ideal de la Humanidad para la vida* (1860), españolización de Krause. La nueva filosofía, así importada a la España isabelina, es un idealismo típico, definido como «racionalismo armónico», con un estricto cuerpo doctrinal que al propio tiempo informa conducta y ética; el mismo Sanz del Río lo encerró bajo una fórmula panteísta: «Todo *en* Dios.» Los krausistas creen en la perfectibilidad del hombre y en su progreso hacia el Absoluto por medio del conocimiento racional. Libertad y armonía vital —la del Ser en el Universo y en Dios— por un lado, puritanismo laicista por otro, son rasgos distintivos del krausismo, que, en fin, se define como elaboración ontológica del criticismo kantiano y como tentativa de contrarrestar y secularizar el intuicionismo de los filósofos de la fe irracional. Este «estilo de vida y de pensar» recuerda de inmediato abundantes características del viejo erasmismo del siglo XVI (cf. II.1A), contra el cual se desataron también las iras y las violencias de la España castiza. El krausismo, según lo anterior, supone también una filosofía de la Historia de raigambre idealista: para los krausistas, la Historia —se ha dicho— no es la proyección temporal de la vida humana, sino, a la manera de Hegel, la realización de una *idea* en el tiempo. Y desde un punto de vista práctico, esa realización habrá de ser llevada a cabo por medio de una sistemática campaña educativa a todos los niveles, desde la escuela hasta la universidad.

La historia externa del krausismo español es paralela a las vicisitudes de la burguesía liberal del país. El *Ideal de la Humanidad* de Sanz del Río fue incluido en el *Índice* romano de 1865; dos años después, el gobierno de Madrid decreta que los profesores han de jurar fidelidad al Trono y al Altar, con lo cual abandonan sus puestos docentes Sanz del Río y su equipo de colaboradores, que serán repuestos tras la revolución de 1868. Fernando de Castro, Gumersindo de Azcárate, Nicolás Salmerón, Francisco de Paula Canalejas, Francisco Giner de los Ríos, Manuel B. Cossío, etc., forman parte del grupo krausista, con simpatizantes como Salmerón y Pi y Margall. En 1875, el gobierno de la Restauración emite órdenes draconianas para purificar de disidentes la universidad española; he aquí parte de la circular enviada a tal efecto a los rectores:

Que vigile V. S. con el mayor cuidado para que en los establecimientos que dependen de su autoridad no se enseñe nada contrario al dogma católico ni a la sana moral, procurando que los profesores se atengan estrictamente a la explicación de las asignaturas que les están confiadas, sin extraviar el espíritu dócil de la juventud por sendas que conduzcan a funestos errores sociales... Por ningún concepto tolere que en los establecimientos dependientes de ese Rectorado se explique nada que ataque, directa ni indirectamente, a la monarquía constitucional ni al régimen político, casi unánimemente aprobado por el país...

Se produce de nuevo la desbandada de krausistas y simpatizantes liberales. Su refugio será el Ateneo de Madrid. Consecuencia de extraordinaria importancia será la creación por los perseguidos de la INSTITUCIÓN LIBRE DE ENSEÑANZA en 1876, que continuará funcionando pese a la reincorporación a sus cátedras en 1881 de los anteriormente alejados de ellas (y desterrados, en varios casos). Comienza así la etapa *institucionalista* del krausismo, que se desarrollará por todo el país. En 1907 se crea un nuevo organismo, la *Junta para Ampliación de Estudios,* que enviará estudiosos españoles a familiarizarse con la ciencia y la investigación extranjeras; en 1910 se funda la *Residencia de Estudiantes* en Madrid, por la que pasará lo más selecto de la inteligencia liberal; en 1919, en fin, aparece el *Instituto-Escuela.* Mucho antes, tres revistas de gran categoría habían servido para difundir el pensamiento krausista-liberal en sus diversas facetas: *Revista de España* (1868-1895), *Revista de Europa* (1874-1879), *Revista Contemporánea* (1875, hasta 1879, en que cambia radicalmente de signo); recordemos también *La España Moderna* (1899-1904). Intelectuales como *Clarín,* Galdós, Jaime Vera, Unamuno, Antonio Machado, Fernando de los Ríos, Julián Besteiro, Américo Castro, Ramón Menéndez Pidal, Ramón Carande, Juan Ramón Jiménez y el grupo poético del 27, estarán en relación más o menos directa con la Institución y su espíritu.

El krausismo original y su secuela institucionista de modo particular van a ser el gran revulsivo liberal-racionalista de la España decimonónica y posterior. Toda la reacción y el tradicionalismo integristas se enfrentarán con ese movimiento y por todos los medios: anatemas religiosos, persecuciones gubernamentales, polémicas intelectuales, ataques personales. Como se verá más adelante (VI.1, Nota introductoria), la reacción española aprovechó la convulsión de la guerra civil para destruir el institucionismo hasta sus raíces. El cual por otro lado y en última instancia, no era sino la ideología de la burguesía liberal progresista («levantar el alma del pueblo» decía Giner de los Ríos ser su misión), teñida de un innegable populismo en ocasiones folklorizante. El papel histórico del krausismo y de la *Institución Libre de Enseñanza* ha sido explicado modernamente del siguiente modo:

> preparar los hombres de dirección —y también los expertos— para realizar la transformación de la sociedad española, que suponía, en la coyuntura de fines del xix, el acceso a los puestos decisorios del poder de una burguesía que (a diferencia del estrato superior de la alta burguesía) no se había integrado en el sistema social, económico y político de la Restauración.

Un obvio elitismo es otro rasgo distintivo, por lo tanto, del institucionismo.

El desastre de 1898 ante la agresión norteamericana, en que el decadente imperialismo español es sustituido violentamente por el de los Estados Unidos, produce, como es bien sabido, toda una corriente de pesimismo intelectual que, en rigor, comienza ya años antes, si bien es lo ocurrido en dicha fecha lo que le sirve de catalizador. Es el fenómeno conocido bajo la etiqueta de REGENERACIONISMO, y que no deja de tener conexiones tanto con el tradicionalismo como con el institucionismo. Se trata, en todo caso, de una tendencia contradictoria y confusa, bien reveladora de las propias contradicciones de una burguesía consciente de la situación del país y que manifiesta así su disconformidad con su marcha histórica. Hablaremos de ello en IV.3, pero ya en 1890 aparece el libro de Lucas Mallada, *Los males de la patria y la futura revolución española,* que *Azorín* consideraba como el más significativo del momento. A raíz de la derrota, en el mismo 1898, Francisco Silvela publicaba su famoso artículo «Sin pulso» en una línea continuada por R. Macías Picavea (*El problema nacional,* 1899), Damián Isern (*Del desastre nacional y sus causas,* 1899) y Luis Morote (*La moral de la derrota,* 1900). Lo ocurrido en 1898 había echado por tierra las bambalinas fantasmagóricas de la Restauración, y expuesto a plena luz la crisis social, económica y política, la frustración de las clases medias, por no decir del proletariado, sobre lo que se dirá algo más abajo. Por otro lado y con excepciones notables, el regeneracionismo alimenta el

mito de la abulia hispana y lanza a los cuatro vientos un pesimismo ideológico contra el cual tronarán el proletariado militante
e intelectuales de la categoría de Galdós, los del 98 en su juventud o un Ramón y Cajal, quien agudamente distinguía entre una
oligarquía instalada en el poder y el pueblo español:

> en la guerra con los Estados Unidos no fracasó el soldado, ni el pue-
> blo, que dio cuanto se le pidió, sino un gobierno imprevisor.

Distinción hecha sistemáticamente también por socialistas,
anarquistas, federalistas, Galdós, los del 98.

Dos figuras representan, con signo diferente, el regeneracionismo en su más alta expresión, el aragonés JOAQUÍN COSTA (1846-
1910) y el granadino Angel Ganivet. Costa fue discípulo de Giner
de los Ríos y profesor él mismo en la *Institución Libre de Enseñanza,* republicano convencido y activista político de fondo populista, animador de las «masas neutras», es decir, de la pequeña
burguesía urbana y rural (cf. en esta última línea su *Colectivismo
agrario en España,* de 1898). Dentro de sus esquemas regene-
racionistas, Costa es capaz de calar en realidades más complejas,
como en el siguiente texto que, curiosamente, es tan semejante
a otro de la sección madrileña de la *Asociación Internacional de
Trabajadores* (1869), que será citado después:

> El honor y la seguridad de la nación no se hallan hoy en manos de
> los soldados; están en manos de los que aran la tierra, de los que cavan
> la viña, de los que pastorean la cabaña, de los que arrancan el mineral,
> de los que forjan el hierro, de los que equipan la nave, de los que te-
> jen el algodón, de los que conducen el tren, de los que represan la llu-
> via, de los que construyen los puentes, de los que estampan los libros,
> de los que acaudalan la ciencia, de los que hacen los hombres y los
> ciudadanos educando a la niñez.

Mas a pesar de ello y de frases como «los obreros son ya las
únicas Indias que le quedan a España», Costa es un sencillo y
auténtico reformista, para lo que se apoya en organizaciones tales
como la *Liga de Productores* y la *Unión Nacional.* Si bien habla
apocalípticamente de una «revolución», afirma que ésta ha de hacerse desde arriba, coincidiendo así con el conservador Antonio
Maura; véanse estos dos textos de 1898 y 1900:

> Las revoluciones hechas desde el Poder no sólo son un homenaje
> y una satisfacción debida y tributada a la justicia: son, además, el para-
> rrayos para conjurar las revoluciones de las calles y de los campos.

> Para mí, esa revolución sustantiva, esa transformación del espíritu,
> del cuerpo y de la vida de la nación tiene que verificarse siempre *desde
> dentro y desde arriba*, por lo cual importa no confundirla con lo que
> llamamos revolución de abajo o revolución de la calle...

Costa, en fin, busca un «cirujano de hierro» para la maltrecha
nación española, un dictador nacional-populista que acabe por la
fuerza con tanta miseria, ejecutor de la «desafricanización y europeización» del país (cf. su *Reconstitución y europeización de España,* 1901), que ponga en marcha la idea costiana de «despensa,
escuela y siete llaves al sepulcro del Cid», que extirpe el régimen
caciquil y oligárquico de la Restauración.

Costa organizó una encuesta en el Ateneo de Madrid entre
grandes personalidades nacionales, precisamente sobre el tema
*Oligarquía y caciquismo como forma actual de gobierno en Es-
paña: urgencia y modo de cambiarla*; allí, él mismo señaló que

> No es nuestra forma de gobierno un *régimen parlamentario,* viciado
> por corruptelas y abusos, según es de uso entender, sino, al contrario,
> un régimen oligárquico, servido, que no moderado, por instituciones
> aparentemente parlamentarias.

Quizá haya sido Manuel Azaña quien haya visto con más claridad la verdadera función histórica del costismo, contradictorio
e incluso ambiguo pensamiento de los pequeños propietarios, de
la pequeña burguesía, arrinconada entre oligarquía y proletariado:

> Estas vacilaciones de Costa tienen por fondo su pesimismo radical y
> su recelo de la democracia... Unos por anarquismo; otros por casticismo
> agarbanzado, que siempre están soñando con el reinado de Isabel *La
> Católica,* casi ninguno confía en la organización de las fuerzas popula-
> res. Costa quería que se hiciese una revolución, pero poniéndola en bue-
> nas manos; inventó el escultor de las naciones, después de haber pensa-
> do en una revolución conservadora, digámoslo así, preventiva, hecha
> por los contribuyentes, que, claro está, se frustró.

ANGEL GANIVET (1865-1898) es un característico representante de la burguesía conflictiva, contradictoria y frustrada por
la «decadencia nacional». Su nombre suele encabezar general-

mente la nómina de la generación del 98 (cf. IV.3), porque es apenas un año más joven que Unamuno y porque su *Idearium español* (1897) se considera obra central y decisiva para la comprensión de la problemática y la actitud vital de tal generación. De hecho, la relación de Ganivet con sus contemporáneos fue mínima (aunque mantuvo una interesante correspondencia con Unamuno, por ejemplo), tal vez debido a sus peripecias burocráticas en Madrid y a su temprana incorporación al cuerpo diplomático, dentro del cual sirve en Amberes y en Helsinki, donde se suicida. Además, su obra no era conocida por los Baroja, Maeztu, Martínez Ruiz, etc. Y, finalmente, su ideología era ya profundamente conservadora y hasta reaccionaria cuando sus contemporáneos vivían, según veremos, inmersos en la crítica radical. Muy consciente de la «cuestión social», según se revela tanto en el *Idearium* como en *Granada la bella* (1898) o en su novela *Los trabajos del infatigable creador Pío Cid* (1898), es, sin embargo, radicalmente escéptico ante las transformaciones sociales, claramente antisocialista y, a pesar de que *La conquista del reino de Maya* (1897) revela una interesante vena anticolonialista y que el *Idearium* pretende desmitificar el Imperio, lo central en Ganivet es, por una parte, la noción de una siempre posible grandeza imperial (España está todavía «virgen» de actuación histórica; todo en ella es potencial de grandeza) y, por otra, la abulia, el pesimismo que, según tanto se ha dicho erradamente, caracterizaba a los del noventayocho en su juventud. De ahí que la obra de Ganivet haya sido *después* considerada característica de la generación; es decir, cuando ya los más del noventayocho, sin caer nunca en los mitos imperiales de un Maeztu, se caracterizan precisamente por su pesimismo, por su darle vueltas a la noción de la abulia y por su escepticismo. Por lo tanto, considerar la obra de Ganivet, escrita toda durante la juventud del noventayocho, como típica de la generación, significa desatender a la cronología, no tomar en cuenta la evolución de sus miembros y, por lo tanto, en definitiva, tergiversar el significado contradictorio y complejo que tuvieron aquellos hombres en la historia del pensamiento español moderno.

Los ideólogos del conservadurismo y del liberalismo tuvieron, desde luego, sus órganos periodísticos de expresión. Entre los más importantes de los conservadores conviene recordar *El Contemporáneo* (Madrid, 1860-1865), protector de Bécquer y donde empezó a darse a conocer Juan Valera, y *La Correspondencia de España* (Madrid, 1889-1908), menos intransigente. Y entre los periódicos liberales, el puesto de honor lo ocupa *El Imparcial* (1867-1933), que de una tirada inicial de unos 25.000 ejemplares, pasaba a comienzos del siglo xx a tener una circulación de más de 130.000. *El Imparcial* ofrece además una historia casi única de monopolio intelectual y familiar, desde el fundador, Eduardo Gasset Artime, hasta José Ortega Munilla, padre del autor de *La rebelión de las masas*. En *Los lunes de El Imparcial* colaboraron buena parte de los escritores de la época, aunque ya hacia 1920 los intelectuales comenzaron a publicar en otro periódico liberal de corte más moderno, *El Sol* (1917-1936).

Mientras la burguesía liberal se debatía en sus contradicciones específicas, el tradicionalismo pretendía regresar a «la España eterna» y la oligarquía explotaba sistemáticamente al país, crecía con lentitud y firmeza el proletariado español. En el congreso obrero celebrado en Barcelona en 1870 se manifiestan ya —sin llegar aún a la ruptura— las dos tendencias en que se desarrollará desde entonces el proletariado español, la anarquista-bakuninista y la socialista-marxista. En ese mismo año aparece el periódico *La Federación,* fundado por Rafael Farga Pellicer. Véase lo que se decía en el manifiesto lanzado por la ASOCIACIÓN INTERNACIONAL DE TRABAJADORES (AIT) de Madrid en 1869, fecha de la creación de su Sección Española:

> Nosotros fabricamos los palacios, nosotros tejemos las más preciadas telas, nosotros apacentamos los rebaños, nosotros labramos la tierra, extraemos de sus entrañas los metales, levantamos sobre los caudalosos ríos puentes gigantescos de hierro y piedra, dividimos las montañas, juntamos los mares... y sin embargo —¡oh dolor!— desconfiamos de bastarnos para realizar nuestra emancipación.

Y en la conferencia celebrada en septiembre de 1871 en Valencia, la *AIT* española declara ya sin ambages su posición libertaria:

> Considerando que el verdadero significado de la palabra república, en latín *Res-publica,* quiere decir cosa pública, cosa propia de la colectividad o propiedad colectiva; que democrática es la derivación de democracia, que significa el libre ejercicio de los derechos individuales, lo cual no puede encontrarse sino dentro de la anarquía, o sea la abolición

de los Estados políticos, reemplazándolos con Estados obreros, cuyas funciones sean puramente económicas..., la Confederación declara: que la verdadera República Democrática Federal es la Propiedad Colectiva, la Anarquía y la Federación Económica, o sea la libre Federación universal de libres asociaciones agrícolas e industriales...

Tal posición es complementada en noviembre de ese mismo 1871 en un documento redactado por J. Mesa, uno de los organizadores más conscientes del movimiento libertario español:

> Nuestra misión es más grande, más revolucionaria... Abstengámonos por completo de toda participación en eso que los políticos llaman, con tanta verdad como cinismo, juego constitucional; no contribuyamos nosotros mismos a remachar nuestras cadenas; no sancionemos con nuestros votos nuestra propia condenación: hagamos el vacío alrededor de todo lo existente y ello sólo se derrumbará.

A finales de 1871 la *AIT* es condenada a la ilegalidad por el gobierno de Madrid, pero sus acciones directas culminan en 1873 con la insurrección bakuninista de Alcoy y en buena parte del movimiento cantonal, representado paradigmáticamente en Cartagena, cantón libre y soberano que bajo la inspiración del intelectual Roque Barcia llegará a emitir moneda propia y a declarar la guerra al Imperio Alemán. Bakuninistas y cantonales, al llevar a la práctica exacerbada sus ideas, desbordan sin remedio las teorizaciones de Francisco Pi y Margall (1824-1901), segundo presidente de la República en su versión federal (cf. IV.2A, Nota introductoria).

La *AIT* permanecerá de nuevo en la ilegalidad con la Restauración, de 1874 a 1881, lo que no impedirá su continuo desarrollo entre las masas campesinas de Andalucía (cf. Nota Introductoria). Una copla de la época revela hasta qué punto calaba «la idea» en el pueblo andaluz:

> Le pregunté a mi morena
> que por qué me despreciaba,
> y me contestó serena
> que en la *Asociación* entrara.

Pero el movimiento se desarrolla de modo mucho más coherente en núcleos urbanos como Barcelona, al tiempo que avanza decidido por el camino del terrorismo y la acción directa. A otro nivel, la doctrina anarquista se difundirá también por medio de los *Ateneos Libertarios* (paralelos de las *Casas del Pueblo* socialistas), en que se llevan a cabo actividades culturales a veces de gran envergadura. Surgen también varias publicaciones de importancia; antes del periódico libertario *Solidaridad Obrera* (Barcelona, 1907) aparecen revistas de alto nivel, como *Ciencia Social* (Barcelona, 1895), editada por Anselmo Lorenzo, y en la que colaboraron, por ejemplo, Pere Corominas, Pompeyo Gener y Miguel de Unamuno.

ANSELMO LORENZO (1841-1914), primer secretario de la Sección Española de la *AIT* y tipógrafo de profesión (como tantos otros dirigentes obreros), teorizador y propagandista infatigable, fue también director de *La Solidaridad* (Madrid, 1870), y *Acracia* (Barcelona, 1886), siempre en colaboración con otro activo libertario, Francisco Tárrida del Mármol. Lorenzo es autor de un importante libro, *El proletariado militante* (1901), además de novelista. Entre sus narraciones destaca la titulada *Justo Vives* (1893), en que dentro de un marco claramente folletinesco, presenta su visión del nuevo mundo libertario y el enfrentamiento de la moral burguesa con la moral proletaria. Pues como dijera el propio Lorenzo en cierta ocasión, «antes que anarquista hay que ser justo, para que luego resulte lógico que por ser justo se es anarquista». *Justo Vives* tiene una interesante prehistoria, descrita por el prologuista del libro, el también anarquista J. Llunas: una visita que en 1887 hicieran ambos militantes al Ateneo de Barcelona para convencer a los «obreros de la inteligencia» de que aceptasen los ideales de los «obreros manuales». Fracasado tal intento de aproximación, Lorenzo decidió escribir una novela, *Justo Vives,* nacida, según Llunas, de

> la necesidad sentida de que las ideas de emancipación obrera traspasen los límites del periódico de combate y aun del libro en forma didáctica, para invadir el terreno de la novela, del teatro, del esparcimiento en todas sus variadas manifestaciones, a fin de difundir en ellos las ideas de libertad, igualdad y fraternidad humanas.

Más tarde será *La Revista Blanca* la publicación anarquista de más categoría, dirigida por Federico Urales (seudónimo de Juan Montseny), al que se debe un serio estudio titulado *La evolución de la filosofía en España,* con agudos comentarios sobre los intelectuales de fin de siglo. En *La Revista Blanca* (1898-1905, Madrid; 1923-1935, Barcelona) llegaron a publicar destacadas figuras provenientes de la burguesía, como Ramiro de Maeztu; también el primer *Azorín,* Baroja y Benavente manifestaron sus simpatías por el anarquismo (cf. IV.3A). El afán pedagógico de los libertarios españoles queda de manifiesto con su creación en la Barcelona de 1901 de la *Escuela Moderna* de Francisco Ferrer Guardia, el cual, acusado oficialmente de haber sido el cerebro de lo ocurrido durante la *Semana Trágica,* será ejecutado en Montjuich en 1909, en medio de las protestas populares y de toda Europa. Una tarea complementaria de la *Escuela Moderna* fue el lanzamiento de la *Biblioteca Popular,* para la cual Anselmo Lorenzo tradujo abundantes obras de difusión y propaganda. El sindicalismo anarquista no se organiza hasta 1911 con la creación de la *Confederación Nacional del Trabajo* (*CNT*), que dará un nuevo impulso al movimiento libertario hispánico.

Por su parte, una marcha paralela lleva el socialismo español. La madrileña *Asociación del Arte de Imprimir,* fundada en 1871, es presidida desde 1874 por un tipógrafo, PABLO IGLESIAS (1850-1925), fundador del PARTIDO SOCIALISTA OBRERO ESPAÑOL (*PSOE*) en 1879, de su periódico *El Socialista* en 1866 y de la rama sindical del Partido, la *Unión General de Trabajadores* (*UGT*) en 1888. Pablo Iglesias, en fin, es llevado al Parlamento en 1910 por cuarenta mil votos madrileños. Las actividades del socialismo español son inseparables de las de su fundador, que en folletos (cf. por ejemplo su *Propaganda socialista,* 1914), en la prensa y en las Cortes difundía las ideas y doctrinas del movimiento. No será superfluo citar aquí algún fragmento del programa definitivo del *PSOE* (1880):

> Considerando: que esta sociedad es injusta porque divide a sus miembros en dos clases desiguales y antagónicas: una, la Burguesía, que poseyendo los instrumentos de trabajo, es la clase dominante; otra, el Proletariado, que no poseyendo más que fuerza vital es la clase dominada; que la sujeción económica del Proletariado es la causa primera de la esclavitud en todas sus formas: la miseria social, el envilecimiento intelectual y la dependencia política; que los privilegios de la Burguesía están garantizados por el poder político, del cual se vale para dominar al Proletariado...

Por todas estas razones, el *Partido Socialista* declara que tiene por aspiración:

1. La posesión del Poder político por la clase trabajadora.

2. La transformación de la propiedad individual o corporativa de los instrumentos del trabajo en propiedad común de la nación.

3. La constitución de la sociedad sobre la base de la federación económica, de la organización científica del trabajo y de la enseñanza integral para todos los individuos de ambos sexos.

... En suma: el ideal del *Partido Socialista* es la completa emancipación de la clase trabajadora. Es decir, la abolición de todas las clases sociales y su conversión en una sola de trabajadores, dueños del fruto de su trabajo, iguales, honrados e inteligentes.

Se ha tratado ya, poco más arriba, de Joaquín Costa; no estará de más señalar la diferencia que existía entre el republicanismo del aragonés y Pablo Iglesias, de acuerdo con lo dicho por un historiador del socialismo español:

Surge una organización joven que entiende la política como lo que la política es en principio: el arte de mover masas. Iglesias se había enfrentado cordialmente con Costa al alborear el siglo. Porque Costa, buen republicano, no sintió nunca el obrerismo. Eso contribuyó en enorme medida a engendrar aquel pesimismo desolador, aquella falta de fe en España que es la antítesis del espíritu socialista. No cabe duda de que es Pablo Iglesias quien galvaniza, en gran parte, con su actividad incansable, a los sectores adormecidos del republicanismo histórico... Pero Iglesias lo consigue no como pretendía Costa, flagelando a los antidinásticos, operando sobre ellos con frases de desesperación, insultándolos a menudo, sino de otro modo, por reflejo. Iglesias pone en pie un movimiento de clase y así arroja la primera piedra en el charco mefítico de la política nacional.

En cuanto a las diferencias con el institucionismo, son también evidentes:

Incluso apreciando en estricta justicia la labor de los mejores republicanos, como don Francisco Giner, se cometería una falsificación histórica si se olvidara que el radio de acción republicano ha tenido siempre un límite: la franja que separa al pueblo de la *élite* intelectual en la gestión de los políticos no obreristas.

Las condiciones del país y la actividad de los dirigentes obreros hacen que el movimiento socialista aumente de modo espectacular. Un movimiento que cuenta bien pronto con la colaboración activa de intelectuales prestigiosos, como José Verdes Montenegro, catedrático de Enseñanza Media, discípulo de Nicolás Salmerón —vinculado así con el krausismo— y amigo de Unamuno y Valle-Inclán. También, según veremos (cf. IV.3A), es declaradamente marxista por estos años Miguel de Unamuno, que escribe asiduamente en *La lucha de clases,* de Bilbao. Pero la gran figura es el doctor JAIME VERA (1859-1918), uno de los fundadores del *PSOE,* neurólogo de fama, también con conexiones krausistas y secretario de la Sección de Ciencias del Ateneo de Madrid. Una de sus más importantes aportaciones teóricas al socialismo es el *Informe para la Comisión de Reformas Sociales* gubernamental, de 1884, redactado por Vera en nombre de la *Agrupación Socialista Madrileña.* Se trata de la primera crítica total del capitalismo hecha en España. Vera, que declararía más tarde haber llegado al socialismo no por sentimentalismo ni por odio a la injusticia social, sino por «plena convicción científica», ya que —decía— «mi tarea profesional es buscar la verdad; la he visto en el socialismo y a él he ido», redacta el *Informe* con una seriedad y profundidad desconocidas hasta entonces. Como ha dicho un crítico, para insertar al doctor Vera en el panorama cultural de la España de su tiempo se hace preciso señalar que parte de una auténtica concepción dialéctica de la realidad, es decir, científica en el más puro sentido marxista. Lo cual puede igualmente apreciarse en otro texto suyo de 1912, donde se leen cosas como éstas:

> La ciencia no es proletaria ni burguesa. Es profundamente revolucionaria porque es creadora. Transforma, revoluciona la realidad social, cualquiera que sea, porque crea nuevas condiciones de existencia que la sociedad, con la libertad de movimientos de que disponga, se esfuerza por aprovechar... [Marx], como hombre de ciencia, contribuyó a formar la conciencia social. Como hombre de sentimiento y de acción, se sumó a las fuerzas de transformación social para hacerlas conscientes del fin social...

Ya entrado el siglo xx, el *PSOE* inaugura su *Casa del Pueblo* madrileña (1908), con 35.000 socios, y en 1911 y como extensión de aquélla, la *Escuela Nueva,* dirigida por otro militante intelec-

tual, MANUEL NÚÑEZ DE ARENAS (1885-1951), doctor en Filosofía y Letras que después, en 1921, pasará a formar parte del
nuevo *Partido Comunista*. Núñez de Arenas, prolífico ensayista,
lleva a la *Escuela Nueva* un sistema pedagógico de innegable
coherencia y altura cultural, logrando atraer como colaboradores
a Miguel de Unamuno, Manuel B. Cossío, Manuel García Morente, Américo Castro, etc.

Acerca de la participación de la inteligencia española en el
movimiento obrero de signo socialista, baste tener en cuenta que
en el congreso del *PSOE* celebrado en 1915 intervinieron, entre
otros, Jaime Vera, José Verdes Montenegro, Manuel Núñez de
Arenas, Julián Besteiro y Luis Araquistain; eran asimismo miembros del partido Fernando de los Ríos y Ramón Carande. Para
constatar la capacidad de atracción del socialismo entre los intelectuales de fin de siglo, recuérdese el caso de Pérez Galdós, que
presidente en 1909 —junto a Pablo Iglesias— de la *Conjunción
Republicano-Socialista,* manifiesta sin ambages en 1910 y en 1912
sus simpatías por el *Partido Socialista* de Pablo Iglesias (cf. IV.2C,
y para la actitud de los intelectuales y el movimiento obrero ya en
los primeros años del siglo xx, cf. V.1A, Nota introductoria).

BIBLIOGRAFÍA BÁSICA *

IV.2. TRIUNFO DE LA BURGUESÍA. TRADICIÓN Y REVOLUCIÓN

a) *Historia y sociedad*

* Abad de Santillán, Diego: *Contribución a la historia del movimiento obre-
    ro español,* I (México, 1962).
  Alvarez Junco, José: *La comuna en España* (Madrid, 1976).
* Bécaraud, Jean, y Lapouge, Gilles: *Los anarquistas españoles* (Barcelona,
    1972).
  Catalinas, José Luis, y Echenagusía, Javier: *La Primera República. Refor-
    mismo y revolución social* (Madrid, 1973).
  Coloma, Rafael: *La revolución internacional alcoyana de 1873* (Alicante,
    1959).
* Díaz del Moral, Juan: *Historia de las agitaciones campesinas andaluzas*
    (Madrid, 1967, 2.ª).
  Echenagusía, Javier: Cf. Catalinas, José Luis.
  García Nieto, María del Carmen, *et al.*: *Bases documentales de la España
    contemporánea. Liberalismo democrático, 1868-1874* (Madrid, 1971).

---

* En las presentes bibliografías, un asterisco indica que la obra así señalada se ocupa no sólo de la época en que se incluye, sino también de otras
posteriores.

* Gómez Casas, Juan: *Historia del anarcosindicalismo español* (Madrid, 1969).
* Gómez Llorente, Luis: *Aproximación a la historia del socialismo español hasta 1921* (Madrid, 1976, 2.ª).
Henessy, C. A. M.: *La república federal en España* (Madrid, 1967).
* Jutglar, Antoni: *Ideología y clases en la España contemporánea*, II, 1874-1931 (Madrid, 1973, 4.ª).
Kaplan, Temma: *Anarchists of Andalusia* (Princeton, 1977).
* Lapouge, Gilles: Cf. Bécaraud, Jean.
Lida, Clara E.: *Anarquía y revolución en la España del siglo XIX* (Madrid, 1972).
——: *Antecedentes y desarrollo del movimiento español, 1835-1888* (Madrid, 1973).
—— y Zavala, Iris M.: *La revolución de 1868. Historia, pensamiento, literatura* (Nueva York, 1970).
* Lorenzo, César M.: *Les anarchistes espagnoles et le pouvoir, 1868-1969* (París, 1969).
* Mesa, Roberto: *El colonialismo en la crisis del XIX español* (Madrid, 1967).
* Martínez Cuadrado, Miguel: *Elecciones y partidos políticos de España, 1868-1931*, 2 vv. (Madrid, 1968).
Nettlau, Max: *La première Internationale en Espagne, 1868-1888* (Dordrech, 1969).
* Núñez Ruiz, Diego: *La mentalidad positiva en España: desarrollo y crisis* (Madrid, 1975).
* Peirats, José: *La CNT en la revolución española*, I (París, 1971).
Sánchez-Albornoz, Nicolás: *España hace un siglo: una economía dual* (Barcelona, 1968).
Termes Ardévol, Josep: *El movimiento obrero en España. La Primera Internacional* (Barcelona, 1965).
——: *Anarquismo y sindicalismo en España. La Primera Internacional* (Barcelona, 1972).
——: *Federalismo, anarcosindicalismo y catalanismo* (Barcelona, 1976).
* Tuñón de Lara, Manuel: *El movimiento obrero en la historia de España* (Madrid, 1972).
Vergés Mundó, Oriol: *La Primera Internacional en las Cortes de 1871* (Barcelona, 1965).
Varios: *La question de la «Bourgeoisie» dans le monde hispanique au XIXe siècle* (Burdeos, 1973).
* Villacorta Baños, Francisco: *Burguesía y cultura. Los intelectuales españoles en la sociedad liberal, 1808-1931* (Madrid, 1980).
Zavala, Iris M.: Cf. Lida, Clara E.

Las bases documentales de la época han sido recogidas en la colección dirigida por M. C. García Nieto. Es fundamental el libro de Sánchez-Albornoz, clarificador de la estructura económica del momento. Sobre la revolución del 68 es imprescindible el volumen preparado por Lida-Zavala (1970); sobre los partidos políticos, el libro de Martínez Cuadrado; sobre las clases sociales y su ideología, el de Jutglar. Catalinas-Echenagusía y Henessy han historiado aspectos diferentes de la Primera República, y el movimiento obrero en su conjunto, Nettlau, Termes Ardévol (1965), Tuñón de Lara, Lida, y, de modo más esquemático, Vergés Mundó. Para las repercusiones de la Comuna en España véase Alvarez Junco, y para los sucesos bakuninistas de Alcoy, Coloma y, sobre todo, Lida (1872; cf. en IV.1A el volumen Marx-Engels, en que este último critica acertadamente lo ocurrido en Alcoy). El movimiento anarquista ha sido estudiado por Bécaraud-Lapouge, Gómez Casas, Termes Ardévol, Alvarez Junco y Kaplan, y de modo partidista y apologético por Abad de Santillán, Lorenzo y Peirats. Para el movimiento socialista, el estudio más completo es el reciente de Gómez Llorente. El libro de Díaz del Moral es una vieja y fascinante monografía sobre el revolucionarismo anarcoide del campesinado andaluz y, aunque excesivamente liberal, imprescindible y lleno de «color local». La obra de Mesa (que como varias de las anteriores rebasa los límites del siglo xix) es uno de los escasos aportes historiográficos al gran tema del colonialismo e imperialismo españoles y sus consecuencias en la vida del país. Sobre el positivismo burgués, es útil el libro de Núñez Ruiz. De gran importancia es el trabajo de Villacorta Baños acerca de las relaciones (conflictivas) entre burguesía y cultura. En las actas del Coloquio Internacional de Burdeos sobre la cuestión de la burguesía hispánica, se recogen diversos estudios sobre el tema, de gran valor por lo general.

b) *Literatura*

IV.2A.   POSITIVISMO E IDEALISMO: TEATRO «REALISTA», NEORROMANTICISMO Y POESÍA BURGUESA

* Alonso, Cecilio: *Literatura y poder* (Madrid, 1971).
  Alonso, Dámaso: «Originalidad de Bécquer», *Poetas españoles contemporáneos* (Madrid, 1969, 4.ª), 11-49.
  Alonso Cortés, Narciso: Introducción a *Obras* de Bretón de los Herreros («Clásicos Castellanos», 92).
  Alonso Montero, Xesús: *Rosalía de Castro* (Madrid, 1975).
  Balbín Lucas, Rafael: «Bécquer, fiscal de novelas», *Revista de Bibliografía Nacional*, III (1942), 133-165.
  Benítez, Rubén: *Bécquer, tradicionalista* (Madrid, 1971).
  Brown, R.: *Bécquer* (Barcelona, 1963).
  Cano, José Luis: Introducción a las *Rimas* de Bécquer (Madrid, 1976, 2.ª).
  Carballo Calero, R.: Introducción a los *Cantares gallegos* de Rosalía de Castro (Madrid, 1970, 2.ª).
* Cernuda, Luis: *Estudios sobre poesía española contemporánea* (Madrid, 1970, 2.ª).
* Cossío, José María de: *Cincuenta años de poesía española, 1850-1900*, 2 vv. (Madrid, 1960).
  Costa Clavell, J.: *Rosalía de Castro* (Barcelona, 1966).
  Díaz, José Pedro: *Gustavo Adolfo Bécquer. Vida y poesía* (Madrid, 1971, 4.ª).
  Esquer Torres, R.: *El teatro de Tamayo y Baus* (Madrid, 1965).
  Gallego Burín, Antonio: *Echegaray: su obra dramática* (Madrid, 1917).
  Gaos, Vicente: *La poética de Campoamor* (Madrid, 1969, 2.ª).
  García, Salvador: *Las ideas literarias en España entre 1840 y 1850* (University of California Press, 1971).

Guillén, Jorge: «Lenguaje insuficiente. Bécquer o lo inefable soñado», *Lenguaje y poesía* (Madrid, 1972, 2.ª), 111-141.
Le Gentil, G.: *Le poète Manuel Bretón de los Herreros et la societé espagnole de 1830 à 1860* (París, 1909).
Leslie, J. K.: *Ventura de la Vega and the Spanish Theatre, 1820-1865* (Princeton University Press, 1940).
Mathias, J.: *Echegaray* (Madrid, 1970).
Mayoral, Marina: *La poesía de Rosalía de Castro* (Madrid, 1974).
Montero Alonso, J.: *Ventura de la Vega, su vida y su tiempo* (Madrid, 1951).
Poyán Díaz, D.: *Enrique Gaspar. Medio siglo de teatro español*, 2 vv. (Madrid, 1957).
Romo Arregui, Josefina: *Vida, poesía y estilo de don Gaspar Núñez de Arce* (Madrid, 1946).
Tayler, N. H.: *Las fuentes del teatro de Tamayo y Baus* (Madrid, 1965).
Tirrell, Mary P.: *La mística de la saudade. Estudio de la poesía de Rosalía de Castro* (Madrid, 1951).
Varios: Número especial dedicado a Bécquer, *Revista de Filología Española,* LII (1969).

El libro de Salvador García es un excelente ejemplo de crítica monográfica y «coyuntural», de suma utilidad para esos años de transición hacia el «realismo» y el positivismo. Sobre el teatro, la bibliografía se resiente de exceso de formalismo y biografismo esquemático: así los trabajos dedicados a Bretón de los Herreros, Ventura de la Vega, Tamayo y Baus, Echegaray, Gaspar.

Para Rosalía de Castro y además de algunos estudios demasiado tópicos, son de gran utilidad la introducción de Carballo Calero a los *Cantares gallegos,* el renovador trabajo de Alonso Montero y el de Mayoral. Benítez, en un estudio por lo demás algo confuso, ha contribuido a centrar la ideología tradicionalista —conservadora incluso— de Bécquer; el libro de Díaz, útil pero no totalmente satisfactorio estudio de conjunto, ha de ser complementado con el artículo de D. Alonso, con la introducción de Cano a las *Rimas,* con el muy importante artículo de Guillén y con las profundas páginas de Cernuda. El libro de C. Alonso (ya citado para Larra y Espronceda), en la línea de esta *Historia,* es particularmente significativo. Sobre Bécquer censor, es interesante el artículo de Balbín. Para Núñez de Arce, la monografía de Romo Arregui es suficientemente informativa; Gaos ha escrito todo un libro acerca de la poética de Campoamor, completo análisis de este autor e intento revalorizador —desesperado, por otra parte— del mismo, como antes y desde otra perspectiva había hecho también Cernuda en el libro citado. La monumental antología de Cossío es una interesante colección de autores y poemas en su conjunto hoy olvidados, buena panorámica de la poesía de la época y de sus líneas de fuerza ideológicas.

IV.2B. LA NOVELA: BURGUESÍA, «REALISMO», CONTRADICCIONES

Azaña, Manuel: *Ensayos sobre Valera* (Madrid, 1971).
Baquero Goyanes, Manuel: «La novela naturalista española: Emilia Pardo Bazán», *Anales de la Universidad de Murcia,* XIII (1954-1955), 157-234, 539-639.

Bermejo Marcos, M.: *Don Juan Valera, crítico literario* (Madrid, 1969).
Bravo Villasante, Carmen: *Biografía de don Juan Valera* (Barcelona, 1959).
——: *Vida y obra de Emilia Pardo Bazán* (Madrid, 1973).
Brown, D. F.: *The Catholic Naturalism of Pardo Bazán* (Chapel Hill, North Carolina, 1957).
Casalduero, Joaquín: Introducción a *De tal palo tal astilla,* de Pereda (Madrid, 1976).
Colangeli, M. R.: *Armando Palacio Valdés, romanziere* (Lecce, 1962).
* Dendle, B. J.: *The Spanish Novel of Religious Thesis, 1876-1936* (Madrid, 1968).
* Ferreras, Juan Ignacio: *Introducción a una sociología de la novela española del siglo XIX* (Madrid, 1973).
Fuentes, Víctor: «La aparición del proletariado en la novelística. *La Tribuna*», *Grial,* 31 (1971), 90-94.
Jiménez, A.: *Juan Valera y la generación de 1868* (Oxford, 1958).
López Jiménez, Luis: *El naturalismo y España. Valera frente a Zola* (Madrid, 1977).
Montesinos, José F.: *Pedro Antonio de Alarcón* (Zaragoza, 1955).
——: *Valera o la ficción libre* (Madrid, 1957).
——: *Pereda o la novela idilio* (University of California Press, 1962).
Osborne, R. E.: *Emilia Pardo Bazán. Su vida y sus obras* (México, 1964).
Pascual Rodríguez, Manuel: *Armando Palacio Valdés. Teoría y práctica novelística* (Madrid, 1977).
Pattison, W. T.: *El naturalismo español* (Madrid, 1969).
——: *Emilia Pardo Bazán* (Nueva York, 1971).
Rosselli, F.: *Una polemica letteraria in Spagna: il romanzo naturalista* (Pisa, 1963).
* Tierno Galván, Enrique: *Idealismo y pragmatismo en el siglo XIX español* (Madrid, 1977).
Varela Jácome, Benito: *Estructuras novelísticas de Emilia Pardo Bazán* (Madrid, 1973).
——: Introducción a *La Tribuna,* de Pardo Bazán (Madrid, 1975).

El libro de Ferreras es un serio intento de aproximación a lo que su título indica, mas excesivamente prolijo por un lado y de algún modo confuso por otro. El de Dendle es una desigual monografía acerca de la narrativa española de tesis religiosa (a favor o en contra), desde la *Doña Perfecta* de Galdós, obra útil, con todo, para situar a los diferentes autores en su marco ideológico —vía la religión o la Iglesia Católica— y político-social. Sobre autores particulares, para Alarcón es básico el libro de Montesinos (1955), así como también el que dedica a Pereda (1962; compleméntese con la introducción hecha por Casalduero a *De tal palo tal astilla*), monografía en verdad modélica, dentro de unas ciertas limitaciones ideológicas liberales. Los trabajos sobre la Pardo Bazán van acompañados de estudios acerca de la debatida cuestión del naturalismo *sui generis* de la condesa, así el extenso artículo de Baquero Goyanes, los dos libros de Pattison, el de Rosselli y el de Varela Jácome. Las dificultades de encajar a la Pardo Bazán dentro de un auténtico naturalismo han decidido a calificar el de la escritora gallega como de «católico», en extraña conjunción de términos y conceptos inconciliables, aceptada habitualmente por la crítica. Sobre *La Tribuna,* la novela de tema proletario de la Pardo Bazán, y tan reveladora de su auténtica ideología, es básico el artículo de Fuentes, así como la introducción de Varela Jácome en su reciente edición. Para Valera, los trabajos de Azaña, llenos de agudas percepciones, continúan siendo válidos, y es siempre necesaria la monografía de Montesinos (1957). Muy recientemente, Tierno Galván ha tratado del carácter histórico-folletinesco de Valera de modo también perspicaz (en un libro que incluye asimismo un estudio sobre Macías Picavea «pre-fascista»; cf. IV.2D). Es muy interesante el de López Jiménez, centrando la figura de Valera frente al naturalismo. Muy completo es el trabajo de Pascual Rodríguez sobre Palacio Valdés, así como el de Colangeli.

IV.2C. El realismo crítico: «Clarín» y Galdós

Aranguren, José Luis: «De *La Regenta* a *Ana Ozores*», *Estudios Literarios* (Madrid, 1976), 177-211.

Ayala, Francisco: «Sobre el realismo en literatura con referencia a Galdós», *Experiencia e invención* (Madrid, 1960), 171-203.

Bécaraud, Jean: *La Regenta de Clarín y la Restauración* (Madrid, 1964).

Berkowitz, H. C.: *Benito Pérez Galdós, Spanish Liberal Crusader* (Madison, Wisconsin, 1948).

Beser, Sergio: *Leopoldo Alas, crítico literario* (Madrid, 1968).

——: *Leopoldo Alas: teoría y crítica de la novela española* (Barcelona, 1972).

Blanco Aguinaga, Carlos: «On the Birth of Fortunata», *Anales Galdosianos,* III (1968), 13-24.

——: *La Historia y el texto literario. Tres novelas de Galdós (El amigo Manso, Fortunata y Jacinta, Torquemada)* (Madrid, 1978).

Bosch, Rafael: «Galdós y la teoría de la novela de Lukács», *Anales Galdosianos,* II (1967), 169-184.

Botrel, Jean-François: «Producción literaria y rentabilidad: el caso de *Clarín*», en *Hommage des Hispanistes Français à Noël Salomon* (Barcelona, 1979), 123-133.

Casalduero, Joaquín: *Vida y obra de Galdós* (Madrid, 1970, 3.ª).

Correa, Gustavo: *Realidad, ficción y símbolo en las novelas de Pérez Galdós* (Madrid, 1977).

Enguídanos, Miguel: «Mariclío, musa galdosiana», *Papeles de Son Armadans,* 63 (1961), 235-249.

Eoff, S. H.: *The Novels of Pérez Galdós. The Concept of Life As Dynamic Process* (St. Louis, Missouri, 1954).

Fuentes, Víctor: «El desarrollo de la problemática político-social en la novelística de Galdós», *Papeles de Son Armadans,* 192 (1972), 230-240.

Gilman, Stephen: «The Birth of Fortunata», *Anales Galdosianos,* I (1966,) 71-83.

Gogorza Fletcher, Madeleine: *The Spanish Historical Novel, 1870-1970* (Londres, 1974).

Gullón, Ricardo: *Clarín, crítico literario* (Zaragoza, 1949).
——: *Galdós, novelista moderno* (Madrid, 1966, 2.ª).
——: *Técnicas de Galdós* (Madrid, 1970).
Hernández Suárez, Manuel: *Bibliografía de Galdós* (Las Palmas, 1972).
Hinterhäuser, H.: *Los Episodios Nacionales de Benito Pérez Galdós* (Madrid, 1963).
Kronik, John W.: «68 frente a 98. La modernidad de Leopoldo Alas», *Papeles de Son Armadans,* 122 (1966), 121-134.
Lida, Clara E.: «Galdós y los *Episodios Nacionales*: una historia del liberalismo español», *Anales Galdosianos,* III (1968), 61-77.
Lida, Denah: Introducción a su ed. de *El amigo Manso,* de Galdós (Nueva York, 1963).
——: «Sobre el 'krausismo' de Galdós», *Anales Galdosianos,* II (1967), 1-27.
López Landy, Ricardo: *El espacio novelesco en la obra de Galdós* (Madrid, 1979).
Lloréns, Vicente: «Galdós y la burguesía», *Anales Galdosianos,* II (1967), 51-59.
Madariaga, Benito: *Pérez Galdós. Biografía santanderina* (Santander, 1979).
Montesinos, José F.: *Galdós,* 4 vv (Madrid, 1968-1971).
Pieczara, Stefan: *La societé espagnole et sa vie quotidienne dans les oeuvres de Benito Pérez Galdós durant les années 1808-1898* (Poznan, 1970).
——: *Benito Pérez Galdós et l'Espagne de son temps, 1868-1898* (Poznan, 1971).
Ramos-Gascón, Antonio: «Relaciones *Clarín*-Martínez Ruiz, 1897-1900», *Hispanic Review,* XLII (1974), 413-426.
——: Introducción a su ed. de *Pipá,* de *Clarín* (Madrid, 1976).
Regalado García, Antonio: *Benito Pérez Galdós y la novela histórica española, 1868-1912* (Madrid, 1966).
Río, Angel del: *Estudios galdosianos* (Zaragoza, 1953).
Ríos, Laura de los: *Los cuentos de Clarín. Proyección de una vida* (Madrid, 1965).
Rodríguez-Puértolas, Julio: *Galdós: burguesía y revolución* (Madrid, 1975).
——: Introducción a su ed. de *El Caballero Encantado,* de Galdós (Madrid, 1979, 2.ª).
Rogers, Douglas M.: *Benito Pérez Galdós* (Madrid, 1979, 2.ª).
Rubio Cremades, Enrique: «Galdós y las colecciones costumbristas del xix», *Actas del II Congreso Internacional de Estudios Galdosianos,* I (Las Palmas, 1978), 230-257.
* Sánchez-Barbudo, Antonio: *Estudios sobre Galdós, Unamuno y Machado* (Madrid, 1968).
Sinningen, John H.: «Literary and Ideological Projects in Galdós: the *Torquemada* Series», *Ideologies and Literature,* 11 (1979), 5-19.
* Sobejano, Gonzalo: *Forma y sensibilidad social* (Madrid, 1967).
Varey, J. E., coordinador: *Galdós Studies* (Londres, 1970).
Varios: Número especial dedicado a *Clarín, Archivum,* II (1952).

Weber, Frances: «Ideology and Religious Parody in the Novels of Leopoldo Alas», *Bulletin of Hispanic Studies,* XLIII (1966), 197-208.
Yndurain, Francisco: *Galdós, entre la novela y el folletín* (Madrid, 1970).
Zambrano, María: *La España de Galdós* (Madrid, 1959).

El libro de Beser (1972) constituye un excelente e imprescindible estudio de conjunto acerca de *Clarín,* desarrollo coherente —en parte— del viejo trabajo de Gullón (1949) y de otro anterior (1968) del propio Beser. Varios aspectos importantes de *Clarín* han sido tratados por Kronik (dicotomía entre la llamada generación del 68, con *Clarín,* y la del 98), Weber (la ironía anticlerical) y Ramos (1974; las relaciones entre *Clarín,* el *Azorín* joven y el 98). Ramos es también autor de una útil introducción general sobre *Clarín* en su edición de *Pipá;* Laura de los Ríos ha estudiado los cuentos de *Clarín.* Sobre *La Regenta* en concreto, además de la aproximación histórica de Bécaraud, el trabajo de Aranguren constituye una pequeña pieza maestra de crítica correcta y sugerente. El número especial de *Archivum* contiene desiguales estudios sobre *Clarín.* Muy interesante y útil es el trabajo de Botrel sobre la «rentabilidad» de la producción escrita de *Clarín.*

La bibliografía sobre Galdós es sencillamente abrumadora. Gogorza Fletcher ha trazado un panorama general de la novela histórica española, que comienza con Galdós. La clásica biografía de Berkowitz continúa siendo utilísima, modernizada y ampliada por Casalduero en libro también necesario. El de Madariaga va mucho más allá de lo que indica su título, pues se ocupa del Galdós político e incluye un epistolario con amantes del novelista. Un estudio general de Eoff, centrado en los conceptos vitalistas de Galdós, si bien muy aprovechable, no deja de ser algo ambiguo y filosóficamente desorientador, al igual que el menos riguroso de Correa Calderón. Los cuatro volúmenes de Montesinos vienen a ser una serie de notas de clase, decepcionantes en conjunto. Gullón, en un libro de 1966, trata de la modernidad narrativa de Galdós, asunto que desarrolla con más coherencia posteriormente (1970), ocupándose ahora más por extenso de *Fortunata y Jacinta.* Sobejano, en importante trabajo, escribe —entre otros temas— sobre las experimentaciones formales de Galdós, poniéndolas muy apropiadamente en conexión con la realidad de la evolución histórico-social. Básico es el ensayo de Ayala sobre el realismo galdosiano; utilísimo el libro de Hinterhäuser sobre los *Episodios Nacionales* (si bien son discutibles algunas de las tesis e interpretaciones que hace acerca de los conceptos y actitudes políticas de Galdós), libro que ha de ser complementado con los centrados artículos de Clara E. Lida y Lloréns. Una interesante polémica en torno a ciertos aspectos del realismo de *Fortunata y Jacinta* es la constituida por el artículo de Gilman (simbolista y ahistoricista) y el de Blanco Aguinaga (1968), respuesta al anterior en la línea exacta de la presente *Historia.* Véase también de Blanco Aguinaga su libro (sobre *El amigo Manso, Fortunata y Jacinta y Torquemada*), en que se trata de establecer una forma de análisis de las relaciones determinantes entre historia y literatura (cf. la «Explicación Previa» del presente libro) aplicada a Galdós. En esta línea, mencionemos también el artículo de Bosch y los dos trabajos de D. Lida, así como el excelente de Sinningen. El libro de Regalado García es, en su conjunto, un ataque contra Galdós, a quien considera políticamente reaccionario, y ello desde unas curiosas posiciones que podrían llamarse de ultraizquierdismo *a posteriori* y acronológico. Un estudio coincidente con lo que en esta *Historia* se dice sobre Galdós es el de Rodríguez-Puértolas (1975), centrado básicamente en torno a *Fortunata y Jacinta*; cf. también del mismo Rodríguez-Puértolas su introducción a *El caballero encantado* (1979), en que se resume vida y obra de Galdós en el mismo sentido de su evolución ideológica hacia el socialismo y de su experimentación narrativa hacia la novela moderna; en esta misma línea, es muy útil el artículo de Fuentes. Son de interés los dos estudios histórico-literarios del polaco Pieczara.

IV.2D. Los ideólogos de la burguesía y el proletariado militante

Aja, Eliseo: *Democracia y socialismo en el siglo XIX español. El pensamiento político de Fernando Garrido* (Madrid, 1976).

Alonso, Dámaso: *Menéndez Pelayo, crítico literario. Las palinodias de don Marcelino* (Madrid, 1956).

Artigas, Miguel: *La vida y la obra de Menéndez Pelayo* (Zaragoza, 1939).

Azaña, Manuel: «El *Idearium* de Ganivet», *Plumas y palabras* (Madrid, 1930), 9-115.

* Botrel, J. F.: Cf. Tuñón de Lara, Manuel.

Cacho Viú, Vicente: *La Institución Libre de Enseñanza* (Madrid, 1962).

Calvo Serer, Rafael: *Teoría de la Restauración* (Madrid, 1955, 2.ª).

Casanovas, I.: *Balmes. La seva vida. El seu temps. Les seves obres,* 3 vv. (Barcelona, 1942, 2.ª).

Cheyne, G. J.: *Joaquín Costa, el gran desconocido* (Barcelona, 1972).

Díaz, Elías: *La filosofía social del krausismo español* (Madrid, 1973).

Elorza, Antonio, e Iglesias, María del Carmen: *Burgueses y proletarios. Clase obrera y reforma social en la Restauración, 1884-1889* (Barcelona, 1973).

Fernández Clemente, Eloy: *Educación y revolución en Joaquín Costa* (Madrid, 1969).

Ferrer Guardia, Francisco: *La escuela moderna* (Barcelona, 1976).

Fuentes, Víctor: «Literatura obrerista: *Justo Vives* de Anselmo Lorenzo», *Insula*, 314-315 (1973), 25.

Galindo Herrero, Santiago: *Donoso Cortés y su teoría política* (Badajoz, 1957).

Gallego Morell, Antonio: *Angel Ganivet, el excéntrico del 98* (Granada, 1965).

García Lorca, Francisco: *Angel Ganivet, su idea del hombre* (Buenos Aires, 1952).

Garrido, Fernando: *La federación y el socialismo,* ed. Jorge Maluquer (Barcelona, 1970).

Gil Cremades, Juan José: *Krausistas y liberales* (Madrid, 1975).

Gil Novales, Alberto: *Derecho y revolución en el pensamiento de Joaquín Costa* (Barcelona, 1965).

Gómez Molleda, María Dolores: *Los reformadores de la España contemporánea* (Madrid, 1966).

Herrero, Javier: *Angel Ganivet, un iluminado* (Madrid, 1966).

Iglesias, María del Carmen: Cf. Elorza, Antonio.

Iglesias, Pablo, *et al.*: *La clase obrera española a finales del siglo XIX* (Madrid, 1973, 2.ª).

Jiménez-Landi, Antonio: *La Institución Libre de Enseñanza* (Madrid, 1973).

Jutglar, Antoni: *Pi y Margall y el federalismo español*, 2 vv. (Madrid, 1975-1976).

Laín Entralgo, Pedro: *Menéndez Pelayo. Historia de sus problemas intelectuales* (Madrid, 1944).

Larraz, José: *Balmes y Donoso Cortés* (Madrid, 1965).

Lida, Clara E.: «Educación anarquista en la España del ochocientos», *Revista de Occidente*, núm. 97 (1971), 33-47.

Litvak, Lily: *Musa libertaria. Arte, literatura y vida cultural del anarquismo español, 1880-1913* (Barcelona, 1981).

López Morillas, Juan: *El krausismo español. Perfil de una aventura intelectual* (México, 1956).

——: *Krausismo: estética y literatura* (Barcelona, 1973).

Lorenzo, Anselmo: *El proletariado militante* (Madrid, 1974; ed. J. Alvarez Junco).

Losada, Juan: *Ideario político de Pablo Iglesias* (Barcelona, 1976).

* Mainer, José Carlos: *Literatura y pequeña burguesía en España. Notas, 1890-1950* (Madrid, 1972).

Morato, Juan José: *Pablo Iglesias, educador de muchedumbres* (Barcelona, 1968, 2.ª).

Olmedo Moreno, M.: *El pensamiento de Ganivet* (Madrid, 1965).

* Ortega y Gasset, M.: *El Imparcial. Biografía de un gran periódico español* (Zaragoza, 1956).

Ortí, Alfonso: Edición crítica de *Oligarquía y caciquismo*, de Costa, 2 vv. (Madrid, 1976).

Pérez de la Dehesa, Rafael: *El pensamiento de Costa y su influencia en el 98* (Madrid, 1966).

Pérez Embid, Florentino: *Marcelino Menéndez Pelayo. Textos sobre España* (Madrid, 1955).

Tierno Galván, Enrique: *Costa y el regeneracionismo* (Barcelona, 1961).

* Tuñón de Lara, Manuel: *Medio siglo de cultura española, 1885-1936* (Madrid, 1970).

* —— y Botrel, J. F., eds.: *Movimiento obrero, política y literatura en la España contemporánea* (Madrid, 1975).

Turín, Ivonne: *La educación y la escuela en España de 1874 a 1902. Liberalismo y tradición* (Madrid, 1967).

Urales, Federico: *La evolución de la filosofía en España* (Barcelona, 1968; ed. de Rafael Pérez de la Dehesa).

Vera, Jaime: *Ciencia y proletariado* (Madrid, 1973).

Zugazagoitia, Julián: *Una vida heroica: Pablo Iglesias* (Madrid, 1976).

Excelentes e imprescindibles libros de conjunto son los de Mainer, Tuñón de Lara y Tuñón de Lara-Botrel; el de Turín es una magnífica monografía sobre la educación en España, escindida entre liberalismo y tradicionalismo. Acerca de los ideólogos reaccionarios de la época isabelina (Balmes y Donoso Cortés), los libros de Casanovas, Galindo Herrero y Larraz, apologéticos y sectarios, son con todo útiles por su información. Calvo Serer, que fuera teórico del *Opus Dei,* es también teórico de la Restauración en clásico libro del conservadurismo hispánico. Sobre la figura de Menéndez Pelayo, Artigas (discípulo de don Marcelino) es autor de un triunfalista estudio en la apropiada fecha de 1939, así como Pérez Embid, opusdeísta notorio, editor de los textos más reaccionarios de Menéndez Pelayo. A muy diferente nivel, Laín Entralgo estudia la problemática ideológica de Menéndez Pelayo, con sus contradicciones, y también Dámaso Alonso.

Sobre los krausistas y la *Institución Libre de Enseñanza* abundan las aproximaciones serias, desde la de Cacho Viú —imparcial y muy documentada— hasta las simpatizantes de Jiménez-Landi y López Morillas, el gran especialista en el tema; cf. también Gil Cremades y sobre todo, en una línea más ajustada, el libro de Elías Díaz. Para Joaquín Costa es imprescindible el libro de Cheyne, con abundancia de detalles e información; más convencionales y en ocasiones ambiguos son los de Fernández Clemente, Gil Novales y Ortí. Pérez de la Dehesa es autor de un magnífico trabajo acerca de las relaciones entre Costa y el 98, y Tierno Galván, en una línea radical, sitúa a Costa —y al regeneracionismo— entre los precursores del fascismo español pequeño-burgués. Sobre Ganivet, y a pesar de los trabajos modernos de Gallego Morell, Herrero y Olmedo Moreno, lo más perspicaz y correcto, histórica y socialmente, sigue siendo lo escrito en 1930 por Azaña. Muy interesante la monografía de M. Ortega y Gasset sobre *El Imparcial.*

Para los primeros ideólogos del proletariado, cf. Aja sobre Garrido, así como la edición que de éste ha hecho Maluquer; sobre Pi y Margall, el libro de Jutglar es básico. Para los anarquistas y libertarios es fundamental la edición que Alvarez Junco ha preparado de *El proletariado militante* de Anselmo Lorenzo, así como el breve pero enjundioso artículo de Fuentes sobre el Lorenzo novelista. Imprescindible es la edición en que Pérez de la Dehesa sacó a luz el libro de Federico Urales, panorama de la cultura española vista desde la perspectiva libertaria; recientemente se ha publicado *La escuela moderna,* de Ferrer Guardia; cf. el artículo de Lida acerca de la educación anarquista. Utilísimo el libro de Litvak sobre la *Musa libertaria.* Para el movimiento socialista, cf. el *Ideario político* de Pablo Iglesias, de Losada, así como del propio Iglesias y otros *La clase obrera...* Morato y Zugazagoitia son autores de clásicas biografías del fundador del socialismo español. Es absolutamente fundamental la edición de escritos de Jaime Vera, aparecida bajo el título de *Ciencia y proletariado.*

IV.3.   AFIRMACIÓN E INSEGURIDAD BURGUESAS LA GENERACIÓN DEL 98

Nota introductoria.

3A.   De la actitud crítica al escepticismo y el neocasticismo.
3B.   La superación del 98: Valle-Inclán y Antonio Machado.

Bibliografía básica.

IV.3. AFIRMACIÓN E INSEGURIDAD BURGUESAS. LA GENERACIÓN DEL 98

NOTA INTRODUCTORIA

Intentaremos aquí situar las características centrales del período histórico que nos ocupa (finales del siglo XIX-Primera Guerra Mundial, aproximadamente) y, al mismo tiempo, distinguir en lo posible a los escritores de la llamada generación del 98 de los llamados «modernistas». Para ello, conviene empezar por recordar que, entre aproximadamente 1890 y 1900, en el contexto sociopolítico que hemos visto (cf. final de Nota Introductoria IV.2 y IV.2D), empieza a hacer acto polémico de presencia intelectual en España y en Hispanoamérica una «gente nueva», según se les llamaba entonces, que, nacidos todos entre 1860 y 1875, pretenden de diversas maneras transformar radicalmente la cultura recibida.

Hablamos, más o menos cronológicamente, de Salvador Rueda, Gutiérrez Nájera, Alejandro Sawa, Julián del Casal, Unamuno, José Asunción Silva, Ganivet, Valle-Inclán, Benavente, Darío, Rodó, Baroja, *Azorín,* Machado y varios más, tal vez no menos importantes. Les unen obviamente la edad, la lengua en que escriben, el asalto a la retórica anterior, a ciertas ideas tradicionales y —por primera vez en la historia de las relaciones intelectuales entre España y América— un cierto reconocimiento mutuo derivado tanto del trato personal como de que, si los hispanoamericanos llegan a publicar en España (libros, artículos, prólogos), algunos españoles colaboran en periódicos de Hispanoamérica y otros, pocos, cruzan también el océano (Salvador Rueda, Valle-Inclán, Maeztu...).

Por lo demás, existen ciertas diferencias evidentes. Si *Clarín,* por ejemplo, llama modernos o modernistas a todos los «nuevos»

(y relaciona a los españoles que así llama con algo indefinidamen-
te nocivo que viene de América), los españoles «nuevos» parecen
dividirse en pro y antimodernistas, en tanto que los «nuevos»
hispanoamericanos parecen ser todos «modernistas» en cierto sentido vago que tendría que ver con su enorme voluntad esteticista.
Esta división, que parece separar tanto actitudes frente a la realidad como continentes, se irá agudizando con el tiempo y con las
polémicas internas. Al aparecer la etiqueta «generación del 98»
ya entrado el siglo xx, la división parecerá decisiva y llevará al
planteamiento tradicional del problema: modernismo contra 98,
planteamiento polemizado desde tiempo atrás, y frente al que se
ha propuesto una ampliación del concepto de «modernismo» que
se pretende incluya a todos los que, en España y América, inicia-
ron su obra entre 1890 y 1900 y que entre nosotros incluiría a
un «modernista» con ribetes noventayochistas y populistas como
Manuel Machado. Esta ampliación peca, sin embargo, de vaguedad en su definición de «modernismo».

Es más que obvio que los escritores que suelen clasificarse de
modernistas o de noventayochistas viven su juventud y primera
madurez en el centro de una época que va, digamos, de 1875
a 1914; es decir, la época de la gran «Paz» imperial europea hasta
su primer conflicto armado interno: cima del siglo xix y principio real del xx. Y es también claro que la confusión acerca de
si son o no la misma cosa 98 y modernismo responde a que,
según hemos dicho, unos y otros conviven y coproducen a partir
de los años noventa del siglo pasado. No hay, pues, duda con
respecto al hecho de que los llamados modernistas y los llamados
noventayochistas —divididos por continentes o en sí mismos,
como por ejemplo Valle-Inclán— son escritores de una misma
época en la cual, al parecer, comparten los mismos problemas y la
misma actitud frente a los valores heredados. Pero quienes pretenden llamar a todos «modernistas» son sumamente imprecisos
en la definición (o descripción) de las características de la época,
que no porque califiquen de «modernista» adquiere perfiles com-
prensibles. A lo más que se llega en tales estudios es a atribuir
a todos los que entonces escribían ciertas características de «anarquismo literario», cierto antagonismo hacia la mediocridad burguesa imperante, una ruidosa exaltación del «yo», etc. De este
modo no sólo todos los escritores de la época son iguales y todos
diferentes (con lo que se evita tener que precisar *qué pasa* real-

mente en esos años y se recurre, como siempre, al «individualis-mo» para explicarlo todo), sino que tampoco podríamos distinguir entre un Baudelaire y un Machado, o entre romanticismo y mo-dernismo.

Mucho más nos permite avanzar en el análisis algún crítico cubano reciente, quien a la vez que acepta la ampliación de la no-ción de modernismo, nos ofrece una perspectiva del problema in-sospechada por los anteriores. Se trataría de enfocar el problema de la relación (antagónica o no) entre el llamado *modernismo* y el llamado *98* desde la noción de subdesarrollo, ya que a fines de siglo la peculiaridad determinante de la vida tanto hispanoame-ricana como española consistiría en ser las dos zonas del mundo claramente subdesarrolladas frente a las que entonces (y añadiría-mos: desde el siglo XVIII) producen la cultura dominante. A par-tir de esta noción histórica, fundamentada en la teoría del impe-rialismo que tan fructíferamente han utilizado también otros estu-diosos del tema, desaparecerían las diferencias mayores entre España y América y no podría postularse descuidadamente, por tanto, un antagonismo entre 98 y modernismo, basado en el fondo en que los más del primer grupo son españoles y los otros americanos.

Tal enfoque nos permite, por una parte, establecer las adecua-das relaciones de dependencia y subdesarrollo características de la participación de Hispanoamérica y de España en la división internacional del trabajo entre 1875 y 1914; por otra, puesto que el imperialismo es la fase cimera del capitalismo, tal enfoque nos permite entender que la «gente nueva» de España y de América en el último cuarto del siglo XIX, o sea, en pleno enriquecimiento de sus burguesías nacionales dependientes (oligárquicas o no), se lance al ataque de los valores burgueses de manera similar a la de los artistas europeos de la vanguardia que se había iniciado en Europa a mediados del siglo. Este ataque a los valores burgue-ses, que va desde el esteticismo de Gautier y Baudelaire, el anti-democratismo de Flaubert y el impresionismo pictórico, hasta el modernismo religioso y el cubismo, es el sello de la rebeldía cul-tural de la larga época que, en los centros del capitalismo europeo, va desde la primera fase de la llamada Segunda Revolución In-dustrial (1840-1880, aproximadamente) hasta la guerra en que estallan las contradicciones imperialistas (1914). Una de las ca-racterísticas de la vida española e hispanoamericana del siglo XIX es su entrada dependiente en esta problemática durante la *segunda* fase de la Segunda Revolución Industrial (o sea, entre 1880 y 1914); época que coincide con la llamada «Gran Depresión», que *no* afectó a la prosperidad de la burguesía, de ciertas capas obreras, ni de las oligarquías dependientes (muy al contrario); época que es, por tanto, a nivel de la inteligencia más culta de los dos continentes y de la plenitud burguesa del xix, *La Belle Epoque*.

Pero no podemos pasar por alto las diferencias. En el último cuarto del siglo xix la prosperidad creciente de las oligarquías hispanoamericanas (puntos claves: México, Chile, Uruguay y Argentina) no trae consigo, a pesar de varios esfuerzos «desarrollistas», un avance industrial significativo, y el mercado interno sigue en lo fundamental reducido al consumo de la clase dominante (creciente). Son varias las razones estructurales y no interesa aquí entrar en ellas. Baste indicar que —contradictoriamente apoyado por la ideología y la técnica positivistas— se trata en lo fundamental de un desarrollo «hacia fuera» (exportación de materias primas; importación de bienes de consumo; decisiones económicas tomadas en la metrópoli: Europa) que si, por ejemplo, se caracteriza por la liquidación de la artesanía, no logra sustituir a ésta por la industria (especialmente la pesada); en tanto que crecen el latifundio, la explotación de minerales y el consumo suntuario. A nivel cultural, lógicamente, esta participación en la división internacional del trabajo (y del mercado) se caracteriza por el llamado «cosmopolitismo», que es, en cuestión de costumbres y modas de la clase dominante, puramente imitativo.

En España, en cambio, según hemos indicado, este cuarto de siglo se caracteriza por un despegue productivo industrial absolutamente notable (cf. Nota Introductoria a IV.2). Dominan, como en América, las inversiones extranjeras; salen el carbón y el hierro hacia Inglaterra, Bélgica y Francia; se importan también costumbres y modas, pero se crean definitivamente la industria pesada en Vizcaya y la textil en Cataluña. Son éstas, con respecto a Europa, industrias subdesarrolladas, tanto en el sentido fácil de la palabra (no se compara su capacidad de producción con la europea) como en un sentido más técnico (incapacidad de competir en el mercado internacional e incapacidad, por tanto, de desarrollo autónomo vigoroso); pero el salto de las cifras de producción es en estos años extraordinario y se va creando un mercado español interno (en tres etapas: del 60 al 80, del 90 a 1914, y durante la guerra mundial misma). El giro hacia el proteccionismo en la política española es en esto decisivo.

Si Maeztu tenía toda la razón al explicar en 1899 que España exportaba hierro a Inglaterra para volverlo a recibir en forma de maquinaria (con lo que se perdía capital debido al cambio «desigual»), tan importante para el desarrollo de la burguesía nacional es en aquel momento lo que va como lo que viene. La derogación de la ley inglesa contra la exportación de maquinaria (1841), resultado de la necesidad de dar salida a los productos de la Segunda Revolución Industrial (basada ya en la industria pesada), es una consecuencia contradictoria de esa Segunda Revolución que, en efecto, según temían en Inglaterra los enemigos de abrir esa vía de exportación, contribuye al desarrollo de las industrias europeas que acabarán haciéndole la competencia a Inglaterra (Alemania, Bélgica, Francia). España, marginalmente, sin capacidad real de competencia, también se beneficia de este proceso que se acelera en los años de la «Gran Depresión». Si no olvidamos que antes de 1898 España poseía aún mercados coloniales, no resulta extraño que se desarrolle durante la Restauración la industria textil catalana y que en Vizcaya hasta los Altos Hornos, de propiedad inglesa (o de copropiedad), lleguen a producir para un mercado español.

En este proceso se destaca el papel fundamental de los conflictos coloniales en Cuba y Filipinas, agudizados desde 1895 (cf. Nota introductoria a IV.2). Ya al año siguiente y solamente en Cuba, las fuerzas españolas, al mando del general Valeriano Weyler, alcanzaban la cifra de 200.000 hombres. En 1898 la guerra colonial se transforma en guerra con Estados Unidos, de resultados catastróficos: tras la destrucción de la escuadra española del Pacífico en Cavite y de la del Caribe en Santiago de Cuba, y tras el armisticio de agosto de dicho año, se firma en diciembre el Tratado de París, en que Cuba, Puerto Rico, Filipinas y Guam pasan a poder de Estados Unidos. Las consecuencias del *Desastre* no se hacen esperar. Desde el punto de vista económico, la pérdida del mercado colonial significa un duro golpe para la industria textil catalana, así como para los inversionistas en el negocio del azúcar; ello provoca una crisis financiera e industrial en Cataluña y una tendencia obvia hacia el proteccionismo arancelario. Por otro lado, gracias al capital repatriado de las colonias, se fundan en 1901 el *Banco Hispano Americano* y, en parte, el *Banco de Vizcaya*; la banca española se va perfilando así como una fuerza fundamental en el entramado económico del país: el *Banco Español de Crédito*, por ejemplo, se funda en 1902.

A otro nivel, las consecuencias del 98 no son menos graves. Las jerarquías militares se sienten postergadas en la vida política nacional, y surge de nuevo, con ribetes decimonónicos, un movimiento militarista insatisfecho, que en sentido profesional intentará compensar lo ocurrido en el Caribe y en el Pacífico con el aventurerismo africano en Marruecos, al tiempo que mediatizará cada vez más la vida política del reinado de Alfonso XIII. Ello quedará de manifiesto en 1906 con la aprobación de la llamada *Ley de Jurisdicciones*. Por otro lado, las numerosas bajas habidas entre los soldados durante la guerra, tanto en acción como por enfermedad, y el espectáculo de la repatriación del ejército, provoca un descontento profundo en las capas populares, como habría de verse de modo notorio el año 1909 en Barcelona, en que como protesta contra un embarque de tropas para Marruecos, estalla un movimiento popular (*Semana Trágica*) en que se unen el antimilitarismo y el anticlericalismo, un estallido de violencia social inusitado hasta entonces, reprimido sin piedad por el gobierno conservador de Antonio Maura (cf. IV.2D).

Aunque era España un país fundamentalmente agrario, se origina durante la Restauración un proceso brutal de acumulación de capital, debido al cual se va creando, por primera vez con cierta solidez, una «burguesía nacional»; al mismo tiempo que, correspondientemente y según hemos visto (cf. IV.2, Nota Introductoria) se va forjando una clase obrera que, junto con el proletariado campesino andaluz, empieza en estos años, tras los diversos amagos anteriores, a enfrentarse con no poca decisión a la clase dominante (que, en su centro, es ya una alianza entre la nueva clase y la vieja oligarquía). La lucha de clases, desde luego, venía de lejos, según hemos visto, y por más que en su historia resulte difícil distinguir entre conflictos puramente económicos y conflictos políticos, el hecho es que la lucha se acelera durante la Restauración y, pasando por las grandes huelgas de 1890 y 1902 y por la baja de agresividad que sigue inmediatamente, culmina en la huelga general de 1917: fechas éstas que enmarcan, precisamente, la época en que la «gente nueva» se inicia y madura.

En estos años se ha operado ya en Hispanoamérica una división del trabajo entre los intelectuales. De un lado, los políticos, militares, técnicos y pedagogos; del otro, los artistas y los poetas. Lo característico a fin de siglo en Hispanoamérica parece ser, por tanto, que la pequeña burguesía intelectual se pusiera al servicio de la oligarquía, «dividiéndose» el trabajo según las líneas generales indicadas, encontrándose excepciones, desde luego, como, por ejemplo, la de Justo Sierra, quien a la vez que literato es un técnico político del poder. Lo normal es lo de Gutiérrez Nájera, Julián del Casal y Darío: servir a la oligarquía y a sus técnicos con su periodismo, en tanto que, en su función de poetas, pretenden ser independientes del sistema.

No parece haber muchas otras opciones para el literato hispanoamericano, ya que el siempre contradictorio intento decimonónico de la pequeña burguesía intelectual de unirse a la lucha del proletariado queda casi excluido en esta etapa primera y central del modernismo americano, por la sencilla razón de que no se vislumbra todavía en Hispanoamérica una lucha de clases definida que pueda «desequilibrar» a la pequeña burguesía, aunque sea furtiva o brevemente. No olvidamos, claro está, que también las organizaciones obreras revolucionarias (por ejemplo anarquistas) tienen en América su historia en la segunda mitad del xix y que, como en España, se hablaba en América de los peligros de un cataclismo «social». Parece claro, sin embargo, que la lucha no alcanza los niveles de conciencia y de organización que tenía en España a fin de siglo hasta algunos años más tarde. Tómese en cuenta, por ejemplo, que Martí, claramente «desarrollista» en *Nuestra América* (aunque siempre con temores frente a los Estados Unidos), inteligentísimo observador siempre, no adquiere clara conciencia de la «cuestión social» hasta su largo exilio en «el coloso del Norte» y que, aun ahí, aunque entiende de sobra el problema de la sobreproducción y el efecto que tiene en el desempleo y, por tanto, en exacerbar la combatividad de la clase obrera, culpa de la beligerancia del proletariado americano a los obreros «extranjeros». Y, en última instancia, Martí, el incansable luchador, niega la racionalidad de la lucha de clases.

Un análisis objetivo de la situación socioeconómica de España durante la Restauración, en cambio, debería llevarnos a suponer que en aquel ambiente de afirmación burguesa y de lucha, los intelectuales jóvenes de origen pequeño burgués tendrían en gran medida que inclinarse a ver con buenos ojos los esfuerzos de lo que Anselmo Lorenzo llamaba «el proletariado militante» (cf. IV.2D). Y, en efecto, la «gente nueva» de España, es decir, los intelectuales pequeño burgueses nacidos entre 1860 y 1875, sin que podamos distinguir claramente a unos de otros en sus primeros trabajos públicos, tiene como obsesión central la «cuestión social». La obra primera de publicistas de todos ellos, lo mismo quienes han sobrevivido como grandes figuras que quienes han sido olvidados por la Historia, responde insistentemente a preocupaciones políticas, incluso en los que más se dedican a la literatura propiamente dicha. Los hay, incluso, que ni siquiera hacen «literatura» en estos primeros años (Unamuno, Maeztu, *Azorín* mismo). Pero, en todo caso, lo característico de la «gente nueva» española entre el 90 y el 1900 es no separar la literatura de la lucha contra la sociedad burguesa, a la que llaman por su nombre: capitalismo. La notoria carencia de «arte» en aquellos escritores (de lo que, al igual que *Clarín,* se quejaba Darío), es decir, la carencia de puros «hombres de letras», ha de entenderse en la juventud de esta generación como concentración de las más rebeldes energías intelectuales en otras cosas. Es notable, por ejemplo, que entre los que luego serán llamados «generación del 98» sólo Valle-Inclán parezca dedicarse en estos primeros años casi exclusivamente a la literatura. En cambio, desde diversas perspectivas, con mayor o menor claridad o seriedad, todos, inclusive Benavente o Alejandro Sawa, se dedican a la crítica sociopolítica del sistema imperante.

No se trata, pues, como se ha sugerido para Hispanoamérica, de que con el «desarrollismo» y la «paz» (coincidente la de la Restauración con las varias «paces» latinoamericanas de entonces) se haya «liberado» en España la literatura de la política, estableciéndose entre ellas una nueva división del trabajo que correspondería a la de las vanguardias europeas (Flaubert, Baudelaire), a diferencia, por ejemplo, de los primeros románticos, sino todo lo contrario. La verdadera división en España será entre los que piensan dentro del sistema y dentro de él pretenden actuar (Monarquía o República; Cánovas o Sagasta) y los que se oponen al sistema (anarquistas o socialistas), sean o no literatos. Todos los intelectuales jóvenes de entonces en España, toda la «gente nueva» a la que se pretende calificar de modernista o noventayochista, entra en esta última categoría. La relación entre ellos y la clase obrera, campesina o industrial, se logra, en lo posible, gracias a periódicos y revistas suyos o por medio de su participación en publicaciones de organizaciones obreras. De particular interés son *Germinal* (1898-1903), *Vida Nueva* (1898-1900), *Vida Literaria* (1899), *La Anarquía Literaria* (1905), y en otro sentido, *La Lectura* (1901-1920), incluso *Helios* (1903-1904), fundada por Juan Ramón Jiménez. Todas las publicaciones citadas son de Madrid; en Barcelona destacaron, entre otras, *Luz* (1897-1898), *Quatre Gats* (1899), *Pel y Plomo* (1899-1903). Estas revistas tienen en común que defienden «lo nuevo», la fuerza de la España joven; todavía hoy falta por saber en qué se diferenciaban algunas de ellas de las más establecidas, como *Madrid Cómico* (1880-1923), atalaya de un *Clarín,* por ejemplo en lo que se refiere a sus fuentes de financiación. Los intelectuales jóvenes se relacionaron en algunos casos con partidos proletarios y, directa o indirectamente, con gentes dedicadas a la lucha de clases: Pi y Margall al principio, Pablo Iglesias, Ferrer, Jaime Vera, Federico Urales, Anselmo Lorenzo, Morato, etc. (cf. IV.2D).

Desde luego, no tarda en haber conflictos entre la «gente nueva» como, por ejemplo, cuando desde una u otra ortodoxia se acusa a los más de la «bohemia revolucionaria» de ser poco serios o poco consecuentes en su pensamiento político (ataques del socialismo organizado a *El País*; confusión y conflictos internos de *Germinal*). Y, andando el tiempo, los más volverán al redil, ciertamente los más famosos, abandonando tarde o temprano su pensamiento revolucionario: bien sea por vía del esteticismo subjetivista que toma posiciones nihilistas anarquizantes (A. Sawa, Benavente, Valle-Inclán) o se inclina sin tapujos a la reacción (*Azorín,* Manuel Machado), o por el subjetivismo que sin dejar la preocupación ya más nacional que «social», encaja en el regeneracionismo existencialista y angustiado característico del 98 en su madurez (Unamuno, A. Machado, Baroja). Habrá incluso quien llegue más tarde al fascismo (Maeztu). A partir del hecho de esta «desbandada» hacia el individualismo se ha insistido, precisamente, en que no existió tal generación del 98; pero hasta Baroja —que es de los que más lo niegan— reconoce que, durante unos años, «coincidieron» todos ellos en amistad y trabajos comunes (aunque dice que no sabe por qué, que tal vez fue por accidente).

Lo que menos importa, hasta cierto punto, es la fecha (1898), ya que la lucha a la que se incorporan viene de antes del «Desastre» colonial; y tampoco importa el nombre de «generación del 98». Lo significativo es que entre 1890 y 1900, coincidiendo con un momento clave de desarrollo económico y de conflictos sociales, aparece en España un grupo de intelectuales jóvenes radicalmente antagónicos al sistema dominante y que, a diferencia de lo que caracteriza a los «modernistas» puros, su visión del mundo, hasta cuando es estética, es decididamente política en su voluntad de participar en la lucha de clases contra la nueva burguesía. Todo ello, claro está, es algo «moderno»; pero sólo en el más fácil y vulgar sentido de que no podía haberse dado sin la Revolución Industrial. Pequeños burgueses enemigos de la burguesía, los del 98 en su juventud (o si se prefiere, sencillamente, la «gente nueva» de España a fin de siglo) forman un grupo rebelde cuya noción de lo que es el tan traído y llevado «problema de España» no tiene nada que ver con lo que se nos ha mitificado como tal. El problema de España era para ellos, sencillamente, el de la lucha de clases, a la cual intentaron incorporarse en su juventud del lado del proletariado.

Ahora bien, la producción de los del 98 durante esta juventud polémica no es su obra más importante ni más conocida. Todos ellos producen las obras que les dieron fama desde, más o menos, 1900 hasta la Primera Guerra Mundial o, incluso, hasta los años veinte de nuestro siglo. Por lo demás, su influencia directa durará hasta la Guerra Civil, cuando comparten ya la fama intelectual con nuevas y más jóvenes generaciones. Y lo característico de esta obra madura suya —que es individualista, escéptica, pesimista las más de las veces— es que refleja ya una ideología liberal progresista que, aunque estuvo siempre en lucha contra las fuerzas y las ideologías más retrógradas, llegó también a enfrentarse con la teoría y la *praxis* de la clase obrera.

Existen, sin duda, motivos personales que explican el cambio en cada uno de los casos, diferentes todos ellos entre sí. Por ejemplo: innumerables veces se han referido el individualismo y el egocentrismo de la obra madura de Unamuno a su crisis religiosa de 1897-1898; la «abulia» del *Azorín* que alcanzó fama de limpio y escéptico prosista, alguna relación tiene, seguramente, con los desencantos y las dificultades económicas que sufrió durante sus años de periodista en un Madrid pobretón y oportunista; el cinismo de Baroja suele referirse, entre otras cosas, a sus estudios de medicina y a su misoginia, etc. Éstas —y no sabremos nunca cuántas otras causas personales— han de haber influido, pero las diversas crisis y los cambios que a ellas se siguen en la visión del mundo de los del 98 no han de entenderse en su sentido histórico si no tenemos presente (aunque sea de modo esquemático) el contexto de la conflictiva historia de la Restauración, desde la derrota en la guerra colonial de 1895-1898 hasta la dictadura de Primo de Rivera y, más allá incluso, hasta 1931.

Y es que la historia de la Restauración, cuya aparentemente equilibrada estructura de poder, basada en el turno casi mecánico de los partidos, dura desde 1886 hasta 1923, es, en el fondo, la historia de un deterioro constante y de un equilibrio por demás inestable. La derrota colonial de 1898 pone en crisis no sólo al Gobierno, sino al Ejército y, soterrada pero decisivamente, a la sociedad civil. En esa crisis, se mantiene, como hemos visto, el desarrollo económico de Vizcaya, pero no el de Cataluña (o no al mismo nivel), y la nueva beligerancia de la clase trabajadora estalla en la violenta huelga de 1902 (Barcelona, Andalucía), que es seguida en Barcelona por la represión dirigida por el general Weyler, el mismo que había organizado los campos de concentración en la provincia de La Habana en 1897. Cuando por fin Alfonso XIII accede al trono con la mayoría de edad en mayo de 1902, la inquietud domina el país. Con la muerte de Sagasta en 1903, el juego de recambio de liberales y conservadores sufre una crisis de confianza de la cual ya no se recuperará. El gobierno de Antonio Maura (1907-1909) termina con la *Semana Trágica* de Barcelona (julio de 1909), a raíz de la cual se declara la ley marcial en todo el Estado español, manteniéndose el reinado del terror militar hasta septiembre, cuando son fusilados en Montjuich algunos de los acusados de la *Semana Trágica,* entre ellos el gran maestro anarquista Francisco Ferrer. En 1911, entre diversos cambios gubernamentales, se produce el desembarco español en Larache, origen seguramente de futuras y costosas guerras africanas. En 1912 hay una huelga general de ferrocarriles. En 1912 también es asesinado Canalejas por un anarquista. Las nacionalidades, sobre todo la catalana y la vasca, están ya en clara pugna con un régimen que se desintegra. En 1916 se organizan las Juntas Militares, primer caso durante la Restauración, según ha escrito un historiador, de creación de centros reales de decisión frente a centros formales (el Estado). A ello sigue, en 1917, la gran huelga general, en la que colaboran la *UGT* y la *CNT*, cuyos militantes llegan casi al número de 250.000 para la primera y a más de 600.000 para la segunda. El desastre de Annual de 1921 será uno de los últimos antecedentes del golpe militar de Primo de Rivera, con el cual, de hecho, termina la Restauración (cf. Nota Introductoria a V.1).

Se trata, pues, de un largo período en que el Estado establecido en 1875 va perdiendo lentamente su hegemonía y su eficacia (treinta y tres ministerios entre 1902 y 1923); de un período en que el creciente poder del capital y la industria no excluye conflictos internos de facciones; un período de crecimiento, en números y beligerancia, de la clase obrera; de auge también de la pequeña burguesía. En general, una larga crisis a la que la burguesía progresista y la intelectualidad pequeño burguesa responden, por un lado, con quejas y pesimismos sobre la realidad española y, por otro, con la creación paulatina —a la larga también inestable— de coaliciones de fuerzas que, andando el tiempo, participarán en la creación de la frágil Segunda República.

En la obra de su madurez, los hombres del 98 van a ser los intelectuales orgánicos de esta burguesía progresista. En cuanto tales, reflejarán en sus obras mayores las vacilaciones, el desencanto y —en última instancia— la falta de radicalidad de los hacedores de aquella República. Serán, en cuanto liberales, defensores por lo general de la libertad y, a pesar de todo su escepticismo, antitradicionalistas; pero serán, sin duda, escépticos, demasiado teñidos de un subjetivismo que, tarde o temprano, terminará en el pesimismo y en el rechazo de la Historia. A pesar de sus diferencias de estilo —humano y literario—, a pesar incluso de sus antagonismos personales, forman, pues, claramente, una generación, y como tal se les reconoce en su madurez oficialmente. Pero sólo Valle-Inclán y, de manera diferente, Antonio Machado, según veremos, lograrán mantenerse a la altura de los tiempos que cambian (cf. IV.3B). Y es que, en verdad, lo raro es lo de Valle-Inclán y lo de Machado, no sólo porque las vacilaciones y los cambios de los del 98 son peculiares a la intelectualidad pequeño burguesa, en su sentido estricto, sino porque los hombres del 98 están a caballo entre dos siglos, entre dos tiempos: podría decirse que cierran el siglo XIX español, en cuanto que el siglo XIX termina en el mundo con el final de la Primera Guerra Mundial; también, sin embargo, abren el siglo XX español, sobre cuya vida cultural influyeron de manera decisiva. De ahí, en parte, la posición clave y difícil que ocupan en nuestra Historia.

3A. DE LA ACTITUD CRÍTICA AL ESCEPTICISMO Y EL NEOCASTICISMO

Es MIGUEL DE UNAMUNO (1864-1936) tal vez el más característico representante del 98. Escritor incansable (además de catedrático y hasta hombre político), ensayista, novelista, poeta y dramaturgo, llena con su fuerte estilo y personalidad cuarenta años de vida literaria española. Distinto, desde luego, de todos y cada uno de sus contemporáneos —porque todos eran distintos entre sí—, en su obra se encuentran, sin embargo, los más de los temas y problemas que obsesionan a la generación.

Bilbaíno, hijo de un padre comerciante (que había sido emigrante en México) y de madre muy religiosa, pero tolerante, tiene una niñez protegida después de la temprana muerte del padre. Mundo liberal —por oposición al carlismo— moderado, conservador incluso, el de aquellas calles del centro de Bilbao, en las que Unamuno crece y estudia entre compañeros alegres, hijos de tenderos, comerciantes o profesionales. Con ellos participa también en la educación religiosa de la *Congregación de los Hijos de San Luis* y con ellos emprende regularmente largas correrías por los campos y montes que rodean la villa. Ya en la temprana adolescencia se enamora de Concepción Lizárraga, su «Concha», con la que casará a poco de obtener el doctorado. En las visitas a Concha y en los paseos con los amigos adquirirá Unamuno el amor a la naturaleza que será fundamental, a la larga, en el desarrollo de sus meditaciones y de su obra.

A los dieciséis años va a estudiar a la Universidad Central de Madrid. En 1884, a los veinte años, obtiene ya el título de doctor en Filosofía y Letras y vuelve al terruño. Sigue su amistad con algunos jóvenes liberales, varios de los cuales derivarán hacia el socialismo, así como con ciertos escritores locales (Trueba, por ejemplo). Vive de dar clases particulares de latín y otras materias y, tras fracasar en varias oposiciones, obtiene en 1891 la cátedra de griego de la Universidad de Salamanca.

El resto de su vida lo pasará ya en esa ciudad, aunque con constantes viajes a Bilbao y con un largo exilio en Francia durante la dictadura de Primo de Rivera. Será Rector en Salamanca y padre de familia numerosa. Polémico siempre, pasará primero por el socialismo marxista ortodoxo, siendo miembro del *Partido Socialista Obrero Español* y, tras su crisis religiosa de 1897, estará siempre en la vanguardia de una lucha individualista característica de la pequeña burguesía avanzada: contra esto y aquello, según el título de uno de sus libros, y en defensa exaltada y contradictoria de su muy peculiar egocentrismo. Desde el exilio, por ejemplo (1923-1930), conspirará activamente contra la Monarquía junto con republicanos y socialistas a la vez que escribe furibundos artículos de ataque personal contra el rey y, paralelamente, angustiadas meditaciones sobre su propio egoísmo, en las que se acusa a sí mismo de farsante (o sea: «actor»). A su vuelta a España es héroe de los republicanos y con la República está en 1931. En 1936, sin haber podido salir de Salamanca, mantiene una posición política que, vista desde fuera del mundo franquista, parece, por lo menos, ambigua. Sin embargo, acaba por denunciar el militarismo fascista y se le pone bajo arresto domiciliario (cf. V.2, Nota introductoria). Muere al fin de un ataque al corazón el 31 de diciembre de 1936.

De joven, en la década de los ochenta, Unamuno escribe y publica uno que otro cuento; pero hace realmente poca «literatura», aunque numerosas declaraciones suyas indican que siempre quiso hacerlo y que, en última instancia, llegó a preciarse de ser, ante todo, poeta. Es importante, en cambio, su tesis doctoral (1884) acerca de la lengua y la cultura vascas, donde desarrolla un razonado y fuerte ataque contra falsificaciones y mitos culturalistas dominantes en ciertas capas de la ideología vasca. Se revela ahí el joven Unamuno como riguroso filólogo historicista y habla insistentemente de «ciencia positiva» y «verdadera ciencia». Luego siguen esos pocos cuentos; pero, en lo fundamental, el joven Unamuno se dedica en estos años a la filología y a la Historia.

Sabemos por su correspondencia con Múgica (filólogo bilbaíno residente en Alemania) que para 1890, por lo menos, tiene ya gran interés en lo que llama el «movimiento obrero» de Bilbao y que le repugnan los «cuatro millonarios» que oprimen a los mineros, «víctimas de una explotación inicua». En 1891 observa con atención la gran huelga del Primero de Mayo y en 1892, en una carta en que se sobreentiende su amistad con Pablo Iglesias y el dirigente socialista bilbaíno Pérezagua, declara que se dedica a hacer «propaganda francamente socialista desde un periódico de aquí» (Bilbao).

Poco después, a partir de una carta abierta que dirige a *El Socialista,* se declara abiertamente marxista y entra en las filas del *PSOE,* dedicándose durante tres años a escribir intensamente para *La lucha de clases* de Bilbao. Lo hace también para *El Socialista* y otras publicaciones del partido y envía alguno que otro artículo de tipo teórico a revistas socialistas alemanas. Su gran ocupación de estos años es la de propagación de las ideas más básicas del marxismo. Escribe también varios ensayos, especialmente los publicados en Alemania (de los cuales aparecen variantes en largos artículos publicados también en España), acerca de la deshumanización de la cultura en la sociedad burguesa o capitalista y de la necesidad de una cultura socialista en la que se acabará con la alienación. En este contexto, sistemáticamente pasado por alto hasta hace pocos años por la crítica, se aclara la participación «rebelde» de Unamuno en las actividades de la «gente nueva», así como también su lucha constante contra el «modernismo», en el que no vio nunca una verdadera actitud «revolucionaria», sino al contrario.

Todo cambia a partir de la crisis religiosa que sufre en 1897 y con la que vuelve —entre conflictos nunca resueltos— a la religiosidad de su niñez. Unamuno seguirá llamándose socialista de vez en cuando, pero, de hecho, entra ya a partir de 1897 en el espiritualismo y en la problemática existencial que caracterizará toda su obra de madurez, muy concretamente a partir de la *Vida de Don Quijote y Sancho* (1905) y de *Mi religión y otros ensayos* (1910).

No podemos detenernos aquí en los detalles de la evolución y del cambio radical de perspectiva de Unamuno, pero sí cabe indicar que, aun en pleno socialismo, su obra no escrita para *La lucha de clases* revela ocasionalmente tendencias idealistas que acabarán por alejarle de la lucha obrera. Así, por ejemplo, en *En torno al casticismo,* escrito y publicado en 1895, libro de los más importantes de lo que llamaríamos la juventud del 98, en el que se trata, entre metáforas y símbolos algo confusos, de la decadencia española. A pesar de las contradicciones es *En torno al casticismo,* sin embargo, un demoledor ataque a la «casta dominante» y al papel histórico de una Castilla que acabó por cerrarse al mundo. Mucho de lo que se ha escrito después —y todavía hoy—, desde perspectivas liberales, sobre el dogmatismo conceptual y lingüístico de la cultura del «Siglo de Oro» está ya claramente definido en ese libro, por ejemplo en los ataques al teatro de Calderón (y otros autores del Barroco), en la crítica a Menéndez Pelayo y en el intento de recuperación del humanismo de fray Luis.

Se trata en *En torno al casticismo* de negar toda validez *presente* a una historia que ha mantenido estancada a España. A lo que Unamuno llama la falsa «historia» de hechos y fechas gloriosas opone la noción de *intrahistoria*: aquello que vive el pueblo cotidiano al que nunca se le consulta y que sólo sale a la «superficie» de la Historia en los grandes momentos de crisis. No es el de *intrahistoria* un concepto preciso, pero su larga elaboración simbólica y metafórica (el pueblo es, por ejemplo, como el fondo del mar cuya superficie son las olas de la Historia) será clave para entender el posterior pensamiento de Unamuno, ya que lo que, en efecto, propone aquí Unamuno es la noción de individualidad (lo exterior) contra la de personalidad (lo de dentro, lo más secreto nuestro). *Paz en la guerra,* la primera novela de los del 98, meditada narración de la tercera guerra carlista, se centra también en estos conflictos. A partir de *Mi religión y otros ensayos,* especialmente en el ensayo titulado «¡Adentro!», el tema se desarrolla ampliamente: hay dos «yo» en cada uno, el que somos y el que los demás ven. La lucha entre ellos es, por un lado, la lucha por aparecer en la Historia, contra la que se alza, silenciosamente, nostálgicamente, la casi inconsciente voluntad de volver al secreto ser que éramos de niños. El luchador que quiere aparecer en la Historia será el agonista, el que no quiere morir, aquel en cuyo interior pelean el corazón contra la cabeza; el *otro* —que muchas veces cree Unamuno que es el *verdadero* «yo», el «ser» que él llamaba «contemplativo»— que quisiera volver a la fe inocente de la niñez. Este otro «yo» es el que ama la naturaleza y los recuerdos de la madre, el que cree poder volver a la Fe. Desde este «yo» contemplativo Unamuno se acusará más adelante de «farsante», es decir, de «actor», por su egoísta voluntad de querer perdurar en la Historia por terror a la muerte.

Este es el tema de *Del sentimiento trágico de la vida* (1912), pero estaba ya claramente anunciado en la *Vida de Don Quijote y Sancho* (1905). En *Del sentimiento trágico* no aparece casi el «ser contemplativo» de Unamuno; éste habrá que buscarlo en algunos de sus poemas, en ciertos cuentos y ensayos en que se medita sobre la Naturaleza y en alguna obra de teatro. *Del sentimiento trágico,* influido profundamente por la obra de Kierkegaard, es, sencillamente, una de las primeras obras del pensamiento existencialista cristiano-herético moderno. Elabora ahí Unamuno ampliamente el sentido de la lucha contra la muerte. Si lo característico de la conciencia es no poder concebirse a sí misma como no existiendo, es inevitable que la conciencia niegue la muerte. Y la única conciencia que uno conoce es la suya propia: de ahí el enorme «egoísmo» de esta obra, característica del pensamiento existencialista de Unamuno. Con extraordinaria retórica, con un estilo en que se confunden admirablemente la sabiduría y la agresividad, habla aquí Unamuno de sí mismo de manera inusitada en las letras españolas, tan sometidas por lo general a esa opresión social que si, por un lado, lleva a exaltaciones juveniles, por otro parece obligar siempre a no ofender la sensibilidad de hipócritas normas sociales. Por otra parte, este hablar de sí mismo significa un notable esfuerzo por definir asistemáticamente la existencialidad de la conciencia.

A partir de *Del sentimiento trágico* está ya hecha la fama de Unamuno, esa fama que le perseguirá hasta su muerte. Escritor incansable —artículos de periódico, ensayos, cuentos, novelas, dramas, miles de interesantes poemas—, una y otra vez se repiten los mismos temas, bien sea en tono trágico como en *Nada menos que todo un hombre* (1920), en tono metafísico-burlesco como en *Niebla* (1913; seguramente la mejor novela de su generación), o en las angustiadas meditaciones de su poesía.

En los años que van de la *Vida de Don Quijote y Sancho* hasta *Del sentimiento trágico* no cesan tampoco sus actividades públicas. Una y otra vez participa en política y escribe sobre ella desde posiciones liberales radicales. Con el exilio, durante la Dictadura, llega a ser para Europa símbolo de la lucha republicana. Y se agudiza su conflicto entre el «yo» que somos o creemos ser y el «yo» que somos para los demás. Exiliado primero en Fuerteventura, luego en Hendaya y en París, escribe, entre otras cosas, *Cómo se hace una novela* (1927), que nos atreveríamos a clasificar entre las primeras obras significativas del existencialismo europeo no sistemático. Decide ahí Unamuno, tras innumerables vueltas y revueltas, que el ser que uno es, es el mismo que uno parece ser. Se trata, rigurosamente, a la manera de Hegel, de que el «ser» sólo se da históricamente en su existencia. Escapa así Unamuno, por un momento, al esencialismo en que se basa toda su problemática desde la crisis religiosa, pero no al idealismo del planteamiento ni a su dirección individualista, ya que el problema aquí resuelto sigue siendo el de su propia supervivencia en la Historia de la Fama, sin que exista ningún interés particular por el destino social histórico de los demás (ni suyo).

La enorme distancia que así le separa de su juventud socialista se refleja también en sus muchos y muy pesimistas ensayos de tipo paisajista que escribe durante los años veinte, en los que ya no ataca la «superficialidad» de la Historia anecdótica, como lo había hecho en *En torno al casticismo*, sino la inutilidad de todo esfuerzo histórico. Su exclamación de 1914, «No, no, nada de vivir al día; hay que vivir a los siglos» adquiere su más profundo sentido negativo cuando este buscador de la vida eterna que era el Unamuno agonista escribe también que «lo eterno no es el porvenir; lo eterno es el pasado». No dejará en esto Unamuno de ser siempre ambiguo y contradictorio; pero resuena demasiado insistentemente en su obra madura la nota tradicionalista reaccionaria —en sentido estricto— para que podamos pasarlo por alto. Sin embargo, no caerá nunca Unamuno plenamente en la mixtificación casticista de *Azorín,* ni pasará, como Maeztu, al fascismo de vanaglorias imperiales: fue siempre, a su modo, un hombre demasiado realista y demasiado ligado al pensamiento de la burguesía progresista. Por ello, entre contradicciones, fue uno de los escritores más admirados de los años prerrepublicanos y de la República, incluso por la gente joven de los años veinte. Pero estas mismas contradicciones e incluso sus ataques tardíos al socialismo, revelan que, a la larga, aquel joven inteligente y batallador socialista no pudo romper con sus orígenes pequeño burgueses.

Es *Azorín* (1873-1967) otra de las figuras culturales claves de la generación. Nacido en Monóvar, Alicante, de familia acomodada de comerciantes, se llamaba JOSÉ MARTÍNEZ RUIZ y con ese nombre inicia su obra de publicista. Entre 1893 y 1900 usará pseudónimos una que otra vez (*Ahrimán,* por ejemplo); pero *Azo-*

rín no aparece como tal en las letras españolas hasta 1904 cuando ya, además de unos doscientos artículos de periódico, José Martínez Ruiz ha publicado dieciséis libros y folletos, a ritmo de uno, y a veces dos, por año desde 1893.

Desde *La crítica literaria en España* (1893), escrito en Valencia donde era estudiante, hasta *Charivari* (1897), pasando por *Moratín* (1893), *Anarquistas literarios* (1895) y *Notas sociales* (1895), escritos ya los dos últimos en Madrid, donde separado de su familia se dedica al periodismo, domina en el joven Martínez Ruiz el pensamiento anarquista, explicitado una y otra vez en sus ataques a la burguesía, al capital, a la Iglesia, a la familia, al Estado, así como en su optimismo respecto al progreso de la humanidad hacia la libertad y la ciencia. Acompañado todo ello, claro está, de un rebelde entusiasmo por la creciente conciencia de lucha del proletariado y por elogios a Kropotkin, Hamon, Bakunin, Dorado Montero, Proudhon y Pi y Margall, entre otros. Esta temática y la actitud polémica, agresiva, del joven Martínez Ruiz persisten en docenas de artículos escritos para *El País* (periódico republicano radical), *Germinal,* etc., e incluso en periódicos obreros, hasta casi 1900. Se trata de una faceta del pensamiento y la obra de Martínez Ruiz de la cual él mismo renegó más tarde al declarar su «ortodoxia» católica y su «españolismo», y a la cual suele prestarse poca atención, tal vez para quitarle importancia a aquella época en que los del 98 no eran ni pesimistas ni abúlicos, sino luchadores sociales. No entenderemos, sin embargo, el significado de la vida y la obra de *Azorín,* como no entenderemos el significado cultural del 98 todo, si no recordamos estos años de tan intensa producción. Pero a la larga, alrededor de 1897 en sus libros, algo más tarde en sus artículos sueltos, Martínez Ruiz deriva hacia el escepticismo, hacia la contemplación del paisaje y hacia el casticismo. La transición empieza a notarse ya desde *Bohemia* (1897), se agudiza con *Los hidalgos* o *El alma castellana* (1900) y el *Diario de un enfermo* (1901), revelándose nuestro autor plenamente en su nueva faceta, que será ya invariable, con *La voluntad* (1902). Al crear el personaje de Antonio Azorín en la novela de ese título (1903), encuentra también su pseudónimo y, con él, toda una temática y estilo, así como un fácil puesto político en el *Partido Conservador* de Maura y en el Congreso de los Diputados.

Desde esa posición inventa él (y también se dice que fue Maura) el término «generación del 98», y junto con el término ofrece una descripción de sus características que es la que ha hecho fortuna. La generación del 98 se caracteriza, según este *Azorín* escéptico y contemplativo, por su abulia, por su desinterés en todo lo político, por su pesimismo, por su amor al paisaje y a las «cosas» y «ciudades» viejas. No sólo pretende así *Azorín* borrar su propio pasado en cuanto José Martínez Ruiz, sino que intenta que se borre la juventud toda de los del 98, quienes fueron muy activos *antes* del *Desastre* (pero en plena guerra de Cuba, que no podemos olvidar empezó en 1895) a nivel justamente político, y, desde luego, sin «abulia» ninguna.

Las *Confesiones de un pequeño filósofo* (1904), libro dedicado precisamente a Maura (a quien agradece en el prólogo su puesto de diputado conservador), encierran ya el pensamiento maduro e invariable de *Azorín*: escepticismo, rechazo de la Historia, mixtificadora actitud tradicionalista ante la realidad española. Mucho se elogiaron en su tiempo estas *Confesiones,* y Ortega y Gasset escribiría largas y detalladas páginas acerca de la meticulosa atención que prestaba *Azorín* a las «cosas» cotidianas (por oposición a las «históricas»).

A partir de este momento no cambian en lo esencial ni los temas ni el estilo de *Azorín.* Una y otra vez sus artículos nos llevarán al campo intemporal y a esos pueblos blancos o grises, siempre pulcros, poblados de figuras fantasmales y recuerdos literarios. En la descripción de los paisajes, figuras y cosas, será siempre intensa la azoriniana angustia de lo temporal de la que tanto se ha hablado; angustia que encuentra siempre consuelo en fáciles escamoteos, cuyo mecanismo siempre es el mismo: esta muchacha que ahora en un pueblo manchego nos ofrece pastas y una copa de vino, es la novia de Cervantes; la mujer que en esta venta nos atiende ha sido el ama de Melibea; etc. El pasado, convenientemente idealizado, nunca muere en esta sistemática negación de la Historia en la que *Azorín* nos presenta a Calisto y Melibea felizmente casados o al hidalgo del *Lazarillo* viviendo próspceramente en Valladolid, inmerso en no se sabe qué melancolía. Nostálgicos *happy endings* en que se sostiene el gran mito tradicionalista: que *ahora* —época de *Azorín*— es igual o casi igual que *entonces,* en una España (o en una Historia de la Humanidad) que, en lo esencial, no cambia nunca... salvo, si acaso, para transformarse literariamente en algo agradable y positivo. Donde los amantes han muerto, *Azorín* pretende darles vida; donde el campo castellano se arruina, él se detiene dos páginas en la belleza de un muro blanco; donde el tiempo pasa, él intenta detenerlo. O sea: donde la Historia cambia, *Azorín* sueña que se estanca. Ese problema del tiempo «atemporal» aparecerá también en algunos de sus experimentos teatrales (*Old Spain*).

La temática de *Azorín* (paisaje, ciudades viejas, libros olvidados), su forma (siempre sencilla, limpia) y una teoría del estilo en la que, además de rechazar lo complejo, se predica que «lo que da la medida de un artista es su sentimiento de la naturaleza, del paisaje» (con lo que eliminamos de un plumazo a Velázquez, Quevedo, Dostoyevski, Galdós, Picasso, Gris y cualquier otro artista que el lector recuerde), revelan una ideología conservadora desde la cual se ha mixtificado convenientemente la Historia de España y su cultura.

A pesar de sus propias tendencias «contemplativas», bien lo vio Unamuno cuando en una carta de 1905 le escribía a Federico de Onís que «los himnos más o menos azorinescos a lo que transcurre sin ruido en los lugarejos, son himnos hoy de mal agüero. Alientan a la cobardía». Sin embargo, la vanguardia intelectual liberal de su tiempo no se daba, en general, por enterada y es en parte responsable de su fama. Antonio Machado, en cambio, a la vez que llamaba a *Azorín* «admirable» le llamó también «reaccionario» y explicaba que así lo era «por asco de la greña jacobina» (habla el Machado que se definió a sí mismo como de «sangre jacobina»), y le acusaba claramente de pretender que España se «helara» en «la España que se muere».

Machado, desde luego, será (cf. IV.3B) de los del 98 quien llegará a alcanzar mayor conciencia histórica y, hasta cierto punto, con ello se separa en los años treinta de los más de sus contemporáneos, quienes, en efecto, tienden a la actitud escéptica y contemplativa de *Azorín*. Sin embargo, creemos que *Azorín* es la forma extrema de esta tendencia y que todavía hemos de poder distinguir entre, por ejemplo, su quietismo y la angustia existencial de Unamuno.

Pío Baroja (1872-1956), vasco como Unamuno, es el narrador nato de la generación del 98 (a la que, dicho sea de paso, siempre negó su pertenencia), habiendo dejado más de sesenta volúmenes de novelas y diez de cuentos (a más de algunos libros de ensa-

yos, uno de poesía y ocho tomos de *Memorias*). Nace Pío Baroja
y Nessi en San Sebastián y seguirá siempre apegado a Guipúzcoa,
donde pasará en su madurez largos meses cada año en Vera de
Bidasoa (Navarra, lindante con Guipúzcoa); pero será —también
como Unamuno— un vasco relativamente trasterrado, ya que,
desde niño, cambia varias veces de residencia debido a la profesión de su padre (ingeniero de minas) para acabar, a la larga, residiendo en Madrid de manera permanente. En Madrid estudió
Medicina, sin mucho entusiasmo ni vocación y durante algo más
de un año fue médico rural en Cestona (Guipúzcoa), hasta que,
cansado de ir y venir a los caseríos a caballo, del aburrimiento
y monotonía de la vida rural, vuelve a Madrid a dirigir por un
tiempo la panadería de una tía suya. Se quejó siempre Baroja de
la cortedad de sus recursos económicos; pero, de hecho, dentro
de una modestia característicamente pequeño-burguesa, vivió siempre con holgura: solterón empedernido hace, ya en cuanto escritor, una vida de regular trabajo cotidiano cuidado por su hermana, escribiendo todas las mañanas de cuatro a cinco horas, pa-
seando por la tarde y leyendo por la noche; rutina sólo interrum-
pida de vez en cuando por viajes a lo largo y ancho de las dos
Castillas, al País Vasco y, más espaciadamente, a París (su ciudad
predilecta, a pesar de sus manías antifrancesas), a Suiza o Italia.
A partir de 1912, cuando compra en Vera de Bidasoa la casona
de Itzea —legendaria ya entre barojianos—, son largos sus vera-
neos de trabajo y ocio entre Guipúzcoa y Navarra.

En plenitud de su fama, entra Baroja en la Academia en 1935.
Al año siguiente, el principio de la guerra civil le sorprende en
Vera, de donde, tras un fugaz y desagradable encuentro con un
grupo carlista de los que avanzaban hacia Irún, se refugia en Francia (la casa de Vera está a un paso de una frontera poco vigilada,
cuyos carabineros, de todos modos, conocían a don Pío sobrada-
mente). Pero no dura mucho su exilio: tras una apologética carta
dirigida personalmente al general Franco, regresa en 1937 a la
España facciosa. Tras de la guerra vive en Madrid; algunas de
sus obras tienen dificultades con la censura; en los últimos años
de su vida le frecuentan jóvenes intelectuales que ven en él un
rebelde solitario, un hombre de otra época más libre no integrado
en el Régimen. Su muerte y entierro en 1956 adquieren una
cierta relevancia política: es el año de las primeras movilizaciones

estudiantiles y Baroja llega a ser uno de los símbolos de la España liberal no asimilada por el franquismo.

De esta época queda de Baroja una imagen de sencillez y orgullosa modestia, de callado rechazo a la Dictadura, imagen que, debido a las necesidades políticas del momento, impidió calibrar justamente el significado ideológico no sólo de su comportamiento, sino de su obra toda. Siempre se ha hablado, por supuesto, desde su juventud y sus primeras obras, del temperamento sencillo, anárquico e incorruptible de Baroja, así como de su escepticismo ante la estupidez (palabra muy suya) humana, como cualidades que —presentes en su vida y obra— reflejaban lo central del pensamiento liberal. No dejaban de tomarse en cuenta, desde luego, su peculiar frialdad y cinismo; pero en última instancia también estas cualidades se apreciaban como valores morales positivos de larga tradición occidental (su frialdad resultaría de sus estudios de Medicina; su cinismo le emparentaría con la filosofía griega). También los jóvenes intelectuales que le conocieron en el Madrid de la postguerra destacaban esas cualidades de manera positiva.

Se trata, claro está, de una interpretación liberal del comportamiento y maneras de ser liberales en sus formas extremas. De hecho —y sólo un crítico contemporáneo ha tratado de ello sin perder el respeto por su obra— lo central en el modo de ser de Baroja en cuanto novelista (es decir, en lo que de él conocemos objetivamente, que es su obra), además de lo que sabemos de su persona por algunos hechos y por sus *Memorias,* es su egoísmo en el sentido más común de la palabra; su desprecio por toda actividad humana de posibles dimensiones transformadoras, en particular su solipsista desprecio por la actividad política («para mí un político es un retórico») y, muy particularmente, por la actividad política progresista. Los testimonios son innumerables, tanto en la obra narrativa como en sus *Memorias.* Con respecto a la Historia, por ejemplo, el documento central es el de las *Memorias de un hombre de acción,* los veintidós volúmenes en que Baroja cuenta la vida y aventuras de Eugenio de Aviraneta, liberal, guerrillero y conspirador de la primera mitad del XIX. Acepta ahí Baroja plenamente —y por lo tanto propone— la tradicional versión de nuestro siglo XIX como caos y discordia al que sólo los vulgares positivistas pretenderían encontrar sentido, cuando en realidad todo es accidental y arbitrario. Según dice justamente un crítico, para Baroja, por lo tanto, la Historia no enseña nada, excepto la constante locura de la raza humana.

Esta «locura» es particularmente notable en los «dogmáticos» que creen en el cambio y en el progreso y, muy concretamente, en los revolucionarios de su tiempo (anarquistas y socialistas). Difícil será encontrar una de las novelas centrales de Baroja en que no se nos hable de ello, pero tal vez sea en la trilogía de *La lucha por la vida* donde más ampliamente se desarrolla el tema. Es claro ahí —y realmente no podemos entrar en los detalles— que los anarquistas con los que al parecer Baroja simpatiza son —según dice él en cuanto autor y no por boca de ningún personaje— unos «papanatas», en tanto que los socialistas —puesto que son menos atrevidos y «absurdos»— son unos oportunistas. Entre los excesos irracionales de unos y la «mediocre» moderación de los otros no se salva nadie, salvo la perspectiva superior del autor, que no ve sino una marea de estupidez humana. «En todas partes el hombre en su estado natural es un canalla, idiota y egoísta», se nos explica en *El árbol de la ciencia*. No es de extrañar que el angustiado personaje central de esa novela, Andrés Hurtado, acabe por suicidarse.

El rebelde solitario que es Baroja no se suicida, desde luego, sino que, sencillamente, evita toda opción. Si se viese obligado a preferir algo, preferiría los momentos históricos tranquilos y mediocres (aunque sean imperiales: el modelo ambiguamente irónico que propone, por ejemplo, en *La lucha por la vida* es la Inglaterra de la Reina Victoria). En caso de necesidad extrema, sin duda, ha de escogerse el lado de quienes, aunque sea por la fuerza, devuelven el orden a la siempre corrompida sociedad: la España represiva del franquismo, por ejemplo, como solución al «caos» traído por la Segunda República. También se da por supuesto, claro está, que quien así acepta al fascismo no ha de mancharse las manos en ello y ha de mantener una escéptica y cínica distancia frente a un ejemplo más de la estupidez humana (estupidez que, en este caso, sería la de una censura que le ponía dificultades suponiendo que en su obra se proponían ideas revolucionarias, cuando todo el mundo debería saber, según insiste Baroja en las *Memorias*, que él no había sido nunca ni republicano, ni progresista, ni mucho menos revolucionario).

Listo, malicioso, resabiado dice de Baroja, no sin razón, uno de los críticos ya citados; a lo que añade, también justamente, que a pesar de su realismo, a pesar de su innegable talento de narrador basado en el conocimiento de gentes, campos y ciudades, Baroja adolece de «falta de comprensión». Falta de comprensión que se revela en la falta de profundidad analítica de una obra cargada de pretensiones filosóficas, en el impune desparpajo con que, una y otra vez —no insistiremos lo bastante en ello— ataca la estupidez humana, la inferioridad racial de este o aquel pueblo (particularmente africanos, españoles y judíos) o la inferioridad de la mujer, y la vaciedad, demagogia y oportunismo de todos los políticos, revolucionarios o no, escudándose él siempre en su independencia, calificándose a veces a sí mismo de «anarquista»; reivindicando, en suma, el individualismo pequeño-burgués tras el cual se esconde la inseguridad de una burguesía que parece haber llegado al poder político, pero sin cambiar las estructuras reaccionarias del país y acosada por la clase obrera en ascenso. El tema es esencial a la lucha ideológica de principios de siglo y, en última instancia, según hemos indicado en la Nota Introductoria, llegó a caracterizar el pensamiento central de la generación del 98, con las excepciones que veremos más adelante.

Solía hablarse en un tiempo de las torpezas estilísticas de Baroja; de que, debido al apresuramiento con que escribía y a la voluntaria sencillez de su estilo, son numerosos sus «errores» gramaticales. La cuestión nos parece carecer de importancia. Lo fundamental de Baroja en cuanto narrador ha de encontrarse, precisamente, en esa sencillez con que cuenta unas y otras historias y, en última instancia, en su manera realista de ver y hacernos ver personajes y acciones, todo ello minado, desgraciadamente, por los presupuestos ideológicos que constantemente penetran sus descripciones. Es común considerar a Baroja como escritor «objetivo», distante y frío (por influencia, suele añadirse, de su visión «científica» del mundo), llevado tal vez hacia lo folletinesco por sus excesos de fabulador, pero respetuoso siempre del quehacer de sus personajes. A partir de esta idea, desgraciadamente, resulta difícil, si no imposible, explicar la presencia abrumadora de su ideología en la novela. ¿Se trata, acaso, de dos vertientes contrarias y deslindables de su obra? Si ello es así, ¿cómo, dónde, de qué manera está presente esa ideología? Una lectura mínimamente cuidadosa no permite esta separación entre la «narración» y la «ideología». Lo que de hecho ocurre es que Baroja —el solitario independiente y «rebelde» que no tolera que na-

die le indique las necesidades de ningún comportamiento social— adjetiva machaconamente todas las situaciones, personajes y acciones de sus novelas: es, seguramente, el escritor más
dictatorial de nuestras letras modernas, la *autoridad* suprema e
indiscutible de todas sus ficciones. Todo personaje de Baroja lleva
su calificativo que nos dice cómo es y cómo, por lo tanto, debemos verlo, sin discusión; toda escena lleva su comentario autorial
que pretende obligarnos a darle la interpretación que le da Baroja. En estos comentarios, en su adjetivación insistente, se encuentra la ideología que, una y otra vez, destruye la posibilidad
de toda objetividad. Con gran perspicacia y rigor lo dijo en su
momento Ramón Gómez de la Serna: Baroja «tiene para sus personajes contestaciones o críticas que les baldan, resultando para
ellos como una especie de jefe de cárcel».

¿Quiénes son estos personajes? Generalmente gentes aliena-
das y marginadas de diversos estratos y clases sociales; los anti-
héroes más acabados de la literatura española moderna. Trátese
de Silvestre Paradox (gran «mixtificador» y educador de «bárbaros» africanos), de los «golfos» de «La patología del golfo» (*Vidas
sombrías*), de Manolo Alcázar o de su hermano Juan en *La lucha
por la vida*, de María en *La dama errante*, de Tellagorri en *Zalacaín el aventurero,* de Sacha en *El mundo es ansí* o de Andrés
Hurtado en *El árbol de la ciencia,* lo central en todos ellos es la
inadaptación que, en algunos casos, se revela en la lucha por cambiar las cosas (por ejemplo, los «locos» y patológicos anarquistas
o socialistas, que siempre acaban mal) y, en los más de los casos,
por la abulia y el vagabundeo, tanto a lo pobre como a lo rico.
Se encuentran, desde luego, personajes que casi alcanzan dimensiones heroicas: Zalacaín el aventurero, Shanti Andía, Aviraneta;
pero también las aventuras de éstos terminan en el vacío de la
nostalgia abúlica o en la tragedia absurda (la muerte de Zalacaín
a manos de un guardaespaldas, por ejemplo).

La galería de tipos es impresionante y nos indica a las claras
cuál es el fuerte de Baroja. Sin embargo, su desatención al detalle,
la falta de estructura de sus novelas, sus pretensiones filosóficas
y, en última instancia, la ideología que todo lo permea, hacen que
hoy Baroja nos pueda resultar un novelista difícilmente legible.
Nunca se pretendió, desde luego, que en plena época de transformaciones sociales y estéticas —en la época de Proust y Joyce, para
ajustarnos a la historia de novela— Baroja fuese un novelista

de dimensiones universales. Es, sin embargo, miembro clave de una generación central en la historia del pensamiento y la literatura españolas, aunque él siempre negara —como ya hemos dicho— la existencia de la generación del 98, insistiendo en que no tenía nada que ver, por ejemplo, con Unamuno y Valle-Inclán (a quienes despreciaba profundamente). Como los más de los del 98 tuvo en su juventud una actitud realmente crítica frente a la sociedad dominante (época en que escribía para *El País, Germinal* y *Vida Nueva*, por ejemplo), aunque nunca llegó a los extremos del anarquismo de *Azorín* o del marxismo de Unamuno. Como los más del 98, sin embargo, acabó pronto refugiándose en el escepticismo pequeño-burgués característico de la madurez de todos ellos, aunque de manera menos contradictoria y más obviamente reaccionaria que su paisano Unamuno. No es sorprendente que, a pesar de las enormes diferencias de estilo, personal y literario, fuese *Azorín*, el gran conservador, el único de los de su generación con quien siempre mantuvo amistad.

Se ha intentado clasificar temáticamente la voluminosa obra de Baroja, a nuestro parecer con poco éxito. No intentaremos nosotros ninguna clasificación, ni temática ni por personajes, ya que nos parece, en general, una obra muy coherente ideológicamente en la que tal vez lo más significativo sea su desarrollo cronológico, en el que se encuentran, a partir de *Vidas sombrías* (1900), tres etapas fundamentales. La primera, de 1900 hasta los inicios de la Primera Guerra Mundial, época de gran productividad y variada temática en la que se establecen firmemente tanto el estilo como la forma y la ideología de su mundo novelístico; una larga segunda época que iría desde 1913 o 1914 hasta los inicios de la guerra civil, en la que básicamente se reelaboran los grandes temas, se escriben las voluminosas *Memorias de un hombre de acción* y queda establecida la reputación del novelista; y una tercera época final, guerra civil y postguerra, en la que Baroja produce poco, se repite, cae en grandes desaliños y ostenta su ideología escéptica y reaccionaria, notablemente en los ocho volúmenes de las *Memorias*. Las obras más importantes o significativas de la primera época resultan difíciles de seleccionar, ya que, según hemos dicho, en ese período se establece el fundamento de su obra. Nos atrevemos, sin embargo, a indicar la importancia de *Vidas sombrías* (cuentos, 1900), *Aventuras y mixtificaciones de Silvestre Paradox* (1901), *Camino de perfección*

(1902), la trilogía de *La lucha por la vida* (*La busca,* 1904; *Mala hierba,* 1904; *Aurora roja,* 1905), *Los últimos románticos* (1906), *La dama errante* (1908), *César o nada* (1910), *El árbol de la ciencia* (1911), *Las inquietudes de Shanti Andía* (1911) y *El mundo es ansí* (1912). En la segunda época, dominada, según dijimos, por los veintidós volúmenes de las *Memorias de un hombre de acción,* novelas, crónicas y relatos episódicos relacionados todos con la vida de Aviraneta (1912-1934), son también de interés *La sensualidad pervertida* (1920) o *El gran torbellino del mundo* (1926). Muy característica de la última época, a más de las indispensables *Memorias* («Desde la última vuelta del camino»), sería *Laura, o la soledad sin remedio* (1939).

No suele, por lo general, considerarse a VICENTE BLASCO IBÁÑEZ (1867-1928) miembro de la generación del 98, ya que si los demás que se acostumbra incluir en ella se caracterizan en su madurez por un comportamiento social severo, sobrio, metafísico casi, en tanto que —correspondientemente— sus obras tratan subjetivamente del «problema de España» y se consumen en pequeñas cantidades en un mercado literario casi puramente nacional, Blasco Ibáñez fue desde la adolescencia hombre aparatoso, viajero, político, agitador y, al final de su vida, millonario en la *Costa Azul,* gracias a la enorme venta mundial de algunas de sus novelas que, además, fueron llevadas al cine en los años dorados de Hollywood. Nadie más contrario, pongamos por caso, a Unamuno, o a Machado, o al ascético *Azorín,* que aquel periodista republicano intransigente que acaba su vida escribiendo *best-sellers* de pandereta entre estrellas de cine.

Y, sin embargo, Blasco Ibáñez nace en el centro de lo que se ha llamado la «primera promoción» del 98, y en los años de juventud de todos ellos su nombre aparece junto al de los demás en revistas, proclamas, etc. En esta actividad, comparte con el resto de la «gente nueva» la posición rebelde antiburguesa, desde una perspectiva cercana al republicanismo intransigente de Pi y Margall y a ciertas corrientes del anarquismo. Su *Historia de la Revolución Española,* escrita a los veintidós años y lamentablemente olvidada por quienes de la generación del 98 se ocupan, es obra clave no sólo para entender su pensamiento, sino, a grandes rasgos, la idea progresista que de la Historia de España tenía aquella «gente nueva».

Sus primeras obras reconocidas como importantes, *Arroz y tartana* (1894), *La barraca* (1898), *Entre naranjos* (1900) y *Cañas y barro* (1902) suelen considerarse costumbristas y de un naturalismo rezagado. No podemos nosotros clasificarlas así, ya que la novela costumbrista española característica (*Fernán Caballero,* Valera, Pereda, con las diferencias ya señaladas; cf. IV.1D y IV.2B) no ofrece en ningún momento el análisis realista crítico de los conflictos sociales ni la interpretación progresista de esos conflictos que se encuentra en estas obras de Blasco Ibáñez, en las que, de manera dominante, encontramos siempre la lucha de clases. Frente a los novelistas reconocidos como maestros de nuestro costumbrismo, las supuestamente rezagadas primeras novelas de Blasco Ibáñez rompen tanto con los tópicos tradicionalistas de, por ejemplo, Pereda como con el hedonismo escéptico de Valera, novelando a nivel de la realidad local de provincia aspectos claves de esa lucha de clases.

Antes de sus obras de mayor fama internacional, que fueron las primeras de lengua española que entraron en el mercado mundial de la novela (*Los cuatro jinetes del Apocalipsis, Sangre y arena,* por ejemplo), Blasco Ibáñez escribe un ciclo de cuatro novelas realistas que merecen recordarse. Se trata de *La catedral* (1903), *El intruso* (1904), *La bodega* (1904-1905) y *La horda* (1905). Prácticamente contemporáneas de *La lucha por la vida* de Pío Baroja, el plan de estas cuatro novelas parece haber sido mucho más amplio que el de la trilogía del guipuzcoano, ya que cada una de ellas explora una realidad social de situación geográfica distinta, en la que el común «problema de España» se revela en forma particular y concreta.

La catedral se desarrolla en Toledo y, lógicamente, lo que vemos ahí es la «España eterna» que ni siquiera tiene conciencia de que el país —el mundo— vivía en aquel fin de siglo una nueva situación histórica revolucionaria. En esa cerrazón toledana el héroe anarquista de la novela aparece como representante de una ideología extraña, enfermiza quizá, ya que no se sustenta sobre ninguna base obrera local. Con *El intruso* pasamos a Bilbao, donde se nos presenta el nuevo y pujante capitalismo vizcaíno de fin de siglo en lucha, por un lado, contra la reacción y, por otro, contra el proletariado que es ya militante. *La bodega* es la novela de una revuelta en Jerez de la Frontera, en tanto que *La horda,* cuyo personaje central es un intelectual proletarizado que acaba yendo a dar a las afueras de Madrid donde viven mezclados los golfos y el desastrado proletariado madrileño de fin de siglo, es, como la trilogía de Baroja, la novela de la crisis de la ciudad de la época. Se trata, pues, de novelas cuya relación con la realidad histórica es radicalmente estructural y que, a su modo, introducen en España (junto con la trilogía de Baroja) la novela sociopolítica como género inevitable en la vida moderna.

De las cuatro, *La bodega* es seguramente la más lograda en la controlada objetividad con que vemos desarrollarse la trama, desde la opresión permanente que sufre el campesino andaluz a manos de la oligarquía hasta la huelga en que culmina y fracasa la revuelta que viene a dirigir un casi-santo anarquista llamado Salvatierra, que no puede sino recordarnos al gran anarquista Fermín Salvoechea. A diferencia de la novela de Toledo, el agitador anarquista no es aquí un ser exótico ni se acerca en nada a lo patológico: es, sencillamente, la voz y la dirección organizadora posibles en que, por un momento, cristaliza la larga lucha de un proletariado campesino que, en la realidad histórica, como en la novela, no cejaba en su sed de justicia.

Blasco Ibáñez fue muy leído en su tiempo, tal vez especialmente entre la pequeña burguesía progresista y por ciertas capas de la clase obrera alfabetizada (número creciente en el primer cuarto de siglo). No ha de confundirse, pues, este mercado de su obra con el del público que se deleitaba exclusivamente con sus historias de la España de pandereta (*Sangre y arena,* por ejemplo). Durante mucho tiempo Blasco fue un escritor que contribuyó al desarrollo de la conciencia política; tal vez por ello —a más de las obvias fallas retóricas de sus peores obras— se pretende subrepticiamente separarle del resto de los del noventayocho. Sin Blasco resulta más fácil hablar del «apoliticismo» del noventayocho. Sin embargo, ahí está: por su edad, por su problemática de juventud, por su relación directa con todos ellos. Y también porque, como los más del noventayocho, acabó abandonando sus posiciones críticas, antagónicas al sistema; sin embargo, lo que le distingue de todos sus contemporáneos es que este abandono no vino por la vía de la meditación casticista, sino por la comercialización total de su talento. Las pretensiones críticas de sus obras internacionalmente más famosas no son, por lo tanto, sino abusos demagógicos con los que pretendía no desligarse del todo de su primer público, en tanto que seguía apelando al escéptico progresismo de la pequeña burguesía republicana.

También es interesante entre los del noventayocho RAMIRO DE MAEZTU (1875-1936), nacido en Vitoria, gran viajero, por necesidad, en su juventud (Cuba, Inglaterra...), ensayista básicamente periodístico. Hasta bien entrado el siglo XX se declaraba socialista, habiendo pasado de la bohemia y Nietzsche a lecturas marxistas, tal vez menos serias de lo que él pretendía. *Hacia otra España,* libro en gran medida contradictorio, recoge algunos de sus artículos más interesantes de fin de siglo escritos desde una perspectiva crítica, en momentos realmente cercana a la ortodoxia marxista de la Segunda Internacional. Pero Maeztu acabó también en el casticismo y, más aún, en el fascismo subdesarrollado de absurdas pretensiones imperiales característicos de la extrema derecha española de los años veinte y treinta. Ramiro de Maeztu, encarcelado a consecuencia de la sublevación militar de 1936, murió fusilado en ese mismo año en el Madrid amenazado por el ejército rebelde.

Girando de algún modo en torno a las grandes figuras del 98 aparece una serie de autores considerados habitualmente como «menores», y dignos de un estudio detenido. Así, MANUEL CIGES APARICIO (1873-1936), muerto violentamente en el vendaval de los primeros meses de la guerra civil. Sus narraciones sobre las guerras coloniales, como *Marruecos* (1912), o sobre la miserable vida de las provincias españolas, como *Villavieja* (1914), le entroncan tanto con el criticismo pesimista del 98 tradicional como con una suerte de realismo social en germen todavía (cf. V.1D). En esta línea figura también JOSÉ LÓPEZ PINILLOS, *Pármeno* (1875-1922), y de manera muy especial EUGENIO NOEL (1885-1936). Brutalmente realista al hispánico modo, sus reportajes sobre Marruecos le hicieron terminar en la cárcel. Obvio epígono del 98, antitaurino y antiflamenquista furibundo, su obra pretende llegar a capas de lectores mucho más amplias y populares que sus mayores. Su novela *Las siete Cucas,* feroz alegato contra el caciquismo castellano, es quizá su narración más representativa.

Puede debatirse si JACINTO BENAVENTE (1866-1957) pertenece o no a la generación del 98. Esteticista siempre, fue sin embargo en su juventud altamente crítico de la sociedad dominante y, concretamente, de la burguesía. Algunas de sus comedias primeras,

como *El nido ajeno* (1894) o *La noche del sábado* (1903), revelan, a un nivel ya muy sofisticado, la misma virulencia de sus
ensayos críticos juveniles, a los que tal vez podríamos calificar
de anarco-modernistas. No cabe duda de que, durante su juventud,
Benavente se identifica, aunque sin gran rigor conceptual, con la
lucha de sus compañeros rebeldes, nada escépticos ni abúlicos.
Pero ya en *Los intereses creados* (1907) es demasiada la distancia
cínica y aunque en algunas de sus obras más famosas de la madurez, como en *La malquerida* (1913), por ejemplo, Benavente
pretende presentar problemas «sociales», de hecho se va pronto
acomodando a un público burgués al cual sólo satisface la crítica
en cuanto ironía y humor. El escepticismo, que también será central en Benavente, no le permitirá nunca mitificar el «dolor de
España» y siempre será anticasticista. Pero hemos de insistir en
que, con sus diferencias en cada uno de ellos, tal vez sea el escepticismo la clave ideológica de la madurez del noventayocho; a
partir de él se puede deshistorizar la Historia de España, como
lo hace *Azorín,* o negar la temporalidad por ansia de eternidad,
según ocurre en el Unamuno más negativo, o calificar de estú-
pidos a los seres humanos todos, como en el caso de Baroja, o
bien, como ocurre con Benavente y Blasco Ibáñez, someterse a las
leyes de la producción literaria burguesa (cf. VI.1C, para la pervivencia del teatro benaventiano después de 1939).

Pueden parecer antagónicos este escepticismo, que caracterizará también a los grandes científicos que en justicia deberíamos
considerar miembros de la generación del noventayocho (Ramón
y Cajal, por ejemplo), y el casticismo centralista e imperial de un
Ramón Menéndez Pidal (también parte de la generación) o, de
manera más sutilmente literaria, de un *Azorín.* Más contrario
aún se diría el fascismo de Maeztu. Son las tres actitudes, sin
embargo, formas ideológicas características de la pequeña burguesía intelectual de fin de siglo que, vacilante como en todo
momento lo es la pequeña burguesía, puede despegarse cínica-
mente de la realidad, ahondar en las preocupaciones metafísicas
o caer en mesianismos de grandeza patriotera. Deben mantenerse
siempre las diferencias entre estos niveles y nos parece un grave
error histórico, por ejemplo, proponer, como tantas veces se ha
hecho, que la generación del 98 es, globalmente, protofascista.
Tal noción pasa por alto, sin duda, el curioso dato de que
los más de ellos fueron de alguna manera republicanos hasta su

vejez, que fueron todos honrados de una u otra forma por la Segunda República, que se sintieron siempre, en cuanto gentes «mayores» de una cierta época, personalidades críticas del acontecer histórico. El caso de Maeztu es realmente la excepción; tal vez sea el más complejo el caso de Unamuno, quien, crítico siempre, fue declaradamente antifascista en los años treinta, no abandonó jamás sus nostalgias socialistas y, sin embargo, tuvo un breve momento de vacilación en 1936; y, de algún modo que habrá que analizar un día cuidadosamente, son paradigmáticos los casos de Baroja y *Azorín* (sobre todo el de Baroja), que ya en los años cuarenta aceptan, digamos, la tutela del Régimen franquista mientras pretenden mantener, según hemos indicado, una distancial liberal frente al sistema.

Y quedan, sorprendentes como excepción a esta tendencia general del noventayocho, los casos de Valle-Inclán y de Antonio Machado; los únicos, sin duda, que supieron evolucionar de manera crítica y manteniéndose, como decía Machado, a la altura de las circunstancias. De ellos y de su obra trataremos a continuación.

3B. LA SUPERACIÓN DEL 98: VALLE-INCLÁN
     Y ANTONIO MACHADO

Entre los escritores del 98 tal vez sea RAMÓN MARÍA DEL VALLE-INCLÁN (Ramón del Valle y Peña, 1866-1936) el más difícil de clasificar. Son los del 98, según hemos visto, muy distintos todos entre sí y, además, insistían ellos en sus diferencias desde el fondo mismo de la ideología liberal que a todos caracteriza; pero hemos encontrado también lo que les une, tanto en la actitud crítica de su juventud como —precisamente— en el subjetivismo liberal, escéptico que caracteriza su obra madura. Valle-Inclán empieza por distinguirse de quienes, de hecho, son sus compañeros de generación porque entre los autores hasta aquí estudiados es en su juventud el único decididamente modernista; en su madurez, en cambio, a pesar de su legendario individualismo, de su estrafalaria apariencia y comportamiento, busca —y logra— una sorprendente y revolucionaria objetividad dramática y narrativa, inseparable de algún modo tanto de su visión progresista de la Historia de España como de su radical esteticismo. En última instancia, tal vez sea este esteticismo, imitativo y superficial en su época modernista, realista y revolucionario en su madurez, lo que le distingue de sus contemporáneos y lo que hace que su obra se nos aparezca tan compleja, ya que, desgraciadamente, viejos prejuicios nos impiden todavía concebir que un artista tan ferozmente esteticista como lo era Valle-Inclán sea a la vez crítico y realista de una manera que se distingue claramente del tradicional realismo decimonónico. En este sentido y, por supuesto, a su manera, Valle-Inclán pertenece al mundo de los grandes escritores revolucionarios modernos (un Brecht, por ejemplo). De la obra madura de Valle podría decirse, como de la de los demás del 98, que «trata de España»; tampoco le distinguiremos de los demás porque escribe «mejor» que ellos: Unamuno escribe espléndidamente, *Azorín* se crea un estilo en verdad propio y Baroja es un narrador nato. Será la asombrosa unidad de su visión crítica de España y de su apasionada voluntad estética lo que en última instancia distingue a Valle-Inclán de sus contemporáneos.

Valle-Inclán nació en Villanueva de Arosa (Pontevedra), de familia de pequeños hidalgos campesinos: de ahí sus maniáticas pretensiones de nobleza, frente a las cuales él mismo mantenía no poca distancia irónica. Aunque estudió Derecho en la Universidad de Santiago, no terminó la carrera, y en 1892 emigró a México, donde intentó salir adelante colaborando en diversos periódicos. Fracasa y, en la mayor penuria, vuelve a la Península repatriado por el cónsul español en 1893. En 1918 viajará a Sudamérica con una compañía teatral y en 1922 volverá a México: aparte del joven Maeztu, que pasó una temporada en Cuba, será Valle-Inclán el único del 98 que conozca América directamente. Aquellos viajes —según corre su anecdotario— serán material de innumerables leyendas (que si fue coronel de los *Ejércitos de Tierra Caliente,* que si allí perdió el brazo izquierdo...); pero lo verdaderamente importante de sus viajes a América resultará ser el conocimiento directo que allá adquiere de las tendencias literarias modernistas, de las tierras y gentes que harán posible *Tirano Banderas,* su gran novela, y, sobre todo, la perspectiva crítica que América le ofrece frente a una España que, durante su primer viaje, mantenía aún restos del Imperio. Como en poquísimos españoles late en Valle-Inclán un profundo sentimiento internacionalista y anticolonialista, un serio respeto por la integridad de otras culturas y, en cuanto escritor, una clarísima conciencia de que la lengua «castellana» o «española» es mucho más —y mucho menos— de lo que pensaban los casticistas. Tal vez sólo Unamuno —por filólogo y a través de sus lecturas de autores hispanoamericanos— alcanzará la visión de Valle-Inclán: que la lengua —en este caso la lengua «castellana»— es un revolucionario hacerse todos los días en pueblos de personalidad propia y ya distantes de los centros de poder hegemónico. Nos parece inseparable esta conciencia lingüístico-cultural de la voluntad de revolucionar el lenguaje que caracteriza, por encima de todo, al artista Valle-Inclán.

La vida de Valle-Inclán no fue nunca holgada. Fue seguramente el más pobre de los escritores del 98, pero parecen haber sido auténticos su desprecio por el dinero y las comodidades. Escribió, corrigió y reescribió sus obras constantemente, mientras se hacía una imagen pública de hombre estrafalario que, flaco, manco y de largas barbas, paseaba por Madrid o Galicia un enorme orgullo de artista, de bohemio que, a más de hablar, y a diferencia de algunos de los personajes de sus obras, producía textos literarios sin comparación con nada de lo que se hacía en su tiempo. Tuvo sus dificultades políticas con la Dictadura de Primo de Rivera y en 1929 fue a dar con sus huesos a la Cárcel Modelo de Madrid. Como ocurrió con otros miembros de la generación del 98, fue luego honrado públicamente por la Segunda República, que le nombró director de la Escuela de Bellas Artes de España en Roma, en 1933. Muere en Santiago de Compostela el 5 de enero de 1936, admirado por los más de sus compañeros, pero tal vez incomprendido. Con el tiempo se ha ido abriendo paso el significado revolucionario de su obra. Sigue siendo, sin embargo, uno de los escritores más difíciles de aprehender en toda su complejidad.

Su primera época es decididamente modernista y se inscribe bajo el signo de la revolución esteticista de Rubén Darío, a quien Valle-Inclán admiró siempre. *Femeninas* (1894) y *Epitalamios* (1897) son, en este sentido, dos obras de aprendizaje. Centralmente, por lo tanto, han de considerarse en esta primera época las cuatro *Sonatas* (*de otoño,* 1902; *de estío,* 1903; *de primavera,* 1904; *de invierno,* 1905) y *Flor de santidad,* publicada en 1904 en base a cuentos anteriores, de los cuales *Adega* (1899) es el fundamento argumental.

Las *Sonatas* son «fragmentos» de «las *Memorias amables,* que ya muy viejo empezó a escribir en la emigración el marqués de Bradomín. Un don Juan admirable. ¡El más admirable tal vez! Era feo, católico y sentimental», según aclara la *Nota* a *Sonata de primavera.* Jugando el juego dentro de las reglas establecidas por el autor, lectores y críticos identifican irónicamente a Bradomín con Valle-Inclán mismo (Rubén Darío, por ejemplo, le escribió un soneto dirigido «Al Señor Marqués de Bradomín», y en 1981, el marquesado de Bradomín ha sido concedido a un hijo del escritor). En esa identificación irónica se encuentra, precisamente, el secreto y la dificultad de las *Sonatas.* Si Bradomín fuese sencillamente una proyección literaria de Valle-Inclán, de sus fantasías nobiliarias y eróticas, de su declarada nostalgia por tiempos imaginados como campo de aventuras galantes, las *Sonatas* serían ilegibles, es decir, no serían lo que son. La prosa decadente, de brillante ritmo, de vocabulario rebuscado, meticulosamente construida al son de episodios, escenas y ocasionales meditaciones excesivamente sentimentales o cursis, grotescamente heroicas a veces, demoníacas hasta la caricatura, revela, sin embargo, un curioso desdoblamiento: ni Bradomín es Valle, ni su mundo y su erotismo folletinesco son contemplados (narrados) sin distancia. Tal vez sea la obra posterior de Valle-Inclán, en particular los *esperpentos,* de que hablaremos, la que nos hace ver ironía y hasta sátira en las *Sonatas.* Contra esta lectura podría alegarse —sencillamente— que es demasiado el trabajo invertido en esta prosa y en tanta fábula increíble como para que podamos creer que todo ello se funda en una visión crítica. Sin duda, no es radicalmente clara tal visión crítica y no tenemos por qué suponer que el Valle-Inclán de 1900 veía el mundo como el Valle-Inclán de los *esperpentos* de los años veinte y treinta. Pero si los *esperpentos* son la rigurosa unidad de una demoledora visión crítica y de un lenguaje trabajado con prodigiosa maestría (y de ahí el debate en el que se oscila entre un Valle-Inclán «esteta» y un Valle-Inclán «moralista»), bien puede ser que las *Sonatas* revelen ya, en ciernes, una muy compleja manera de ver el mundo en la que el «rubenismo» empieza a quedar superado. Así lo han visto algunos de los más cuidadosos críticos de la obra del gallego. Valle se identifica con Bradomín, pero Bradomín es un espectáculo *ficticio* para el escritor que mira ya al mundo desde la voluntad de crear una obra autónoma, despegada de sus propias nostalgias, fantasías o vanaglorias. En la *otredad* última de las *Memorias galantes* ha de encontrarse la posibilidad de distancia irónica. La improbable imagen de la niña Chole descansando a la sombra de una pirámide cerca de Tuxtla, Veracruz (en la *Sonata de estío*), la seducción de Isabel (*Sonata de otoño*) en el momento mismo de la muerte de su prima Concha («¡Todos los Santos Patriarcas, todos los Santos Padres, todos los Santos Monjes pudieron triunfar del pecado más fácilmente que yo!»), son escenas, entre muchas, imposibles de leer sin una sonrisa. Y ¿qué decir, por ejemplo, del principio de *Sonata de invierno*?:

> Como soy un viejo, he visto morir a todas las mujeres por quienes en otro tiempo suspiré de amor: de una cerré los ojos, de otra tuve una triste carta de despedida, y las demás murieron siendo abuelas...

Nos parece obvia la ironía dirigida desde el personaje hacia sí mismo, del autor a su personaje y a la visión misma del mundo que el personaje propone. Claro que queda siempre la cuestión de por qué —según se quejaba Ortega— empleó tanto tiempo y trabajo un escritor de tanto talento en tales temas. La respuesta ha de encontrarse, sin duda, en el esteticismo de Valle-Inclán, fundamento indiscutible de toda su obra. La distancia irónica no excluye que su mundo, el ámbito de su realidad en esta primera época, fuese, en efecto, el del decadentismo modernista: todo su esfuerzo va dirigido a plasmar y, a la vez, distanciarse de una visión del mundo que es la suya propia. En cuanto tal, en efecto, su primera obra parece (o es) como un juego intrascendente en la España conflictiva y fundamentalmente antimodernista de principios de siglo. Pero «esteticismo» también ha de significar aquí esa especial y difícil capacidad de provocar en el lector el deleite en una lectura que, según propone una visión del mundo, la destruye o subvierte. Peculiaridad esta de Valle-Inclán que será constante en su obra.

Más directa, menos ambigua es en esta primera época *Flor de santidad,* en gran medida debido a que la desorbitada estilización se ve corregida por la presencia de una Galicia popular —tipos, lenguaje— que será también central a toda la obra de Valle. Debido a ello, este relato, entre ascético y sensual, revela claramente la contradicción entre dos posibles maneras de ver el mundo que Valle-Inclán, de hecho, no superará hasta los *esperpentos*.

No se resuelven las ambigüedades y contradicciones en la siguiente y larga etapa de Valle-Inclán, que llega hasta los inicios de los *esperpentos,* o sea, hasta 1920 aproximadamente, pero que se concentra entre 1907 y 1910, cuando escribe la trilogía de *La guerra carlista* (*Los cruzados de la causa,* 1908; *El resplandor de la hoguera,* 1909; *Gerifaltes de antaño,* 1909) y las *Comedias bárbaras* (*Águila de blasón,* 1907; *Romance de lobos,* 1908, y *Cara de Plata,* escrita muy tardíamente, en 1922).

No cesa aquí Valle-Inclán —no cesa nunca— de trabajar su prosa, prestando ahora, además, especial atención a la estructura de la obra en su sentido más amplio. Conviene tal vez recordar aquí que cuando se habla del *trabajo* y del *esteticismo* de Valle-Inclán ha de entenderse no sólo esa labor concentrada que busca, en un plazo determinado de tiempo, la perfección imaginada de un texto. A más de tal labor, Valle-Inclán volvía siempre sobre sus obras, añadiendo y quitando (un adjetivo, un párrafo, escenas enteras), fundiendo y separando textos con un ansia de finalidad, con una pasión impar en la España de su tiempo. El procedimiento, ya detectable desde sus primeros artículos y cuentos, se intensifica en este período que creemos justo considerar como de transición. Se mantiene en estas obras, particularmente en *La guerra carlista,* la ambigüedad, la tensión entre la perspectiva estetizante y la visión histórica y crítica. Valle-Inclán hizo alguna vez declaraciones públicas de su simpatía por el carlismo que no podían menos de dejar perplejos a los intelectuales liberales y progresistas de su tiempo: el carlismo era, o fue, a fin de cuentas, un integrismo profundamente reaccionario y, por definición, antiliberal. Pero han de tomarse en cuenta, por lo menos, dos cosas. La primera, que el carlismo también representaba, contradictoriamente, una defensa de los fueros populares y un rechazo de la sociedad burguesa. Señorial, autoritario y oportunista en el ansia de poder y mando de sus caciques, reflejaba también un comunalismo precapitalista amenazado por las transformaciones industriales y financieras. Así, en Euskadi, por ejemplo, uno de los significados del carlismo se refleja en la lucha del campo contra la ciudad, lucha novelada magistralmente por Unamuno en *Paz en la guerra.* Y el mismo Unamuno —socialista al escribir su novela— volvió muchas veces sobre la cuestión del carlismo tratando de entenderlo en este sentido. No sería, pues, absurdo suponer en Valle-Inclán, como en el bilbaíno, un interés por el carlismo en cuanto anticapitalismo foral y populista. Pero, además, ha de tomarse en cuenta que el carlismo, especialmente a partir de la tercera guerra carlista, aparece con el aura de gran gesta de las causas perdidas. Nostálgico de tiempos idos, el Valle-Inclán esteticista había de ver en las guerras carlistas un gran tema literario. Y es esta ambigüedad —*tema* para una visión estética del mundo; contradictorio movimiento popular, crítico de cambios «destructivos» pero inevitables— la que se refleja en la trilogía.

No ha de interesarnos realmente hasta qué grado Valle-Inclán simpatizó o dejó de simpatizar con el carlismo en un momento dado de su vida. Lo significativo es que *La guerra carlista* revela una contradictoria simpatía y nos ofrece una visión del comportamiento heroico en la Historia en la que el héroe no es ya un marqués solitario y decadente, sino una colectividad. Se encuentran en *La guerra carlista* «héroes» individuales —mayoritariamente de pasión bárbara y cerril, dicho sea de paso—, como el famoso cura Santa Cruz, por ejemplo; aparece, incluso, nada menos que el marqués de Bradomín, quien, lógicamente, era «legitimista», así como el *Cara de Plata* de las *Comedias bárbaras*; pero en última instancia el «héroe» es la colectividad, el grupo. Correspondientemente, la estructura de las novelas tiende al impresionismo, en una serie de capítulos cortos que, a más de no presentar siempre una narración lineal, se enlazan entre sí con un mínimo de aparato descriptivo. En cambio, el diálogo —ceñido, tenso, oracular casi— ocupa gran espacio. Tal técnica no adquirirá forma definitiva hasta *Tirano Banderas* (1925); es ya, sin embargo, notable el cambio con respecto a las *Sonatas*. No negaremos que *La guerra carlista* nos parece, en última instancia, un fracaso: la técnica que Valle-Inclán va buscando es aquí amanerada; son excesivos (y cursis no pocas veces) los cantos al heroísmo y la justificación «estética» de la barbarie; y el todo —sorprendentemente falto de acción, estático en exceso— resulta seriamente monótono. Se trata, sin embargo, de una trilogía central para la comprensión del futuro desarrollo de la obra de Valle-Inclán.

Un tanto lo mismo diríamos de las *Comedias bárbaras*. La lujuria y autoritarismo de don Juan Manuel de Montenegro («uno de esos hidalgos mujeriegos y despóticos, hospitalarios y violentos») adquieren a veces lo que podría considerarse como cierta

grandeza en la lucha contra sus hijos y frente a un pueblo gallego
miserable, alternativamente sumiso y rebelde. La importancia
decisiva del diálogo, rodeado de lo que calificaríamos sin duda
como «acotaciones», hace de las *Comedias bárbaras* un híbrido
entre novela y drama cuya relación no ha resuelto todavía el autor
en la forma que va buscando. Las *Comedias bárbaras* tienen entusiastas defensores: por su forma, por las figuras brutales y trágicas de Montenegro, su mujer y sus hijos (*Cara de Plata,* tal vez
especialmente); por la presencia del pueblo gallego y su lenguaje;
también, en fin, por lo que podría encontrarse en ellas de actitud
crítica frente a un mundo que evoca «con sus nombres feudales
un herrumbroso son de armaduras». Nos parecen, sin embargo,
obras fallidas, más estáticas, si cabe, que *La guerra carlista*; melo-
dramáticas y amaneradas, un tanto de cartón piedra, lo mismo
por lo que se refiere a sus escenas más espectaculares que en lo
sentencioso de su lenguaje «popular». De todas maneras, es evidente el enorme esfuerzo técnico que representan: con *Comedias
bárbaras* (la última de las cuales, recordemos, se escribe en 1922)
y con *La guerra carlista* queda explorado el terreno que permitirá
a Valle-Inclán la creación de sus *esperpentos,* riquísimas y complejas obras maestras. No es Valle-Inclán el primero en emplear
el término, aunque sí en crear un nuevo estilo literario. Parece
que la expresión se empleó inicialmente hacia 1852, cuando el
folletinista Ayguals de Izco (cf. IV.1D) describe como «esperpentos» o solemnes mamarrachos las malas comedias francesas
y españolas. El *esperpento* surge como obra burlesca, a menudo
de denuncia, siempre antiacadémica, llena de imágenes callejeras
y barriobajeras. Algo después Galdós emplea el mismo giro, primero en el episodio *Cádiz* (1874), y más tarde en sus *Novelas
contemporáneas,* para indicar facha grotesca o estado moral degradado. La visión pesimista o «esperpéntica» de Galdós surge en
los últimos *Episodios,* escritos a principios de siglo; las novelas
de sus años finales rezuman espíritu sarcástico y de burla (cf.
IV.2C).

¿Qué son los *esperpentos*? Desde el punto de vista de la
forma más externa no parece tratarse de un género. Algunos
esperpentos son novelas (así *Tirano Banderas,* 1925, o *Ruedo
ibérico,* 1927-28), en tanto que otros, como por ejemplo *Los
cuernos de don Friolera* (1921), son claramente piezas de teatro.
Estas últimas, por supuesto, son puramente dialogadas, pero las

acotaciones tienen en ellas un valor descriptivo y narrativo crítico —casi como de guión de cine— que las diferencian de las comedias normales y permiten su lectura en forma casi novelesca. En las novelas «esperpénticas», a su vez, la narración y la descripción parecen acotaciones expresionistas y el diálogo en toda su pureza ocupa un gran espacio. Que el esperpento está así a caballo entre la narración y el teatro resulta claro no sólo en la obra tal vez más perfecta del género, *Luces de bohemia* (1920-1924), legible y representable, sino en el hecho de que dos llamadas «novelas macabras» publicadas en 1924, *La rosa de papel* y *La cabeza del Bautista,* aparecieron en 1927 junto con otras dos obritas como piezas teatrales, bajo el título general de *Retablo de la avaricia, la lujuria y la muerte.* Por lo que a la novela se refiere, lo central del esperpento parece, pues, ser la reducción de la narración y la descripción a acotaciones impresionistas al estilo de guión cinematográfico y la presentación del diálogo de manera descollante, como en relieve; por lo que a la forma teatral se refiere, lo característico sería que, sin despegarse en absoluto de la insustituible estructura dialogada, las acotaciones, sumamente literarias, adquieren un valor en sí —narrativo y descriptivo— que proyecta su luz crítica sobre los diálogos. Formalmente, por lo tanto, aunque se niegue que estamos frente a un nuevo género, lo característico del esperpento es la deformación y limitación al mínimo necesario de ciertos elementos básicos de la novela realista, y la potenciación al máximo del diálogo y de la acotación como nuevo instrumento narrativo.

No debemos olvidar que el intenso período de creación valle-inclanesca que va de 1920 (primera versión de *Luces de bohemia* en su aparición por entregas en la revista *España*) hasta principios de los años treinta, es en Occidente (incluyendo la ya socialista Unión Soviética) el momento más explosivo y revolucionario de la estética moderna. De ello hablaremos en el capítulo siguiente; baste aquí apuntar que *Luces de bohemia* coincide plenamente con la producción y publicación del *Ulysses* de James Joyce, y que los más de los esperpentos puramente dramáticos son contemporáneos de la obra de Brecht. Es Valle-Inclán el único miembro de la generación del 98 que no sólo rechaza las conflictivas tendencias estéticas de los años veinte, sino que —en España, lejos de los cenáculos de París— participa activamente en ellas. Son años en que se ponen en cuestión todos los géneros —se habla, incluso, de la muerte de la novela— y en los que el cine aparece como la nueva forma revolucionaria. Las soluciones de los narradores al problema de la novela fueron muy diversas. Si no olvidamos que Valle aparece en nuestras letras ante todo como narrador, pero que su estética, ya desde las *Sonatas,* le inclina a distanciarse de los espectáculos que describe y que son para él eso, espectáculos, no resulta del todo sorprendente que en los años veinte haya dado, al fin, con el *esperpento.*

Pero esta cuestión formal —en el sentido más amplio del término— nos dice todavía muy poco de lo que, en última instancia, caracteriza al esperpento. Valle-Inclán mismo lo explicó en un sentido general a partir del cual lo esperpéntico resulta ser una visión del mundo. Se trataría, metafóricamente, de ver el mundo de la manera en que se reflejaban las imágenes en los espejos cóncavos del madrileño callejón del Gato. Ahora bien, la «deformación» que de ello resulta no es tal deformación, sino que corresponde exactamente a una realidad de por sí grotescamente deformada que sólo los neoclásicos o castizos rezagados perciben de maneras armónicas inexistentes. Por lo que se refiere a España, en concreto, Max Estrella, el «héroe» de *Luces de bohemia,* claramente explica que no es sino «una deformación de la civilización europea». La función del artista moderno —el artista español en este caso— será reflejar *matemáticamente* tan deformada, grotesca y guiñolesca realidad: «Mi estética actual es transformar con matemática de espejo cóncavo las normas clásicas.» Si la metáfora del punto de partida es, pues, esperpento = realidad reflejada en un espejo cóncavo, la teoría, necesariamente, lleva a la noción de artista = espejo que refleja el espejo cóncavo, con distancia, rigor y frialdad; matemáticamente. No podemos, pues, quedarnos en la primera y más simple idea de esperpento y hemos de tomar en cuenta que, en diálogo con su compinche don Latino, Max Estrella dice: «Latino, deformemos la expresión en el mismo espejo que nos deforma las caras y toda la vida miserable de España.» Las caras son como son y la miseria es como es, sin deformación alguna; pero todo ello es brutal, desequilibrado, injusto, radicalmente antagónico a las perfecciones y purezas que predican el poder y la tradición castizas (cuyos artistas insisten, por supuesto, en las virtudes clásicas del equilibrio y la armonía). Así pues, el deber del artista es reflejar fielmente, con objetividad, la deformación existente, la distancia que separa la realidad de la mentira y de los modelos clásicos. No puede cabernos duda, por lo tanto, de que el Valle-Inclán de los esperpentos pretende ser *realista,* llevarnos a ver la realidad:

> En arte hay dos caminos: uno es arquitectura
> y alusión, logaritmos de la literatura;
> el otro, realidades como el mundo las muestra,
> dicen que así Velázquez pintó su obra maestra.

Los esperpentos de Valle-Inclán, por lo tanto, tratarán de realidades concretísimas, puesto que «el sentimiento trágico de la vida española sólo puede darse con una estética sistemáticamente deformada»: la historia de los espadones del XIX (*Ruedo ibérico*), la desconexión entre poesía (o cultura) y una España de dictadores, mercachifles y oportunistas (*Luces de bohemia*), el grotesco y primitivo machismo del código del honor (*Los cuernos de don Friolera*), etc. Al hacerlo, los esperpentos están siempre bordeando el teatro de guiñol o el romance de ciegos; pero con una distancia estética, frío espejo, que permite a Valle la elaboración de un lenguaje inusitado, brillante, brutal, en el que se funden prodigiosamente lo trágico y lo cómico:

> Lo que más sorprende del arte moderno es que ha dejado de reconocer las categorías de lo trágico y lo cómico y las clasificaciones dramáticas «tragedia» y «comedia»: ve la vida como una tragicomedia, con el resultado de que lo grotesco es su estilo apropiado, hasta el punto de que hoy por hoy es el único modo de conseguir lo sublime.

A lo que se añade una idea generalmente poco comentada en los estudios sobre Valle-Inclán: «El estilo grotesco es el estilo antiburgués.»

Llegamos aquí al punto clave de la dificultad interpretativa: por un lado, el Valle-Inclán «antiburgués» y anticastizo, crítico feroz de la Historia de España, de la Restauración y sus restos, cercano al dolor del pueblo y su voluntad desesperada de cambio; por otro, el «artista», el hombre frío que maneja sus títeres y su lenguaje «matemáticamente», como «el Bululú que ni un solo momento deja de considerarse superior por naturaleza a los muñecos de su tabanque», debido a lo cual tiene «una dignidad demiúrgica». Innegables las dos facetas de Valle-Inclán; pero fundidas, en una unidad estética sorprendente y señera en nuestra literatura. Se ha demostrado, por ejemplo, que las escenas añadidas en 1924 a la versión de *Luces de bohemia* de 1920 desarrollan y aclaran todas los elementos de crítica de la sociedad española ya existentes en la primera versión, bien sea con ligeros cambios de palabras o con escenas nuevas (de rebeldía callejera y de represión: fusilamiento del obrero anarquista catalán con el cual comparte la celda una noche Max Estrella; muerte de un niño de pecho por culpa de la policía, etc.) que no dejan ninguna duda acerca de la actitud «antiburguesa» de Valle. Por lo demás constan declaraciones personales suyas que no pueden pasarse por alto. Así, en 1920:

> El Arte es un juego —el supremo juego— y sus normas están dictadas por numérico capricho, en el cual reside su gracia peculiar. Catorce versos dicen que es soneto. El Arte es, pues, forma... Arte, no. No debemos hacer Arte ahora, porque jugar en los tiempos que corren es inmoral, es una canallada. Hay que lograr primero una justicia social.

Y en 1928:

> Creo que la novela camina paralelamente con la Historia y con los movimientos políticos. En esta hora de socialismo y comunismo no me parece que pueda ser el individuo humano héroe principal de la novela, sino los grupos sociales. La Historia y la novela se inclinan con la misma curiosidad sobre el fenómeno de las multitudes.

A lo que añadiríamos otras brevísimas palabras suyas: «En el siglo XIX la Historia de España la pudo escribir don Carlos, en el siglo XX la está escribiendo Lenin.»

Pero todo ello desde «el supremo juego», desde una posición estética, con un dominio del lenguaje y un control de la forma sorprendentes en la literatura española de nuestro siglo. ¿Realismo? Sin duda; siempre que no entendamos por realismo la repetición mecánica de lo que habiendo sido lenguaje y forma justos en el siglo XIX, bien podría ser que no valieran para todos los escritores rebeldes, verdaderamente revolucionarios de los años veinte y treinta de nuestro siglo. Nada en la teoría del realismo, en la teoría del reflejo, indica que sólo de una manera ha de escribirse. Entre las muchas posibilidades, Valle-Inclán, manteniendo siempre su «dignidad demiúrgica» en la miseria y la incomprensión, encontró la suya; y todavía están por descubrir los últimos secretos de su visión del mundo.

Al igual que Valle-Inclán, pero con muy diverso estilo y con incomparable lucidez moral y política, también ANTONIO MACHADO (Sevilla, 1875-1939) logró superar las limitaciones casticistas e individualistas de los más del 98. No ha de entenderse esta superación como rechazo, por ejemplo, del «dolor de España», que —según frase de Unamuno— a todos aquejaba, ni siquiera como rechazo de las inquietudes más subjetivas y «metafísicas» de un Unamuno o de un Azorín, con las que Machado tiene tanta afinidad como Valle. El término «generación del 98» lo inventaron entre el político Maura y Azorín; este último lo difundió mixtificándolo; Baroja lo rechazó, sobre todo en la vejez, cuando quería librarse de posibles persecuciones franquistas; Unamuno, sin darle mucha importancia, lo aceptaba, insistiendo siempre en su propia originalidad. Machado, el más joven de las figuras centrales de la generación, lo acepta plenamente, se identifica con la problemática de sus contemporáneos y defiende a todos ellos con característica fidelidad, no sin dejar de criticar seriamente a Azorín, por ejemplo, y asignando tal vez valoración especial a Unamuno (a quien siempre llamó maestro) y a Valle-Inclán, cuya obra le asombraba y admiraba. En las páginas que siguen, por tanto, no debemos olvidar la posición solidaria de Machado con sus contemporáneos, a quienes —en un memorable consejo de su apócrifo Juan de Mairena— nos recomendaba que habríamos de defender siempre: tanto contra la «sombra de la Iglesia» como contra el dogmatismo de izquierdas. Machado, siendo casi puramente poeta, será tal vez de todos los del 98 el humanista más hondo, el de más clara visión histórica; la misma visión de la Historia que le llevará a sus propias transformaciones y a una final identificación absoluta con la voluntad popular le permitirá juiciosamente, con magistral equilibrio, valorar lo que de positivo pudiera encontrarse en cualquier momento de la cultura española, sin excluir en absoluto a sus compañeros del 98.

Antonio Machado nació en el seno de una familia culta perteneciente a la mejor tradición liberal española del siglo XIX. Era sobrino del notable folklorista Agustín Durán y folklorista también fue su padre, Antonio Machado y Álvarez. A los ocho años de Antonio pasa la familia a vivir a Madrid y Machado inicia su educación en la Institución Libre de Enseñanza, a cuyos maestros guardó siempre «vivo afecto y profunda gratitud». Pertenece, pues, Machado a la pequeña burguesía progresista de la que saldrán los más de los intelectuales orgánicos de la clase que, tras las duras luchas del siglo XIX, llegará al poder en 1931 con la Segunda República. A diferencia de los demás del 98, sin embargo, tuvo siempre acceso al principal centro de educadores, desde el cual esa burguesía fue estableciendo su hegemonía cultural.

Hombre de modestos recursos económicos, logra a pesar de ello hacer un corto viaje a París en 1899 (donde conoce a Oscar Wilde) y otra vez en 1902 (conociendo esta vez a Rubén Darío). En 1907 obtiene la cátedra de lengua francesa en el Instituto de Soria. Ahí, frente al paisaje castellano, cambiará su poesía; ahí conoce a Leonor —mucho más joven que él—, con quien se casa en 1910. Viajan los dos a París, donde asiste a algunas clases de Henri Bergson, el filósofo intuicionista cuyas meditaciones sobre la temporalidad (y sobre la poesía) afectarán profundamente al sevillano. Ya de vuelta en Soria, muere Leonor en 1912; será siempre el gran amor de su vida, aunque años más tarde tuviese amores con quien aparece en su poesía bajo el nombre de Guiomar. A la muerte de Leonor, Machado se marcha inmediatamente a Baeza. En 1919 es trasladado a Segovia, lo que le permite pasar temporadas más largas en Madrid. En 1932 pasa al Instituto Calderón de la Barca de Madrid, donde reside hasta noviembre de 1936. En 1927, en plena Dictadura de Primo de Rivera, había sido elegido miembro de la Academia de la Lengua, pero no se molestó siquiera en preparar su discurso de ingreso. Ya con la República parece haber decidido aceptar el nombramiento, según se desprende del hecho de que en 1931 mismo empezó a preparar el discurso, del cual nos queda un borrador interesantísimo. Sin embargo, no llegó nunca a entrar en la Academia. Le sorprende la guerra en Madrid; participa activamente en la *Alianza de Intelectuales Antifascistas* hasta noviembre, cuando es evacuado a Valencia junto con otros intelectuales; pasa más tarde a Barcelona. En las tres ciudades colabora activamente en las revistas y periódicos desde los que se llevaba a cabo la lucha ideológica contra el fascismo. El 22 de enero de 1939 deja la ciudad condal camino del exilio, junto con otros cientos de miles. Poco después muere en el pueblecito de Collioure, donde es enterrado con la bandera republicana. Siempre humilde y solidario, tímido, de clarísima inteligencia, pobretón y desaliñado, irónico y comprometido, Machado ha sido y seguirá siendo figura de leyenda; la encarnación más difícil del ideal humanista: un hombre solitario en compañía.

Por algunas vagas alusiones suyas —en verso y prosa—, debemos suponer que Machado pasó en su juventud por un momento modernista. Nada, sin embargo, en su poesía conocida nos permite hablar seriamente de su modernismo. Puede ser que en su juventud «bohemia y aborrascada» Machado cortara «las viejas rosas del huerto de Ronsard» —metáfora que emplea varias veces para referirse al modernismo—, pero no se refleja ello en *Soledades,* su primer libro, escrito a partir de 1899 y publicado en 1903. Por lo demás, en el prólogo a una edición de *Soledades* de 1911, Machado es perfectamente explícito:

Por aquellos años [entre 1899 y 1902], Rubén Darío, combatido hasta el escarnio por la crítica al uso, era el ídolo de una selecta minoría. Yo también admiraba al autor de *Prosas profanas,* el maestro incomparable de la forma y la sensación, que más tarde nos reveló la hondura de su alma en *Cantos de vida y esperanza.* Pero yo pretendí... seguir camino bien distinto. Pensaba yo que el elemento poético no era la palabra por su valor fónico, ni el color, ni la línea, ni un complejo de sensaciones, sino una honda palpitación del espíritu; lo que pone el alma, si es que algo pone, o lo que dice, si es que algo dice, con voz propia, en respuesta animada al contacto del mundo. Y aún pensaba que el hombre puede... mirando hacia adentro, vislumbrar las ideas cordiales, los universales del sentimiento..., tal era mi estética de entonces.

Soledades corresponde plenamente a esta «pretensión» o esperanza del poeta. Desde el primer poema, «El viajero», entramos a un mundo de sorprendente y misteriosa sencillez.

> Está en la sala familiar, sombría,
> y entre nosotros, el querido hermano
> que en el sueño infantil de un claro día
> vimos partir hacia un país lejano.
>
> Hoy tiene ya las sienes plateadas,
> un gran mechón sobre la angosta frente;
> y la fría inquietud de sus miradas
> revela un alma casi toda ausente.

> Deshójanse las copas otoñales
> del parque mustio y viejo.
> La tarde, tras los húmedos cristales,
> se pinta, y en el fondo del espejo,
> ....

Parecen elementales, de directo clasicismo, los endecasílabos de sencilla rima, acentuados básicamente en cuarta y en octava los de la primera estrofa, alternando cuarta y sexta con cuarta y octava en la segunda. En la primera estrofa, sin embargo, también se acentúan las sílabas segunda, primera, tercera y primera (en ese orden), creándose con ello una gran complejidad rítmica que se complementa con la división de los versos en grupos silábicos desiguales: 8-3, 5-6, 6-5 y 5-6. La segunda estrofa, alternando los acentos en cuarta, sexta y octava, parece de un perfecto equilibrio. Sin embargo, a diferencia de los versos 1, 2 y 4, acentuados en cuarta, el tercero lleva un acento en tercera; el cuarto verso, además, tiene un acento más en segunda. Y en la tercera estrofa, sorprendentemente, la línea de endecasílabos se ve fracturada por un segundo verso de siete sílabas (en la sexta estrofa otro heptasílabo más romperá también brevemente el equilibrio). Esta sencillez sutilmente desquiciada tiene su correspondencia sintáctica. La segunda estrofa, la más equilibrada, es sintácticamente llana; no así la tercera, donde al desequilibrio introducido por el heptasílabo corresponde un hipérbaton (versos 3 y 4) relativamente violento (que, entre otras cosas, divide el cuarto verso en dos muy desiguales partes de tres y ocho sílabas, rematando desequilibradamente la estrofa). Y en la primera estrofa, donde la sintaxis parece tan clara como en la segunda, hemos de notar, sin embargo, la ambigüedad del tercer verso, en el que no sabemos a ciencia cierta a qué sujeto corresponde «el sueño infantil».

Inseparable de estas características, al parecer puramente técnicas, es la *aparente* sencillez semántica, por medio de la cual se introduce al lector ajeno al mundo del poeta a una escena absolutamente privada con la cual se identifica. Puesta en práctica del principio central de la poética de Machado en aquellos años: que «mirando [el poeta] hacia dentro», se pueden «vislumbrar... los universales del sentimiento». *La sala familiar, el querido hermano* y las primeras personas del plural (*entre nosotros, vimos partir*) se refieren concretamente a la familia Machado (el poema «trata» de la vuelta de un hermano que había emigrado a América); sin embargo, nos introduce a *nosotros* en la escena misma como en un juego de espejos: fundamental es, por tanto, que se hable en la tercera estrofa precisamente del reflejo de la tarde «en el fondo del espejo». Este desdoblamiento del hablante y de las imágenes todas que hace que los lectores veamos lo que ve el poeta, corresponde a la meditación central del poema sobre el paso del tiempo, lo cercano (hoy) y lo lejano (ayer), esencial siempre en Machado: *está-vimos, sala familiar-país lejano, sombría-claro día infantil, hoy-sienes plateadas, entre nosotros-alma casi toda ausente.* Presencia y ausencia del ayer en el hoy, de lo lejano en lo cercano, del yo y lo otro; presencia y ausencia de «nosotros» en nosotros mismos, como está presente la complejidad del verso en su aparente sencillez. Todo ello remata en el otoño (estío que se va) del *parque mustio y viejo* difuminado tras los cristales y en el espejo: correlato objetivo de la presente ausencia, del pasar del tiempo, descubierto —como siempre en Machado— no sólo en el hombre, sino en la Naturaleza.

Dirá Machado en 1932, en la «poética» que precede a sus poemas en la antología ya famosa que preparó Gerardo Diego, que no hay «poesía sin ideas»; pero añadirá también que «el intelecto no ha cantado jamás» por sí solo, sin «directas intuiciones del ser que deviene». Parecería que ya aquí (en todo *Soledades*) se ejemplifica intuitivamente tal poética (que Machado iría desarrollando bajo la influencia de Bergson). Es *Soledades* un libro intensamente subjetivo; pero de una subjetividad que pretende —y lo logra en los más de los poemas— ser la muestra misma, universalizándose. Temáticamente, lo central de *Soledades* es la meditación sobre «el Tiempo y cómo pasa» (que diría Unamuno); formalmente, lo característico es la compleja sencillez con que el *yo* se abre hacia el *nosotros* en un dejar ir cayendo los versos, los sustantivos y adjetivos más cotidianos (*sala familiar, querido hermano, parque mustio, fondo del espejo;* etc.), como si no encerrasen secreto alguno. Asombra en Machado siempre, no únicamente en *Soledades,* la transparencia del lenguaje que, en verdad, parece no ser sino «una honda palpitación del espíritu». Grave error sería, sin embargo, no *ver* que ese lenguaje tan sencillo, ese lenguaje que parece siempre estar dejando paso a algo que se encuentra más allá de sí mismo, es eso, *lenguaje,* el instrumento preciso que con pulcra maestría juega a ser él mismo y a parecer que no existe: la forma misma de lo presente-ausente; secreto último de *Soledades.*

Casi desde su llegada a Soria en 1907 empieza Machado su segundo libro, *Campos de Castilla,* que se publica en 1912 y será, en rigor, el último libro de poesía que escribe. En un prólogo de 1917 explica Machado que al escribir *Campos de Castilla* «ya era muy otra mi ideología». Hemos leído que en la época de *Soledades* «pensaba que... mirando hacia dentro» podía el hombre «vislumbrar... los universales del sentimiento». ¿En qué radica la «muy otra ideología» de *Campos de Castilla?* En primer lugar, en «mirar» hacia «fuera», porque Machado ha descubierto que «si, convencidos de la íntima realidad, miramos adentro, entonces todo nos parece venir de fuera, y es nuestro mundo interior, nosotros mismos, lo que se desvanece». Claro que, según explica en el mismo prólogo, si el individuo solitario mira exclusivamente hacia fuera procurando «penetrar en las cosas», siendo mero «espectador» del «mundo», acaba también por verse «el teatro en ruinas» y la «sola sombra» del individuo «proyectada en la escena». La solución de Machado no radicará, por tanto, en ser *espectador,* ni de sí mismo ni del «mundo», sino en objetivar su sensibilidad y contar «historias animadas que, siendo suyas», vivan, «no obstante, por sí mismas». Es decir, el poeta no deja de «contemplarse» a sí mismo mientras, ahora, mira hacia fuera; pero lo que ha de encontrar fuera son las vivencias colectivas de otros seres humanos. La clave de *Campos de Castilla* será, por tanto (y su título, por oposición a *Soledades,* ya lo indica), la mirada que el mismo poeta de *Soledades* echa sobre el paisaje, pero un paisaje —a diferencia, por ejemplo, del de *Azorín*— poblado por seres humanos en un momento histórico concreto, históricamente determinado y abierto siempre a futura Historia colectiva. Así, es central a *Campos de Castilla* el romance *(La tierra de Alvar González,* principalmente, pero también otros), romances que «no emanan de históricas gestas, sino del pueblo que los compuso y de la tierra donde se cantaron» (ya que «toda simulación de arcaísmo me parece ridícula»); lo que no excluye, sino al contrario, que, temáticamente, en *Campos de Castilla* se encuentre «una preocupación patriótica» y el «simple amor a la Naturaleza».

El lector percibe en seguida lo mucho que distingue *Campos de Castilla* de *Soledades,* y no podemos aquí entrar en análisis detallados de sus mejores y más complejos poemas. Pero hemos de hacer dos advertencias. La primera, que la «temporalidad» de *Soledades* es ahora historicidad (y, *por tanto,* crítica socio-política del casticismo); la segunda, que *Campos de Castilla* no elimina *Soledades* porque, de hecho, la imaginación del poeta único que fue Machado opera del mismo modo en los dos libros y porque la visión objetiva y colectiva no tiene por qué ocupar todo el espacio de la vida humana. Machado escribió mucho y bien contra la poesía decadente, contra el subjetivismo solipsista (al que tachaba de burgués y de inmoral); no creemos —y no lo creía él— que *Soledades* sea un libro solipsista, sino —aun tomando en cuenta su melancolía y su subyacente pesimismo— un libro que de manera profunda *nos* habla, precisamente, de nuestra relación privada y universal con el Tiempo. Puede un lector preferir *Soledades* o *Campos de Castilla,* pero Machado no repudió el primer libro al publicar el segundo y no hemos de hacerlo tampoco nosotros, por más que entendamos que *Campos de Castilla* significa una «superación» de *Soledades* en los términos en que Machado mismo analizaba la diferencia. Quedarse con sólo uno de los dos libros sería mutilar a Machado, bien al que siempre, aun en los momentos de mayor entrega al compromiso histórico, mantenía, como cualquier ser humano, una sensibilidad privada propia, bien al que, como ninguno de los del 98, supo evitar el peligro del solipsismo tanto en sus meditaciones —que se inician en *Campos de Castilla*— como en la práctica socio-política.

Meditaciones con las cuales tienen mucho que ver las que Machado dedica también a la nueva poesía, y que se manifiestan en abundantes textos suyos. Así, en 1924-1925 escribe en *De un cancionero apócrifo* que la lírica moderna

es acaso un lujo, un tanto abusivo, del hombre manchesteriano, del individualismo burgués, basado en la propiedad privada.

Y en el proyecto de discurso para la Academia Española, de 1931, pueden leerse cosas como éstas:

Cuantos seguimos con alguna curiosidad el movimiento literario moderno, pudiéramos señalar la eclosión de múltiples escuelas aparentemente arbitrarias y absurdas, pero que todas ellas tuvieron, al fin, un denominador común: guerra a la razón y al sentimiento, es decir, a las dos formas de comunión humana... Y ahora podemos emplear la expresión *poesía pura,* conscientes, al menos, de una marcada atención

en el poeta: *empleo de las imágenes como puro juego del intelecto.*
Bajo múltiple y enmarañada apariencia es esto lo que se descubre
en la poesía actual. El poeta tiende a emanciparse del *hic et nunc...*

Mas Antonio Machado vislumbra ya —en 1931, no se olvide— un cambio de rumbo poético, y dice:

El mañana, señores, bien pudiera ser un retorno —nada enteramente
nuevo bajo el sol— a la objetividad, por un lado, y a la fraternidad,
por el otro... Comienza el hombre nuevo a desconfiar de aquella soledad que fue causa de su desesperanza y motivo de su orgullo.

Recordemos, en fin, que algo más adelante, en 1934, publi-
cará Machado en la revista comunista *Octubre* —dirigida por
Rafael Alberti— un artículo titulado, precisamente, «Sobre una
lírica comunista que pudiera venir de Rusia».
Después de *Campos de Castilla* disminuye notablemente la
producción poética de Machado. Aun si tomamos en cuenta las
Nuevas canciones (1917-1930), las canciones a Guiomar y la poesía de la guerra civil, la poesía de Machado escrita entre 1899 y
1912 ocupa más de las dos terceras partes de su obra poética
completa. El resto de su obra —descontando el marginal teatro—
es prosa, fundamentalmente la prosa de sus apócrifos Juan de
Mairena y Abel Martín, dedicada centralmente a meditaciones filosóficas (sobre el Ser y el Tiempo, sobre el ser de la poesía),
y socio-política. Algún crítico ha insinuado que de tanto filosofar
y de tanto ocuparse de la historia inmediata (léase política) se le
secó a don Antonio la vena poética. Tal idea pasa por alto que se
trata de la prosa ensayística más lúcida, más inteligente y elegante,
más precisa y penetrada de humor y sentido humanista no sólo de
su generación, sino de muchas generaciones. Por otra parte, tal
idea se detiene en un Machado que acaba con la Primera Guerra
Mundial y nos elimina al hombre que se fue haciendo día a día,
como su pueblo, para morir como tantos otros en 1939.
Es demasiado fácil hacer demagogia con la vida y obra de Machado y limitaremos, por tanto, el comentario de su evolución
política al mínimo. El lector encontrará en la sección bibliográfica
correspondiente referencias a estudios decisivos sobre el asunto.
Bástenos decir que el poeta que quiso objetivar su visión en romances que contaran la vida de otros, creó varios personajes que,
siendo como él, eran muy otros y hablaban con independen-

cia casi novelística, planteando así vivamente lo que Machado llamaba la «esencial heterogeneidad del ser». Un filósofo poeta, Abel Martín, y un profesor de gimnasia y retórica, Juan de Mairena, son sus creaciones principales. Pero llegó incluso a intentar crear un poeta llamado Antonio Machado, cuya biografía *casi* corresponde a la suya propia, pero no exactamente. A través de las meditaciones de estos personajes, principalmente las de Juan de Mairena (ya que Abel Martín era más estrictamente filósofo y puramente finisecular), resaltan los valores humanistas y populares de Antonio Machado, casi siempre penetrados de humor e ironía, y cuando ya Juan de Mairena ha muerto y se vive la guerra civil, un escritor sin nombre escribe: «hubiera dicho Juan de Mairena...». Lo que Mairena dice (y hubiera dicho de haber vivido hasta la guerra civil) es claro. Parte —en sus meditaciones sobre la poesía, por ejemplo— de una confianza en lo popular que no podemos menos que relacionar con la tradición «folklorista» de la familia de Machado, así como se funda en un liberalismo progresista también identificable con la familia del poeta y la más avanzada pequeña burguesía española de principios de siglo. El amor a la verdad y a la justicia son dominantes e inseparables de su antagonismo —mesurado al principio— hacia las viejas estructuras mentales hispánicas. A partir de la revolución bolchevique, en plena crisis de los años veinte y según se acerca la Segunda República, se agudizan el republicanismo y la confianza de Machado en la necesidad de transformaciones sociales radicales. Según se ve en los escritos del 37, llega Machado-Mairena a identificarse con el *Frente Popular,* hablando incluso de «Tercera República» al referirse al gobierno que surge de las elecciones de febrero de 1936. Una y otra vez deja claramente asentado que él (Machado, Mairena) no es marxista, y una y otra vez, en los mismos contextos, se pronuncia por el socialismo, contra el capitalismo (al que ve defendiéndose boca arriba en su forma aparentemente contraria de fascismo) y llega incluso (ya en 1934) a proponer como posible la necesidad de la dictadura del proletariado. En el fondo, siempre late su profunda confianza en el pueblo español y su desprecio por la burguesía y el señoritismo (cf. V.2B).

No deja de resultar algo sorprendente encontrar a Machado a partir de 1934, y especialmente de 1936 a 1939, entre las gentes más jóvenes y radicales de la lucha política y cultural cuando los de su generación que quedaban vivos se abstenían, al igual que los Ortega o Menéndez Pidal, y cuando, a fin de cuentas, él mismo explicaba que era más fácil estar «*au dessus de la mêlée*» que «a la altura de las circunstancias». A esa altura estuvo él, sin embargo, como ninguno de sus compañeros de generación. ¿A quién de entre ellos encontraremos en el centro de la lucha y escribiendo —por ejemplo— en homenaje a Líster, Galán, *El Campesino* y Modesto las extraordinarias páginas que dejó acerca del *Quinto Regimiento?* Están tales páginas sin duda pensadas contra quienes podían temer «la rebelión de las masas», ya que leemos en ellas que

> Convendría no olvidar nunca cuando se habla de la obra del pueblo, toda la parte que en ella pone la inteligencia y la cautela... Cuando se evoca el río popular, apenas si se piensa más que en sus posibles desbordamientos. Se olvida el amplio y flexible lecho por donde corre, sus esclusas y compuertas y las acequias, regatos y atanores que conducen y distribuyen sus aguas. Se piensa que lo popular en España es la anarquía, en el sentido peyorativo de esta palabra. Yo he pensado siempre precisamente lo contrario. Siempre creí que, sin la más directa intervención del pueblo, nada completo, nada fuerte, nada orgánico y vital podríamos realizar. Lo anárquico en España es siempre *señoritismo*.

Pues como dice Machado en su *Mairena,*

> tenemos un pueblo maravillosamente dotado para la sabiduría, en el mejor sentido de la palabra: un pueblo a quien no acaba de entontecer una clase media, entontecida a su vez por la indigencia científica de nuestras Universidades y por el pragmatismo eclesiástico, enemigo siempre de las altas actividades del espíritu.

Todos estos claros conceptos de Machado se relacionan íntimamente con otros suyos acerca del folklore, sobre lo cual ya hemos indicado algo poco antes. En efecto, hablando de su apócrifo Mairena, nos dice que éste pensaba

> que el folklore era cultura viva y creadora de un pueblo de quien había mucho que aprender, para poder luego enseñar bien a las clases adineradas... Mairena entendía por folklore, en primer término, lo que la palabra más directamente significa: saber popular, lo que el pueblo sabe, tal como lo sabe; lo que el pueblo piensa y siente, tal como lo siente y piensa... En segundo lugar, todo trabajo consciente y reflexivo sobre estos elementos, y su utilización más sabia y creadora.

Por otro lado, preocupó a Machado durante toda su vida la difusión real de la cultura, la lucha contra una cultura considerada como privilegio clasista. Escribe así en 1922:

> Acaso el deber del Estado sea, en primer término, velar por la cultura de las masas, y esto, también, en beneficio de la cultura superior... Pero los partidarios de un aristocratismo cultural piensan que cuanto menor sea el número de los aspirantes a una cultura superior, más seguros estarán ellos de poseerla como un privilegio... Pero el Estado debe sentirse revolucionario atendiendo a la educación del pueblo, de donde salen los sabios y los artistas.

Ideas como éstas las repetirá Machado una y otra vez, ideas que, por la vía irónica, resume otro de sus apócrifos, Jorge Meneses:

> Usted, como buen burgués, tiene la superstición de lo selecto, que es la más plebeya de todas. Es usted un cursi.

Don Antonio Machado: el sobrio poeta, el magistral prosista que en certero diálogo «con su tiempo» dejó escrito durante la guerra que la obligación «inmediata e imperativa» de todo intelectual era «la de ser un miliciano más con destino cultural». En lo que llega, sin duda, al máximo compromiso posible del intelectual orgánico de aquella burguesía progresista que sucumbió —una vez más en la Historia de España— con la Segunda República. Enlaza así con los años rebeldes de la juventud de los más del 98; con la rebeldía humanista que, salvo él y, a su modo Valle-Inclán, todos fueron olvidando.

BIBLIOGRAFÍA BÁSICA *

IV.3. AFIRMACIÓN E INSEGURIDAD BURGUESAS. LA GENERACIÓN DEL 98

a) *Historia y sociedad*

Bleiberg, Germán: «Algunas revistas literarias hacia 1898», *Arbor,* XI (1948), 465-480.
* Brenan, Gerald: *El laberinto español* (París, 1963). Hay edición española.

* En las presentes bibliografías, un asterisco indica que la obra así señalada se ocupa no sólo de la época en que se incluye, sino también de otras posteriores.

* Carrión, Pascual: *Los latifundios en España* (Madrid, 1932).
  Foner, Philip S.: *La guerra hispano-cubano-norteamericana y el surgimiento del imperialismo yanki*, 2 vv. (La Habana, 1978).
  García Nieto, María del Carmen, *et al.*: *Bases documentales de la España contemporánea. Restauración y desastre, 1874-1898* (Madrid, 1972).
* Malefakis, Edward: *Reforma agraria y revolución campesina en la España contemporánea* (Madrid, 1974). [*Reforma agraria y revolución burguesa en la España del siglo XX* (Barcelona, 1980).]
* Maurice, J.: *La reforma agraria en España en el siglo XX, 1900-1936* (Madrid, 1975).
* Paniagua, Domingo: *Revistas culturales contemporáneas* (Madrid, 1964).
* Rama, Carlos M.: *La crisis española del siglo XX* (México, 1960).
* ——: *Ideología, regiones y clases sociales en la España contemporánea* (Montevideo, 1963).
* Tuñón de Lara, Manuel: *La España del siglo XX*, 3 vv. (Barcelona, 1974, 3.ª).
* —— *et al.*: *La crisis del Estado español, 1898-1936*, VIII Coloquio de Pau (Madrid, 1978).

M. C. García Nieto ha dirigido una edición de documentos fundamentales para la historia comprendida entre 1874 y 1898. Cf. además lo citado en las secciones inmediatamente anteriores. Sobre el conflicto cubano y la guerra con Estados Unidos, el libro de Foner es en verdad un trabajo básico. El conjunto de trabajos del VIII Coloquio de Pau constituye una importante aportación al tema del título, de necesario manejo. El clásico libro de Brenan —lleno de apreciaciones personales y semifolklóricas— ofrece una interpretación de España y de lo español a través de las simpatías anarcoides del autor, como también (pero de modo mucho más riguroso) las dos obras de Rama, con gran énfasis en la época de la República y de la guerra civil. Los tres volúmenes de Tuñón de Lara son, desde luego, lo más completo y coherente sobre la España del siglo XX. Acerca del problema agrario y desde varios puntos de vista, los libros de Malefakis y de Maurice son básicos, y de gran interés el de Carrión, técnico que trabajó en la implementación de la modesta Reforma Agraria de la República. Sobre las revistas de la época, son muy útiles los estudios de Bleiberg y Paniagua. Cf. también bibliografía de *Historia y sociedad* en IV.2.

b) *Literatura*

IV.3A. DE LA ACTITUD CRÍTICA AL ESCEPTICISMO Y AL NEOCASTICISMO

Abellán, José Luis: *Sociología del 98* (Barcelona, 1974).
* —— *et al.*: *La crisis de fin de siglo. Ideología y literatura. Estudios en memoria de Rafael Pérez de la Dehesa* (Barcelona, 1975).
Blanco Aguinaga, Carlos: *Unamuno, teórico del lenguaje* (México, 1954).
——: «El socialismo de Unamuno», *Revista de Occidente*, 41 (1966), 166-184.
——: *El Unamuno contemplativo* (Barcelona, 1975, 2.ª).
——: «Del modernismo al mercado interno», *Cultura y Dependencia* (Guadalajara, México, 1976), 8-23.

* Blanco Aguinaga, Carlos: *Juventud del 98* (Barcelona, 1978, 2.ª).
* Bleiberg, Germán, ed.: *Pensamiento y letras en la España del siglo XX* (Vanderbilt University Press, 1966).
Catena, Elena: Introducción a su ed. de *Doña Inés,* de *Azorín* (Madrid, 1976, 2.ª).
Del Moral Ruiz, Carmen: *La sociedad madrileña fin de siglo y Baroja* (Madrid, 1974).
Díaz, Elías: *Unamuno: pensamiento político* (Madrid, 1966).
Díaz-Plaja, Guillermo: *Modernismo frente a 98* (Madrid, 1966, 2.ª).
Fernández Retamar, Roberto: «Modernismo, noventiocho, subdesarrollo», en *Teoría de la literatura hispanoamericana y otras aproximaciones* (La Habana, 1975), 97-106.
Ferreres, Rafael: *Los límites del modernismo* (Madrid, 1964).
Fogelquist, Donald F.: *Españoles de América y americanos de España* (Madrid, 1968).
Fox, E. Inman: *La crisis intelectual del 98* (Madrid, 1976).
——, ed.: *Ramiro de Maeztu; artículos desconocidos,* «Estudio preliminar» (Madrid, 1977).
Fuentes, Víctor: «La descripción impresionista en *Vidas sombrías»*, *Romance Notes,* VIII (1967), 170-175.
Garciasol, Ramón de: *Lección de Rubén Darío* (Madrid, 1961).
Gascó Contell, E.: *Genio y figura de Blasco Ibáñez. Agitador, aventurero y novelista* (Valencia, 1958).
Granell, M.: *Estética de Azorín* (Madrid, 1949).
Granjel, Luis S.: *Panorama de la generación del 98* (Madrid, 1959).
Gullón, Ricardo: *Direcciones del modernismo* (Madrid, 1964).
Jitrik, Noe: *Las contradicciones del modernismo* (México, 1978).
King-Arjona, D.: «*Voluntad* and *abulia* in Contemporary Spanish Ideology», *Revue Hispanique,* LXXIV (1928), 573-672.
Laín Entralgo, Pedro: *La generación del 98* (Madrid, 1967, 6.ª).
Lázaro, A.: *Vida y obra de Benavente* (Madrid, 1964).
Lázaro Carreter, Fernando: Introducción a *Los intereses creados,* de Benavente (Madrid, 1978, 4.ª).
Lee Bretz, Mary: *La evolución novelística de Pío Baroja* (Madrid, 1979).
Litvak, Lily, ed.: *El Modernismo* (Madrid, 1975).
——: *Transformación industrial y literatura en España, 1895-1905* (Madrid, 1980).
Livingstone, León: *Tema y forma en las novelas de Azorín* (Madrid, 1970).
Meyer, François: *L'ontologie de Miguel de Unamuno* (París, 1956).
* Mainer, José Carlos: *La edad de plata* (Barcelona, 1975).
——: *Modernismo y 98* (Barcelona, 1979).
* Monleón, José: *El teatro del 98 frente a la sociedad española* (Madrid, 1975).
* Nora, Eugenio G. de: *La novela española contemporánea,* I (Madrid, 1962, 2.ª).
Ortega y Gasset, José: «Ideas sobre Baroja», *Obras completas,* II (Madrid, 1946), 67-123.
——: «Azorín o primores de lo vulgar», *ibid.,* 143-185.
Pérez de la Dehesa, Rafael: *Política y sociedad en el primer Unamuno, 1894-1904* (Madrid, 1966).

Pérez de la Dehesa, Rafael: *El grupo «Germinal», una clave del 98* (Madrid, 1970).
Perus, Françoise: *Literatura y sociedad en América Latina: el modernismo* (México, 1976).
Phillips, Allen: *Alejandro Sawa. Mito y realidad* (Madrid, 1976).
Puértolas, Soledad: *El Madrid de «La lucha por la vida»* (Madrid, 1971).
Rodríguez-Puértolas, Julio: «La generación del 98 frente a la juventud española de hoy», en Germán Bleiberg, ed.: *Pensamiento y letras en la España del siglo XX* (Vanderbilt University Press, 1966), 429-438.
* ——: «Sobre la generación del 98 y otros mitos», *Cuadernos de Ruedo Ibérico*, 31-32 (1971), 103-112.
* Ruiz Ramón, Francisco: *Historia del teatro español. Siglo XX* (Madrid, 1975).
Salcedo, Emilio: *Vida de don Miguel* (Salamanca, 1964).
Shaw, Donald: *La generación del 98* (Madrid, 1977).
Smith, Paul: *Vicente Blasco Ibáñez. An Annotated Bibliography* (Londres, 1976).
——: *Contra la Restauración,* artículos de Blasco Ibáñez, con nota introductoria (Madrid, 1978).
* Sobejano, Gonzalo: *Nietzsche en España* (Madrid, 1967).
Valverde, José María: *Azorín* (Barcelona, 1971).
Vila Selma, J.: *Benavente, fin de siglo* (Madrid, 1952).
Wyers, Frances: *Miguel de Unamuno: The Contrary Self* (Londres, 1976).
Zavala, Iris M.: *Unamuno y su teatro de conciencia* (Salamanca, 1962).
——: *Fin de siglo: modernismo, 98 y bohemia* (Madrid, 1974).
——: Introducción a su ed. de *Iluminaciones en la sombra,* de Alejandro Sawa (Madrid, 1977).

Para el debatido asunto de la relación u oposición entre modernismo y 98 es útil todavía Díaz-Plaja, sustentador de la tesis del enfrentamiento entre ambos movimientos, así como el ensayo de Blanco Aguinaga; los libros de Ferreres y de Gullón son convencionales estudios sobre el modernismo, sus implicaciones y relaciones; sobre Rubén Darío mismo, cf. el trabajo de Garciasol, entre otros muchos que hubieran podido ser citados aquí. El libro de Fogelquist es una digna investigación acerca de las relaciones entre españoles e hispanoamericanos en la época que se centra en torno a Darío, con abundante y útil información. Imprescindible es el artículo del cubano Fernández Retamar, que renueva por completo el planteamiento del problema, al situarlo en el marco específico del subdesarrollo español e hispanoamericano, en términos rigurosamente marxistas. Los estudios de Jitrik y Perus profundizan seriamente en el tema. Litvak es compiladora de una útil colección de estudios sobre el modernismo. Y para las conexiones mutuas de modernismo y 98 con la «bohemia», es útil el trabajo de Zavala; debe ser complementado con el libro de Phillips sobre Alejandro Sawa y la introducción de la propia Zavala a *Iluminaciones...*

Para el 98 estricto, varias obras de tipo general son de suma utilidad, de modo muy especial el libro de Abellán (1974) y el colectivo que bajo su dirección se publicó en 1975 en memoria de Pérez de la Dehesa. Igualmente, el volumen editado por Bleiberg recoge abundantes trabajos sobre la época, de muy desigual carácter. El panorama de Granjel es excesivamente convencional; el libro de Laín Entralgo hay que manejarlo teniendo en cuenta su carácter de defensa aperturista de los valores del 98 frente a los ataques frontales de los ideólogos del franquismo; la preocupación católica de Laín hace que su libro ofrezca puntos de vista interpretativos absolutamente discutibles. La excelente monografía de Sobejano compila abundantísimos datos acerca del uso que el 98 hace del irracionalismo nietzscheano, en boga por aquellos años; véase tal obra en conjunción con el clásico artículo de King-Arjona acerca de la voluntad y la abulia. La narrativa del 98 ha sido estudiada aguda y brillantemente por Nora, en libro fundamental. Acerca de la juventud del 98 y además del librito de Pérez de la Dehesa (1970) y de varios trabajos de Fox incluidos en su volumen de 1976, Blanco Aguinaga trata (1970) ampliamente del tema, trazando las coordenadas ideológicas de los componentes del 98 y sus subsiguientes cambios a posiciones conservadoras o ambiguas, excepción hecha de Antonio Machado y Valle-Inclán (cf. en IV.3B). Los dos artículos de Rodríguez-Puértolas apuntan, brevemente, en la misma dirección. De gran interés es el libro de Litvak sobre industrialización y literatura, centrado en el 98.

Para Unamuno, Blanco Aguinaga es autor de dos libros (1954, 1975); el artículo sobre el socialismo del rector de Salamanca (1966) es recogido y desarrollado en su libro de 1970. Elías Díaz y Pérez de la Dehesa (1966) han trabajado en la misma línea. La biografía de Unamuno hecha por Salcedo, a pesar de lo que dice y de lo que no dice, tuvo en su momento el mérito de haber situado la vida de don Miguel en su marco histórico concreto. Sobre Baroja, y además del capítulo a él dedicado en el libro de Blanco Aguinaga (1970), C. del Moral y S. Puértolas han publicado sendos trabajos siguiendo al anterior crítico; útil es también el artículo de Fuentes, y sigue siendo asimismo de utilidad el viejo comentario de Ortega sobre la narrativa de Baroja; es muy correcto el libro de Lee Bretz. Para *Azorín,* véase de nuevo Blanco Aguinaga (1970); el libro de Granell es muy convencional; más moderno y completo es el de Livingstone, de inteligentes atisbos, así como el de Valverde. Sobre Blasco Ibáñez, cf. también lo dicho por Blanco Aguinaga (1970); el libro de Gascó Contell es una biografía pintoresca del escritor valenciano; la excelente bibliografía de Smith puede manejarse con fruto. Sobre Benavente, a quien al margen de su supervivencia hasta después de la guerra civil hay que considerar como noventayochista, cf. especialmente la introducción de Lázaro Carreter a *Los intereses creados,* así como Vila Selma; el trabajo de Monleón es un buen panorama crítico del teatro del momento. Muy claro el estudio incluido en el libro de Ruiz Ramón.

IV.3B. La superación del 98: Valle-Inclán y Antonio Machado

Aguirre, José María: *Antonio Machado, poeta simbolista* (Madrid, 1973).
Albornoz, Aurora de: *La presencia de Miguel de Unamuno en Antonio Machado* (Madrid, 1968).
Alfaya, Javier: *Valle-Inclán viviente* (Madrid, 1971).
Alonso, Amado: «Estructura de las *Sonatas* de Valle-Inclán» y «La musicalidad de la prosa en Valle-Inclán», en *Materia y forma en poesía* (Madrid, 1977, 3.ª), 257-300 y 313-369.

278 HISTORIA SOCIAL DE LA LITERATURA ESPAÑOLA

* Baker, Edward: «Machado recuerda a Pablo Iglesias», *Ideologies and Literature*, I, 3 (1977), 13-31.
* Blanco Aguinaga, Carlos: «De poesía e historia; el realismo progresista de Antonio Machado», *Estudios sobre Antonio Machado* (Barcelona, 1977).
Cardona, Rodolfo: Cf. Zahareas, Anthony M.
Díaz-Plaja, Guillermo: *Las estéticas de Valle-Inclán* (Madrid, 1965).
Doménech, Ricardo: «Para una visión actual del teatro de los esperpentos», *El teatro hoy* (Madrid, 1966), 119-134.
Gil Novales, Alberto: *Antonio Machado* (Barcelona, 1966).
Gómez Marín, J. A.: «Valle-Inclán: estética y compromiso», *Cuadernos Hispano-Americanos*, 68 (1966), 175-203.
——: *La idea de sociedad en Valle-Inclán* (Madrid, 1967).
Greenfield, Summer: *Valle-Inclán, anatomía de un teatro problemático* (Madrid, 1972).
Gullón, Ricardo: *Una poética para Antonio Machado* (Madrid, 1970).
—— y Phillips, Allen W., eds.: *Antonio Machado* (Madrid, 1979, 2.ª).
Hormigón, J. A.: *Ramón del Valle-Inclán. La política, la cultura, el realismo y el pueblo* (Madrid, 1972).
Horàny, Màtyas: *Las dos soledades de Antonio Machado* (Budapest, 1975).
Kirpatrick, Susan: «*Tirano Banderas* y la estructura de la Historia», *Nueva Revista de Filología Hispánica*, XXIV (1975), 449-468.
Macrí, Oreste: Introducción a *Antonio Machado. Poesie* (Milán, 1962, 2.ª).
——: Introducción a *Antonio Machado. Prose* (Roma, 1968).
Machado, José: *Últimas soledades del poeta Antonio Machado* (Madrid, 1977, 3.ª).
March, María Eugenia: *Forma e idea de los «esperpentos» de Valle-Inclán* (Madrid, 1971).
Ortega y Gasset, José: «La *Sonata de estío,* de don Ramón del Valle-Inclán», *Obras completas,* I (Madrid, 1946), 19-27.
Phillips, Allen W.: Cf. Gullón, Ricardo.
Pradal-Rodríguez, Gabriel: *Antonio Machado* (Nueva York, 1951).
Predmore, Michael: «The vision of an Imprisoned and Moribund Society in the *Soledades, galerías y otros poemas* of Antonio Machado», *Ideologies and Literature,* 8 (1978), 12-29.
Risco, Antonio: *La estética de Valle-Inclán en los «esperpentos» y en «El Ruedo Ibérico»* (Madrid, 1967).
Rodríguez-Puértolas, Julio: «Los niños en la poesía de Antonio Machado», *Nueva Revista de Filología Hispánica,* XIX (1971), 110-118.
——: «Cuatro notas galdosianas: *Esperpento*», en *Galdós: burguesía y revolución* (Madrid, 1975), 205-207.
Rubia Barcia, José: *A Bibliography and Iconography of Valle-Inclán* (Universidad de California, 1950).
Sánchez-Barbudo, Antonio: *Los poemas de Antonio Machado* (Barcelona, 1967).
——: *El pensamiento de Antonio Machado* (Madrid, 1974).
Serrano Poncela, Segundo: *Antonio Machado, su mundo y su obra* (Buenos Aires, 1954).

Schiavo, Leda: *Historia y novela en Valle-Inclán. Para leer «El Ruedo Ibérico»* (Madrid, 1980).

Sesé, Bernard: *Antonio Machado (1875-1939). El hombre. El poeta. El pensador,* 2 vv. (Madrid, 1980).

Speratti Piñero, E. Susana: *De «Sonata de Otoño» al «esperpento». Aspectos del arte de Valle-Inclán* (Londres, 1968).

Tuñón de Lara, Manuel: *Antonio Machado, poeta del pueblo* (Barcelona, 1977, 3.ª).

Valverde, José María: *Antonio Machado* (Madrid, 1975).

Varios: Número especial dedicado a Antonio Machado, *Cuadernos Hispano-Americanos,* 28 (1956).

——: Número especial dedicado a Antonio Machado, *La Torre,* XII, 45-56 (1964).

——: Número especial dedicado a Valle-Inclán, *Revista de Occidente,* 15 (1966).

Vilanova, Antonio: «El tradicionalismo anticastizo, universal y cosmopolita de las *Sonatas* de Valle-Inclán», en *Homenaje a Antonio Sánchez Barbudo* (Universidad de Wisconsin, Madison, 1981), 353-394.

Zahareas, Anthony N.: «The *esperpento* and Aesthetics of Commitment», *Modern Languages Notes,* LXXXI (1966), 159-173.

—— ed.: *Ramón del Valle-Inclán. An Appraisal of his Life and Works* (Nueva York, 1968).

—— Introducción a su ed. de *Luces de Bohemia,* de Valle-Inclán (Edimburgo, 1976).

—— y Cardona, Rodolfo: *Visión del «esperpento»* (Madrid, 1970).

Zamora Vicente, Alonso: *Las «Sonatas» de Ramón María del Valle-Inclán* (Madrid, 1955, 2.ª).

——: «Tras las huellas de Alejandro Sawa. Notas a *Luces de Bohemia*», *Filología,* XIII (1968-1969), 383-395.

——: *La realidad esperpéntica. Aproximación a «Luces de bohemia»* (Madrid, 1969).

——: *Valle-Inclán, novelista por entregas* (Madrid, 1973).

* Zardoya, Concha: *Poesía española del 98 y del 27* (Madrid, 1968).

* ——: «El poeta político (en torno a España)», *Cuadernos Americanos,* XXXV.3 (mayo-junio 1976), 141-273.

Zavala, Iris M.: «Notas sobre la caricatura política y el esperpento», *Asomante,* I (1970), 28-34.

——: «Del esperpento», en *Homenaje a Casalduero* (Madrid, 1972), 493-496 (cf. ahora estos estudios en *El texto en la Historia,* Madrid, 1981).

Zubiría, Ramón de: *La poesía de Antonio Machado* (Madrid, 1973, 2.ª).

Para Valle-Inclán, además del número especial de la *Revista de Occidente,* es fundamental la colección de ensayos editada por Zahareas (1968), y más en concreto su introducción a *Luces de bohemia* (1976). Acerca de las «estéticas» de Valle-Inclán, esto es, de su proceso de superación del 98 y del modernismo, de su toma de conciencia ante la realidad político-social de España, el libro de Díaz-Plaja debe ser manejado con algún cuidado y complementado y retocado con los trabajos de Gómez Marín y, de modo especial, con el libro más totalizador y correcto de Hormigón, obra fundamental. Sobre la prosa de Valle-Inclán, A. Alonso, Zamora Vicente y Vilanova han estudiado brillantemente las *Sonatas* (1955), Speratti el proceso de cambio que va desde las *Sonatas* al «esperpento» y Risco, éste y el *Ruedo Ibérico,* culminación ambas series de ese proceso ideológico de radicalización; véase el útil estudio de Schiavo. Para exclusivamente el teatro, además del libro de conjunto de Greenfield, de un lúcido trabajo de Zamora Vicente (1969; cf. también su artículo de *Filología*) y de otro —más difuso— de M. E. March, han de consultarse los magníficos estudios de Zahareas y de Zahareas-Cardona. Por último, acerca de la actualidad de Valle-Inclán en el panorama cultural de la España de hoy, véase Alfaya y Doménech.

Entre las obras de conjunto sobre Antonio Machado, los libros de Gullón, Sánchez Barbudo (sobre la poesía y sobre el pensamiento), Serrano Poncela, Valverde, Zardoya y Zubiría, si bien muy desiguales entre sí y en ocasiones repetitivos, suelen ofrecer puntos de vista e interpretaciones de utilidad (destaquemos especialmente Sánchez Barbudo y Valverde); lo mismo cabe decir de los números especiales de *Cuadernos Hispano-Americanos* y *La Torre,* con trabajos de gran valía. Zardoya (1976) se ocupa de Unamuno, Machado y poetas posteriores como Alberti, Hernández, etc., en sus aspectos cívico-políticos. Dos libros más específicos, el de Aguirre y el de A. de Albornoz, estudian respectivamente la etapa «simbolista» de Machado y las conexiones de éste con Unamuno; el segundo de gran altura y dignidad, el primero, ahistórico y discutible en más de un punto. A un nivel más próximo al de la presente *Historia* está la introducción de Macrí a su edición bilingüe de Machado, el trabajo divulgador de Gil Novales y la vieja pero excelente aproximación de Pradal-Rodríguez. Imprescindible para conocer la última etapa vital del poeta, su identificación total con la causa republicana, es el libro de su hermano, José Machado. El artículo de Rodríguez-Puértolas se ocupa del tema de la infancia en la obra de Machado, tema que atraviesa toda la creación del poeta hasta su muerte, y que revela una parcela importante de su ideología progresista, evolución e ideología tratadas por Blanco Aguinaga de acuerdo con lo dicho en la presente *Historia,* asunto ya estudiado por el mismo crítico en *Juventud del 98* (cf. IV.3A). El libro de Tuñón de Lara es riguroso, correcto y amplio, al trazar de manera impecable la trayectoria creativa e ideológica del único noventayochista (Valle-Inclán murió poco antes de comenzar la guerra civil) fiel a la República y al pueblo español. Gullón-Phillips son compiladores de un conjunto de trabajos varios sobre Machado. El libro de Sesé es un útil y extenso panorama de la vida y obra de Machado. Útil es el estudio de Horàny, sobre los años de formación del poeta, y el artículo de Predmore, excelente trabajo sobre lo que su título indica.

V

EL SIGLO XX: MONARQUÍA EN CRISIS, REPÚBLICA

V.1. ARTE DESHUMANIZADO Y REBELIÓN
DE LAS MASAS

Nota introductoria.

Bibliografía básica.

V.1. ARTE DESHUMANIZADO Y REBELIÓN DE LAS MASAS

Nota introductoria

Para 1914 es ya evidente que la competencia internacional de producción y de mercados, entendida por Hobson y por Lenin como una de las resultantes de las contradicciones inherentes al sistema capitalista, no podía sostenerse dentro de los límites establecidos por la *Pax europea* que reinaba en el continente desde 1871. Al estallar la Primera Guerra Mundial se declara así, abiertamente, la primera gran crisis del imperialismo. La ruptura de una «paz» que imperaba sólo en Europa —mientras las potencias europeas saqueaban Africa, Asia y Latinoamérica— significaba también el final de una época clave del capitalismo, la de la llamada «Segunda Revolución Industrial» (cf. IV.3, Nota introductoria).

Final de una época también en otro sentido fundamental: en 1917, en plena guerra, tiene lugar la revolución bolchevique y, a partir de ella, el establecimiento de la primera sociedad socialista en la Historia de la humanidad. La lucha de clases consciente, eje de la Historia europea del siglo XIX, culmina así en la primera etapa de la división radicalmente antagónica no sólo entre estados, sino entre capitalismo y socialismo, que va a caracterizar lo que va de nuestro siglo. Tan a las claras ven ya entonces las clases dominantes de los países capitalistas la realidad del «fantasma» que venía recorriendo Europa desde 1848, que invaden la Unión Soviética, a la que mantienen en guerra durante años tropas inglesas, francesas, alemanas, japonesas, checas, rumanas, húngaras y norteamericanas.

Cuando la situación económica parece estabilizarse de nuevo tras la guerra mundial (en los países vencedores, por supuesto), dura en verdad muy breve tiempo (hasta 1929) y es obvia ya la ruptura con el pasado. Ruptura que se revela, por ejemplo, en la nueva posición dominante de los Estados Unidos y en el principio de la decadencia del imperio inglés (que, sin embargo, mantiene su apariencia de dominio hasta la Segunda Guerra Mundial).

En el ámbito de la cultura más selecta, los conflictos y contradicciones, la desintegración de una visión estructurada del mundo, el final de un siglo y de un modo de vida, eran ya evidentes mucho antes de la Gran Guerra. Larga historia tenía ya para entonces el rechazo de los poetas a la sociedad burguesa: no sólo en T. Gautier, Baudelaire, Rimbaud y Mallarmé, por ejemplo, sino, en el mundo hispánico, entre los mismos modernistas y noventayochistas, según hemos visto (cf. IV.3). La rebelión pasa, entre otros, por escritores como Jarry —cuya pieza teatral *Ubu Roi* resultó un escándalo mayúsculo en 1896— y Oscar Wilde, y ya antes de 1914 tenía Apollinaire establecida su corte de poetas contestatarios en París. En 1909 había aparecido el primer manifiesto futurista de Marinetti, en el que se predicaba, como necesaria para el «futuro» aventurero y anti-burgués, la destrucción de los «viejos» y del arte establecido como tal por las «academias», para cantar en su lugar la belleza de las máquinas y de la guerra. Por supuesto que, en pintura, en una tradición que viene de Manet, Monet y Cezanne, avanza también la repulsa de la noción del arte como imitación de la realidad y, a través del impresionismo, se dan pasos gigantes hacia un subjetivismo que acabará predicando la radical distinción entre lo que el pintor «crea» en el cuadro porque así lo exige su noción de las estructuras internas de la composición, y todo aquello que, siendo realidad en sí, otra que la pictórica, está irremediablemente fuera del cuadro. En su forma extrema, esta noción general de la independencia de la obra de arte frente a una realidad aceptada sin discusión por los despreciados «burgueses» culmina en el cubismo, que ya antes de 1914 han desarrollado Picasso y Bracque. Sin embargo, todo ello no llega a ser la tendencia dominante y abrumadoramente difundida hasta después de 1918.

Después de la guerra, tanto en la Europa occidental como en la nueva Rusia revolucionaria de los Soviets, todos los *ismos* parecen salir a la luz, en lucha contra la herencia burguesa del siglo XIX y en lucha de unos contra otros. Imaginismo, constructivismo, vorticismo, cubismo, creacionismo, futurismo: la lista parece interminable; pero, junto a la presencia constante de la teoría de la imagen, tal vez sean el dadaísmo y el surrealismo las dos tendencias más significativas de los años veinte. El dadaísmo vendría a significar la negación más radical no sólo de las tendencias del «arte burgués», sino de toda noción de coherencia artística. El nombre mismo, *Dada,* no significa nada, y una de sus nociones centrales es que para escribir poesía se deben recortar por separado palabras impresas en cualquier parte, meterlas en un saco, revolverlas e ir poniéndolas en un papel nuevo según el orden accidental en que vayan saliendo, como en una lotería. El surrealismo, en cambio, de viejas raíces visionarias, tiene una voluntad positiva: se trataría de buscar por el sueño una realidad más profunda que la de las apariencias o la lógica en el subconsciente individual que, aunque individual, es común a todos los seres humanos (y sus mitos); llegar a ese fondo último y captarlo por la escritura automática sería alcanzar la realidad más real del *yo* propio y, a una vez, la comunión con los demás seres humanos. Pero, una y otra vez, se confunden los significados que diríamos positivos y negativos de los varios «ismos» que tienen en común su rechazo de nociones realistas y lógicas de la realidad y que, en apariencia, caracterizan tanto el pensamiento de la burguesía como el de las nuevas «masas» de —supuestamente— ignorantes y mediocres seres, productos de la democracia burguesa (*masa* a la que ya, mucho antes, había atacado Flaubert). En esta trayectoria, desde luego, son claves tanto la aparición de la obra de Proust como la del *Ulysses* de James Joyce.

Contradictoriamente, esta dinámica y beligerante efervescencia estética se da en un contexto de renaciente prosperidad, resultado de la solidificación y crecimiento del capital financiero en la postguerra, y de una enorme miseria, inflación y desempleo, particularmente en los países «vencidos» (Alemania, por ejemplo). A lo largo de los años veinte —mitificados hoy por reaccionarias nostalgias como los «alegres» y prósperos veinte— se extiende y profundiza la lucha de clases en todos los países capitalistas, por razones internas, por el ejemplo de la Unión Soviética y por la política de la Tercera Internacional. A la vez, va en ascenso el fascismo. Y sólo si dejamos de atender exclusivamente al *charleston* o a la exuberante alegría de las estéticas de vanguardia entendemos que en los años veinte se gesta la crisis de los treinta, el socialismo moderno, el fascismo y el antifascismo, el *Frente*

Popular y la adhesión de muchos de los artistas a un nuevo realismo: corrientes todas ellas sin las cuales no entenderíamos la literatura española de estos años como parte de la literatura europea
y, a la vez, como reflejo de muy concretas contradicciones de la
vida española.

Porque también en España se puede decir que con la Gran
Guerra culmina y termina una época. España se mantiene al margen de la guerra mundial y con ello se beneficia económicamente
la burguesía nacional. Pero no se trata sino de una etapa más de
acumulación de capital, que le permite a su industria subdesarro-
llada y dependiente hacerse la ilusión de alcanzar la total independencia competitiva frente al capitalismo europeo. Después de la
guerra se verá que tal igualdad es imposible, dadas las estructuras
de dependencia establecidas históricamente. Pero entre tanto, la
acumulación de capital agudiza la lucha de clases, que acabará por
estallar en 1936. En plena guerra mundial la huelga general española de 1917 refleja claramente el problema, así como la creación en 1920 del *Partido Comunista Español,* transformado al
año siguiente en *Partido Comunista de España.* Y es esencial para
entender las contradicciones de una época en la que —según palabras de un historiador— los partidos ya no sirven para turnar,
ni siquiera para formar un gobierno coherente, con un país al-
zado en huelgas, con los funcionarios pasando a la acción, con los
militares organizados en Juntas y las nacionalidades en protesta.
Sin olvidar la guerra colonial de Marruecos, sangría humana y
económica que culmina en 1921 con las derrotas de Annual
y Monte Arruit, en que murieron diez mil soldados españoles.
Describiendo el período, Ortega y Gasset escribiría que «desde
1898 la historia de nuestro país es la de una liquidación de pres-
tigios, de órganos cohesivos, que no han logrado sustitución».
De ahí el golpe militar de 1923, con el que Primo de Rivera establece una dictadura que, por más que haya resultado «dictablan-
da», pretendía en cierto modo seguir el modelo italiano ejemplifi-
cado por la «marcha sobre Roma» de Mussolini en 1922: no en
balde visitaron juntos Italia Alfonso XIII y Primo de Rivera en
noviembre de 1923.

La dictadura de Primo de Rivera tiene un significado doble y
claro: ha terminado la Restauración, la fantasmagórica ilusión de
crear un sistema parlamentario, «democrático», a la «europea»,
pero basado en el cacicazgo, sin contar con una burguesía indus-

trial nacional capaz de competir con la europea, y excluyendo a la clase obrera de todas las decisiones, legal o subrepticiamente (cf. Notas introductorias a IV.2 y IV.3); la Monarquía, por lo tanto, el Estado de la Restauración, ha entrado en su crisis definitiva. La Monarquía y la oligarquía financiera (con vinculaciones en la gran propiedad agraria) recurrirán inútilmente a los espadones modernos, en imitación de la monarquía italiana. La inepcia de la Dictadura, la miseria creciente del pueblo, el crecimiento constante del antagonismo y la organización de la clase obrera, del campesinado y de las crecientes capas de la burguesía liberal, dan al traste con el proyecto, pese a la «pacificación» de Marruecos en 1926. Tras la caída del dictador en enero de 1930, la Monarquía marcha hacia el abismo, no sin ensangrentarse en el último momento (diciembre de dicho año) con el fusilamiento de los capitanes Fermín Galán y Angel García Hernández, sublevados en Jaca. Empujada por un enorme movimiento de masas y por una amplia coalición política, llega el 14 de abril de 1931 la Segunda República, a resultas de las elecciones municipales de dos días antes.

Con la República se agudizan las contradicciones. Un gabinete de derechas sucede al primer gobierno y se inicia el *Bienio Negro* (1934-1936). Hay levantamientos parciales del campesinado andaluz, ansioso de una reforma agraria que no llega; las derechas se agrupan y nace la *Falange Española* (1933) como pequeña vanguardia fascista, mucho más consciente de lo que significaba el fascismo que el padre de su fundador; la huelga y revolución de Asturias (1934), brutalmente reprimidas, son ya un anticipo de la guerra civil; para febrero de 1936 las fuerzas republicanas, socialistas, comunistas y anarquistas se enfrentan al fin de manera realista con la situación y el *Frente Popular* gana las elecciones, que significarán la clara escisión contemporánea de «las dos Españas». Lejos quedan ya los tiempos del inocente optimismo del 14 de abril.

No ha de perderse de vista que desde 1917 Europa entera se encuentra inmersa en un proceso revolucionario que con altibajos (victoria y derrota de la revolución socialista en Hungría; tomas fascistas del poder y catástrofes comunistas en Italia y Alemania...) culmina en los años treinta con la teoría y la práctica del *Frente Popular*. En ese contexto, resulta obvio que España, tras el anticipado intento de 1917, entraba también en el proceso revolucionario frente al fascismo. Correspondientemente, en los años veinte y treinta ha cambiado también la perspectiva literaria.

No deja de ser simbólico que Rubén Darío muera en 1916: tras la Gran Guerra lo que queda del modernismo será ya epigonal, o una simple resaca. Cierto que los del 98, según hemos visto, siguen escribiendo —y aumentando, incluso, su aceptación pública— hasta 1936, digamos como fecha tope del final real de su importancia cultural inmediata. Pero ya hemos visto también que para mucho antes de la Guerra Civil han empezado a dejar sus posiciones más radicales, y que han escrito, incluso, sus obras más importantes antes de 1917. A partir de 1917 sólo Antonio Machado y, de extraño modo, Valle-Inclán, seguirán avanzando en su pensamiento a la altura de los tiempos, mientras que los demás, según hemos visto (cf. IV.3A), se retraen a un pensamiento individualista pequeño-burgués que, aunque progresista (y ello será característico de la Segunda República), no se opone esencialmente a la sociedad burguesa. Tras ellos, coexistiendo con la vanguardia que nace, aparecerán algunos escritores que, fundamentalmente, derivan de modos finiseculares, bien sea del modernismo o del 98. Generación un tanto perdida entre el noventayocho y la vanguardia, sus exponentes principales en la novela son Gabriel Miró y Ramón Pérez de Ayala. Caso especial en la poesía es Juan Ramón Jiménez quien, solitario siempre, evoluciona y se transforma, pasando del modernismo más lacrimoso a preocupaciones poéticas radicalmente contemporáneas (debido a lo cual, entre otras cosas, será «maestro» de los poetas de la generación del 27).

Pero lo fundamental va a ser tras la Guerra Mundial la rebeldía de una nueva gente joven, una nueva vanguardia estética que pretenderá romper con los moldes «burgueses» del siglo XIX. Cierto que las primeras greguerías de Ramón Gómez de la Serna son anteriores ya por varios años a la Gran Guerra; que ya en 1910 Marinetti ha encontrado eco para sus ideas en España y ha escrito para sus jóvenes seguidores un *Manifiesto futurista para los españoles;* y que es en plena Guerra Mundial cuando aparece el chileno Vicente Huidobro por primera vez en la Península con su «creacionismo». Sin embargo, al igual de lo que ocurre en Europa, no es sino hasta la postguerra cuando estallan todos los *ismos*. Característicamente, unos y otros subrayan la noción de «juventud», atacan a los viejos (incluso, directamente alguna vez, a varios del 98), predican la desestructuración del mundo recibido, proclaman el juego, las virtudes del caos, y van diseñando los perfiles de una estética «deshumanizadora» que JOSÉ ORTEGA Y GASSET (1883-1955), alerta a lo nuevo, describirá breve pero precisamente en *La deshumanización del arte* (1925). Esta «deshumanización» tiene dos facetas inseparables. Por una parte, en la producción misma de la obra artística, lo característico del arte nuevo sería la voluntad de no imitar la naturaleza, ni en su apariencia ni en la «emoción» que puede producir una escena cualquiera o un paisaje; por otro, puesto que esta tendencia a «crear» de manera independiente de la «naturaleza» produce un discurso desconocido en la tradición estética dominante, el arte nuevo se caracteriza por la incomprensión que le rodea. Muy a la manera del vanguardismo futurista y fascistizante (lo cual no es, desde luego, característico de toda la vanguardia), Ortega llegará también a hablar de un nuevo estilo que es —y tiene que ser— guerrero, deportivo y aristocrático. Ya en este ensayo Ortega emplea la palabra «masas»: años más tarde escribirá *La rebelión de las masas* (1930) y aunque pretende aclarar que no ha de entenderse tal palabra en sentido clasista, de hecho explica que son las «masas» las que rechazan la revolución estética (cf. V.1B). Mencionemos de Ortega, además, su *España Invertebrada* (1921), interpretación histórica de un país que —según Ortega— perdió su estructuración «auténtica» el año 711, al ser destruida la España visigoda por la invasión musulmana: el irracionalismo germanizante de Ortega llega aquí a cotas en verdad asombrosas. A la misma generación pertenece GREGORIO MARAÑÓN (1887-1960), subjetivo historiador de personajes hispanos: Enrique IV de Castilla, *el Greco,* Olivares... La ideología del doctor Marañón coincide en no pocos aspectos con la de Ortega; desde un republicanismo liberal, ambos terminarán aceptando la «necesidad» de la guerra civil y de sus consecuencias (cf. Nota introductoria a V.2).

He aquí, por lo tanto, otra forma de las contradicciones de la época: la vanguardia estética aparece en la escena como revolucionaria y, particularmente, antiburguesa, pero, en sus representaciones más extremas, su revolución «deshumaniza» el arte y, por lo tanto, lo aísla de las «masas». Se plantea así un conflicto en el cual no se aclara bien si «masa» es todo ser humano no-artista o si «masa» es el burgués. Ello tenía que producir y produjo ruptura y divisiones en la vanguardia. Por lo pronto, entre los artistas bolcheviques; después, en todo el occidente europeo, inclusive España. Porque durante los años veinte siguen en aumento la lucha de clases en España, y para cuando llega la Segunda República serán bastantes los artistas que hayan roto con el arte «deshumanizado» para pasarse al arte social o incluso socialista.

Pero, además, se da en España un fenómeno particular que no podemos precisar si ocurre con iguales características en el resto de Europa. Y es que ya a finales de los años veinte se acusa un peculiar cansancio de los *ismos* «desnaturalizadores». Nos da la pauta un notable artículo de Sebastiá Gasch en el que, tras hacer la historia del cubismo en su derivación inevitable hacia la abstracción absoluta, propone la necesidad de que vuelvan las aguas a un cauce no por nuevo menos humano que el anterior a la revolución vanguardista. De hecho, lo que Gasch pide lo llevarán a cabo los poetas de la generación del 27 (llamados a veces de la Dictadura o de la República) y, según hemos indicado, aparece esperanzadoramente descrito —no sin ambigüedades— por Antonio Machado en una famosa carta abierta a Giménez Caballero, en la que propone que la joven poesía que iba entonces apareciendo como abstracta, intelectual y poco humana, tal vez lleve en sí, por su voluntad de objetividad, los gérmenes de un nuevo arte *para* las masas; arte al cual Machado se atreve a llamar «comunista».

Aparte de que en varios de los escritores de la generación de la República se dio la evolución prevista por Machado, una de las claves de la nueva poesía, pasados ya los «ismos» bajo cuya influencia nacen a la escritura y cuyas técnicas nunca rechazan los del 27, es lo que podríamos llamar su «eclecticismo», su voluntad de equilibrar lo nuevo con lo recibido en la mejor tradición popular española, por una parte, y, por otra, en la continuidad de la tradición culta progresista que se venía afirmando en España desde mediados del siglo XIX. De modo que, por ejemplo, si los creacionistas o ultraistas o, algo antes, los futuristas, rechazaban todo arte recibido de la generación anterior, los del 27 no rechazan nada de lo que consideran valioso, y con igual fertilidad recogen la copla andaluza y a Gil Vicente que a Góngora o Quevedo, que a Unamuno y a Ortega, que a Darío y a Galdós, que a Juan Ramón y a Machado. Es también característica de esta generación la constante relación de amistad que mantienen entre sí: en sus años mozos y aún muchos años después, cuando la política y la guerra podrían haberles separado. No rompen personalmente andaluces y castellanos, comunistas y conservadores, «poetas profesores» y no profesores, y es un signo emocionante y de los más positivos de la cultura española moderna el respeto que se tienen unos y otros, así como su fecunda voluntad de objetivar su contribución a esa cultura (cf. V.1C). Mención especial merece en este conjunto MANUEL AZAÑA (1880-1940), uno de los inspiradores de la II República y presidente de la misma con el *Frente Popular* y la guerra civil, intelectual de gran rigor y exigencia, crítico literario muy agudo y acertado (recuérdense sus trabajos sobre Juan Valera, por ejemplo, que obtienen en 1926 el Premio Nacional de Literatura). Azaña publicó también en 1926 *El jardín de los frailes,* narración novelada de su paso por el colegio religioso de El Escorial, obra reveladora de toda una mentalidad: la de la burguesía radical y progresista.

Hemos de entender esta actitud como peculiar expresión cultural de lo mejor de la burguesía progresista española, que ya desde el krausismo, por lo menos, había entrado en lucha contra la reacción de corte feudal y oligárquico-autoritario. Esta nueva burguesía de la oposición, liberal, europeizante (incluso cuando pretende ser «africanista», como en el caso de Unamuno) parece haber tenido conciencia de su propio papel histórico, que era el de intentar restablecer la continuidad de la cultura española en una línea en la que, además de aceptarse los valores recibidos (Lope, Velázquez, etc.), se revalúan los «heterodoxos» para trazar una senda histórica que, aunque la veamos llena de contradicciones, viene desde Galdós y la *Institución Libre de Enseñanza,* a través de Costa y el 98, Juan Ramón Jiménez, la *Junta para Ampliación de Estudios,* Ortega y todas las innovaciones positivas de la «vanguardia».

Este ecumenismo cultural de la generación de escritores que empieza a destacar a fines de los años veinte se relaciona con la aclamación popular progresista que lleva a la conflictiva Segunda República en la que, entre contradicciones, vemos unidos a poetas, intelectuales, eruditos, capas de la pequeña burguesía, proletarios y trabajadores del campo. De ahí que en plena dictadura de Primo de Rivera dominara el optimismo cultural y político, optimismo que aun Unamuno, desde su exilio y su pesimismo, se ve obligado a aceptar con su vuelta a España en 1930 como vocero del republicanismo, guiado por sus viejos correligionarios socialistas, casi de la mano de Indalecio Prieto. Aquella Segunda República que, como decía Machado, se recibió con alegría de primavera, juntó políticamente por un momento a todas las fuerzas progresistas españolas. La unidad contradictoria acabaría por fracturarse necesariamente con el *Frente Popular* de 1936, de modo que, frente a él, quedan, escépticos y pesimistas, los de la generación anterior (Unamuno, Baroja, Azorín, Menéndez Pidal...), e incluso algunos más cercanos a los nuevos (Ortega y Gasset, por ejemplo); pero no precisamente A. Machado o Manuel Azaña y los más jóvenes que se van uniendo a los del 27.

La vida cultural y educativa es intensa durante la República. La actividad anterior de la *Institución Libre de Enseñanza* fructifica —entre otras cosas, según hemos dicho— en la *Junta para la Ampliación de Estudios,* en la *Residencia de Estudiantes* de Madrid y en otra serie de centros en que se formó o enseñó un elevado porcentaje de la inteligencia liberal. Las universidades de Madrid y de Barcelona, por otro lado, adquirieron una categoría en verdad internacional. Al nivel de la enseñanza primaria, la República creó en poco más de un año siete mil escuelas, mientras que las *Misiones Pedagógicas* recorrían el país con conferencias, bibliotecas y exposiciones, llegando así hasta las abandonadas masas campesinas. Algo parecido, en fin, a lo que Federico García Lorca hacía con su teatro ambulante, *La Barraca.* Publicaciones de alto prestigio, como *Revista de Occidente* (fundada ya en 1923); *La pluma* (1920-1924), dirigida por Manuel Azaña, y *Cruz y Raya* (1933-1936), mantenían vivo el fuego sagrado del intelectualismo liberal que —por lo demás— iba naufragando lentamente ante una realidad sociopolítica cada vez más apremiante.

La agudización de la lucha de clases y la conciencia antifascista llevaron a que en el *Comité Mundial de Escritores para la Defensa de la Cultura* (1935) figurara Valle-Inclán como delegado español, y a que, al año siguiente, se creara en Madrid la *Alianza de Intelectuales Antifascistas,* dirigida por José Bergamín, Ricardo Baeza y Rafael Alberti. Ya en 1933 el propio Alberti había fundado la revista *Octubre,* de significativo subtítulo: *Escritores y artistas revolucionarios,* y en la que colaboraron, entre otros muchos, Antonio Machado, Emilio Prados y Luis Cernuda. Este último justificó así su incorporación a la izquierda militante:

> Llega la vida a un momento en que los juguetes individualistas se quiebran entre las manos. La vista busca en torno, no tanto para explicarse la desdicha como para seguir con nueva fuerza el destino. Mas lo

que ven los ojos son canalladas amparadas por los códigos, crímenes santificados por la religión y, en todo lugar, indignantes desigualdades... Es necesario acabar, destruir la sociedad caduca en que la vida actual se debate aprisionada... Confío para esto en una revolución que el comunismo inspire. La vida se salvará así.

Se incluía así Cernuda —como otros muchos escritores— en la línea de *Octubre,* en cuyo primer número podía leerse lo que sigue:

Octubre está contra la guerra imperialista, por la defensa de la Unión Soviética, contra el fascismo, con el proletariado.

Camaradas obreros y campesinos: la revista *Octubre* no es una revista de minorías. Es una revista para vosotros. Debéis tomar parte en ella... La cultura burguesa agoniza, incapaz de crear nuevos valores...

Octubre, desaparecida en 1934, continúa de algún modo con *Tensor* (1935), «la única revista literaria revolucionaria española», como en ella misma se dice. Y también en 1935 aparece *Caballo verde para la poesía,* fundada y dirigida por Pablo Neruda —cónsul de Chile en Madrid desde 1934—, en que se agrupan todos los poetas del momento y en cuyo número primero aparece el importante documento titulado «Sobre una poesía sin pureza», en claro reto a conceptos hasta entonces imperantes:

Es muy conveniente, en ciertas horas del día o de la noche, observar profundamente los objetos en descanso: las ruedas que han recorrido largas, polvorientas distancias, soportando grandes cargas vegetales o minerales, los sacos de las carbonerías, los barriles, las cestas, las manos y asas de los instrumentos del carpintero. De ellos se desprende el contacto del hombre y de la tierra como una lección para el torturado poeta lírico... Quien huye del mal gusto cae en el hielo.

En relación con esta idea de «poesía sin pureza» es bien revelador lo que Neruda dijera a Luis Rosales en cierta ocasión: «M' hijito, cuando pueda usted meter la palabra *camiseta* en un poema, venga a verme».

La revolución de Asturias —octubre de 1934— y su violenta represión por la derecha española había sido un fuerte revulsivo de polarización ideológica y práctica, pero las cosas venían de más atrás. En poesía, Rafael Alberti, al igual que Prados, había roto el fuego ya en 1930 iniciando un proceso de concienciación política. Mas no son Alberti y Prados los únicos poetas ya decididamente políticos en los años treinta; junto a ellos figuran —en diferentes grados de militancia— otros muchos de su generación o más jóvenes. El propio García Lorca en *Poeta en Nueva York* ya reflejaba de modo surrealista acuciantes problemas humanos y sociales, en tanto que en junio de 1936 declaraba lo siguiente:

> En este momento dramático del mundo, el artista debe llorar y reír con su pueblo... El dolor del hombre y la injusticia constante que mana del mundo y de mi propio cuerpo y mi propio pensamiento, me evitan trasladar mi casa a las estrellas...

Fuera del ámbito poético, existe también en la narrativa de los años treinta toda una corriente de realismo social. El grupo de novelistas sociales de la República está integrado de modo especial por José Díaz Fernández, César M. Arconada, Andrés Carranque de Ríos, Joaquín Arderíus y Ramón J. Sender (cf. V.1D). En cuanto al teatro realmente de izquierda, más allá del idealismo liberal de Alejandro Casona, se hace preciso mencionar el grupo *Nosotros,* dirigido por César Falcón, y el *Teatro Proletario,* con Manuel Altolaguirre, Arderíus, Sender y Alberti; la caída de la Monarquía había ya inspirado obras muy diversas, desde el drama de Alberti, *Fermín Galán* (1931), hasta la farsa *Alfonso XIII de Bom-Bom,* de Alvaro Custodio (1931).

Es, pues, claro que los más representativos de los nuevos escritores pretenden, más o menos explícitamente, ligar su obra a la problemática social inmediata (Alberti, Prados, Sender, el mismo Cernuda, a su modo García Lorca; los más jóvenes). Pero tal tendencia no es característica, digamos, de Guillén, o Gerardo Diego o Salinas. En la guerra civil, sin embargo, es abrumadora la coincidencia: la lista de escritores progresistas que del lado de la República luchan, como pueden, contra el fascismo, sería demasiado larga para enumerar aquí. Pero tal vez, menos a Diego, incluye a todos los demás poetas e intelectuales del 27 y los que les siguen en la izquierda: desde Alberti y Prados hasta Bergamín y Sánchez Barbudo o Gil-Albert. Los que por alguna razón, como Guillén y Salinas (o Juan Ramón Jiménez), se ven obligados al exilio durante la guerra misma, se mantendrán siempre fuera de la órbita de los victoriosos y no abandonarán sus posiciones antifascistas.

Veremos poco más abajo con algún detalle la evolución de estos escritores; pero no parece exagerado concluir aquí que tras los años de la «deshumanización del arte» y «la rebelión de las masas», para usar las dos rúbricas eufemísticas de Ortega, la vanguardia cultural española se caracterizó por su humanismo, su voluntad democrática, su amplia idea de la cultura, su limpieza personal e intelectual. Con la muerte o el exilio, fuera y dentro de España, han ido todos ellos pagando el precio de un progresismo que se refleja en la mayoría de sus obras; un progresismo que, por lo visto, era intolerable para los voceros de las glorias imperiales.

1A. EL NOVECENTISMO Y SUS EPÍGONOS

Ya desde la aparición de las *Soledades* de Machado (1903), y las *Poesías* de Unamuno (1907) —y, decisivamente, desde *Campos de Castilla,* del mismo Machado (1912)—, el modernismo, según hemos indicado, queda prácticamente liquidado, aunque parezca mantener cierta vigencia hasta la muerte de Darío (1916) y aunque no pocos de sus hallazgos y su voluntad de hacer de lo poético un campo específico lleguen a ser asimilados por las vanguardias de los años veinte. Por su parte, la generación del 98 se mantiene como central a la cultura española no científica hasta la misma guerra civil. En medio de esta larga trayectoria de los del 98, a partir de la obra de Ramón Gómez de la Serna y los primeros futuristas, surge ya una generación joven de escritores caracterizada por una radical voluntad de ruptura. Sucediendo a éstos, pero prácticamente contemporáneos suyos, aparecen los poetas de la llamada generación del 27 (cf. V.1C), que no por innovadores dejan de asimilar de los unos y de los otros. Y a lo largo de estos años, de 1900 a 1936, un extraño fenómeno, un poeta que atraviesa solitario toda la época, siguiendo su propia evolución desde el modernismo hasta la «pureza» expresiva que tanto influirá en los del 27: Juan Ramón Jiménez, omnipresente, pero como ausente y ajeno a todas las corrientes que a su alrededor coinciden y luchan.

Si añadimos la presencia de Ortega y Gasset y la de los epigonales Miró y Pérez de Ayala, todos de la misma edad de Juan Ramón Jiménez, vemos que la época que va de 1900 a 1936 es difícil de periodizar. Es, a una vez, época de continuidad y de ruptura, y nuestra periodización no debe oscurecer el hecho de que en los años veinte y principios de los treinta todos estos autores coinciden en una como explosión inusitada de la cultura literaria progresista en lengua castellana. Hemos tratado ya de la generación del 98 porque precede a los autores que ahora van a ocuparnos, pero a lo largo de las páginas de este capítulo hemos de tener presente su pervivencia hasta 1936; y cuando tratemos de los vanguardistas o de la generación del 27, tendremos siempre presente, por ejemplo, la continuidad de Juan Ramón, de cuya obra hasta 1936 tratamos a continuación.

Nace JUAN RAMÓN JIMÉNEZ (1881-1958) en Palos de Moguer, mundo luminoso y cálido del sur en el que vive una niñez y primera adolescencia bien protegidas social y económicamente; mundo que será también, en gran medida, el de las luces, vahídos y colores puros de toda su poesía. En pocos poetas como en Juan Ramón se ha dado la voluntad exacerbada de ser él mismo sólo su poesía (su «obra», decía), desnuda de toda referencia histórica y biográfica. Su exaltada voluntad de «pureza» y «desnudez» no ha de referirse exclusivamente al modo en que, a lo largo de los años, intenta llegar a la contemplación absoluta y a la esencia de lo «poético» —nunca, por otra parte, definido—, sino al esfuerzo casi ascético de ser, en cuanto humano, únicamente poeta. Los datos biográficos quedan, por lo tanto, desdibujados, borrados casi, con la excepción notable del hecho de su matrimonio con Zenobia Camprubí, matrimonio que parece ser toda su biografía, absolutizándose así en él unas relaciones personales elevadas casi a nivel de mito dentro del cual nadie conoce los secretos, fuera del cual nada importa salvo la poesía. Mencionaremos, sin embargo, el mínimo necesario de su biografía. Juan Ramón Jiménez es un lector insaciable, viaja por España, Europa y Estados Unidos, vive en Madrid mucho tiempo, sin que se le conozca ninguna ocupación extra-poética, en la *Residencia de Estudiantes*. Ahí conocerá a varios de los jóvenes poetas del 27, en cuya obra influirá decisivamente. Republicano, en 1936 marcha a América, donde ejercerá de profesor en Estados Unidos y en Puerto Rico. Recibe el Premio Nobel en 1956 y muere en el exilio en 1958 (cf. VI.1D).

No entraremos aquí en el análisis detallado de cada uno de sus libros hasta 1936; no es sólo abrumadora su cantidad (por ejemplo, veintitrés títulos en veintitrés años, de 1900 a 1923, desde *Ninfeas* y *Almas de violeta* hasta *Belleza*), sino que por obra y gracia de las *Antolojías* editadas por el mismo poeta, aparecen y desaparecen poemas de las ediciones originales, se encuentran correcciones nuevas o poemas viejos, nacen partes de libros tal vez inexistentes en las ediciones originales, etc.: resultado del hacer y rehacer una obra que ha de entenderse como única a pesar de su evolución. Pero importan los cambios, el proceso hacia una poesía que, según se va des-sentimentalizando, alcanza niveles contemplativos que permitieron a Juan Ramón mismo hablar de su visión panteísta del mundo. Esta visión panteísta que, según veremos (VI.1D), alcanza su plenitud en el exilio, se encuentra en germen desde sus primeros poemas en la relación sensual que en ellos se establece entre el poeta y la naturaleza que le rodea. Aparte del enorme decadentismo que revelan no sólo títulos como los ya citados y *Arias tristes* (1903), *Jardines lejanos* (1904), *Poemas mágicos y dolientes* (1911), *Melancolía* (1912), etc., sino también innumerables versos de la primera época, esa relación es profunda y apunta ya hacia el futuro panteísmo. En «Crepúsculo» (de *Olvidanzas,* 1909), por ejemplo, leemos:

> El poniente me invade con sus flores
> de oro, mientras, largo y lento, canta
> el ruiseñor de todos mis amores,
> ahogándose casi en mi garganta.

Y en el mismo libro, en un momento que se acerca al éxtasis puro:

> ¡Qué quietas están las cosas
> y qué bien se está con ellas!
> Por todas partes, sus manos
> con nuestras manos se encuentran.

O en *Elejías intermedias* (1909):

> Una a una, las hojas secas van cayendo
> en mi corazón mustio, doliente y amarillo.

De vez en cuando ya en esta primera época se afina el concepto, se ciñe el verso reduciendo la visión poética a su esencia,

a la manera directa de la mejor copla popular, para expresar la
obsesión del poeta por captar lo más secreto de la naturaleza e
identificarse con ella:

> ¡Allá va el olor
> de la rosa!
> ¡Cójelo en tu sinrazón!
>
> ¡Allá va la luz
> de la luna!
> Cójela en tu plenitud!
>
> ¡Allá va el cantar
> del arroyo!
> ¡Cójelo en tu libertad!

Pero lo dominante no es todavía esta difícil sencillez que caracterizará la obra madura de Juan Ramón Jiménez. Discuten los
estudiosos acerca de cuál pueda ser el momento de mayor presencia del modernismo en su obra entre 1900 y 1913. No ha de
interesarnos aquí tal cuestión en vista de que en los quince libros
de estos trece años lo característico no es la «desnudez» a la que
llegará más adelante, sino, muy al contrario, una controlada exu-
berancia en la que lo mismo encontramos «los mármoles del palacio sonoro» que un exceso de adjetivos, de colores decadentes
(malva, violeta, rosa) o de olores («hueles a acacia mustia») que
guían al poeta solitario y obseso en su búsqueda de la comunión
con la naturaleza («¡Cógelo en tu sinrazón!») Esta obsesión será
uno de los temas centrales de toda su obra. Inseparable de ella
es el tema de la soledad, no adolorida, no angustiada a la manera
romántica, sino deseada, buscada, lograda en el más egoísta rechazo del mundo, con el cual el poeta sólo parece tener contacto
a través de los libros que lee:

> La fina sombra verde de las movidas hojas
> acaricia la pájina pura que voy leyendo...
> ....
> Soledad. Luz. Silencio. En la vibrante calma,
> —entre pájina y campo—, mece la hora tranquila
> arrobamientos claros que le saca al alma
> una brisa, una flor, un pájaro, una esquila...

Con *Platero y yo* en sus dos momentos (1914 y 1917), con *Estío* (1916) y con *Diario de un poeta recién casado* (1917), Juan Ramón Jiménez ahonda más en ese mundo suyo según va, a la vez, «desnudándolo» —según dirá en un famoso poema— de los elementos más decadentes. En el *Diario* aparece el mundo de la Historia —que es concretamente el de los Estados Unidos del viaje de bodas del poeta— no sólo en toda su realidad antinatural y alienante, sino tratado por demás críticamente (y habría que considerar su posible influencia sobre el *Poeta en Nueva York,* de García Lorca, escrito trece años después, también durante una visita a los Estados Unidos). Pero es tal la voluntad de «pureza» de Juan Ramón que los poemas de este libro en que más reconocible es la realidad norteamericana —estaciones de ferrocarril, taxis, metro, etc.— desaparecen por completo en la selección que hace para la *Tercera antolojía* (1957). En vez, según escribe desde esta distancia temporal, «todo» parece estar «dispuesto ya, en su punto, para la eternidad». Sin embargo, el poeta en transición, consciente ya seguramente del significado posible de su relación sensual con la naturaleza, sabe que todavía no ha encontrado su voz más certera:

> No sé con qué decirlo,
> porque aún no está hecha
> mi palabra.

Donde han de notarse, por lo menos, dos cosas: la calidad puramente conceptual de estos versos y el hecho de que son todo el poema. Voluntad clara de decir de la manera más económica posible, y avance hacia el intelectualismo que de uno u otro modo marcará el resto de su obra, influyendo decisivamente en los poetas jóvenes que a él se acercaron en aprendizaje. Y, también, manteniendo a Juan Ramón «al día» con respecto a la vanguardia naciente que, entre otras cosas, predicaba la necesidad de eliminar todo sentimentalismo. El poemita citado es de *Eternidades* (1918); en el mismo libro se encuentra uno de los más famosos e importantes poemas de Juan Ramón:

> ¡Intelijencia, dame
> el nombre exacto de las cosas!
> ... Que mi palabra sea
> la cosa misma,
> creada por mi alma nuevamente.

Que por mí vayan todos
los que no las conocen, a las cosas;
que por mí vayan todos
los que ya las olvidan, a las cosas...
que por mí vayan todos
los mismos que las aman, a las cosas...
¡Intelijencia, dame
el nombre exacto, y tuyo,
y suyo, y mío, de las cosas!

Se trata de un momento crucial en la obra de Juan Ramón
Jiménez: el de la decisión de superar todo sentimentalismo, todo
simbolismo, los restos todos del modernismo o, en el sentido más
amplio, del irracionalismo de toda una época de la poesía de Occidente, que es, por supuesto, el de su poesía anterior. Pero no se
tratará de rechazar lo que había de válido para él en su intuitiva
comunión anterior con la naturaleza, sino de ahondar en ella con
un nuevo lenguaje. Lo que todavía falta, sin embargo, es ese nuevo lenguaje. Pero queda clara la decisión del poeta: incorporarse
a la tradición más clásica de Occidente, a la noción helénica de
que el *nombre* es, o puede ser, debe ser, la cosa misma. La dificultad estribará en que tal racionalismo opera, precisamente, contra el panteísmo, y el esfuerzo todo de Juan Ramón de aquí en
adelante será nombrar con precisión —sin las «vaguedades» de su
anterior poesía— la experiencia panteísta que, en efecto, se irá
ahondando.

En este poema hemos de notar también el egocentrismo, la
tendencia al endiosamiento de Juan Ramón. Nada más normal que
el que un poeta pida que le sea dada la palabra («dame el nombre...») y que desee que su palabra sea «la cosa misma». El «mi»
de «que mi palabra sea», sin embargo, se independiza inmediatamente de su voluntad de objetividad (= que *me* sea dada la
palabra *para nombrar* con exactitud *las cosas,* donde el acento,
lo significativo, cae sobre *cosas)* y se erige como sujeto dominante
de todo el poema: «que por mí vayan todos... a las cosas», tres
veces repetido. No *por mi poema,* sino *por mí,* deseo con el cual
el poeta se erige como orgulloso mediador entre los demás y las
cosas; semidiós, ser humano de otra estirpe. Sigue aquí Juan
Ramón, por lo tanto, dentro de la larga tradición romántica del
poeta como vidente (no olvidemos que muy cerca suyo Darío
había escrito: «¡Torres de Dios, poetas!»). Dificultad paralela a

la de plasmar racionalmente la visión panteísta será la de entrar
en las cosas y fundirse con ellas en unidad de materia (panteísmo)
desde tan desmesurado orgullo.

Abundan los éxitos expresivos, como en este poema de *Piedra
y cielo* (1919):

> ¡Sí, cada vez más vivo
> —más profundo y más alto—,
> más enredadas las raíces
> y más sueltas las alas!
>
> ¡Libertad de lo bien arraigado!
> ¡Seguridad del infinito vuelo!
> Todos duermen, abajo.

Pero no menos claro es el endiosamiento:

> Arriba, alertas,
> el timonel y yo.
>
> Él mirando la aguja, dueño de
> los cuerpos, con sus llaves
> echadas. Yo, los ojos
> en lo infinito, guiando
> los tesoros abiertos de las almas.

Junto al timonel, el poeta-profeta pastor de almas inferiores.
Desde tan elevada perspectiva, no ha de extrañarnos su famosa
dedicatoria: «A la inmensa minoría», y su desafiante insistencia:
«A la minoría, siempre». La relación de Juan Ramón con los demás, con todo lo que no sea su mundo más cerrado y gozoso,
queda claramente expresada en un poema titulado significativa-
mente «La obra»:

> De pronto, ahora,
> mi lugar conseguido
> me parece un lugar raro, estranjero,
> de donde yo domino
> el mundo.
>
> Voy y vengo
> por mi biblioteca,
> donde mis libros son ya luz, como los otros
> igual que por mi sueño adolescente;

y quien viene es quien quise —quien soñé—
entonces que viniera —la mujer, el hombre—.
El mediodía pone solitario
el alrededor, donde
hablo, sonriente, con los que me ignoran, porque tengo,
en círculo distante, lo infinito.

Es conocida la influencia que tuvo Juan Ramón en los poetas
jóvenes de los años veinte y nos hemos referido a ella. Esta influencia va desde cuestiones de detalle (atención a la copla andaluza, versos e ideas que pasan a reelaborarse en Alberti, García
Lorca, Prados, Guillén) hasta la más general y decisiva: el ejemplo
cotidiano del trabajo poético. Juan Ramón Jiménez es *el poeta* y
de él aprenden los del 27, en gran medida, la alta responsabilidad
que significa hacer bien lo que se hace; porque aunque el poeta
nazca, el poeta se hace verso a verso, en el trabajo objetivo de
la producción. Alto privilegio frente a la objetividad negativa (que
es alienación o enajenación) de otros trabajos humanos. Por lo
tanto, alta responsabilidad. Pero, ¿responsabilidad hacia la obra
que —exacta réplica de la biblioteca del poema arriba citado—
se mantiene aislada de los que *abajo* «me ignoran» (léase: yo ig-
noro); es decir, como si el poema se bastase a sí mismo sin receptores, o con unos cuantos receptores de privilegio poseedores de
calladas bibliotecas personales? Es también sabido que quienes
tanto aprendieron de Juan Ramón acabaron por alejarse de él.
No nos parece excesivo suponer que rechazaban este lado negativo
de su enseñanza (Cernuda, por ejemplo, ha escrito páginas termi-
nantes sobre el asunto). Y no sólo rechazan a Juan Ramón quienes fueron hacia la poesía «comprometida» (Alberti, Prados...),
sino incluso aquellos que antes de la guerra parecían menos dados
a tratar de la historia circundante (Guillén), o quienes, como
Prados en el exilio, avanzan hacia más auténticas —es decir, menos egocéntricas— formas de panteísmo. Queda así Juan Ramón
como un caso extraño no sólo por su aislada continuidad entre
varias corrientes literarias contradictorias, según indicábamos al
principio, sino como figura en sí contradictoria: gran poeta y
maestro en sus mejores momentos; racional y complejo, sencillo
y rico de expresión; pero también —a más del lacrimoso sentimentalismo de gran parte de su primera obra— como uno de los

máximos ejemplos en lengua castellana, tal vez sólo comparable a Góngora, de la desorbitada pretensión de limitar el mundo al poema y, en última instancia, a la función del poeta en cuanto demiurgo, dueño absoluto de la creación por el lenguaje. Más adelante trataremos de la continuidad de su obra en el exilio (cf. VI.1D.).

Contemporáneos de Juan Ramón, interesantes prosistas, pero a pesar de su calidad y originalidad epígonos del noventayocho y del modernismo, son GABRIEL MIRÓ (1879-1930) y Ramón Pérez de Ayala. Miró, alicantino, hombre de una modestia y humildad casi franciscanas, escritor «puro» que vive de sus empleos burocráticos, llegó en la segunda y tercera décadas del siglo a ser considerado como tal vez el mejor prosista de una generación que a través de él enlazaba ya con los nuevos. Sus cualidades —que realmente le acercaban más al modernismo que a la problemática del 98— eran evidentes: devoción a la producción literaria, esmero y elegancia, una gran sensualidad en la que parecen cruzarse su visión pictórica levantina —en algún momento Miró quiso ser pintor— y la tradición mística española, con un algo del erotismo de D'Annunzio; pero ya también sus contemporáneos veían defectos que hoy se nos aparecen tal vez como más graves que a ellos: un estatismo morboso y monótono, superficialidad que cuando pretende corregirse con detalles de vivencias internas tiende a lo sentimental, provinciano y «literario». Figura, en suma, entrañable la de Miró, pero obra, en última instancia, demasiado cercana al decadentismo finisecular. Entre sus novelas más ambiciosas señalemos *Las cerezas del cementerio* (1910), *Nuestro padre San Daniel* (1921) y su continuación, *El obispo leproso* (1926).

Caso muy distinto es el del asturiano RAMÓN PÉREZ DE AYALA (1880-1962), que aparece bastante escandalosamente en la vida literaria española con tres o cuatro novelas de las que destacaríamos, en primer lugar, y no precisamente por sus cualidades literarias, *A(d)M(aiorem)D(ei)G(loriam)*, 1910, subtitulada «La vida en un Colegio de Jesuitas», en la que arremete contra la educación jesuita de manera casi panfletaria. Pérez de Ayala, familia rica que acaba en la ruina, fue republicano y formó, junto con Ortega, Marañón y otros, la *Agrupación de intelectuales al servicio de la República;* su ambigua posición durante la postguerra (exilio a la Argentina, desde donde colabora en *ABC;* vuelta a

España en 1954), comparada con la agresividad de *AMDG,* nos hace pensar que su política, a la manera liberal republicana decimonónica, es más respuesta visceral a viejas represiones hispánicas que resultado de análisis mínimamente cuidadosos. Entre sus primeras novelas, *Troteras y danzaderas* (1913) se relaciona muy directamente con preocupaciones y actitudes noventayochistas en su crítica feroz y pesimista de las posibilidades de transformación españolas. En su segunda época, en la que lo dominante es una intelectualización extrema de la novela —«novela» que, recordemos, estaba en «crisis» y que en esos años produce obras como *Niebla,* de Unamuno, o *Los monederos falsos,* de Gide—, la mejor obra de Pérez de Ayala es *Belarmino y Apolonio* (1921), historia de dos zapateros filosofantes que dialogan entre hechos y personajes grotescos, primitivamente hispánicos y melodramáticos. Después —y es el caso más extraño de la letras de su tiempo— Pérez de Ayala enmudece como novelista y nos quedarán de él sólo sus colaboraciones periodísticas. Publicó varios libros de poesía, en que aparece tanto un tipo de «medievalismo» noventayochista como un «novecentismo» de tono menor.

De estos años de transición y como relativamente marginal a la línea dominante del noventayocho y sus epígonos, aunque no sin relación con ellos, importa recordar también la existencia de la novela erótica, en la que destacan escritores como Eduardo, Zamacois (1876-1972) y Felipe Trigo (1865-1916). Es un mundo literario todavía poco estudiado; puede ser, sin embargo, que resulte de gran interés sociológico por la manera en que el erotismo se funde con actitudes políticas radicales y porque debía dirigirse a algún público crítico y deseoso de transformación al que no se dirigían los austeros hombres del noventayocho. De algún modo, también, la novela erótica (que no pocas veces está al borde de la pornografía) se relaciona con la vida bohemia de los jóvenes modernistas y noventayochistas —entra en su órbita el mismo Blasco Ibáñez— y llega a influir no sólo en el vanguardismo de Ramón Gómez de la Serna, sino también —y ello es sumamente curioso— en las obras más grotesco-existencialistas de Unamuno (por ejemplo, *Amor y pedagogía,* y la misma *Niebla).* A diferente nivel, es preciso mencionar a Wenceslao Fernández Flórez (1886-1964), gallego de fino y escéptico humor tras el cual se oculta, como se ha dicho, una insatisfacción y frustración característica de los condicionamientos de la pequeña burguesía española. Recordemos sus narraciones *Las siete columnas* (1926) o *El malvado Carabel* (1931), entre otras. Con lógica bastante clara, Fernández Flórez, tras pasar por hacer la crónica parlamentaria de las cortes republicanas para *ABC,* terminará por escribir en apoyo del fascismo español alguna de las novelas más sectarias de la época (cf. V.2F).

Por otro lado, en el teatro de la época y aparte de Benavente, de quien ya se dijo algo (cf. IV.3A), coexisten varias corrientes de muy diferente signo. Unamuno y *Azorín* hacen un drama intelectual y sin concesiones (cf. IV.3A), al tiempo que triunfa un teatro populista y a las veces populachero con los hermanos SERAFÍN (1871-1938) y JOAQUÍN (1873-1944) ALVAREZ QUINTERO, «creadores» de una Andalucía tan sainetesca como falseada, de un pseudocostumbrismo castizo y feliz. CARLOS ARNICHES (1866-1943) suele equipararse de modo erróneo con los Quintero, pues sus obras, madrileñistas en su caso, no exentas desde luego de costumbrismo idealizante, no llegan a la insustancialidad quinteriana; son «tragedias grotescas» con claro componente de problemática social. PEDRO MUÑOZ SECA (1881-1936, fusilado en el Madrid republicano) fue cultivador de un humorismo delirante y en ocasiones claramente desmitificador, mas no por ello menos escapista, el «astracán» (cf. también VI.1C). A un nivel absolutamente distinto se halla EDUARDO MARQUINA (1879-1946); es autor de un teatro entre modernista y neorromántico, cuya nota distintiva es su añoranza de un pasado imperial perdido y de los «valores» castizos de la raza, como en su obra quizá más conocida, *En Flandes se ha puesto el sol.* Consecuente con esa línea, Marquina se incorporó animosamente al fascismo español en 1936 (cf. V.2E). Con todo este teatro coexiste el más digno de JACINTO GRAU (1877-1958) y de ALEJANDRO CASONA (1900-1963), calificado habitualmente de «poético». Grau buscó inspiración en temas de Romancero *(El conde Alarcos)* y bíblicos *(El hijo pródigo)*; su obra más representativa quizá sea *El señor de Pigmalión.* Casona, por su parte, utilizó elementos alegóricos para crear lo que suele llamarse «un ambiente de misterio» *(La sirena varada, Otra vez el Diablo),* camino por el que siguió después de la guerra civil (cf. VI.2C). Al calor de los ideales republicano-pedagógicos, estrenó en 1935 *Nuestra Natacha.*

1B. LA VANGUARDIA

Ya la generación siguiente a la de Juan Ramón —escritores
que nacen entre 1890 y 1900— es la de los vanguardistas, que
aparecen en las letras peninsulares —los más a muy corta edad—
con la voluntad decidida de romper no sólo con la literatura que
les rodea y la inmediatamente anterior a ellos, sino con toda
cultura recibida. Los movimientos principales que se funden y
confunden en la vanguardia española son el ultraísmo y el creacionismo. Sus muchos manifiestos y su obra literaria se concen-
tran entre los años 1918 y 1925, aproximadamente. El surrealismo,
de profunda influencia en la lírica del 27, vendrá inmediatamente
después (el primer *Manifiesto* de André Bretón es de 1924). Sin
embargo, según hemos ya indicado (cf. Nota introductoria de
este capítulo), la vanguardia nace antes de la Primera Guerra Mundial. Recordemos solamente que el *Manifiesto futurista para españoles* de Marinetti aparece en 1910 en la revista *Prometeo,* dirigida por Ramón Gómez de la Serna: importante conjunción
ésta de Marinetti y Gómez de la Serna, ya que siendo la vanguardia, como indiscutiblemente lo es, un movimiento de origen
transpirenaico, ofrece también para los jóvenes escritores de lengua castellana de entonces un claro ejemplo «nativo» en Gómez
de la Serna.

¿Cuáles son los temas centrales de la ruptura que proponen
los vanguardistas? Sin pretensión de jerarquizarlos mencionaremos el desprecio por la burguesía y, tal vez más específicamente,
por la pequeña burguesía y la «mediocridad» cultural imperante:
en uno de los manifiestos de la época se ataca directamente a
todos los «horteras» y «señoritos de la sopa». Es éste tal vez el
más tradicional de todos los blancos de la vanguardia, ya que se
remonta a la lucha —al desprecio— de los poetas de mediados
del siglo XIX por la sociedad comercial y «democrática», que veían
como opresiva y enemiga de la cultura. Ni siquiera es nueva
—después de Rimbaud— la virulencia de los ataques de que hacen gala los vanguardistas. Pero es indudable que el tópico ha al-
canzado con la vanguardia su máxima tensión histórica. No ha de
creerse, sin embargo, que esos ataques, la voluntad exasperada
de «*epatar* a los burgueses», conlleva un análisis realista e histórico del significado de la burguesía como clase a cuyo poder se

enfrenta la clase obrera. Se encuentran aquí y allí, desde luego, alusiones a la lucha de clases en los vanguardistas; alguna vez, incluso, aparece cierta voluntad de identificación entre vanguardia artística y vanguardia obrera; por lo general, sin embargo, los ataques a la burguesía se mantienen a un nivel cultural difuso y poco realista.

Es central también el tema de la juventud. Los ataques a la sociedad dominante son también ataques generacionales a los mayores que les preceden; pero no a la manera instintiva, inevitable y, diríamos, natural, en que las generaciones jóvenes —literarias o no— se oponen a sus mayores, sino elevando conscientemente el hecho mismo de la juventud a valor autosuficiente. La vanguardia de estos años, particularmente en su vertiente futurista, es un canto exaltado a la juventud contra todo pasado, juventud que se asocia, por supuesto, con modernidad, con lo que los vanguardistas percibían como principio de un mundo radicalmente diferente del de fin de siglo. Estamos en el momento cimero y de crisis de la llamada Segunda Revolución Industrial y, en los orígenes del futurismo, al borde de la guerra: las fábricas, la maquinaria, el automóvil, el cine, los primeros aviones, la radio, el teléfono, el mundo todo de la «velocidad», culminación de un largo proceso de desarrollo de las fuerzas productivas, se veía, no sin razón, como principio de un mundo nuevo, abierto hacia el futuro. Con absoluta coherencia, Marinetti y los más avanzados futuristas predican también la guerra con la que el mundo joven destruiría al viejo. Aparece así también la noción del heroísmo, del cual son portadores los nuevos artistas visionarios. Juventud, aventura, modernidad, heroísmo, guerra: gérmenes, entre otras cosas, de una ideología fascista (decía el propio Mussolini: «hay que vivir peligrosamente») que no aparecerá con claridad hasta después de la Primera Guerra Mundial que, en efecto, significa el final de una época, la de la gran «paz» imperial europea. Porque la guerra es la ruptura radical del mundo finisecular, la vanguardia se desarrolla explosivamente a partir de 1918, llegando a su apogeo en la primera mitad de los años veinte, década —según hemos dicho— de expansión económica (que se cerrará con el *crack* de 1929), de la revolución bolchevique y de los inicios del fascismo.

Hay que insistir en que toda esta exaltación de la juventud, de la modernidad y de nuevas formas de heroísmo estético, porque carece del más mínimo rigor en sus análisis históricos y porque desprecia al «burgués» desde una noción aristocrática y elitista acerca de la función del artista, tiende naturalmente hacia el fascismo; pero no sin contradicciones. Por lo pronto, en los propios futuristas-fascistas, como Marinetti, que acaban por someter su «visión-poética» a una idea organicista del Estado que no es sino la forma primera del nuevo capital monopolista, de la «odiada» burguesía en su más estricto sentido. Pero también se encuentran en la vanguardia aquellos artistas que, a partir de la revolución bolchevique, transforman su desprecio por la burguesía y su pasión por la modernidad en conciencia revolucionaria socialista. Ello se da principalmente en la Unión Soviética, no sin escisiones, en conflicto con la teoría y *praxis* leninista y entre contradicciones que, a la larga, llevan al abandono del vanguardismo en su más estricto sentido.

Desde el punto de vista estilístico o formal, es central a la vanguardia la teoría y práctica de la desestructuración, de la ruptura y fragmentación de las formas tradicionales. Si puede tal vez dudarse de que los años inmediatamente anteriores a la primera guerra anuncian ya un cambio de las estructuras socioeconómicas del capitalismo (puesto que en realidad se trata de la culminación de un ciclo de la larga y sostenida revolución industrial), es explosiva la evidencia formal de que en el ámbito del arte estamos ya en otro mundo, irreconocible desde el novecientos. Toda revolución estética anterior originada en el seno de la sociedad burguesa palidece ante lo que ocurre en Occidente, incluso en España, entre 1909 y 1925. Baudelaire, Flaubert, Rimbaud, Darío, predicaban la necesidad de nuevas formas expresivas: vistas sus aportaciones desde los años veinte —aportaciones que los vanguardistas no desprecian en absoluto—, se nos aparecen, sin embargo, como marcadamente decimonónicas. Cézanne está en los orígenes del cubismo y Flaubert en el de la nueva novela, pero el mundo de Picasso y de Joyce es ya muy otro. El caos que los vanguardistas perciben a su alrededor se refleja en radicales y atrevidas rupturas de la forma: la oración, el verso, la imagen, todo se descentra, se de-forma hacia nuevas estructuras que, por su esencia misma, son irreconocibles desde los anteriores estilos (cf. Nota Introductoria a esta misma sección).

Por lo demás, los nuevos modos de expresión tienden al intelectualismo, a la arbitrariedad y al juego (que con el surrealismo serán la asociación libre del subconsciente), y en su lucha contra el «horterismo» burgués es grande el orgullo de los poetas cuando logran crear un objeto estético libre de sentimentalidad. Estos versos de Pedro Garfias podría haberlos firmado cualquiera de los jóvenes vanguardistas:

> Me he sacudido mi romanticismo
> como el cielo en el alba
> se sacude del pecho las estrellas
> cuajando los rosales.
> Y mi cielo plomizo
> se ha iluminado
> violentamente...

Contra el sentimentalismo y también contra toda idea del arte como imitación de la naturaleza. La influencia del chileno Vicente Huidobro —tras el cubismo y Apollinaire—, profeta mayor del creacionismo, será en esto decisiva, por lo menos desde su primer viaje a España durante la guerra.

Intelectualismo, distancia lúdica, destrucción de la vieja sintaxis narrativa, voluntad de no imitar la naturaleza, de que no se reconozcan, por costumbre de la literatura tradicional, ni la forma ni el contenido: no sin razón habló Ortega de la «deshumanización del arte» en su famoso libro de 1925 (cf. más arriba, Nota Introductoria). Porque lo que de por sí era tendencia central de la poesía desde mediados del xix a distanciarse del público mayoritario («mediocre» producto de la despreciada sociedad «burguesa»), sufre con la vanguardia un radical cambio cualitativo. En las revistas *Grecia, Prometeo, Ultra,* entre las más importantes, los poemas y manifiestos de Guillermo de Torre, Antonio Espina, Pedro Garfias, Cansinos-Assens, Giménez Caballero y el primer Gerardo Diego, no han resultado ser en sí, por regla general, perdurables, pero abrieron de par en par las puertas a un nuevo género de escritura. Como, en otro orden, José Bergamín (n. 1894), católico progresista, creador de la importante revista *Cruz y Raya,* brillante y conceptista ensayista. En este sentido la vanguardia fue auténticamente «futurista». Asumieron gozosa y polémicamente la modernidad, las limitaciones de la noción de juventud y el riesgo de la ruptura con toda forma recibida. Su producción resulta, inevitablemente, caótica y transitoria; casi nos atreveríamos a calificarla de escandaloso fracaso. Pero los que les siguen asimilan todos sus aciertos. Gracias a ellos desaparecen el romanticismo y el modernismo, cambian el ritmo y la sintaxis, adquieren valor nuevo la imagen y la metáfora y, en general, llevan a la poesía peninsular a encararse con la realidad, todavía poco evidente en aquella sociedad básicamente agraria, de la presencia avasalladora de las nuevas fuerzas productivas. Si añadimos la importancia del surrealismo, del cual también la generación del 27 asimila enseñanzas teóricas y formales que de algún modo han marcado toda la poesía moderna, resulta fundamental e indiscutible la importancia histórica de la vanguardia.

Tampoco es despreciable, por otra parte, la virulencia antiburguesa de su visión del mundo. En su línea más deshumanizada y aristocratizante puede ir y va a dar a la reacción; lleva también —tal vez mayoritariamente— al desprecio absoluto de la forma —como en el dadaísmo— y por lo tanto al rechazo vital de todo posible compromiso con la realidad histórica; pero en el ataque contradictorio contra las relaciones sociales de producción capitalista se encuentra también el germen de la superación de la vanguardia misma: paradigmáticos son en este sentido los casos de los varios poetas que van del dadaísmo al surrealismo y de ahí a la poesía socialmente comprometida (sin dejar necesariamente de ser surrealistas). Lo que ocurre en algunos casos notorios —Aragon, Bretón, Maiakovski, Vallejo— podría considerarse en este sentido como *una* de las tendencias que derivan de aquella extraordinaria explosión de voluntad destructiva y creadora, de aquella alegría, desplante y derroche de talento que significaron, en España como en toda Europa, las vanguardias poéticas de la postguerra y de los años veinte.

Son muchos los nombres y las obras que cumplen similar función regeneradora en la prosa narrativa; pero la figura central, dominante, es la de RAMÓN GÓMEZ DE LA SERNA (1888-1963), padre y mentor en gran medida de las diversas corrientes vanguardistas, pero curiosamente único y, hasta cierto punto, independiente de los núcleos de actividad más colectiva. Madrileño, hijo de muy buena familia del barrio de Salamanca, es Ramón Gómez de la Serna, según ha escrito uno de sus mejores críticos, un auténtico «monstruo» de la literatura: por su precocidad y por el volumen y variedad de su obra. Es abogado a los diecisiete años y a los quince publica ya su primer libro, al parecer hoy desaparecido. A partir de ahí, todo en su vida es literatura. Ensayos, narraciones cortas, obras de teatro, novelas, salen a un ritmo vertiginoso de la pluma del escritor que trabaja siempre de noche y, como describe un crítico,

> recluído en un torreón de la calle Velázquez, entre objetos heterogéneos acarreados en parte del Rastro, acompañado (no sabemos desde qué fecha) por la muñeca de «belleza inmarchitable» colocada bajo un cielo de papel y vestida a la última moda de París.

Además, a lo largo de toda su vida, la producción de una serie interminable de «greguerías».

La «greguería», según el mismo Gómez de la Serna, es «humorismo más metáfora». Por ejemplo: «El rayo es un sacacorchos encolerizado», «la pistola es el grifo de la muerte», «los tranvías son los pantalones largos de la ciudad»; o bien, por asociación en apariencia menos natural visualmente: «Al cerrar una puerta cogemos los dedos al silencio.» Es clara la influencia que tuvo Gómez de la Serna sobre la vanguardia española, desde su revista *Prometeo,* en las famosas tertulias del café *Pombo* y, en general, porque fue el primer escritor de lengua castellana que se lanzó sistemáticamente a la desestructuración de las formas recibidas. Formalmente, los ejes de esa influencia son la greguería y su concatenación o «acumulación caótica» en la narración hasta el grado que la estructura narrativa pierde su cuerpo —desaparece, incluso, a veces— desintegrándose en los atisbos metafóricos de las greguerías mismas (en una novela, y por extensión, «greguería» sería un pasaje, un capítulo, un episodio, que, bien o mal logrados, pretenden sostenerse solos más allá de la «trama»). El procedimiento repercutirá no sólo —ni primero— en la prosa vanguardista, sino en la poesía.

Hemos de tener en cuenta que, aparte —o más acá— de la crucial polémica que en los años veinte sostuvieron los formalistas rusos contra la teoría de la imagen predicada por los simbolistas, si hubiese que aislar el elemento más característico de la escritura que se inicia poco antes de la Primera Guerra Mundial, nos encontraríamos con la imagen y/o la metáfora. Las dos vertientes centrales derivan de Bergson y del bergsoniano-contra-Bergson que fue T. E. Hulme, padre y maestro del «imaginismo» en lengua inglesa. Para Bergson —cima del irracionalismo vitalista decimonónico— sólo la intuición puede penetrar la realidad que se escapa siempre a la razón, al concepto. «Intuición» acaba por resultar equivalente a «poesía» en cuanto que ésta, por su ritmo, pero sobre todo por las asociaciones inesperadas que se establecen gracias a la metáfora, nos hace entrar en revelaciones que no puede jamás darnos el concepto. Se trata, por supuesto, de la vieja teoría de Aristóteles sobre la metáfora (asociación inesperada y sorprendente, por lo tanto reveladora), pero instrumentalizada contra el racionalismo empírico. En esta dirección teorizaron ampliamente en España incluso escritores tan poco vanguardistas como Unamuno y Machado. Y es que la ruptura, la transformación cualitativa que permite el paso del romanticismo a la vanguardia, no se encuentra en Bergson, sino en Hulme, lector y admirador de Bergson a su manera. De Bergson —y de toda su tradición— toma Hulme la idea de la centralidad poética de la imagen y la metáfora; pero —irracionalista y escéptico radicalmente consecuente— no cree que haya realidad alguna a penetrar o descubrir más allá de la superficie de las cosas mismas y sus relaciones. Por lo tanto, la imagen no es ni más ni menos que una asociación sorprendente entre cosas, conceptos, sentimientos, situaciones, sin trascendencia ninguna más allá del deleite mismo, la sorpresa estética de la asociación. La poesía —que para Hulme es construcción por imágenes— es, por lo tanto, un juego. Los poemas de T. E. Hulme —pocos y generalmente breves— ilustran brillantemente su teoría.

No es otro, en el fondo, el principio de la greguería: «humor más metáfora» significa poesía como juego, imagen como sorpresa intrascendente. Y todo lo que va implícito en ello, que es el irracionalismo absoluto, la negación de todo sentido y, en última instancia, el escepticismo como ideología que se sostiene y se justifica en el juego y la violación permanente de toda estructura dada: por ejemplo, la de la novela tradicional. Porque no sólo la greguería es un producto sin trascendencia, sino que la narración (o el poema) se construyen a base de una concatenación más o menos arbitraria de greguerías que no sólo no se suman hacia una significación total del texto, sino que ni siquiera mantienen entre sí relación estructural necesaria alguna. O mejor dicho —y es sólo una paradoja aparente— lo significativo del texto se pretende que sea su falta de significación. El mismo Gómez de la Serna lo ha explicado claramente: «Cada vez estoy más convencido de que decir cosas con sentido no tiene ningún sentido.» Y más aún: «Odio todo lo que no sea escepticismo.» La aparente falta de sentido revela así la ideología subyacente, del mismo modo que el antirracionalismo lleva al intelectualismo más «deshumanizado» en la construcción de cada greguería y en la acumulación de greguerías que son las narraciones de Gómez de la Serna (al igual que los poemas más característicos de los vanguardistas obsesionados con la imagen).

Entre estas narraciones merecen tal vez destacarse —a sabiendas de que, dada la abrumadora cantidad, toda selección es arbitraria— *El doctor inverosímil* (1914 y 1921), *La viuda blanca y negra* (1917), *El gran hotel* (1922), *El torero Caracho* (1926). Lugar especial merece tal vez *El novelista* (1923), donde Gómez de la Serna se plantea el problema de la diversidad posible del arte de novelar según asistimos al proceso de creación de varias narraciones del personaje-novelista, Andrés Castilla, quien, residiendo temporalmente en diversos barrios de Madrid, intenta escribir —se diría que simultáneamente— la novela adecuada a cada uno de los barrios. Como en casi toda la obra de Gómez de la Serna es central aquí el paradójico casticismo del autor que, a contrapelo de su vanguardismo, resulta inseparable de una visión melodramática y fácil de la existencia. Y a lo largo de todo ello, el uso y abuso del ingenio, del retruécano, de la greguería, en exasperante —y a la larga aburrido— barroquismo cuya nota ideológica básica es, insistentemente, el pesimismo, la vaciedad, el fracaso, la inutilidad de todo quehacer humano; salvo, por lo visto, el quehacer literario, entendiendo por literatura el juego al que se pretende quitar significado. Se ha hablado de la «oquedad ideológica» del madrileño; no creemos que exista jamás la oquedad ideológica en una obra literaria; preferimos, por lo tanto, otra conclusión: que Gómez de la Serna se escurre siempre de una confrontación con la vida. La transformación de esa huida en mensaje es precisamente su ideología.

Entre los prosistas de aquella vanguardia ganó fama en su tiempo BENJAMÍN JARNÉS (1888-1949). Narrador inteligente y sutil no basta decir de él que era un gran trabajador del estilo para distinguirle de quienes como Valle-Inclán, o *Azorín,* o Miró, crearon estilos propios de inimitable perfección. Jarnés —si acaso más como Valle— es estrictamente un hombre de la vanguardia y, en cuanto tal, lo que se plantea en sus narraciones es la desestructuralización del relato. Estamos, importa insistir en ello, en la época de Joyce y de la «deshumanización» del arte: la primera

novela de Jarnés, *El profesor inútil,* es de 1926. Pero claro que
Jarnés no es Joyce. Domina en él lo intelectual, la imprecisión
narrativa y, en última instancia tal vez, un no tomarse decididamente en serio la importancia de la producción literaria. Con el
tiempo —según el propio Jarnés llegó a sospechar que ocurriría—
su obra ha perdido importancia; no sólo porque le suceden narradores de mayor vitalidad, sino porque entre los que luchaban
en aquellos años por evitar la «muerte» de la novela, fueron
otros los que realmente transformaron el arte de novelar.

No han sobrevivido a su tiempo los más de los narradores
vanguardistas, aparte, tal vez, de Max Aub y Francisco Ayala, de
quienes hablaremos en otro lugar (cf. VI.1D) y que, por lo demás,
produjeron una mínima parte de su obra en aquellos años. Recor-
daremos especialmente a Antonio Espina (1894-1972), mejor poeta que narrador; Rosa Chacel (1898), Rafael Dieste (1899-1981),
Cipriano Rivas Cherif (1891-1968) y Pedro Salinas (1892-1952),
del que trataremos como poeta en el capítulo siguiente.

1C. LA GENERACIÓN POÉTICA DE LA REPÚBLICA

Nos ocuparemos aquí de los poetas mayores, cuyos primeros
libros, con la excepción de *Cántico,* de Jorge Guillén (1928),
aparecen o están ya escritos entre 1921 y 1925. Se trata de un
grupo de poetas amigos, relacionados en gran parte por mediación de la *Residencia de Estudiantes,* y colaboradores en las
mismas revistas, algunas de las cuales, como *Litoral,* de Málaga,
son básicas en una historia de la poesía española moderna. Eran
aquellos los años dorados de la vanguardia y sus múltiples *ismos*
y —tal vez con la excepción de *Cántico* y de *Perfil del aire,* de
Cernuda— son evidentes sus huellas en aquellos primeros libros
del grupo, tanto en el «creacionismo» de Diego como en el procedimiento neosurrealista de la asociación libre en Aleixandre o
en los excesos metafóricos de Prados. Dominaba, ya lo hemos
visto, la idea de la poesía como libertad y juego: imaginación
frente a racionalidad, lenguaje «creado» contra lenguaje recibido.
Y cuando ya los *ismos* españoles se estaban agotando en sus procedimientos, algunos de aquellos jóvenes descubrieron en Góngora
la fuente primera de su modernidad y celebraron el tricentenario

de su muerte en 1927 con una misa: de ahí que se les conozca por *generación del 27.*

Este nombre plantea varios problemas. Revela, en primer lugar, la insuficiencia de la categoría «generación» para la comprensión de un momento histórico con sólo tener en cuenta que a la misma generación de los poetas que aquí van a ocuparnos pertenecen, estrictamente, Díaz Fernández, Arconada y Sender, cuya obra narrativa, según veremos, es, en sus orígenes, radicalmente distinta de la de aquéllos. En segundo lugar, por significativa que haya sido simbólicamente la misa de 1927 (a la que algunos se negaron a asistir porque no les parecía, desde ningún punto de vista, un acto particularmente revolucionario), más significativo ha de ser el hecho de que todos estos poetas no sólo fueron republicanos, sino que llegaron a la primera madurez de su obra durante la República. No creemos que valga la pena discutir esta cuestión aquí con detalle: el concepto de generación es, sin duda, insuficiente para un enfoque histórico, mas tal vez no del todo inútil; la fecha simbólica puede ser engañosa, pero, también, algún sentido tiene. Proponemos, sin embargo, que tal vez sea más significativo hablar de generación *poética,* y no del 27, sino *de la República.*

Lo que importa, de todos modos, es que la obra de los poetas que van a ocuparnos tiene dos momentos claramente definidos: la preguerra y la postguerra. En los más de ellos es de suma importancia también la etapa de la guerra misma. Las tres épocas (en cada una de las cuales, por supuesto, no excluimos evoluciones internas) corresponden a momentos sociohistóricos diferentes, y nos ha parecido necesario, por lo tanto, separarlas, aun a riesgo de fragmentar, en apariencia, la obra particular de cada uno de los autores. Y para evitar en lo posible calificaciones subjetivas y arbitrarias de tantos y tan espléndidos poetas, nos ocupamos aquí de ellos por orden alfabético.

En ese orden, el primero de la lista de su generación es RAFAEL ALBERTI, quien en 1932 ofrecía algunos datos biográficos en la *Antología* generacional que publicó Gerardo Diego:

> Nací el 16 de diciembre de 1902 en el Puerto de Santa María (Cádiz), de familia burguesa y católica. Cursé hasta el tercer año de bachillerato en el Colegio de Jesuitas del mismo Puerto, como en su tiempo Fernando Villalón y Juan Ramón Jiménez... Trasladada mi familia a

Madrid en 1917, abandoné el bachillerato por la pintura. En 1922 hice una exposición en el Ateneo. Causas de salud me obligan, poco después, a vivir en las sierras de Guadarrama y Rute, donde empecé a escribir mis primeras poesías. Por ellas, recogidas bajo el título de *Marinero en tierra,* me conceden el Premio Nacional de Literatura (1924-1925). No tengo ninguna profesión. Es decir: sólo soy poeta... En 1931 salí, pensionado por la *Junta de Ampliación de Estudios,* para Francia y Alemania. Acompañado siempre de mi mujer, he recorrido gran parte de Europa, pasando tres meses en la Unión Soviética.

No queda aquí dicho lo que años más tarde Alberti explicaría en sus memorias (*La arboleda perdida*): que se va politizando a finales de la Dictadura de Primo de Rivera y que su viaje a la Unión Soviética se relaciona con el hecho de que, entre 1931 y 1932, ingresa en el *Partido Comunista,* al que pertenece hasta hoy mismo (siendo miembro de su Comité Central).

Marinero en tierra (1924), su primer libro, es juego, nostalgia ya de la niñez, rigor conceptual y técnico, aplicación consciente de la tradición popular con predominio, tal vez, de la copla andaluza y puesta en práctica de la teoría de la imagen, dominante en el pensamiento poético de la vanguardia. Sonetos de filiación clásica («A Rosa de Alberti, que tocaba, pensativa, el arpa») y sonetos a base de alejandrinos («A un capitán de navío») casan a la perfección con la copla popular, inserta, sin embargo, en el conocimiento de la poesía culta:

> Si Garcilaso volviera,
> yo sería su escudero,
> que buen caballero era.

A la manera que caracterizará la obra primera de los poetas andaluces (pero sin la extraña vibración de misterio y angustia peculiares a un García Lorca o un Emilio Prados), lo central de este airoso libro, que hoy nos parece ya tal vez excesivamente fácil, sigue siendo el decir sencillo y alusivo de la copla popular:

> Pirata de mar y cielo,
> si no fui ya, lo seré.
> Si no robé la aurora de los mares,
> si no la robé,
> ya la robaré.

Por su precisión, por la estructura rigurosa de sus composiciones, por su filiación con tan rica tradición, *Marinero en tierra,* como todas las obras primeras de los del 27, aparece ya más allá de las teorías y la práctica de la vanguardia. Alegría, juventud, juego, novedad, imágenes: todo lo predicado por los *ismos* está ahí, pero ceñido ya por una especie de actitud clásica nueva, por esa peculiar voluntad de «objetividad» que Machado notaba en los «nuevos». Con *Marinero en tierra* entramos por uno de los caminos más firmes, aunque estrecho, en la poesía de la generación republicana.

La amante (1925) y *El alba del alhelí* (1925-26) ahondan poco, en verdad, en las intuiciones de *Marinero en tierra.* Sigue dominando la copla popular, se insiste en los estribillos, y lo andaluz sigue apareciendo limitado al juego y a la alegría. Todo ello como resumido en las «chuflillas» dedicadas al Niño de la Palma, torero de la mejor estirpe de la escuela sevillana:

> ¡Qué alegría!
> ¡Cógeme, torillo fiero!
> ¡Qué salero!

Con *Cal y canto* (1926-27) entramos en un mundo distinto. Por una parte, hace ya la muerte su aparición un tanto más seria, según se ve en «Corrida de toros»:

> De sombra, sol y muerte, volandera
> grana zumbando, el ruedo gira herido
> por un clarín de sangre azul torera.

En el mismo poema surgen también los primeros ecos en Alberti de la nueva afición al barroco (1927 es el año del homenaje generacional a Góngora): «veloz, rayo de plata en campo de oro...». Y una suerte de tardía incorporación al mundo de lo «moderno» propuesto como ineludible por las vanguardias de unos años antes: «A Miss X, enterrada en el viento del Oeste», por ejemplo, recoge, en verso libre y con nueva ironía, tanto la pasión por el cine característica de la época (y los del 27 escribirán muchos poemas «cinemáticos») como la nueva y asombrosa presencia de los Estados Unidos en la conciencia de Occidente. Todo ello con el empleo moderado de ciertas técnicas surrealistas, el uso

burlesco de palabras en inglés, insistencia en el recuerdo del
barroco, y dando lugar prominente a lo mecánico:

> ¡Ah, Miss X, Miss X: 20 años!
> Blusas en las ventanas,
> los peluqueros
> lloran sin tu melena
> —fuego rubio cortado—.
> ....
> El barman, ¡oh, qué triste!

O bien:

> (Cerveza.
> Limonada.
> Whisky.
> Cocktail de ginebra.)

O:

> Treinta barcos,
> cuarenta hidroaviones
> y un velero cargado de naranjas,
> gritando por el mar y por las nubes.
> ....
> Ministerios,
> Bancos de oro,
> Consulados,
> Casinos,
> Tiendas,
> Parques
> cerrados.

Se encuentra también un malogrado poema sobre fútbol, en
el que se cantan las hazañas del gran portero húngaro Platko.
Tratando juguetonamente de resolver la contradicción entre lo
nuevo y la más rica tradición culta, Alberti escribe asimismo en
Cal y canto un «Madrigal al billete de tranvía».

Los siguientes libros de Alberti son prácticamente contemporáneos. Yo era un tonto y lo que he visto me ha hecho dos tontos
(1929), que parece iba a llamarse Tontos, es un libro de transición, regulado por la naciente mitología del cine, uno de cuyos
ejes —junto al Far West y sus cowboys— era entonces el de los
grandes cómicos más o menos calamitosos: Buster Keaton, Harold

Lloyd, Charlie Chaplin, Harry Langdon... Temáticamente, predo-
minan aquí el desencuentro, la tristeza de un inexplicable absurdo
que se traduce en burla y risa para el espectador que asiste a las
prodigiosas mímica y montajes de la alienación de aquellos grandes artistas solitarios. En su búsqueda por lo que nunca se define
—armonía, justicia tal vez, amistad, respeto, el amor— encuentra
también Alberti nostalgias de paraísos perdidos. Una y otra vez
los versos de *Yo era un tonto...* insinúan la desaparición del alegre «marinero» que en «tierra» quería ser el joven Alberti:

> 5 × 5 entonces no eran todavía 25.
> ....
> A una reina se le ha perdido su corona,
> a un presidente de república su sombrero,
> a mí...
> ....
>   ¿Qué quiere decir buenos días?

Y domina una cierta obsesión, muy generacional, por la «cárcel» de la niñez que había sido la escuela en «Harold Lloyd, estudiante»:

> ¿Tiene usted el paraguas?
> ¿Avez-vous le parapluie?
> ....
> 29, 28, 27, 26, 25, 24, 23, 22.
> 2πr, πr2...

En *Sobre los ángeles* (1927-1928) hace crisis definitiva la juventud del poeta, su aceptación juvenil y alegre del mundo. Ya
aquí pasan «vírgenes con escuadras y compases...» y «vírgenes
sin escuadras, / sin compases, llorando»; ángeles buenos y malos,
ángeles de las ruinas, de los números, de la prisa, ángeles crueles,
y hasta un ángel avaro que «está muerto / y no lo sabe» porque
«sueña con las minas»: ángel explotador de un mundo que Alberti
empieza a entender de nueva manera según

> Tizas frías y esponjas
> rayaban y borraban
> la luz de los espacios.
> Ni sol, luna, ni estrellas,
> ni el repentino verde
> del rayo y el relámpago,
> ni el aire. Sólo nieblas.

Se trata de uno de los libros más complejos de la lírica española moderna y no podemos aquí sino traicionar su complejidad con tan simple reducción de su temática, por lo demás muy discutida por la crítica. Es además de suma importancia en este libro lo que nos atreveremos a llamar su *apariencia* de surrealismo. Compuesto con el mismo rigor racional del resto de la obra de Alberti, sus alusiones son, sin embargo, oscuras y surgen desconectadas en un discurso que parece ser escritura automática. No poco se ha debatido si hay o no surrealismo en España. Si lo hay, *Sobre los ángeles* ha de contarse entre sus logros; pero tal vez se trate más bien de un inteligente manejo de la técnica surrealista, sin que por ello el poeta se haya abandonado al fluir del subconsciente. Lo que no puede dudarse es que *Sobre los ángeles* nos ofrece una visión del mundo ya en crisis, un caos apenas controlado por la inteligencia y los recuerdos, matizado apenas por un «homenaje a Bécquer» en el que domina una meditativa y honda tristeza «anterior al arpa, a la lluvia y a las palabras».

Inmediatamente después, durante los años de la gran crisis mundial del capitalismo, Alberti escribe *Sermones y moradas* (1929-1930). Verso libre y largas parrafadas de prosa densa y de difícil lectura en la que nos desorbitan la asociación libre, las imágenes y símbolos en que se cruzan ecos de Rimbaud y del surrealismo:

> Yo os aconsejo que no miréis al mar cuando es enfriado por el engrudo y papeles de estraza absorben los esqueletos de las algas.

Pueden, desde luego, encontrarse ciertas constantes significativas: símbolos sexuales (pez, molusco), confusión («¿A cuántos estamos hoy?»), necesidad de huir («Había que expatriarse involuntariamente / dejar ciertas alcobas, / ciertos ecos, / ciertos ojos vacíos. / Ya voy»), y, tal vez por encima de todo, la obsesionante angustia por la niñez o perfección perdidas:

> Sí,
> pero yo he perdido mi jaca
> y mi cuerpo anda buscándome por el sudoeste
> y hoy llega el tren con dos mil años de retraso
> y yo no sé quién ha quemado estos olivos.
> Adiós.

El tono general, sin embargo, es el de una angustia tan indefinida que se diría que el poeta nos esconde su dirección y verdaderas causas en la acumulación obsesionada de oníricas relaciones dispares e incoherentes. Difícil es, por lo tanto, decir qué pasa en estos poemas más allá de esa angustia general que parece resumirse en un sentirse el poeta perseguido, «encarcelada» su «alma» en una «morada» tenebrosa, «sótano por dentro», desde el cual, según dice en «Adiós a las luces perdidas», rechaza el mundo que le rodea.

La salida del sótano la encontrará Alberti, como tantos otros de su generación, por la vía política revolucionaria. A partir de aquí —y no sin sorpresa de algunos de sus contemporáneos— cambia, como su vida, su poesía. *El poeta en la calle* (1931-1936), *De un momento a otro (Poesía e historia)* (1932-1938), *Un fantasma recorre Europa* (1933), *Consignas* (1933), *13 bandas y 48 estrellas, poema del Mar Caribe* (1935) han de contarse entre los mejores libros de poesía comunista que se hayan escrito y, desde luego, entre los primeros de una generación mundial que, tanto en España como en Inglaterra, Francia, Perú, Chile o Cuba, hizo «traición» a su clase. La toma de conciencia y el cambio de bando se ofrecen con emocionante honestidad:

Siervos,
viejos criados de mi infancia vinícola y pesquera,
con grandes portalones de bodegas abiertos a la playa,
amigos,
perros fieles,
jardineros,
cocheros,
pobres arrumbadores,
desde este hoy en marcha hacia la hora de estrenar vuestro pie la nueva
yo os envío un saludo   [era del mundo,
y os llamo camaradas.
Venid conmigo,
alzaos,
antiguos y primeros guardianes ya desaparecidos.
No es la voz de mi abuelo.
ni ninguna otra voz de dominio o de mando.

Porque el poeta entiende que «Un fantasma recorre Europa»,

> ... y las viejas familias cierran las ventanas,
> afianzan las puertas,
> y el padre corre a oscuras a los Bancos
> ....
> Un fantasma recorre Europa,
> el mundo.
> Nosotros le llamamos camarada.

En esta poesía, que seguirá madurando y encontrará su forma tal vez más justa durante la guerra civil, interesa destacar *13 bandas y 48 estrellas...*, por su profunda y clara visión antiimperialista, inusitada hasta cierto punto para un poeta europeo de entonces. Tras la dedicatoria a Juan Marinello y el epígrafe de Darío («¿Tantos millones de hombres hablaremos inglés?»), el poeta se ve frente a Nueva York, como García Lorca unos años antes. Pero su visión no es ya la angustia incontrolada del granadino; viendo con sus propios ojos y no los del amigo («Yo era el que despertaba comprendiendo...»), la gran metrópoli provocadora de violencia y caos es para Alberti un nada misterioso centro de explotación cuya influencia se extiende a toda América:

> salían Nicaragua,
> Santo Domingo,
> Haití,
> revueltos en la sangre intervenida de sus costas,
> secundado el clamor de las islas Vírgenes compradas,
> el estertor de Cuba,
> la cólera de México,
> Panamá,
> Guatemala,
> Costa Rica,
> Colombia,
> Puerto Rico,
> Venezuela...
> y todo envuelto siempre en un tremendo vaho de petróleo

Admirables son también los poemas «Casi son», entre claros ecos de Nicolás Guillén; «México» (El Indio) y «Yo también canto América», que arranca del verso de Langston Hughes: «I, too, sing America». El anticapitalismo, con total coherencia, es también antiimperialismo; y el poeta que se ocupa de su propia «calle» es, necesariamente, internacionalista.

Durante la guerra esta dimensión dialéctica de la poesía revolucionaria seguirá por firme cauce, apoyándose, como en su primera juventud, en la mejor tradición popular (cf. V.2B). Luego vendrá la poesía del exilio donde, veremos (VI.1D), se ahonda y afina más aún la visión revolucionaria de Alberti, en la que nostalgia y esperanza, lo personal y lo colectivo, se funden en armónico humanismo. Sobre el teatro de Alberti se ha dicho algo en la Nota introductoria, y volverá a mencionarse en V.2C.

VICENTE ALEIXANDRE (1898) nace en Sevilla y pasa su niñez en Málaga, que será siempre el mundo de sus mejores recuerdos. Estudia Derecho y pasa su juventud en Madrid. Hombre de discretísimos comportamientos sociales, enfermo desde muy joven, participa, sin embargo, de las preocupaciones izquierdistas de algunos de sus contemporáneos durante los años treinta, llegando, incluso, a colaborar en la revista *Octubre*. Durante la guerra civil, según veremos (V.2B), está del lado de la República. Es ahora miembro de la Real Academia y reside en Madrid. Ha obtenido en 1977 el Premio Nobel de Literatura.

En el segundo poema de *Ámbito* (1924-1927), su primer libro, leemos:

> Hay un temblor de aguas en la frente.
> Y va emergiendo, exacta,
> la limpia imagen, pensamiento,
> marino casco, barca.
> Arriba ideas en bandada,
> albeantes. Pero abajo la intacta
> nave secreta surge,
> de un fondo submarino
> botado invento, gracia.

El poema se titula «Idea»; pero de hecho, como en el resto de la poesía de Aleixandre, lo que domina en *Ámbito* es la imagen. Las «ideas», sí, pueden ir altas y puras («albeantes»), en «bandada», pero Aleixandre las deja seguir en su vuelo y a lo que quiere acercarse, a lo que se acerca, es a esa «nave secreta» que aparece «intacta» siempre «abajo»: sustancia última de la realidad que —según la estética de vanguardia— se capta en imágenes, si es que se capta, y no en conceptos.

No se trata de un antirracionalismo declarado, sino de un buscar el sentido de la naturaleza (y luego de la vida humana) en las formas interiores que apenas se adivinan en su presencia:

> Se ha de ver en tus manos el viento,
> anclado en tus dedos,
> alzarse y prenderte.

No tardará Aleixandre en llegar a lo que se ha llamado su «panteísmo erótico»; pero en *Ámbito* se mantiene todavía una clara distancia entre el poeta que contempla con la esperanza de lograr un «hallazgo entre las sombras» y la naturaleza que, en cambio permanente, ofrece a los sentidos sus variaciones «saliendo» siempre «viva» de sí «misma» («Luz»).

Así, a pesar de su carencia de «ideas», en *Ámbito* se mantiene una notable objetividad contemplativa, bien sea que Aleixandre se entregue a la «dulce fiesta de paz en el crepúsculo» o que contemple cómo «los montes, limpios del azul dormido, / amanecen». Lenguaje controlado y rico en sutilezas, elegantes, gracias al cual, por más que la naturaleza se presente como un misterio siempre ulterior a sus formas aparentes, dominan el orden y el equilibrio. El empleo insistente de la partícula *o,* que caracterizará el resto de la obra de Aleixandre hasta *Historia del corazón,* partícula por obra de la cual todo es ello mismo y cualquier otredad ajena a ello, procedimiento estilístico clave para romper, en sentido estricto, toda objetividad, no es todavía característico de *Ámbito,* aunque, curiosamente, lo encontramos en su primer poema («O carne o luz de carne»).

Con *Pasión de la tierra* (1928-1929) da Aleixandre un paso decisivo hacia la visión del mundo que será la dominante de su obra. Se trata de un libro de poemas en prosa, de imaginación decididamente surrealista, de intuiciones que se acumulan de manera onírica:

> «Todo estaba en el fondo del aire con la misma serenidad con que las muchachas vestidas andan tendidas por el suelo imitando graciosamente al arroyo»; «Horizontalmente metido estoy vestido de hojalata para impedir el arroyo clandestino que va a surtir de mi silencio»; «Una bota perdida en el camino no reza en desvarío, no teme a la lluvia que anegue sus pesares... Nada como acariciar una cuesta, una cuneta, una dificultad que no sea de carne, que no presienta la nube de metal, la que concentra la electricidad que nos falta»...

Es obvia en *Pasión de la tierra* la angustia producida en Aleixandre por su enfermedad paralizadora: horizontalidad, metales,
frustración de su potencial amoroso; pero todo ello, por explícito
que pueda parecer a quien algo conozca de su biografía, queda
escondido bajo la forma onírica. Si en *Ámbito* dominaba la imagen y no la «idea», tiene aquí el lector la impresión atosigante
de no saber qué pasa, qué se nos dice, cuáles son las ideas que se
esconden tras la acumulación de imágenes y metáforas. Queda, sin
embargo, la intuición de una voluntad de mantener el equilibrio,
la fe en la justeza y justicia de la existencia, en el amor y la belleza; de superar la tragedia personal. Y, sorprendentemente, este
difuso sentimiento se concreta, a pesar de todo, en el título de
uno de los poemas: «El mundo está bien hecho», que no puede
—veremos— sino recordarnos a Jorge Guillén.

En *Espadas como labios* (1930-1931) ya la imaginación de
Aleixandre ha adquirido la forma que será la de su madurez y
que culmina, tal vez, en su libro siguiente, *La destrucción o el
amor*. Es clara la sensibilidad adolorida y esa otra que ha sido
llamada la «solidaridad amorosa» del poeta. Pero, decididamente,
verso a verso, el poeta va borrando las huellas de su dolor y su
desesperanza. El empleo insistente de la partícula *o*, procedimiento que permite lo que se ha llamado «acumulación caótica»,

> Yo aspiro a lo blanco o a la pared, ¿quién sabe?
> Aspiro a mí o a ti o a lo llorado,
> aspiro a un eso que se va perdiendo
> como diez dedos, humo o lo ya atónito,

o bien:

> Bajo clamor o senos, bajo azúcar,
> entre dolor o sólo la saliva,
> allí entre la mentira sí esperada,
> noche, noche, lo ardiente o el desierto;

la calculada acumulación de imágenes o metáforas intercambiables
hasta la imprecisión, producen como una música sensual y rica,
pero absolutamente imprecisa en las ideas. «Vengo soltando música por los talones», dirá en «Playa ignorante», y quizá debamos
tomar en serio su afirmación hecha «Con todo respeto» de que
«Árboles, mujeres y niños / son todo lo mismo», ya que también

ha escrito que así escribe «Porque yo soy escéptico». Lo cual, de ningún modo quita dignidad alguna a quien desde su sufrimiento, tratando de dar forma al dolor y al caos, dice:

> Pido sobre todo no lamentos, no salutaciones o visos; que todo pase como debe.

No negaremos, sin embargo, nuestra impresión de que este aceptar así la realidad es algo muy distinto, por ejemplo, de la afirmación vibrante y positiva de un Jorge Guillén, nunca escéptico. Tal vez la aceptación de Aleixandre no ande muy lejos de una solitaria y muy privada resignación que, de la manera más compleja, le impedirá la visión social que tarde o temprano, con mayor o menor fuerza, es característica de los mejores poetas de esta generación. Y: «Una mano, la izquierda, acostumbrada a tomar el mundo para / que descanse, / no se acostumbra como yo quiero a ser sólo lo que es: indiferencia.»

No cambian mayormente el tono ni la temática en *La destrucción o el amor* (1932-1933), Premio Nacional de Literatura de 1933. «Después de todo lo mismo da el calor que el frío», escribe ahí. Sin embargo, esta «resignación» al parecer tan negativa, «escéptica», no basta para impedir la gran pasión amorosa de Aleixandre, su cálido y generoso amor a la vida. El ambiguo título del libro podría estar diciendo dos cosas contrarias: que el amor es igual a la destrucción (y, por lo tanto, a la muerte) o que se le oponen destrucción o muerte. A lo largo de sus páginas, una y otra vez parecen las dos realidades significar lo mismo, confundirse; y sin embargo, página tras página palpita una profunda fe de vida:

> Todo es sorpresa. El mundo destellando
> siente que un mar de pronto está desnudo, trémulo,
> que es ese pecho enfebrecido y ávido
> que sólo pide el brillo de la luz.

Cierto que el poeta habla desde su imposibilidad de lograr el amor y que, por lo tanto (ya que amor es vida), le ronda siempre la presencia de la muerte:

> ¿Por qué besar tus labios, si se sabe que la muerte está próxima...?

Sin embargo, la «resignación» se transforma siempre en afirmación:

> Todo pasa.
> La realidad transcurre
> como un pájaro alegre.
> Me lleva entre sus alas
> como pluma ligera.
> Me arrebata a la sombra, a la luz, al divino contagio.

No debe, por lo tanto, sorprendernos que un poema se titule «Triunfo del amor».

Entre tales contradicciones resulta difícil para el lector, como sin duda lo ha sido para el poeta mismo, encontrar un sentido univalente a *La destrucción o el amor*. La solución, o sea, la visión del mundo de Aleixandre, se da por lo tanto dentro de la única idea en que las contradicciones dialécticas entre el yo y lo otro, la materia y la idea, el cuerpo y la naturaleza, etc., pueden resolverse en la apariencia de la identidad de los contrarios. Así, al final de «Plenitud» escribe:

> Si repasamos suavemente la memoria,
> si desechando vanos ruidos o inclemencias o estrépito,
> o nauseabundo pájaro de barro contagiable,
> nos echamos sobre el silencio como palos adormecidos,
> como ramas en un descanso olvidadas del verde,
> notaremos que el vacío no es tal, sino él, sino nosotros,
> sino lo entero o todo, sino lo único.
> Todo, todo, amor mío, es verdad, es ya ello.
> Todo es sangre o amor o latido o existencia,
> todo soy yo que siento cómo el mundo se calla
> y cómo así me duelen el sollozo o la tierra.

Pero en *Mundo a solas* (1934-1936) parecen derrumbarse incluso estas posibilidades de armonía ideal. En estos años en que varios de sus mejores compañeros buscan su vida y nuevas formas de expresión poética en una relación consciente con la Historia, que en alguno adquiere una clara dirección política de clase, Aleixandre sigue en gran medida encerrado en un subjetivismo que, ahora sí, aparece como negación pesimista de la vida. Sin embargo, en 1935 participa en un homenaje y saludo a Neruda junto con Alberti, Cernuda, García Lorca, M. Hernández, Guillén, Salinas y otros; y también en 1935 aparece su colaboración en el número 1 de la revista *Caballo verde para la poesía,* fundada por Neruda. Durante la guerra publica algunos poemas en *Hora de España,* en *Ediciones de la guerra civil* y en el *Romancero general* de 1937 (cf. V.2B). Pero, de hecho, Aleixandre aparece aislado de las nuevas tendencias, encerrado en solitaria subjetividad. Para él, «los cielos», según se lee en el poema final de *Mundo a solas,*

> Son ese triste oído donde remotamente
> gime el mundo encerrado en aire, en puro aire...

Lleva el libro un epígrafe de Quevedo que reza: «Yace la vida envuelta en alto olvido»; su poema primero se titula «No existe el hombre», y en sus dos primeros versos leemos:

> Sólo la luna sospecha la verdad.
> Y es que no existe el hombre.

No es, por lo tanto, extraña su poca presencia en las labores colectivas de los demás, ni su peculiar distancia durante la guerra. Cuando Aleixandre reaparezca después de 1939, su voz será como la de un exiliado dentro de España misma (cf. VI.1A).

Luis CERNUDA (1904-1963) nace en Sevilla y fallece en México, en triste y pobre exilio, cuando, también en el exilio mexicano, ya se le han muerto alrededor Moreno Villa, Pedro Garfias, Manuel Altolaguirre, Emilio Prados...

Es Cernuda una de las personalidades más complejas, difíciles y discutidas de la generación. En los datos exteriores su biografía revela poco de extraordinario, además de la tragedia común de la guerra y el exilio. Estudiante de literatura en Sevilla, «madrileño» desde 1928, es el único de los andaluces de su generación que deriva hacia la cátedra. No deja de ser paradójico que este angustiado solitario que «detesta» la «realidad» —son palabras suyas de 1934— y «todo lo que a ella pertenece: mis amigos, mi familia, mi país», llegue a ser, como los castellanos de la generación (Guillén, Salinas, Dámaso Alonso), uno de los poetas «profesores». Antes de la guerra civil sale ya a Europa de lector (Toulouse) y después, por absoluta necesidad de sobrevivir en el exilio, es profesor en Glasgow y Cambridge (1939-1945), en el Instituto Español de Londres (1945-1947) y, por fin, hasta 1952, en los Estados Unidos. A partir de esta fecha intenta radicarse en México; pero vuelve a los Estados Unidos de profesor visitante alguna vez (Los Ángeles), no habiendo logrado nunca identificarse con México como algunos de sus compañeros allí residentes. Para explicar ésta y otras cosas, se ha hablado vagamente de la «insatisfacción» constante de Cernuda con su lugar de residencia, sea éste el que sea; pero tanto en su exilio como antes no podemos olvidar sus apuros económicos.

No suele éste considerarse elemento notable de su vida. De origen pequeño-burgués como los demás de su generación, no tarda, sin embargo, Cernuda en desligarse de la familia y, de hecho —tan distinto él de un Machado o de un Guillén—, vive con lo que modestamente va ganando en la enseñanza. A pesar de que durante los años treinta se acercó a la izquierda revolucionaria y al parecer llegó incluso a militar en el *Partido Comunista* (cf. Nota Introductoria a esta sección), no pretende Cernuda generalmente que su ganarse la vida sea «trabajo» en el sentido proletario del término, ni que sea él un «trabajador». Pero sí habla, y con razón, de sus «tareas» y de su «trabajo», y en un extraordinario poema de su madurez, «Nocturno Yanqui», escribe:

> ¿Cuántos años ahora tienes
> de trabajo? ¿Veinte y pico
> mal contados?
>
> Trabajo fue que no compra
> para ti la independencia
> relativa.
> ....
>
> Y profesas pues, ganando
> tu vida, no con esfuerzo,
> con fastidio.

Su elegante distancia irónica, su dandismo, le impiden la pretensión de querer aparecer como lo que no es; pero es riguroso, señero, el orgullo con que afirma la relación alienante entre «trabajo» y «libertad» o independencia.

Mas no puede tratarse de la alienación de Luis Cernuda sin tomar en cuenta su homosexualidad. Tema vedado en nuestra cultura porque se refiere, precisamente, a lo que Cernuda llamó en el título de uno de sus libros *Los placeres prohibidos*. Nos parece, sin embargo, más que necesario escribir de estas cosas que se dicen y repiten, por lo general malévolamente, en los círculos de los que «saben» en tanto que aparecen para los más como misterios inexplicables, lagunas en las biografías y extraños malentendidos en la interpretación de los poemas. Nada mejor que hablar de ello a propósito de Cernuda, cuya homosexualidad, apenas vagamente presentida en su primer libro, aparece con bastante claridad en su segundo (*Un río, un amor*) y se declara de manera ya desafiante en la tercera de sus obras ya citada, *Los placeres prohibidos*:

> En medio de la multitud le vi pasar, con sus ojos tan rubios como la cabellera. Marchaba abriendo el aire y los cuerpos; una mujer se arrodilló a su paso. Yo sentí cómo la sangre desertaba mis venas gota a gota.

Escribir así en la España de 1931 —la obvia indicación, la referencia posible a una procesión— era no sólo enfrentarse a una opresión de siglos, sino arriesgarse a la maledicencia, al aislamiento y, a la larga, al olvido. No creemos que este desafío de Cernuda pueda separarse de su necesidad de ganarse la vida en forma casi trashumante, de su amarga y violenta soledad, como tampoco deja de tener cierta relación con el antagonismo que él sentía en una izquierda intolerante a la que, por un momento, pareció haberse incorporado. Por lo demás, no puede leerse su poesía haciendo como que no está ahí lo que página tras página reta las más tradicionales costumbres.

Sin embargo, no podemos en el caso de Cernuda, ni más ni menos que en cualquier otro caso, reducir su poesía y su pensamiento a un hecho biográfico, por más especial que sea, o por feroces y antiguas que sean las formas de represión. Lo que importará, en el caso de Cernuda como en cualquier otro poeta, es la transformación de vida en poesía, de lo particular en universal, de la especificidad de una tragedia u opresión, en visión del mundo o ideología que, naciendo tal vez de ahí, pretende convertirse en mensaje de validez universal. En la dificultad de esta transformación, en los aspectos contradictorios que toma, se encuentra, para bien y para mal, lo peculiar de la poesía de Luis Cernuda; razón por la cual es uno de los poetas más «difíciles» de la generación de la República, a cuyos intelectuales, no olvidemos, se acusaba desde el fascismo de «comunistas», «judíos» y «homosexuales».

En 1936 Luis Cernuda publica *La realidad y el deseo*. Este título pasará a ser el de su obra toda, según se recoge en la edición definitiva de México (1964). Esta edición, que incluye el libro póstumo *Desolación de la quimera*, lleva el siguiente título completo: *La realidad y el deseo. 1924-1962*, y aunque en ella desaparecen como tales algunos de sus libros (*Perfil del aire*, 1925, por ejemplo, o el mismo *La realidad y el deseo*), será la que sigamos para nuestro estudio, ya que viene a ser algo así como la versión del propio Cernuda de sus obras completas.

Todo es vago, indefinido y, sin embargo, de gran pulcritud formal en las obras primeras de Cernuda. Se ha hablado de la influencia de Jorge Guillén: salta a la vista en el rigor métrico, en la manera en que Cernuda domina su imaginación con formas estrictas: romances heptasílabos, décimas, algunos sonetos. No creemos que vaya más allá la influencia: donde en Guillén —veremos— todo es exaltación de la vida y voluntad de precisión conceptual, lo característico de esta primera poesía de Cernuda es, por el contrario, lo indefinido y una especie de delicada y abúlica actitud contemplativa:

> ...una vaga promesa
> acunando va el cuerpo.
> En vano dichas busca
> por el aire el deseo.

Todo se mueve aquí en un «ingrávido presente», según escribe en otro poema; visión de «sueño entre sus plumas» en delicada oposición a la «amorosa presencia» de la realidad y el «hastío». Se hablaba en su tiempo de la elegancia y delicadeza de esta poesía, de la aristocrática distancia que su autor demostraba en ella. Nos parecen innegables esa elegante distancia y el dominio de la forma; difícil es hoy, sin embargo, encontrar calidades más hondas en la obra primera de Cernuda, no sólo en comparación con la obra de otros compañeros de su generación, sino en comparación con su propia poesía de madurez.

Égloga, Elegía, Oda (1927-1928) no nos parece todavía un serio avance. Cierto que empieza a precisarse el gran tema de Cernuda, el del fracaso o imposibilidad de todo amor:

> ¿Y qué esperar, amor? Sólo un hastío,
> el amargor profundo, los despojos...

Tema inseparable del deleite de los sentidos, sensualidad de Cernuda que será siempre la raíz de sus más profundas agonías («La hermosura diáfana no vela / ya la atracción humana ante el sentido»). Y es también indudable la maestría formal de los cuatro poemas que aquí recoge el poeta como segunda obra suya: ni Alberti, tal vez, haya intentado como aquí Cernuda rehacer las relaciones clásicas entre endecasílabo y heptasílabo características de la más refinada poesía del «Siglo de Oro». Sin embargo, al igual que en algunos poetas de la postguerra (cf. VI.1A), es demasiado directa la presencia de Garcilaso y nos parece puramente imitativa la manera de querer entrar en una temática propia por vía de las formas renacentistas: «Idílico paraje / de dulzor tan primero...», «fronda oscura», «ninfas verdaderas», «el tierno lamentar», «dejando la espesura»; en cuanto sintagmas de valor semántico heredado y radicalmente ajenos a quien así escribe en Sevilla y Madrid en nuestro siglo, revelan, diríamos, una evasión, un esconder en referencias cultas a la sensualidad renacentista el amor homosexual —por ejemplo— que aquí comienza a declararse. El poeta que será Cernuda todavía se esconde tras un convencional Garcilaso.

Un río, un amor (1929) nos acerca más a la originalidad de Luis Cernuda. La maestría indiscutible se diría ahora no ya imitada, sino propia. Alejandrinos, heptasílabos y endecasílabos se siguen ahora en versos libres, sin rima, y con un ritmo interno propio, de intensa y dolorida meditación. También, quizá por vez primera en la obra de Cernuda, notamos aquí una cierta voluntad de romper con la elegancia «poética», con la expresión más fina de su propio «hastío», como cuando en «Estoy cansado» escribe:

> Plumas que desde luego nunca vuelan,
> mas balbucean igual que loro,

o:

> Estoy cansado de estar vivo,
> aunque más cansado sería el estar muerto.

No creemos que, a la larga, lo mejor ni lo más interesante de la poesía de Cernuda esté en ese prosaísmo que llegará a acentuarse en su madurez; pero es parte de su lucha por desmitificar el quehacer del poeta y, concretamente, el suyo propio, ya que, según leemos en «Desdicha», el amante

> Un día comprendió cómo sus brazos eran
> solamente de nubes.

Ante este descubrimiento,

> Con sus labios no sabe sino decir palabras;
> palabras hacia el techo.

Empieza, pues, aquí de manera original la lucha tradicional del poeta con el lenguaje. Pero por razones que, aunque también de tipo tradicional, tienen un concreto y personal origen. *Un río, un amor* es el primer intento serio de Cernuda de comunicar la idea viva de la imposibilidad del amor. «No intentéis nunca el amor» se titula uno de sus poemas: todo es en ese libro «Desdicha», «Destierro», «Razón de las lágrimas», «Drama o puerta cerrada» (títulos de poemas). La razón principal estriba en que la verdad se esconde bajo la mentira (cf. «Dejadme solo»), frente a la cual, sin embargo, basta decir «quiero»:

> Para que brote entre las piedras
> su flor, que en vez de hojas luce besos...

Frente a todo esconder la verdad, aparece aquí, por lo tanto, la que será insistente y feroz destructividad de Cernuda:

> Abajo pues la virtud, el orden, la miseria;
> abajo todo, todo, excepto la derrota.

Sin embargo, no acaba de aclararse la razón concreta del fracaso y decir, por lo tanto, que Cernuda anda aquí buscando un lenguaje propio significa que, para no correr el riesgo de quedarse entre «nubes», hablando solo «palabras hacia el techo», va a tener que explicitar la razón de su agonía.

La ruptura llega con *Los placeres prohibidos* (1931):

> No decía palabras,
> acercaba tan sólo un cuerpo interrogante,
> porque ignoraba que el deseo es una pregunta
> cuya respuesta no existe,
> una hoja cuya rama no existe,
> un mundo cuyo cielo no existe.

Este es, ya, el *tema* central de la obra de Cernuda. De esta concentración intensa en una idea del amor que, en última instancia, resulta ser —o dice el poeta que es— siempre deseo, deriva, por supuesto, la noción de la imposibilidad de la permanencia del gozo de lo deseado. Y, por lo tanto, la visión pesimista y destructora de la vida. Lo importante de la obra de Cernuda será esta generalización limitada y puramente subjetivista. Ese es su tema. Pero el descubrimiento del tema, su insistencia obsesiva se origina en la homosexualidad reprimida y perseguida; en la opresión social que sólo permite ese amor como «albergue oscuro».

De ninguna manera nos parece salvable una generalización posiblemente falsa sobre el vivir histórico sólo porque su origen concreto sea verdadero. Cernuda mismo, más de una vez, lo entenderá así y ya tendremos oportunidad de referirnos a este propósito a sus poemas más extraordinarios y positivos (cf. VI.1D). Pero ni esta ambivalencia suya ni sus contradicciones pueden entenderse si el lector no entiende lo que el poeta ahora claramente explica cuando declara su amor al «Corsario» o al joven rubio de «En medio de la multitud», o que «los marineros son las alas del amor», o cuando piensa en lo triste que son sus besos

> Cuando besan el fondo
> de un hombre joven y cansado...

Y es fundamental en *Los placeres prohibidos* la transformación de esta problemática en asalto a las estructuras sociales y políticas tradicionales, especialmente las burguesas: «Leyes hediondas, códigos, ratas de paisajes derruidos.»

Todo ello se amplía y ahonda en sus dos libros siguientes, *Donde habite el olvido* (1932-1933) e *Invocaciones* (1934-1935). Dominan ya aquí la soledad y la nostalgia de la muerte, un reconocimiento altivo —a veces rencoroso— del fracaso de todo amor:

Yo fui.
Columna ardiente, luna de primavera,
mar dorado, ojos grandes.
....

Caí en lo negro,
en el mundo insaciable.
He sido.

El tema se recoge en uno de sus más hermosos poemas: «Adolescente fui en días idénticos a nubes...». Y como «No es el amor quien muere», sino «nosotros mismos», el poeta pide residencia «donde habite el olvido»:

Donde mi nombre deje
al cuerpo que designa en brazos de los siglos,
donde el deseo no exista.

Son hermosos y de amplia cadencia los poemas de *Donde habite el olvido*. Su tono apasionado y elegíaco, de nostalgia que va adquiriendo forma casi metafísica, se mantiene en *Invocaciones*:

Cómo llenarte, soledad,
....

El hombre y su deseo,
la airada muchedumbre,
¿qué son sino tú misma?

Por ti, mi soledad, los busqué un día;
en ti, mi soledad, los amo ahora.

Notable es también el poema titulado «La gloria del poeta», que partiendo de una referencia a Baudelaire —padre, a fin de cuentas, del tema de las flores del «mal»— quizá sea el mejor momento de la rebeldía juvenil del poeta a quien, según ahí mismo escribe, le «cansa la vana tarea de las palabras».

Cierra así Cernuda su época de la preguerra en pleno pesimismo, no superado incluso con su fugaz colaboración en la revista *Octubre* y los grupos de la izquierda revolucionaria. Y será ya siempre el más antisocial de todos los poetas del 27, donde por «social» hemos de entender todo aquello que, para bien y para mal, se refiere a la comunidad humana. Pero en la nostalgia del exilio empezarán a brotar otras notas; de ello trataremos al recoger la obra de su generación en los años de la postguerra (cf. VI.1D).

Nace GERARDO DIEGO en Santander en 1896. Catedrático de literatura desde 1920, es uno de los poetas de su generación llamados «profesores» (junto con Guillén, D. Alonso y Salinas; pero también Cernuda), a diferencia de quienes fueron «solamente» poetas (Alberti, Prados, García Lorca, Aleixandre...). Mas la división que así suele hacerse entre los «poetas» y los «poetas profesores» de la generación de la República no deja de ser engañosa, ya que si —tal vez— aparecen los unos como más intelectuales que los otros en sus primeras obras, lo verdaderamente significativo del arte de aquellos tiempos es en todos la voluntad antiacadémica, su origen en la poética de la vanguardia frente a la larga tradición artística consagrada de Occidente. En este sentido Gerardo Diego es uno de los poetas más representativos de su generación, por su vanguardismo a ultranza y por el papel de enlace que desempeña ante unos y otros de sus compañeros. Aparte de ser, por ejemplo, uno de los promotores del homenaje a Góngora de 1927, en el cual participan los más de los poetas que aquí nos ocupan, y aparte de las revistas que dirige o en las que colabora, es nada menos que el editor de la desafiante —y ya clásica— antología generacional *Poesía española contemporánea* (1932).

Sin embargo, son obvias las ambigüedades y contradicciones en su vida y obra. Si Diego empieza como «creacionista», bajo la influencia de la vanguardia europea, de Gómez de la Serna y de Huidobro (así como, seguramente, de Juan Larrea) y casi hasta hoy se aferra a nociones estéticas y maneras de los años veinte, a la vez, y todo a lo largo de su obra, acude también insistentemente a formas y temas tradicionales que, andando el tiempo, se insertan en las corrientes más conservadoras y hasta reaccionarias de la poesía española moderna. A la vez que escribe *Imagen* (1922), *Limbo* (no publicado hasta 1951, pero escrito al parecer entre 1919 y 1921), *Manual de espumas* (1924) y la *Fábula de Equis y Zeda* (1932), por ejemplo, publica también *Versos humanos* (1925) y *Viacrucis* (1931). A este estar, según se ha dicho, entre *Carmen* y *Lola* —dos revistas muy diferentes— y que el mismo Gerardo Diego ha explicado que consiste en una división paralela de su obra en poesía de «creación» y poesía de «expre-

sión», corresponden, inevitablemente, sus vacilaciones sociopolíti-
cas: joven maestro de la revolución estética de los más de ellos, en
la amplia gama progresista que va de un Alberti a un Jorge Guillén. Así, entre 1930 y 1934 (cf. *Biografía incompleta*, 1967),
años difíciles y decisivos en que sus compañeros se acercan a la
izquierda revolucionaria, Gerardo Diego escribe:

> Golpeados a puro puño cerrado y pisotón colérico
> como las teclas blancas y rojas
> del piano interminable que se anda y se desanda
> tú y yo y aquél nos empujamos de codos
> y si no caemos del todo es porque las alondras no nos lo consienten.
> Hay un sabor de época oculto
> en la comisura de ciertos labios amados
> ....
>
> Vámonos, vámonos de aquí.

Y en otro poema titulado «Hostilidad»:

> Sin duda está muy bien la revolución armada de las encías
> contra la tiranía de los ojos en blanco.
> Pero yo no tomaré nunca una decisión violenta
> contra los afiliados al rumor de los mares.
> ....
>
> Mira, te cambio mi corbata por tus magníficos ojos de cólera verde
> y mi pulmón izquierdo por tu manera de decir Gerardo...

Angustia de la «época» que en otro poema pretende resolverse como sigue:

> Esto es muy sencillo,
> y sin embargo hay quien no lo comprende,
> quien desearía en vez de ojos que cerrar lindas espuelas,
> en vez de flores que arrancar giratorias pistolas
> y juramentos brillantes como perdigones...

A lo que añade la siguiente queja:

> Nadie tiene derecho a cambiar una invierno de cine
> por un par de pistolas incrustadas de estrellas...

Más allá de que, en efecto, no debería existir la violencia, ni de las pistolas, ni del pisotón, ni del empujarse de codos; más allá del eufemismo pseudorrealista con el que se escamotea el nombre de las cosas al declarar que «está muy bien la revolución *de las encías* / contra la tiranía de *los ojos en blanco*», entre elusiones que le permiten decir que todo «es muy sencillo», estos versos nos revelan, aunque esquinadamente, el final de una época, la del alegre y juvenil vanguardismo, ante la escisión, ya radical en España, de una sociedad obviamente dividida en dos clases antagónicas. Y no es extraño que Diego vea la escisión, el antagonismo y la violencia de la lucha a nivel personal, de relaciones entre amigos («sabor de época oculto / en la comisura de ciertos labios amados»), ya que son los años en que, según hemos dicho, sin perder por ello la amistad, se dividen los bandos y entre los del veintisiete acabará quedando casi solo Gerardo Diego. Tan solo como que cuando ya los demás autores de su antología de 1932 estén muertos o en el exilio, en la *Corona de sonetos en honor de José Antonio Primo de Rivera,* publicada en Barcelona en 1939, escribirá:

> España, España, España está en pie, firme,
> arma al brazo y en lo alto las estrellas.

Donde con el verso en ristre —la imagen aquí sí que es sencilla— se ensalza la dialéctica de las pistolas que habían sido dirigidas contra sus amigos (cf. V.2E).

Aquel mundo juvenil y alegre de la vanguardia poética que entra en crisis en los años treinta y muere con la guerra civil, está representado más que en ningún otro poeta del veintisiete en la obra de Gerardo Diego. *Imagen* (1922), escrito entre 1918 y 1921, es uno de sus libros claves. Dedicado a Juan Larrea, se inicia con un epígrafe del mismo en el cual el tema de la libertad creadora (que tradicionalmente es libertad de vuelo) se ofrece, desafiante, en versos agresivamente ripiosos:

> Mis versos ya plumados
> aprendieron a volar por los tejados
> y uno solo que fue más atrevido
> una tarde no volvió a su nido.

Burla, caricatura de toda mala versificación, rechazo «prosaico» de toda «gran poesía»: uno solo —en sencillo pero importante apoyo en Freud— no volverá a su nido, el atrevido poeta moderno. El primer poema del libro responde claramente a estos impulsos en los que domina la línea futurista estridentista:

> Salto de trampolín.
> De la rima en la rama
> brincar hasta el confín
> de un nuevo panorama.
> Partir del humorismo
> funambulesco y acróstico,
> a cabalgar el istmo
> del que pende lo agnóstico.
>
> La garganta estridente,
> el corazón maduro
> y desnuda la frente
> ávida de futuro.

En este libro en que lo musical (en sentido poético tradicional) desaparece o rechina, domina, en cambio, lo visual, la imagen cuya teoría y práctica, según hemos indicado (cf. V.1B), es esencial a la poesía vanguardista:

> El muelle es el escenario.
> ....
>
> Los luceros se estremecen.
> Tan diminutos parecen
> margaritas que florecen
> en la grama.

Se ronda incluso más de cerca las proximidades de la greguería o de la imagen caricaturesca a lo T. E. Hulme:

> La luna en cuarto creciente
> es como un huevo esplendente.

O bien:

> Los faroles en hilera
> son estrellas de primera,
> de segunda y de tercera
> magnitud.

En la segunda parte del libro, «Imagen múltiple», se avanza decididamente por los terrenos de Apollinaire y del cubismo: rupturas del verso para crear visualmente, plásticamente, la imagen múltiple simultánea. El nuevo intento va referido a Huidobro, introductor indiscutible —aunque discutido— en España de la nueva manera. A él va dedicado el primer poema; de Huidobro es también el epígrafe, y la «poética» de Diego que les precede proviene también declaradamente del poeta chileno. Escribe así Gerardo Diego:

> Imagen múltiple. No reflejo de algo, sino apariencia, ilusión de sí propia. Imagen libre, creada y creadora. Nueva célula de organismo autónomo. Y, sin embargo, nada de esqueleto, nada de entrañas. Todo superficie; porque la profundidad está en la superficie cuando la superficie es plástica. Las palabras no dicen nada, pero lo cantan todo... Poesía —esto es— creación... Crear un poema como la naturaleza hace un árbol, dice Vicente Huidobro...

No sólo en la teoría con que así se inserta decididamente en la vanguardia, sino en la práctica, es ya aquí Gerardo Diego mucho más radical: en la sintaxis, en las imágenes, en la distribución de los versos sobre la página en blanco, en la clara intención de estructurar el todo según asociaciones puramente intuitivas, irracionales.

> Sólo una flecha negra
> supo abatir el vuelo en mi costado.
> Y mis manos
>   palomas disecadas
>   hacen el aire agua...

En *Limbo* (1919-1921), dedicado «A todos los ultraístas de *Grecia*», se encuentran algunos atrevimientos visuales mayores:

> Soy el caminante extraviado
> sobre las hojas muertas del calendario

7	21	30
FEBRERO	MARZO	MAYO

O bien:

Los   tres   relojes
HOY   AYER   SIEMPRE

c   o   i   n   c   i   d   e   n.

Nada, sin embargo, que no hiciesen ya Guillermo de Torre, Aparicio, Moreno Villa o, en general, los «ultraístas» de la revista a quienes dedica el libro.

Manual de espumas (1924) mantiene la misma insistencia en la imagen inesperada o de apariencia irracional; se acerca incluso, a veces, al surrealismo, pero —o más bien, por lo tanto— el verso se remansa, vuelve a una distribución más tradicional en la página y se escucha, incluso, una nueva musicalidad:

Los peces giran en torno de mi faro,
pero los barcos naufragaban en el mapa
y el rumor de las olas desplegaba mi capa.

El mar ya no se cuidaba de ser redondo.

No penséis en la muerte.

No es fácil llegar al fondo
ni hacer de nuestra alfombra la rueda de la suerte.

La importancia de la *Fábula de Equis y Zeda* (1932) radica, precisamente, en que esta vuelta a la musicalidad del verso pretende inscribirse en la sonoridad barroca:

Sobre el amor del delantal planchado
que en coincidir limítrofe se obstina,
cerca del valle donde un puente ha inflado
el lomo del calor que se avecina,
una torre graduada se levanta
orientada al arbitrio del que canta.

Se intenta así —como lo intentará también Alberti— fundir lo moderno, en este caso la atención a lo prosaico-cotidiano (el «delantal planchado»), con el vocabulario y la sintaxis garcilasiano-barroca («en coincidir limítrofe se obstina»). Estamos, en efecto, en los años del «descubrimiento» de Góngora, en cuya imitación (o «modernización») caen brevemente varios de los del veintisiete. Diego mismo dedica aquí a Góngora el poema «Amor» que, naturalmente, empieza con un recuerdo de las *Soledades* («Era el mes que aplicaba sus teorías...»).

Poemas adrede cierra el ciclo «vanguardista» anterior a la guerra de Gerardo Diego, en un intento de fundir los hallazgos de la vanguardia, sobre todo por lo que a la imagen se refiere, con una manera neoclásica:

> Mapas de bellos límites menores
> saldan en mi favor sus diferencias,
> y despeinadas órbitas de arroyos
> se me entretejen entre paso y paso.

Es fundamental la presencia de Diego entre los del veintisiete. Alerta y apasionado de la poesía, es como el puente entre los *ismos* primeros y su depuración en la obra de los grandes poetas de los años treinta. En la obra de Diego se encuentra la temática fundamental de la época: poesía como aventura; voluntad de dar el salto más allá de la tradición poética recibida, al vacío de ser necesario; pasión por el cine; la niñez como lucha de la fantasía contra una opresión que se identifica con la escuela; la idea de que el arte, a fin de cuentas, es un juego... Formalmente, por supuesto, cumple el santanderino el mismo papel. Y es clave su función en las revistas de la época, así como, desde luego, la antología que hizo de sus contemporáneos (que, sin embargo, en segunda edición, modificó eclécticamente al aumentar el número de poetas). Sin embargo, ni el «creacionismo» de Diego alcanza los atrevimientos y hallazgos de mayores vanguardistas, europeos y españoles, ni sus imágenes y poemas más meditativos tienen la hondura de los demás de su generación. De los más de ella lo distinguen, además, tanto sus libros más tradicionales, *Versos humanos* y *Viacrucis,* de ideología radicalmente contraria a toda la vanguardia, como su abstención del proceso sociopolítico que ya hemos comentado; abstención que, con ineludible lógica histórica, acaba por llevarle brevemente, según hemos indicado, a la poesía del franquismo. A pesar de lo cual, como veremos más adelante, fue uno de los primeros intelectuales de la España de postguerra que reinició la comunicación con los exiliados, entre los cuales se encontraban tantos de sus compañeros de generación.

FEDERICO GARCÍA LORCA (1898-1936) nace en Fuentevaqueros (Granada) y muere en Víznar (Granada), asesinado por los representantes oficiales de la «España eterna», junto con docenas de intelectuales y centenares de campesinos y obreros granadinos igualmente fusilados en aquel mismo mes. No hay escritor que pueda serlo todo ni pretender resumir en su vida y obra toda una época o la sensibilidad de todo un pueblo, y García Lorca es, hasta en la muerte, uno en compañía; pero por su extraordinario talento y capacidad productiva; por aquella simpatía y amor a la amistad de la que se hacen lenguas sus contemporáneos; por su originalidad y honda raigambre tradicional; por su manera de ir acercándose seriamente desde sus orígenes pequeñoburgueses a la comprensión de las aspiraciones de la España popular de los años treinta, sin por ello haberse visto obligado a enmarcarse en partidos o a asumir principios teóricos que han de haberle parecido abstracciones; y, en fin, por su muerte brutal, bien puede considerarse a Federico García Lorca como representante simbólico no sólo de su generación de poetas, sino de la España de su tiempo.

Su primer libro, *Impresiones y paisajes* (1918), es tal vez una de sus obras menos características. Seguramente influido por el paisajismo de los del noventayocho, estas «impresiones» y «paisajes» son extremadamente simples, de un realismo descriptivo tradicional y carecen casi en absoluto del rigor metafórico que será la clave de su poesía. Por lo demás, no volverá García Lorca a escribir un libro en prosa. Pero ya en 1920 estrena *El maleficio de la mariposa* y en 1921 publica el *Libro de poemas*: de aquí en en adelante alternarán en su vida la poesía y el teatro.

El maleficio, sin embargo, no parece augurar el futuro teatro del granadino. Se encuentran ya ahí, desde luego, el juego de vida y muerte y el gran tema del amor imposible, así como la clara intención de recordarnos las fuentes infantiles de la representación dramática. Pero es demasiado elemental la obra, y tanto la ironía del tema (una cucaracha que se enamora de una mariposa) como la forma (el cucaracho es poeta y recita versos entre románticos y garcilasianos), permiten al lector (o espectador) mantener la misma distancia que sin duda quiso mantener el poeta. Entre burlas y veras nos quedamos, de todos modos, con una sensación de intrascendencia.

En cambio, *Libro de poemas* (1921), desde sus primeros versos («Viento del sur, / moreno, ardiente / llegas sobre mi carne...») nos introduce ya al mundo que conocemos como lorquiano. Se trata, claro está, de un libro todavía muy desigual en el que, entre otras cosas, difieren muchos los poemas fechados en 1920 de los de 1918 y 1919; pero en poemas como «Veleta», o la «Elegía a doña Juana *la Loca*» o la «Balada del agua del mar», entre muchos otros, entre ráfagas de espléndidas imágenes y una rica musicalidad, se adivina ya la gran temática del granadino, su oscuro temblor ante el misterio, la misma angustia del amor imposible ironizada en *El maleficio de la mariposa.* Y la mayoría de los poemas fechados en 1920 tienen ya esa precisión verbal, esa presencia de los diálogos inesperados y el apoyo en la copla popular, así como esos prodigiosos saltos de imágenes de la más honda raigambre surrealista que caracterizarán más tarde al *Romancero* o al *Poeta en Nueva York.*

> Dice la tarde: «Tengo sed de sombra!».
> Dice la luna: «Yo, sed de luceros».
> La fuente cristalina pide labios
> y suspiros al viento.

Poema del cante jondo (publicado en 1931, pero escrito en 1921) es como un anticipo no sólo del *Romancero gitano,* sino del teatro mayor de García Lorca. Aparece ya obsesivamente la Andalucía popular y del cante, tanto gitana como campesina; mundo de jinetes solitarios, mujeres frustradas, madres severas y guardias civiles. Y en el centro del significado, el amor y la muerte, la aventura y la represión, en sutiles versos cuyo erotismo logra ceñirse en la copla justa:

> Sevilla es una torre
> llena de arqueros finos.
> *Sevilla para herir,*
> *Córdoba para morir.*

O bien:

> Amparo,
> ¡qué sola estás en tu casa
> vestida de blanco!

Lo que no excluye que con un humor muy suyo, de siempre, aparezca la burla grotesca de las fuerzas del orden, como en la «Escena del teniente coronel de la Guardia Civil». Por lo demás, el «Diálogo del Amargo» y la «Canción de la madre del Amargo» nos adentran ya en el mundo de la violencia dogmática y machista de *Bodas de sangre* y *La casa de Bernarda Alba,* esa violencia que las madres de Lorca temen pero justifican siempre en la celebración del machismo de sus hijos. El libro termina precisamente con la «Canción de la madre del Amargo»:

> Lo llevan puesto en mi sábana,
> mis adelfas y mi palma.
>
> Día veintisiete de agosto
> con un cuchillito de oro.
>
> La cruz. ¡Y vamos andando!
> Era moreno y amargo.
>
> Vecinas, dadme una jarra
> de azófar con limonada.
>
> La cruz. No llorad ninguna.
> El Amargo está en la luna.

En *Primeras canciones* y *Canciones* (1921-1924) va madurando la visión poética de Lorca. «Canción tonta» insiste sobre el tema de las relaciones edipales, que es ya obsesivo; la «Canción de jinete», una de las obras maestras de Lorca, recoge y precisa el tema de la aventura y la muerte; entre burlas y veras «Es verdad» juega con el amor... Todo ello se organiza definitivamente en el *Romancero gitano,* escrito entre 1924 y 1927, conocido en gran parte con anterioridad por los amigos del poeta en las lecturas a que les tenía acostumbrados, y publicado en 1928 con un éxito asombroso que llevará el libro hasta capas de lectores poco dados a la poesía moderna, lectores que una y otra vez subrayarán los versos más fáciles y el superficial gitanismo. La vulgarización que sufren los temas del *Romancero gitano,* la simplificación de su proceso metafórico, e incluso la imitación comercial de poemas enteros (Antonio Torres Heredia se convertirá en Antonio Vargas Heredia, típico producto del nacional-flamenquismo), dificulta aún para algunos lectores la aceptación plena de este gran libro de Lorca, tal vez el más dramático y brillante de toda su generación.

Y es que con el *Romancero gitano* nos encontramos de frente
con el problema de la cultura popular en el mundo moderno.
Se trata, por una parte, de una serie de poemas profundamente
personales, en los que la nota dominante es la angustia del poeta
ante una realidad social agresiva y violenta que impide toda práctica de la libertad (básicamente, la libertad erótica y, más concretamente, la práctica homosexual). Correspondientemente, los
poemas están traspasados de asociaciones simbólicas muy personales, explicables, sin embargo, a partir, por ejemplo, de la obra
de Freud (navajas como peces; dura luz de naipe; toros y caballos; niño de junco; etc.). Sin embargo, todo en el *Romancero
gitano* está objetivado. Temáticamente, el poeta no habla de
sí, sino de personajes que mitifica en tanto que, formalmente, se
objetiva también la experiencia, por tratarse de romances, tradicional medida en que la narración, descripción y exclamación
lírica, con toda su originalidad, tienen a la manera relativamente
tradicional su lugar exacto. Y si junto a las asociaciones simbólicas más privadas encontramos imágenes sorprendentes, de la
más pura raigambre vanguardista («El jinete se acercaba / to-
cando el tambor del llano...»; «la rosa azul de tu vientre»; «se
apagaron los faroles / y se encendieron los grillos»; «las pique-
tas de los gallos / cavan buscando la aurora...»; etc.), deslum-
bra también la sencillez dramática en la narración o la descripción:

> Ya suben los dos compadres
> hacia las altas barandas.
> Dejando un rastro de sangre.
> Dejando un rastro de lágrimas.

O bien, en el «Romance de la Guardia Civil»:

> Los caballos negros son.
> Las herraduras son negras.
> Sobre las capas relucen
> manchas de tinta y de cera.

Por otra parte, algunas de las imágenes más brillantes nacen
de la imaginación popular y a ella se remiten (remiten al lector),
como, por ejemplo,

El día se va despacio
la tarde colgada a un hombro,
dando una larga torera
sobre el mar y los arroyos,

imagen natural y clara para un pueblo de larga tradición taurina. Y no podemos olvidar tampoco el más obvio y directo erotismo de muchos momentos del libro, con el que sin duda Lorca pretendía romper tabúes y dignificar lo que sólo andaba por la literatura pornográfica y el subconsciente reprimido:

Sus muslos se me escapaban
como peces sorprendidos,
la mitad llenos de lumbre
la mitad llenos de frío.

Se trata, pues, de un atrevido intento de fundir los hallazgos mejores de la poesía moderna (inclusive la imaginación surrealista) con la tradición popular (andaluza), tanto inmediata como históricamente recibida, así como de llegar con ello al mayor público posible. No podemos olvidar que en estos años Ortega y Gasset había explicado (y predicaba) la «deshumanización» del arte y que, frente a ello, según hemos visto, Antonio Machado proponía la posibilidad de una nueva poesía objetiva, precisamente de un nuevo romancero (cf. IV.3B). Creemos que el *Romancero gitano* responde a la intención de Lorca de «humanizar» la poesía, a su profundo instinto de lo poético en cuanto popular-inconsciente, a su conocimiento certero de que nada es «difícil» para el pueblo, ni nada demasiado fácil para el intelectual auténtico. El *Romancero gitano*, además de la lucha entre vida y muerte, entre libertad y represión, entre amor y venganza, además de un radical desenmascaramiento de viejas lacras represivas —sociales, políticas, culturales—, tanto universales como españolas, es así un extraordinario desafío a la cultura elitista. Lo cual llevaba en sí un peligro: que el *Romancero* cayera en gran parte en la vulgarización mencionada, en el mundo de la subcultura que, por ejemplo, frente al cante jondo, proponía entonces la divulgación de «María de la O».

Vemos hoy claramente (televisión, música *pop,* fotonovelas) cómo la subcultura de masas —según temía Ortega— se opone a, y parece ir borrando, lo que en tiempos precapitalistas podía haberse considerado «cultura popular». Pero sería un error establecer fronteras infranqueables entre las dos formas de cultura y entre las dos y la cultura de élites. De sobra sabemos, por una parte, que lo «popular» y lo «culto» se han fertilizado siempre mutuamente, y de ningún modo podemos rechazar como «no populares» —además de como «no cultas»— las formas más comercializadas de expresión que se han ido extendiendo desde los tiempos de García Lorca con el enorme salto cualitativo del capitalismo a partir de la Segunda Guerra Mundial. Repensar estas cuestiones, sin mixtificaciones ni desprecios elitistas, es una de las labores de nuestro tiempo; podría resultar muy fructífero en este sentido un estudio cuidadoso del *Romancero gitano,* libro en el cual, a nuestro entender, Federico García Lorca quiso romper barreras culturales en algo así como la cristalización de la voluntad de su generación o de aquella Segunda República que, con gran acierto, intuyendo la dirección central de la obra de Lorca, le ofreció en su día el timón de *La Barraca,* el grupo teatral con el que nuestro poeta y algunos amigos trataban de revitalizar la cultura nacional en cuanto cultura popular.

Sin embargo, el éxito del *Romancero* por su lado fácil parece ser que deprimió a García Lorca y que tuvo varios meses de desorientación. Poco después, a principios de 1929, sale para Nueva York, donde reside hasta la primavera de 1930, en que pasa unos meses en Cuba antes de su vuelta a España. En Nueva York escribe la mayoría de los poemas que, bajo el título de *Poeta en Nueva York*, componen el volumen publicado póstumamente en México en 1940.

Es brutal, según se refleja en el libro, el choque con la ciudad de aquel poeta cuyos ojos de niño, según escribe,

> no vieron enterrar a los muertos,
> ni la feria de ceniza del que llora por la madrugada,
> ni el corazón que tiembla arrinconado como un caballito de mar.

Ya de entrada el poeta se siente «asesinado por el cielo», porque

> La aurora de Nueva York tiene
> cuatro columnas de cieno
> y un huracán de negras palomas
> que chapotean las aguas podridas.

La aurora de Nueva York gime
por las inmensas escaleras
buscando entre las aristas
nardos de angustia dibujada.

La aurora llega y nadie la recibe en su boca
porque allí no hay mañana ni esperanza posible.
A veces las monedas en enjambres furiosos
taladran y devoran abandonados niños...

Importa precisar que no se trata aquí del choque entre un poeta y una ciudad cualquiera, sino de un poeta de honda raigambre popular y campestre, poeta de un país subdesarrollado y marginal en la estructura del capitalismo mundial, que se encuentra, de golpe, en la ciudad suprema del capitalismo, monstruo de acero y de las finanzas, cuya verdadera realidad era insospechada hasta para aquellos aficionados al cine americano que eran los más de la generación del veintisiete y sus contemporáneos europeos. ¿Qué tenía que ver aquella ciudad brutal con las predilectas películas del *Far West,* con el solitario y casi metafísico Buster Keaton, con la «América» que resonaba exótica y rítmicamente en los versos de Apollinaire? Además, hemos de tener presente la situación coyuntural: 1929-1930 es el año del gran derrumbe financiero que se origina, precisamente, en Nueva York. Ciudad dominada desde casi sus orígenes por la casta comercial anglosajona (Vanderbilt, Morgan, Rockefeller...), pero abrumadoramente poblada por olas sucesivas de emigrantes europeos (irlandeses, italianos, judíos de diversas zonas del Este de Europa) a las que en estos años se añaden ya las emigraciones masivas de negros del sur del país, Nueva York había ofrecido siempre bárbaros contrastes de riqueza y miseria que se acentúan precisamente en 1929-1930. Allí, la «deshumanización» era cualquier cosa menos teoría estética.

Es el encuentro con esa deshumanización lo que destruye para siempre la «niñez» del poeta, a la que Lorca, con verso de Jorge Guillén, califica ahora de «fábula de fuentes». Inevitablemente, el dolor, la confusión, la deprimente angustia que recorre todo el libro, cristalizan en una forma de apariencia caótica, de violentos saltos imaginativos, de oscuras y privadas alusiones, de símbolos arquetípicos; «surrealismo», según se ha dicho, que se encuentra en el polo contrario de las intenciones y logros del *Romancero gitano*. Y es natural, porque lo que Nueva York ha destruido momentáneamente es la raíz que ligaba al poeta con su niñez y, por lo tanto, con la tierra misma de su canto, con la estructura firme —aunque represiva— de un mundo conocido. En Nueva York todo es o pretende ser otra cosa de lo que es o parece ser:

> ¡Qué esfuerzo!
> ¡Qué esfuerzo del caballo por ser perro!
> ¡Qué esfuerzo del perro por ser golondrina!
> ¡Qué esfuerzo de la golondrina por ser abeja!
> ¡Qué esfuerzo de la abeja por ser caballo!...

Reina, por lo tanto, la confusión, la asociación libérrima:

> Un día
> los caballos vivirán en las tarbernas
> y las hormigas furiosas
> atacarán los cielos amarillos que se refugian en los ojos de las vacas.

De hecho, no hay una sola imagen, metáfora o alusión en *Poeta en Nueva York* que no pueda ser explicitada y asimilada racionalmente; sin embargo, el tono general del libro es de oscura y caótica angustia, y creemos que eso pretende ser, por lo menos a los niveles menos analíticos de las más espontáneas lecturas en que los significados se intuyen, por decirlo así, globalmente. Los poemas todos del libro son como un solo grito de impotencia sostenido. A pesar de lo cual, sin embargo —y por desgracia se ha insistido poco en ello— se encuentran en *Poeta en Nueva York* extraordinarias ráfagas de lucidez conceptual, histórica, en las que la «ciudad moderna» se ve rebajada a sus fundamentos reales. Como cuando Lorca escribe «Yo denuncio a toda la gente / que ignora a la otra mitad» o profetiza, por ejemplo,

> Que ya las cobras silbarán por los últimos pisos,
> que ya las ortigas estremecerán patios y terrazas,
> que ya la Bolsa será una pirámide de musgo,
> que ya vendrán lianas después de los fusiles
> y muy pronto, muy pronto, muy pronto.
> ¡Ay, Wall Street!

El tópico anticapitalista de aquellos años —ataques a *Wall Street*— resuena una y otra vez a lo largo del libro como si Gar-

cía Lorca hubiese ascendido de golpe a la conciencia de la lucha
de su tiempo, a la intuición del significado del capital financiero,
a partir de la destrucción brutal de su niñez —digamos— precapitalista. De ahí que a lo largo de todo el libro se ataquen el
dinero y la miseria que produce, la violencia *lumpenaria* y poli-
cíaca, las «multiplicaciones», todo el «cieno de número y leyes»
que hace que «por los barrios» haya «multitudes» de

> ...gentes que vacilan insomnes
> como recién salidas de un naufragio de sangre.

Y no faltan, incluso, entre alusiones al fascismo todavía reciente en Italia, ataques al Vaticano y a toda educación represiva
(cf. «Desde la torre del *Chrysler Building*»).

Hay breves momentos en que parece cesar la tensión terrible,
como al principio de «Poema doble del lago Edem»; pero más
que en el ocasional descanso, el lado positivo de *Poeta en Nueva
York* se encuentra en los aciertos sobre las causas del mal que
aqueja al mundo moderno, en el descubrimiento de figuras heroicas que Lorca levanta contra la miseria y la degradación: los negros principalmente, que ocupan aquí el lugar justo dejado por
la ausencia de los gitanos; los niños; la naturaleza; y en general, la voluntad de volver a las raíces humanas, la recuperación
de verdades que en el mundo del capitalismo moderno aparecen
ya como «mitos primitivos». Y por sobre todo el libro se levanta,
monumental y humana, soberbia y humilde, un también mítico
Walt Whitman, figura que aunque históricamente no deja de ser
ambigua y contradictoria —puesto que es, a la vez, el cantor de la
democracia y de la expansión imperial americana—, Lorca recrea
en todo lo que tiene de positivo en la «Oda a Walt Whitman».

Después de la terrible experiencia, pasa García Lorca por Cuba
y canta con ritmo de son:

> Cuando llegue la luna llena
> iré a Santiago de Cuba,
> iré a Santiago...

El poeta ha salido más firme y claro de su experiencia neoyor-
quina. Pero no olvidará lo vivido; no intentará volver a imposibles inocencias perdidas. Con su regreso a España se desbordará

ahora en producción creadora según profundiza en su problemática personal, a la vez que se acerca más aún al pueblo, que reencontrará con la República.

Ya en España, estrena Lorca una versión corta de *La zapatera prodigiosa* en 1930; sin embargo, en cuanto a publicaciones se refiere, parece haber una ligera pausa de un par de años; en el año de la República, 1931, por ejemplo, apenas publica algunos de los poemas escritos en Nueva York, así como los *Poemas del cante jondo,* escritos en 1921. Resulta claro que, sin abandonar la lírica, García Lorca entra ahora de lleno a la producción teatral y que los años de la Segunda República son los de su plenitud creadora: en 1933 estrena *Amor de don Perlimplín con Belisa en su jardín* y, en Buenos Aires, *Bodas de sangre;* en 1934, *Yerma* y fragmentos de *El público;* en 1935 publica el *Llanto por Ignacio Sánchez Mejías* y estrena la versión ampliada de *La zapatera prodigiosa,* así como el *Retablillo de don Cristóbal* (escrito en 1931) y *Doña Rosita la soltera;* en 1936, finalmente, además de terminar el *Diván del Tamarit,* lee públicamente *La casa de Bernarda Alba* y ensaya *Así que pasen cinco años,* obras éstas que, como *Poeta en Nueva York,* llegarán al público póstumamente y ya fuera de España. En relación con esta intensa actividad, mayormente dirigida hacia el teatro, tampoco debe olvidarse que en 1933 funda y dirige con Eduardo Ugarte el teatro ambulante de *La Barraca,* con el cual recorre los pueblos de España representando principalmente a los clásicos.

Su poesía de estos años, aunque corta por comparación con el período inmediatamente anterior, es de una calidad extraordinaria. Difícil será encontrar en la lírica moderna una elegía más lúcida, más sostenida y conmovedora que el *Llanto por Ignacio Sánchez Mejías,* escrita a la muerte trágica de su amigo el torero. Personal y tradicional, heroico y lírico (frente al mundo degradado de Nueva York), el *Llanto* es uno de los grandes *plantos* de la historia literaria en lengua castellana; poema de madurez —culto, oscuro y sencillo— donde cristaliza toda la sabiduría y la pasión poética del granadino.

El *Diván del Tamarit,* en cambio, es una obra mucho más esotérica, más privada e inaccesible. Se encuentran en él espléndidos y terribles poemas amorosos, una angustiada penetración en el dolor del amor imposible.

¡Amor, enemigo mío,
muerde tu raíz amarga!,

clama el poeta obligándose violentamente a rechazar toda ilusión. Se ha dicho, y parece indiscutible, que lo cerrado y esotérico de este libro responde a que se trata en él del amor oscuro de Lorca, de lo que sería la definitiva aceptación de su homosexualidad, imposible de realización en la sociedad de su tiempo. Sería la misma angustia de los fragmentos, si cabe, más esotéricos de *El público* o de *Así que pasen cinco años*. Y es posible que no se dé en el *Diván* esa trascendencia de lo privado hacia lo universal que encontramos en la «Oda a Walt Whitman». Sin embargo, el *Diván del Tamarit* se inserta en la larga tradición de la poesía erótica cuyo centro parece encontrarse generalmente en el dolor del amor imposible, en su vocación de fracaso y muerte: desde Safo hasta Quevedo y los románticos y, en la misma generación del veintisiete, Pedro Salinas o Emilio Prados. No es corta la lista de grandes poetas eróticos en lengua castellana moderna; en esa línea ha de encontrarse lo más valioso del *Diván del Tamarit*.

El teatro de García Lorca es, junto con el de Valle-Inclán, el más importante de su tiempo. En él, con la excepción tal vez de *Mariana Pineda*, pero incluyendo sus obras para títeres y farsas, el amor, la represión y la violencia son sus temas centrales; insistentemente, obsesivamente, en verso o en prosa. Las obras mayores son *Bodas de sangre*, *Yerma* y *La casa de Bernarda Alba*. La historia es distinta en cada una de las tres piezas. Una pareja joven que viola el código matrimonial en *Bodas de sangre*; una casada que no puede tener hijos (*Yerma*) y que a pesar de su «ansia de maternidad» —que diría Unamuno— se reprime (y es reprimida); una joven que encerrada en su casa de mujeres, intenta lograr su amor sin matrimonio (*La casa de Bernarda Alba*). Pero las tres veces se trata del mismo asunto, de la libertad sexual perseguida y reprimida por un código del honor que funciona en la sociedad de su tiempo como en el mismísimo teatro de Calderón (cf. II.3D). Tal vez lo más impresionante de estas tragedias, sin embargo, es que son las mismas mujeres las que han internalizado el código y actúan, por lo tanto, como sus transmisoras. Así la joven novia que huye con un casado abandonando a su marido la misma noche de bodas, clama contra su suegra (después de la muerte de los dos hombres) que ella vuelve intacta de su fuga: «Honrada, honrada como una niña recién nacida»; o Bernarda Alba, que tras el suicidio de su hija, dicta sentencia: «¡Descolgadla! ¡Mi hija ha muerto virgen! Llevadla a su cuarto y vestidla como una doncella. ¡Nadie diga nada!»; y Yerma, fracasada tanto en la seducción de su propio marido como en su incierto intento de adulterio, exclama:

> Una cosa es querer con la cabeza y otra es que el cuerpo, ¡maldito sea el cuerpo!, no nos responda. Está escrito y no me voy a poner a luchar a brazo partido con los mares. ¡Ya está! ¡Que mi boca se quede muda!

Y cuando ha matado a su esposo:

> Marchita, marchita pero segura... y sola... con el cuerpo seco para siempre.

Está escrito, resuena una y otra vez en estas tragedias que, inevitablemente, llevan a la muerte violenta en la que se cumple lo «escrito», con lo que vuelve a escribirse la ley al parecer indestructible. En Calderón, esa ley la dictaban los hombres y las mujeres la aceptaban haciendo lo posible, no sin rebeldía algunas veces, por internalizarla; en la tragedia lorquiana se diría que la ley ya está definitivamente dictada y son las mismas mujeres severas las que la transmiten contra toda rebeldía. A sus hijos, en primer lugar, que por ser hombres se sabe han de intentar violar la ley inviolable: para que sepan que el precio de su hombría es la muerte violenta, como debe ser; y a las hijas que han de ser madres de hombres —función básica de las mujeres bajo esa ley—. La violación de las reglas, en todos los casos, tendrá un solo precio: la muerte.

Hemos leído que Yerma está dispuesta a quedarse muda y que Bernarda Alba ordena que «nadie diga nada»; pero queda la voz del poeta, que nos descubre la monstruosidad más secreta de una sociedad represiva y opresora. No deja de haber contradicciones, por supuesto; pero tal vez sea Lorca quien ha calado más hondo en su tiempo, y desde dentro, en una de las vertientes del machismo. Y no nos parece extraño que, desde su voluntad liberadora, según se intuía ya en *Poeta en Nueva York,* haya podido pasar el poeta a comprender otras formas de opresión y de

ansia de libertad y, por lo tanto, que en la última entrevista que
se le publicó antes de su muerte dijera:

> Ese concepto del arte por el arte es una cosa que sería cruel si no
> fuera afortunadamente cursi. Ningún hombre verdadero cree ya en esta
> zarandaja del arte puro, arte por el arte mismo.
> En este momento dramático del mundo, el artista debe llorar y reír
> con su pueblo. Hay que dejar el ramo de azucenas y meterse en el
> fango hasta la cintura para ayudar a los que buscan las azucenas.

Y algo antes, en 1934:

> Yo siempre seré partidario de los que no tienen nada y hasta la
> tranquilidad de la nada se les niega... En el mundo ya no luchan fuer-
> zas humanas, sino telúricas. A mí me ponen en una balanza el resultado
> de esa lucha: aquí tu dolor y tu sacrificio, y aquí la justicia para todos,
> aún con la angustia del tránsito hacia un futuro que se presiente, pero
> que se desconoce, y descargo el puño con toda mi fuerza en este úl-
> timo platillo.

Palabras donde se conjugan su idea de la libertad y la justicia,
su honda comprensión de la tragedia española, su problemática
personal, las intuiciones sobre la opresión y represión sociales de
que hemos tratado. ¿A dónde podrían haber conducido estas ideas
de Lorca y su enorme talento? Había que acallar esa voz; y Federico García Lorca fue muerto por los defensores de la honra y de
la casta, y enterrado anónimamente junto a otros miles de granadinos asesinados por el fascismo. La muerte, sí, hay que mirarla
cara a cara, como en algún momento dice Bernarda Alba; pero
no hay ley que pueda imponer su «¡A callar he dicho!»: la prueba, entre otras, está en la voz del poeta.

JORGE GUILLÉN nace en Valladolid el 18 de enero de 1893.
Estudia el bachillerato en Valladolid mismo y Filosofía y Letras
en la Universidad de Madrid. La licenciatura la recibe, sin embargo, por la Universidad de Granada. Y caso poco común entre
los poetas de su generación: obtiene también un doctorado en
Letras (Universidad de Madrid). Antes, de 1917 a 1923, es lector
en la Sorbona. A su vuelta a España —casado ya en París en
1921— obtiene la cátedra de literatura española en la Universidad de Murcia. En 1931 pasa a la de Sevilla, donde le sorprende
la guerra civil. Sufre una breve pero difícil temporada en la cár-

cel, con riesgo de fusilamiento, y logra al fin salir de la España franquista en 1938, trasladándose a los Estados Unidos, donde se instala como docente de literatura española. Ha sido profesor invitado en varias universidades y, ya jubilado, divide su residencia entre los Estados Unidos, Italia y Málaga.

Guillén empieza a escribir poesía en París, en 1918, y ya desde 1919 concibe la idea de su primer libro, *Cántico,* libro único hasta bien entrada la postguerra, que aparece en cuatro ediciones, 1928, 1936, 1945 y 1950. Aunque revelan una misma luminosa idea de la existencia, las cuatro ediciones difieren entre sí tanto en volumen y estructura como en la mayor o menor insistencia con que se tratan ciertos temas. A partir de 1957 empieza la publicación de su segundo libro, *Clamor,* del cual nos ocuparemos al estudiar la obra de los poetas exiliados (cf. VI.1D). Aunque *Cántico* se prolonga más allá de la guerra civil y, de hecho, se cierra en el exilio, lo estudiaremos aquí como parte central de la producción poética y visión del mundo de la generación de 27.

En el primer poema de la edición definitiva de *Cántico,* 1950 (y ya desde la edición de 1945), Jorge Guillén escribe:

> Corre la sangre, corre
> con fatal avidez.
> A ciegas acumulo
> destino: quiero ser.

El vivir lleva con avidez y fatalmente —esto es, porque así está escrito— a querer vivir más. De manera inequívoca ha afirmado Guillén lo mismo en prosa: «La vida quiere siempre más vida.» El gran tema de *Cántico,* la voluntad de vida, el entusiasmo por la vida, surge, pues, desde su primer poema sin ambigüedad ninguna. Sin embargo, cuando leemos que la sangre «corre», ¿cómo evitar pensar en la sangre «derramada» —según García Lorca, por ejemplo—, o que «corre», como en Jorge Manrique (cf. I.3A), hacia la «mar», que es la muerte? *Fatal* apuntaría así hacia la idea de la muerte. Pero Guillén se opone a toda meditación que por tener la vista fija en la muerte pretenda adjetivar de muerte la vida misma. Enfrentándose a una antiquísima tradición lo ha dicho bien claro en prosa: «Vivir no es un ir muriendo.» El *destino* se acumula a ciegas, desde luego; pero ello no quita que la vida, aunque vaya fatalmente a la muerte, exija más vida: *quiero ser,* exclama el poeta. Jorge Guillén, por tanto, entra de lleno en la corriente de una tradición para la cual hacer poesía es meditar sobre la vida en cuanto valor positivo cuya realidad no puede jamás ser negada por el hecho mismo de la muerte en que la vida desemboca.

Todo ser humano dialoga con su tradición y con su tiempo y es éste un rasgo acentuado particularmente en la historia del arte. Guillén es uno de esos poetas en quienes esta conciencia de la temporalidad está particularmente acentuada. Podríamos, pues, pensar también que, si no a Jorge Manrique o a García Lorca, con estos versos se acerca Guillén a la angustia existencial que, en Salamanca, atosigaba a Miguel de Unamuno, quien ya en 1912, en *Del sentimiento trágico de la vida* había expresado su voluntad de «ser, ser siempre, ser sin término», porque así como «la materia... tiende a ser menos, cada vez menos, a no ser nada... el espíritu dice: 'quiero ser'» (cf. IV.3A). Pero también nos perderíamos por ese camino: aunque las palabras de Guillén —«quiero ser»— son las mismas que las de Unamuno, todo *Cántico* se opone a la angustia y a la agonía que predicaba don Miguel. Pero, ¿podrá negarse un cierto parentesco conceptual con el futurismo, con aquella estética de la urgencia que, habiendo querido destruir todo pasado y habiendo rechazado el presente, volcaba su avidez, su voluntad de ser, hacia el futuro? *Destino fatal* que se acumula *a ciegas*: gran tema de uno de los grupos «vanguardistas» al que ciertos jóvenes de los años veinte se entregaban con radical espíritu de aventura.

Pero un poema es siempre un todo, y la verdad es que la lectura de una sola estrofa de «Más allá» nos ha engañado también en esto. Nuestro error al aproximar este poema a la idea del mundo de los futuristas resulta evidente con sólo leer los dos versos siguientes:

> Ser, nada más. Y basta.
> Es la dicha absoluta.

De golpe, se ha calmado toda *avidez,* y como si la continuación del pensamiento que esperábamos por lógica de costumbre de tradición literaria se hubiese roto y el verbo creara su propia realidad, el *querer ser* anterior se ha convertido en *ser,* «nada más». De ahí que todo «correr» parezca haberse suspendido en ese «*Y basta*». No hay mayor dicha para este poeta, que en otro lugar ha explicado que «tal situación cabe en una fórmula: 'somos, luego valemos'».

La voluntad de ser queda, pues, reducida a sencillos, humildísimos límites, de modo que no parece ya tratarse de una lucha ciega del poeta contra el Tiempo, sino de un consciente acatar la ley de la realidad. Va a limitarse aún más esta voluntad cuando en la última estrofa de esta primera parte de «Más allá» Jorge Guillén escribe:

> Soy, más: estoy. Respiro.
> Lo profundo es el aire.
> La realidad me inventa,
> soy su leyenda. ¡Salve!

No volvamos a engañarnos: cuando afirma aquí Guillén la superioridad del *estar* sobre el *ser* parece entrar de lleno en la corriente existencialista. Pero lo característico de Guillén es la ausencia de la angustia, su quitarle toda importancia al «desamparo» que, para los existencialistas, se supone caracteriza al ser humano en cuanto simple «ser-ahí» lanzado a un mundo sin sentido. Jorge Guillén, desde luego, parece encontrarse como un ser más que *está* en el mundo; pero con una enorme diferencia frente a los existencialistas angustiados: *respira* y le basta.

El *más* de «Soy, más: estoy», viene, pues, a ser algo así como un *menos* y, teniendo en cuenta el hecho de que, puesto que «somos, luego valemos», resulta claro que en su desarrollo estrófico la primera parte de «Más allá» es un ascendente minimizar el «drama» de la propia existencia («No ha lugar el engreimiento del yo», dirá en otro lugar). Hasta que se llega a una conclusión decisiva en la vida y en la obra de Jorge Guillén: que si el poeta «respira» es ello un don gratuito que hay que agradecer, y que —desde luego— «lo profundo», la realidad inagotable que le permite respirar, «es el aire». Para quien así adquiere conciencia de su estar en el mundo resulta evidente que él no es sino hechura de todo lo que está más allá de su propia existencia. De ahí la afirmación:

> La realidad me inventa,
> soy su leyenda.

Tras este descubrimiento sólo queda agradecer el don que es la existencia y así, Guillén exclama: *¡Salve!* Porque el poeta está entre las cosas y no es ni más ni menos que ellas, como no es ni más ni menos que otros hombres.

Quien así agradece el don de la existencia está, o se encuentra, según hemos indicado, entre las cosas, las «santas cosas» a las que llama: «lo mío». «Cosas» naturales y «cosas» fabricadas por el ser humano:

> Azoteas, torres, cúpulas...
> ...No faltan ni mariposas...
> ...Hasta margaritas hay,
> y algún botón amarillo
> feliz de ser tan concreto.

O bien: «Cuna, rosas, balcón...». Y en otro poema:

> El balcón, los cristales,
> unos libros, la mesa...
> Nada más esto. Sí.
> Maravillas concretas.

«Esto es cal, esto es mimbre», dirá más adelante en el mismo poema según, para reconocerse, va Guillén reconociendo —es decir, nombrando— lo que le rodea. Cuando así descubre y nombra Guillén las cosas se forja en él la poesía, en asombro siempre de la perfección de tanta realidad concreta:

> (El alma vuelve al cuerpo,
> se dirige a los ojos
> y choca.) ¡Luz! Me invade
> todo mi ser. ¡Asombro!

No es Guillén poeta de vaguedades y penumbras; le es fundamental la luz porque es ella el elemento que deslinda y limita. Así como Guillén no sólo acepta su propia limitación, sino que la necesita (para ser el que es), necesita también, e incluso exige, que en el mundo en que se encuentran las cosas todas que le centran, éstas aparezcan cada una con sus propios y bien definidos perfiles. Nada más lejos, pues, de Guillén que el neomisticismo o el neopanteísmo; para ser quien es necesita reconocer lo otro en cuanto otro; es decir: en cuanto lo que lo otro es. Lo cual le permite instalarse en el mundo según la relación clásica entre objeto y sujeto. Y quien dice límite y perfil exacto, quien dice *luz,* dice *nombre*; aquello con que cada cosa o situación se define:

> ¡Qué de objetos! Nombrados,
> se allanan a la mente...

Frente a todo panteísmo Guillén se nos aparece, pues, como un clásico —realista castellano, dirán algunos— para quien, y ello es de toda lógica, no hay posibilidad de conocimiento si no se separan claramente y se enfrentan el sujeto conocedor y el objeto que ha de conocerse: voluntad de objetividad y de claridad que es siempre para Guillén, poética y vitalmente, respeto por lo otro en cuanto tal. Voluntad de quien exige, por lo tanto, que también a él se le respete en su limitada, concreta y única existencia.

De ahí que encontremos en *Cántico* varios poemas sobre el amanecer, sobre el brotar de las cosas a la luz, sobre el gran tema de la «vaguedad / resolviéndose en forma»,

> Mientras van presentándose
> todas las consistencias
> que al disponerse en cosas
> me limitan, me centran.

No hay para Guillén realidad aprehensible sin la forma concreta en que se define, trátese de la aparición de una mujer joven que sale del agua —«frescor hacia forma», en «El manantial»— o del hecho mismo de la creación de un poema (véase «Hacia el poema»). La forma concreta gracias a la cual podemos afirmar que algo *está ahí* es la realidad misma.

Pero no entenderemos plenamente la alegría vital de *Cántico,* la satisfacción con que el poeta exclama «¡Salve!», si limitamos su relación con el mundo a un estar entre «cosas». La fuente más honda de vida en que se sostiene esta relación y que sostiene, por lo tanto, la visión del poeta, es la presencia de lo humano, que suelen ser los seres más inmediatos a Jorge Guillén: la presencia en casi cada página de *Cántico,* muchas veces soterrada, de la familia del poeta y de sus mejores amigos. Hemos de notar, por ejemplo, que desde la primera edición (1928) *Cántico* se abre con estas palabras: «A mi madre, en su cielo» y que se cierra con estas otras: «Para mi amigo Pedro Salinas.» Pero no es cuestión de dedicatorias —mucho menos frecuentes en Guillén que, por ejemplo, en García Lorca—, sino de las innumerables alusiones que se encuentran en los poemas a miembros de la familia o a amigos; y es asunto de varios poemas importantes el vivir cotidiano entre los seres queridos, en «la costumbre» de lo íntimo. Por lo que se refiere a la familia tal vez sea «Más vida» el mejor ejemplo; el mundo de la amistad queda magistralmente simbolizado en «Jardín en medio».

«Penumbra de costumbre» llama Guillén —de manera un tanto unamunesca— el vivir cotidiano entre seres queridos, y es la única penumbra que tolera: entraña secreta de toda existencia que a la luz aparece. Llama también a este vivir «Paraíso aquí»; *paraíso* en el que se encuentra seguro, conocedor del terreno que pisa; pero también asombrado siempre de que tanto le sea dado a un ser humano. Desde este asombro, vivido paradójicamente como conciencia de la costumbre (paradójicamente porque «paraíso» es no-Historia y, por lo tanto, inconsciencia), Jorge Guillén, como en desafío a los tiempos en que vive y vivimos exclama: «...El mundo está bien / hecho...»

Bien hecho no sólo porque sí, con imposible inocencia —«paraíso aquí»—, sino, incluso, contra viento y marea. Porque si no nos dejamos engañar por la prodigiosa unidad de *Cántico,* por la perfección rigurosa de sus versos, por el hecho de que sus cuatro ediciones diferentes lleven el mismo título inviolable, descubrimos que con cada nueva edición aumentan los que un crítico ha llamado «los claroscuros de *Cántico*».

Es cada vez mayor la intrusión de elementos destructivos en el mundo «bien hecho» y cada vez le resulta más difícil a Guillén sostenerse en lo que, a partir de la edición de 1945, llama su *Fe de vida.* De lo que resulta —ediciones de 1945 y 1950— una creciente y apasionante lucha del poeta contra todo lo que, dentro y fuera de sí, pretende erigirse en negación de su afirmación central de vida. Pero ni las desgracias personales, ni las históricas destruirán la visión de nuestro poeta: *Yo no cedo,* exclama. Porque

> Quiero mi ser, mi ser
> íntegro. Toda el alma
> se ilumina invocando
> las horas más cantadas.
>
> Yo no soy mi dolor.

Y más adelante:

> He sufrido. No importa.
> Ni amargura ni queja.
> Entre salud y amor
> gire y zumbe el planeta.
> ....
>
> Quien dice la verdad
> es el día sereno.
> El aire transparenta
> lo que mejor entiendo.
> ....
>
> La luz, que nunca sufre,
> me guía bien. Dependo,
> humilde, fiel, desnudo,
> de la tierra y el cielo.

Ha de notarse, sin embargo, que la lucha de Jorge Guillén por no ceder que se revela en las dos últimas ediciones de *Cántico* no es, en ningún modo, un oponerse a la «ley» de la vida (como, por ejemplo, se opone a esa «ley» el agónico Unamuno). Lucha Guillén en *Cántico* contra el dolor, contra el mal, contra el absurdo, precisamente porque cree que, por encima o por debajo, tal vez en el interior mismo de la discordia, el mundo tiene sentido y que es misión suya cantar esa existencia positiva que puede (podría, debería) ser el vivir. Está en el orden de esa perfección, por ejemplo, la misma muerte, que no es para Guillén —como sí lo es para Quevedo o para Unamuno— «ley severa», sino, sencillamente, «ley». Ley que ha de acatarse porque se entiende —y cada amanecer lo demuestra— que está en el orden de las cosas la continuidad y la posibilidad de armonía; el transformar el mal en bien y el caos en forma: ¿es otra acaso, preguntaría Jorge Guillén, la función del poeta, quien trabaja siempre «hacia el poema»?

Es *Cántico* en la historia de la lírica española uno de los grandes momentos del triunfo de la razón y del orden, de la forma lograda en el Tiempo contra la misma destrucción del Tiempo. Logro que, desde luego, puede considerarse como de privilegio en los duros años en que se escribe. Privilegio de clase, sin duda, según podría deducirse, por ejemplo, del ideal-modelo, central a *Cántico,* que se erige en el poema titulado «Jardín en medio»; privilegio de tener la familia y los amigos que Guillén tiene. Todo ello podría decirse en el peor sentido de la palabra «privilegio» si no fuese porque desde su temperamento y por su don de poeta Guillén apunta a lo mejor a que puede aspirar el ser humano: vivir con plenitud, en armonía, sencillamente. Alta y cultísima poesía; hermosa y valiente concepción del mundo: nada de ello ha de sernos negado en un mundo en que ser y estar, trabajar y convivir sean nuestros privilegios. Que la lucha está en la Historia, que el mundo está «mal hecho», lo sabe de sobra Jorge Guillén; pero de ello nos ocuparemos al tratar de la poesía que escribe a lo largo de sus años de destierro (cf. VI.1D).

EMILIO PRADOS (1899-1962) nace en Málaga en el seno de una familia pequeño-burguesa progresista cuyo origen proletario, por parte del padre, es inmediato: uno entre doce hermanos que tuvieron que buscarse el pan desparramados por Andalucía, el padre de Prados fue, entre otras cosas, minero y carpintero. Pero cuando nace Emilio Prados la situación familiar es estable y próspera; sin embargo, en la historia de la familia —en la que también hay algún abuelo marinero y contrabandista de filiación política federalista— pesarán mucho sus orígenes, así como un amplio anecdotario liberal.

Niño tímido, enfermo siempre del pecho, Prados vive una infancia muy protegida en la que pasa largas temporadas en el campo por cuestiones de salud. Ahí se aficiona a la naturaleza y se le revela desde muy pronto la inmediatez de lo vital, que opondrá siempre a las convenciones sociales que, andando el tiempo, calificará de burguesas. Para entender a Prados hay que recordar también la imagen de su niñez que nos han dejado algunos amigos en la que destacan siempre, junto a la timidez de Emilio, su rebeldía y su hondo sentido de la justicia. Tampoco puede tratarse de Prados sin tener en cuenta su amor al mar: el rebelde será siempre un contemplativo de lo que, en el título de uno de sus más espléndidos poemas, llamaba «el misterio del agua».

Se educa en un colegio común y corriente y en su casa, con la ayuda de su madre. A los catorce o quince años es enviado a Madrid, a la que algunos llamaban «la pequeña Residencia», dirigida por gente de la *Institución Libre de Enseñanza* y de algún modo conectada con la *Residencia de Estudiantes* de la Universidad de Madrid. Ahí conoce Prados a Juan Ramón Jiménez y estudia con Morente, de quien aprende, sobre todo, a leer a Platón. Luego pasará a aquella famosa *Residencia de Estudiantes* propiamente dicha, donde convivirá con Lorca, Buñuel, Dalí, etc.

Siempre enfermo del pecho, pasa en 1920 un año en un sanatorio suizo al borde de la muerte y ahí empieza a escribir poesía. A su vuelta a Madrid se reincorpora a su generación. A disgusto, sin embargo, en el ambiente intelectual de Madrid, se retira a Málaga y se niega, por ejemplo, a participar en el homenaje a Góngora; en Málaga, con Manuel Altolaguirre, fundará más tarde la imprenta *Sur* y la revista *Litoral*: las ediciones de *Litoral,* ya clásicas, serán uno de los puntos clave de reunión de la obra de la generación del 27.

Poco a poco —mientras escribe incesantemente y publica muy poco— va Prados evolucionando políticamente y para 1930 se encuentra ya decididamente en la izquierda. Con la República se radicaliza más aún, participa en la fundación del sindicato de tipógrafos de Málaga, enseña marxismo a sus viejos amigos pescadores, llega a militar en el *Partido Comunista* y escribe poesía revolucionaria que, con excepción de algún poema en la revista *Octubre,* no publica todavía, pero que lee en voz alta en reuniones de obreros y campesinos. Con la guerra civil, tras la caída de Málaga en 1937, logra llegar a Madrid, donde se incorpora a la *Alianza de Intelectuales Antifascistas.* Como tantos otros, ahí vive y desde ahí escribe; lee poesía por la radio y visita el frente en campañas de propaganda. Viene luego la retirada a Valencia y después a Barcelona. Durante este tiempo, además de colaborar en *Hora de España,* edita con Rodríguez-Moñino el *Cancionero menor para combatientes* y participa en la recopilación del *Romancero general de la guerra de España* (cf. V.2B). Al final vendrán la salida a Francia y el exilio a México. No saldrá ya de México hasta su muerte, que le encuentra, como a tantos, según esperaba encontrarse Antonio Machado, «desnudo de equipaje».

Es Emilio Prados uno de los escritores verdaderamente prolíficos de la generación de la República y, sin embargo, uno de los menos conocidos. En gran parte, claro está, porque como todos ellos «perdió» la guerra y se ha tardado mucho en iniciar su «recuperación». Pero, además, porque su poesía del exilio, de las más densas y consistentes de la generación, desarrolla una compleja visión panteísta del mundo, visión siempre esotérica en las letras españolas; y porque antes de la guerra no sólo vivía en Málaga muy lejos de cenáculos literarios, sino que publicó muy poco en comparación con los demás. Hay una gran coherencia y continuidad en toda su obra, pero ha resultado muy difícil para críticos e historiadores no sólo enfrentarse con la peculiar visión del mundo de Prados, sino también poder remitirla a su trabajo casi desconocido de preguerra.

Sus primeros libros de antes de 1936 son *Tiempo* (1923-1925), *Vuelta* (1924-1925) y *Misterio del agua* (1926-1927), que apenas se conocieron entonces mas que fragmentariamente. Son tres obras obsesivamente contemplativas en las que el poeta, frente al mar, busca la comunión de su propio cuerpo con el de la Naturaleza —agua y luz, mar y cielo— y se asombra de los cambios que este cuerpo de la Naturaleza sufre en cuanto parte del cuerpo total del Tiempo. Poesía de imágenes que a veces aparecen quietas, en el momento exacto de su precario equilibrio en el tránsito hacia otro momento de su ser:

> Duerme la calma en el puerto
> bajo su colcha de laca,
> mientras la luna en el cielo
> clava su dorada ancla...;

o bien, ya cuando el cambio de tiempo se anuncia inmediato:

> La balanza de la sombra
> pesa a la luna.
> La tarde sujeta al árbol
> —fiel de la noche—
> y la espuma...
>
> ¡Aguarda, luz, no resbales,
> que se va a manchar tu río
> con las riberas del aire!

Pero en esta contemplación absorta es ingrediente fundamental la mirada que el poeta echa también sobre sí mismo en cuanto ser absorto en, pero distinto (y contrario), de la Naturaleza que observa. Sin embargo, se borran a veces las fronteras entre lo exterior y lo interno; surgen preguntas de un orden casi ya metafísico:

> ¿Barco en el marco o en el alma?
> ¿Dónde encontraré equilibrio
> de luz para mi balanza?

Todo este mundo de presencias y ausencias, de contemplación absorta —en medio de la cual Juan Ramón encontraba a Prados «estático y alucinado... veletero de aire interior... entre dos luces... imantado»— culmina en una de las obras maestras del malagueño, el único poema panteísta, de estirpe casi puramente presocrática, que conocemos en la literatura española: *Misterio del agua*, larga y compleja meditación en cinco «milagros» en los que se describe un ciclo entero del Tiempo, en sus dos cuerpos aparentes: el día y la noche. La muerte y transfiguraciones que sufren estos dos «cuerpos sin cuerpo» que vuelven siempre a nacer, iguales y distintos a sí mismos, la observa Prados en los dos cuerpos —cambiantes también— que le ofrece su mar: el cielo y el agua azules. La luz en su presente ausencia es el elemento último, intangible como el Tiempo mismo, que envuelve toda la actividad de estos cuerpos. El poema empieza con el «Tránsito del crepúsculo»:

> ¡Abre el cielo sus puertas!
> ¡Abre el amor sus alas!
>
> Se le va el pulso al día.
> Su corazón de agua
> —se desnuda—
> se tiende deshilado,
> huye por sombras,
> se desabrocha en vahos...

La sensualidad del trance va en aumento y el misterio de la entrada de un cuerpo en otro, en su contrario (el día en la noche), significa momentáneamente la muerte. El «milagro» segundo es el «Cuerpo de la noche»; el tercero la «Pasión de la sombra» («Desnuda va la noche, / negra, en alma suspensa... / No se conoce. / Oscura abre sus tactos y toca en ella misma»); el cuarto es la larga y oscura «Soledad»; resolviéndose todo ello en el quinto y siempre sorprendente milagro del «Amanecer», cuando ya

> Noche y agua,
> despacio,
> van entrando en la hora
> sin apenas pisarla:
> latiendo sobre vahos
> casi ya sin presencia;
> en palmas fugitivas
> para cederse en ellas,
> escaparse en aliento
> y mudarse de cambio...
> ....
>
> Y van altas, seguras,
> en desmayos de vida:
> una en otra
> hombro en hombro,
> mezclándose de brillos;
> de manos transparentes,
> de calor y de ánima.

Inusitado poema en la historia de la lírica española, no sólo por su intensa y controlada sensualidad, sino por la visión pre-científica y precristiana que en él encarna. Hasta tal grado chocaron estas cualidades a algunos de los contemporáneos que conocían el manuscrito, y de tal forma criticaron al poeta («monstruo» le llamó algún amigo, escritor católico de izquierdas) que Prados se encerró en sí mismo, guardó el poema y sólo lo publicó, seguro ya de su visión del mundo, durante su exilio en México.

Después viene *Memoria de poesía* (1926-1927), breve e intensa serie de poemas en los que ya el poeta empieza a verse a sí mismo como a los cuerpos de la Naturaleza antes contemplados. Es ya él mismo cuerpo del Tiempo en tránsito:

> ¡Cómo se va saliendo por mi frente
> clara, serena, toda mi memoria
> y, huyendo sobre el viento derramada,
> libre, su anhelo cambia en cuerpo vivo!

En 1927-1928 Prados escribe *Cuerpo perseguido,* donde, frente a la realidad del amor humano descubre la imposibilidad de establecer analogías entre el cuerpo humano y los «cuerpos sin cuerpo» del Tiempo. Hermosos y desolados poemas amorosos en que el mundo de comunión, muerte y resurrección permanentes de la Naturaleza se ve negado a consecuencia de la irremediable otredad del otro (o de la otra, según el caso). De su experiencia amorosa sale Prados aleccionado con respecto al idealismo de su erótica visión panteísta del mundo; pero firme siempre en su esperanza de que, de algún modo, es posible la comunión. De ahí —dado su temperamento y las circunstancias históricas— no había sino un paso hasta su comportamiento revolucionario y a la poesía política.

Tras un silencio literariamente ocupado por poemas sueltos y en lo demás por las actividades políticas ya mencionadas —siempre actividades de base—, Prados escribe *Andando, andando por el mundo,* cuyos poemas se extienden de 1930 a 1935. Del descubrimiento del dolor del prójimo, de la injusticia y de la podredumbre de la sociedad dominante que se empieza a revelar en *Andando...,* nace la poesía de lucha de Emilio Prados. Primero *No podréis* (1930-1932), libro del que quedan sólo tres poemas, en los que es dominante el elemento político y hasta partidista («Alerta», sobre los «pioneros rojos»; ejemplaridad de la URSS en «Existen en la Unión Soviética»). Inmediatamente después escribe *Calendario incompleto del pan y del pescado* (1933-1934), inédito hasta 1937, cuando pasa a ser parte de *Llanto en la sangre.* Escribe también *La voz cautiva* (1933-1934) y *Llanto de octubre* (subtitulado: «Durante la represión y bajo la censura posterior al levantamiento de 1934»), que también pasarán a formar parte de *Llanto en la sangre.* Y otro libro que quedará igualmente inédito e incompleto, *La tierra que no alienta* (1934-1936).

Debemos advertir no sólo que gran parte de esta poesía quedó inédita por muchos años —aunque según hemos dicho, Prados leía sus poemas en reuniones y círculos obreros y campesinos—, sino que lo publicado (fragmentos de estos diversos títulos) se recoge entre 1930 y 1939 en sólo tres libros: *El llanto subterráneo* (Madrid, mayo de 1936), *Llanto en la sangre* (Valencia, 1937) y *Cancionero menor para combatientes* (1938). Otra conjunción de materiales algo anteriores a la guerra y de poemas no recogidos en estos libros recibió en 1937 el Premio Nacional de Literatura bajo un título que nunca vio la luz: *Destino fiel.*

Lo que queda claro en esta confusión de títulos, en esta gran actividad política y poética de Prados y su peculiar silencio editorial, es lo que apunta M. Altolaguirre en el Prólogo a *Llanto en la sangre:* que la poesía política, de agitación, que Prados escribió en la guerra, venía de lejos y que en esta trayectoria sus romances —por ejemplo, los del *Cancionero...*— fueron «la iniciación de nuestro *Romancero* de la guerra civil». De ello, así como de su poesía del exilio, trataremos en sus lugares correspondientes (V.2B; VI.1D).

PEDRO SALINAS (1892-1951) es una de las voces más finas, más inteligentes y cultas de la generación; tal vez, también, una de las más paradójicas en el cruce contradictorio de su apego y pasión por la realidad material y el impulso idealista, desrealizador de la materia, la cual, sin embargo, le llama siempre, porque la necesita. El conflicto, veremos, produce no poca angustia; pero controlada, lúcidamente conceptual.

Nace Salinas en Madrid y quienes le conocieron nos hablan de su madrileñismo enraizado en lo popular, penetrado de humor y cortesía. Lo que no quita a su universalismo, a su amplia cultura. En Madrid estudia el bachillerato y obtiene en 1913 la licenciatura en Letras. De 1914 a 1917, en plena Guerra Mundial, es lector de español en la Sorbona. En 1918 gana la cátedra de literatura española de la Universidad de Sevilla. Permanece ahí ocho años, no sin salidas al exterior, e influye ampliamente en los jóvenes escritores sevillanos, según consta en los testimonios, por ejemplo, de Luis Cernuda, a quien desde el principio alentó en el camino de la poesía. Refiriéndose tanto a esta influencia como a la manera de ser de Salinas, Cernuda ha escrito:

> Entre nosotros pocos escritores jóvenes habrá que no le deban algún favor importante o decisivo para un escritor joven que busca su camino. Quien acude a él halla siempre, por lo menos, una palabra cordial, un gesto de estímulo.

Antes de volver a Madrid pasa un año de lector en la Universidad de Cambridge (1922-1923). En Madrid forma parte del *Centro de Estudios Históricos,* donde continúa su labor de investigador de la literatura que más adelante dará sus mejores frutos en libros y ensayos críticos de primera calidad. Colabora en la *Revista de Occidente*. Traduce a Proust. Y dirige la veraniega Universidad Internacional de Santander. Aquí es donde le coge la guerra, cuando está a punto de salir para Estados Unidos, donde ha sido contratado como profesor visitante en la Universidad de Wellesley. Republicano siempre, marcha ese verano a Estados Unidos, de donde, según veremos (VI.1D), no volverá ya más a España.

Los libros de Salinas publicados antes de la guerra son: *Presagios* (1923), *Seguro azar* (1924-1928), *Fábula y signo* (1931), *La voz a ti debida* (1934) y *Razón de amor* (1936). Como se ha dicho, su «gran tema» es el amor, pero su más constante tema crítico es la realidad, o mejor, las diversas actitudes del poeta ante el mundo real. Desde el principio, ya en *Presagios,* encontramos el tema de la presente-ausencia de lo material y, frente a la pérdida de la materia, la idealización de su ausencia:

> Hoy te han quitado, naranjo,
> todas las naranjas de oro.
> Las meten en unas cajas
> y las llevan por los mares
> a tierras sin naranjal.
> Se creen
> que te han dejado sin nada.
> ¡Mentira, naranjo mío!
> Te queda el fruto dilecto
> para mí solo, te queda
> el fruto redondo y prieto
> de tu sombra por el suelo...

El mismo procedimiento mental frente a la imposibilidad de poseer plenamente a la amada:

> Posesión de tu nombre,
> sola que tú permites,
> felicidad, alma sin cuerpo.
> Dentro de mí te llevo
> porque digo tu nombre,
> felicidad, dentro del pecho...

Lucha entre la materia y lo que Prados llamaría «las formas de su huida» que va haciendo de Salinas, con cada libro más decididamente, un poeta metafísico en el sentido idealista de la palabra, pero no porque rechace la realidad de la materia, sino, casi nos atreveríamos a decir, como forma de consuelo ante la fugacidad, la imposibilidad de captar plenamente, definitivamente la materia. El problema está claramente planteado en el tercer poema de *Presagios*:

Mis ojos ven en el árbol
el fruto redondo y fresco.
Mis manos se van certeras
a cogerlo. Pero tú,
pero tú, mano de ciego,
¿qué estás haciendo?
La mano da vueltas, vueltas
por el aire; si se posa
sobre cosa material,
huye tras palpo suave,
sin llegar nunca a cogerla.
Siempre abierta. Es que no sabe
cerrarse, es que tiene
ambiciones más profundas
que las de los ojos
....

eterna ambición de asir
lo inasidero...

Los «presagios» se cumplen en *Seguro azar,* al acentuarse la problemática y aumentar la angustia. Se insiste ahí en la «realidad profunda» de la «masa», percibida por la luz y el tacto, y se angustia el poeta cuando durante un viaje en automóvil cae de golpe la luz y desaparecen los

Colores, colores míos,
amarillo, verde, rojo,
arrebatados cautivos
en cárcel de nueve horas.

Sabe de sobra Salinas que no hay sustituto para la realidad que, de hecho, se basta a sí misma:

¿Qué voy a ponerte a ti:
galeras de fantasía,
azahar falso, sombra falsa?

¿Qué voy a ponerte a ti,
tarde del día catorce,
si tú ya lo tienes todo:
naranjo sin flor ni fruto,
mar sin vela, luz de agosto?
En tu perfección parada,
inmóvil, así, dejarte
salvada de tu pasar,
quisiera.
Eternidad te pondría.

Pero nada puede salvarse de su «pasar» y es inútil la lucha de la conciencia por eternizar un momento concreto cualquiera de la materia. Inmerso en la obsesión idealista que ya Heráclito había desmontado críticamente, Salinas insiste en «poner» «eternidad» a lo que, en última instancia, es la otredad absoluta de la conciencia. No ha de extrañarnos, por lo tanto, que llegue a ser el amor su gran «tema»: enlaza así Salinas con la gran tradición petrarquista (y, más cerca, con Bécquer y, por supuesto, Prados) en cuanto que para esa tradición en el Amor se centra la Vida, y la presencia de la amada —su conciencia y cuerpo otros que los del amante— es siempre intangible, suma de lo que no se posee nunca plenamente, a más de la imagen exacta —como el amado para la amada— de la destrucción que trae el Tiempo. Son intensos los poemas amorosos de *Seguro azar* y aumenta su número e intensidad en *Fábula y signo,* donde el dilema, si cabe, se plantea con mayor nitidez:

¿Por qué pregunto dónde estás
si no estoy ciego,
si tú no estás ausente?
Si te veo,
ir y venir,
a ti, a tu cuerpo alto
que se termina en voz,
como en humo la llama,
en el aire, impalpable.

La voz a ti debida y *Razón de amor* son dos cumbres de la poesía amorosa idealista en lengua castellana. La primera estrofa de *La voz a ti debida* no podría ser más radical en la concreción de su hermosura:

Tú vives siempre en tus actos.
Con la punta de tus dedos
pulsas el mundo, le arrancas
auroras, triunfos, colores,
alegrías: es tu música.
La vida es lo que tú tocas.

Hasta tal grado es real y realista la amada que es ella quien pone «los misterios / del revés». Sin embargo, «es inútil» que el poeta pretenda compartir tal realidad y, para él, todo son «misterios». Inmediatamente, ya en el tercer poema, busca a la amada «por detrás de las gentes»; ni siquiera

... en tu nombre, si lo dicen,
no en tu imagen, si la pintan.
Detrás, detrás, más allá.
Por detrás de ti te busco.

Pero en el último poema del libro, tras múltiples transformaciones de la materia en sueño o en idea, la realidad irrumpe, adolorida:

¿Las oyes cómo piden realidades,
ellas, desmelenadas, fieras,
ellas, las sombras que los dos forjamos
en este inmenso lecho de distancias?
Cansadas ya de infinidad, de tiempo
sin medida, de anónimo, heridas
por una gran nostalgia de materia,
piden límites, días, nombres.
No pueden
vivir así ya más: están al borde
del morir de las sombras, que es la nada.

No habrá solución a tan desesperado conflicto. Y la poesía amorosa de Salinas termina —como en Petrarca, o en Quevedo, o en Bécquer— en el «dolor, última forma / de amar».

Ya en el exilio serán otros los «temas» de Salinas. Pero de modo más crítico, según veremos (VI.1D), seguirá siendo central el problema de la presente ausencia.

1D. EL NUEVO REALISMO

Sumamente imprecisa es la palabra «realismo»; pero menos definitorio aún nos parece el término «novela social» con que suele calificarse la obra de los narradores que van a ocuparnos: difícilmente podrá encontrarse una novela —una obra literaria, una actividad humana cualquiera— que no sea social. Lo que cambian son las formaciones sociales de que una novela trata (o que pretende eludir) y, dentro de la línea realista de la novela, lo que aparece ahora, en los veinte y treinta, como «nuevo» en España, como nueva materia novelable es —según el título de una obra de 1933 de César M. Arconada— la lucha de *Los pobres contra los ricos*; la lucha de clases en que se enfrentan ya no la burguesía y la vieja casta dominante, sino la clase obrera y la burguesía (aunque ésta aparezca todavía a veces como aristocracia debido a las particularidades del desarrollo socioeconómico español). Cierto que, según hemos visto en varias secciones anteriores, tal lucha viene de lejos y aparece incluso reflejada en la literatura española en las primeras obras de los del noventayocho, por ejemplo. Incluso algún noventayochista menor, como Ciges Aparicio (cf. IV.3A) es ya escritor claramente comprometido; véase *Los caimanes*, de 1931. Pero los años veinte y treinta, según también hemos indicado, significan una culminación de esa lucha; y en ellos se inicia en España la novela realista sociopolítica revolucionaria.

Que la lucha de clases no se da en aquella España con excesiva conciencia histórica lo revela no sólo el título genérico de la novela de Arconada, sino, veremos, las más de las novelas que la reflejan en estos años. Pero lo que es claro en la obra de Díaz Fernández, de Arconada, de Sender, de Carranque, es que lo que Galdós llamaba el «cuarto estado» entra definitivamente en la prosa narrativa de lengua castellana, con lo que este nuevo realismo no sólo se distingue del decimonónico, sino que se separa polémicamente de la narración vanguardista arriba estudiada. Nos encontramos ahora con la novela testimonial, novela polémica y política en la que los autores perciben, asumen y proponen la «rebelión de las masas» entre los años 1928 y 1936, coincidiendo con los cambios que ya hemos mencionado en nuestra Nota Introductoria y en las páginas sobre los poetas. Existieron, incluso, colecciones temáticas, como *La novela roja* (iniciada en 1931) y *La novela proletaria* (1932-1933), de signo ésta libertario. Hasta tal grado se trata de una respuesta nueva a hechos nuevos, más allá de los géneros, que, junto a poetas como Alberti, por ejemplo, encontramos a Arderíus y Arconada en el *Partido Comunista*; que Díaz Fernández y Sender tienen momentáneamente posiciones políticas afines; que varios de ellos colaboran juntos en la revolucionaria revista *Octubre*; que Prados publica poemas de Arconada en la imprenta *Sur*; que en una colección que dirige este último aparecen César Vallejo, Pietro Nenni e Ilya Ehrenburg; y que todos ellos, por supuesto, están durante la guerra civil al lado de la República, con el *Frente Popular*.

Aunque brevemente, hemos de referirnos primero a la obra de JOSÉ MÁS (1885-1940), autor de unas treinta novelas en las cuales destaca, junto a ambientes locales andaluces, castellanos o africanos, una denuncia directa de la injusticia y la opresión social. Recordemos *La orgía* (1919), sobre el señoritismo andaluz, y *Hampa y miseria* (1923), sobre los «bajos fondos» sevillanos. Conviene destacar sus novelas declaradamente revolucionarias y anarquistas: *En la selvática Bribonicia* (1932) y *El rebaño hambriento en la tierra feraz* (1935).

JOAQUÍN ARDERÍUS (1890-1969), es, como Más, escritor de la promoción inmediatamente anterior, que anuncia ya el nuevo realismo. Retórico, melodramático, dado a lo grotesco y a un nihilismo de aire nietzscheano, avanza sin embargo desde su muy temprana novela de 1915, *Mis mendigos,* hacia una relativa calidad analítica que, si bien en *Lumpen-proletariado* (1931; sintomáticamente publicada en la serie *La novela roja*) y *Campesinos* (1931) tiende al simplismo dogmático, contribuye no poco a aclarar las líneas directrices de lo que, en cierto sentido, podríamos llamar la novela proletaria (que si bien, en sentido estricto, acaba en 1936, se continúa en las novelas de la guerra civil misma). Por su obra, con todos sus defectos, por su filiación política, por su amistad personal con algunos de los otros novelistas jóvenes, es indiscutible la influencia y la importancia de Arderíus.

Con JOSÉ DÍAZ FERNÁNDEZ (1898-1941) entramos propiamente en la nueva novela. Nacido en Aldea del Obispo (Salamanca), fue periodista radical y redactor de *El Sol* y de *Crisol*. Muere en Toulouse, en el exilio. En su iniciación como narrador juega papel especial la guerra de Marruecos, donde —como Sender— hizo el servicio militar. Fruto de esas experiencias es *El blocao* (1928), obra fundamental del nuevo realismo que, además, aparece como declaración de principios contra los escritores que «en su afán de cultivar la imagen por la imagen han creado una retórica peor mil veces que la académica» (Prólogo). También, aunque entre ambigüedades, Díaz Fernández declara que no pretende ser un escritor para «minorías». Es problemático calificar *El blocao* de novela, ya que de ningún modo resulta clara la unidad de los siete relatos que componen el libro. Según el autor mismo, la unidad ha de encontrarse en «la atmósfera que sostiene a los episodios»; pero la atmósfera es exclusivamente el hecho de la guerra, y los relatos varían, precisamente, en su «atmósfera», que va desde la mayor seriedad crítica hasta el humor. Pero basta no exigirle a *El blocao* una unidad novelística tradicional, que no tiene, para que resalten sus cualidades: la excelente capacidad de observación, la voluntad decidida de ocuparse de la guerra en cuanto cotidianeidad brutal y alienante, y el estilo directo de la prosa, periodístico en el mejor sentido (en el mismo sentido, por ejemplo, en que Hemingway era periodista). Todo ello, tómese en cuenta, aparecido en un mundo en que se pretendía que la literatura era ya —para siempre— *otra cosa* y que la novela —según Ortega, por ejemplo— había agotado sus posibilidades de expresión directa y de renovación de contenido. La segunda —y última— novela de Díaz Fernández, *La Venus mecánica* (1929), se acerca, paradójicamente, al modo de narrar rechazado explícita e implícitamente en *El blocao*. Podría ser una novela vanguardista; pero es clara todavía la intención social crítica en la presentación del mundo de las prostitutas, encontrándose incluso atisbos de feminismo militante en las acusaciones que hace a la sociedad burguesa el «maniquí humano» o mujer-objeto que es la Venus mecánica.

Interesantísima es la obra de CÉSAR M. ARCONADA (1900-1964), poeta, dramaturgo y narrador nacido en Astudillo (Palencia) y muerto en Moscú en el exilio. Era miembro del Cuerpo de Correos y ya en Palencia empieza a publicar en revistas de la provincia. Trasladado a Madrid, comienza a figurar entre los ultraístas y escribe uno de los libros de poesía más coherentes del grupo (*Urbe,* Imprenta Sur, Málaga, 1928); colabora en la *Gaceta Literaria* de Giménez Caballero, con quien acaba rompiendo por razones ideológicas; ya con la República es militante comunista y colabora en diversas publicaciones, entre ellas *Comunicaciones,* interesante intento de llevar la lucha político-cultural a los trabajadores de Correos. Sus tres novelas principales son todas de esta época: *La turbina* (1930), *Los pobres contra los ricos* (1933) y *Reparto de tierra* (1934). Fue redactor literario y corresponsal de *Mundo Obrero*. Muy activo en el frente cultural durante la guerra civil, escribió en 1938 otra novela, *Río Tajo* (reeditada en 1978), que obtuvo uno de los premios nacionales de literatura junto a obras de Miguel Hernández, Emilio Prados y Herrera Petere (cf. VI.2C).

La turbina, aunque, como se ha dicho, tiene pinceladas noventayochistas, es ya no sólo una novela realista al nuevo modo, sino un prematuro —para España— intento de realismo socialista. No porque la acción ocurra en 1910 ni porque se trate de un asunto amoroso podemos pasar por alto aquello de lo que realmente trata la novela: la llegada de la electricidad («la luz», según se le llama concretamente y con intención simbólica) a un pueblecito castellano y su comarca. Se establece el conflicto entre la tradición buena o mala —los campesinos, el viejo molino— y la modernidad —obreros, la turbina—, las nuevas fuerzas productivas que, para bien y para mal, significan el «progreso». La rivalidad amorosa nace del hecho del enfrentamiento entre esos dos mundos, enraizada en él; y el que, por otra parte, los campesinos no vean con claridad el significado de las transformaciones que se llevan a cabo, no indica que el novelista no haya captado el sentido social del conflicto. Por lo demás, la narración es excelente (oraciones cortas, directas), el diálogo vivo y realista, y son de gran lirismo algunas de las descripciones del paisaje. No se negará que haya cierta torpeza narrativa, así como cierto sentimentalismo («Indudablemente, los acordeones tienen en sus entrañas almas encarceladas de sirenas»), pero el conflicto está captado con hondura, y está espléndidamente matizada la ambigüedad del triunfo de «la luz» («Esto que empezaba hoy, y duraría siempre...») sobre el voluntarismo noble y primitivo de los hombres de campo representados por Cachán (que es «la fuerza» pura).

Este conflicto entre dos fuerzas es ya la lucha de clases en *Los pobres contra los ricos* y *Reparto de tierras.* Peca aquí Arconada, sin duda, de un cierto dogmatismo simplista. Hay energía, calidad narrativa y clara conciencia histórica; pero a duras penas sobreviven los personajes a su determinación estereotípica. Creemos, sin embargo, que es mucho pedir que apareciese de golpe en aquella España la novela socialista hecha y derecha. De haberlo permitido la realidad, la ruta que inicia Arconada podría haber sido sumamente fructífera, como fructífero fue el vanguardismo porque, a diferencia de la literatura socialista, estaba de por sí inserto en una larga tradición de poesía burguesa. La literatura —la cultura— socialista estaba por hacer; sus raíces en la cultura tradicional (agraria, precapitalista) eran prácticamente nulas. Pero ahí quedan, con sus defectos, estos ejemplos notables y superables de una posible manera socialista narrativa. Bien podría ser que su vigencia resulte, a la larga, muy superior a la de la narrativa vanguardista que, a fin de cuentas, ha sido ya ampliamente superada en el curso mismo de la literatura burguesa de nuestro tiempo.

Lo recién dicho puede aplicarse también a la obra del madrileño ANDRÉS CARRANQUE DE RÍOS (1902-1936), cuya biografía coincide en buena parte con el título de una de sus novelas, *La vida difícil*: ebanista, albañil, fogonero de barco..., pero también actor de cine en varias películas de la época, como en la versión cinematográfica de *Zalacaín el aventurero* (1928), la novela de Baroja. Carranque fue anarquista desde niño; conoció la cárcel (la primera vez a los catorce años); viajó por Francia, y participó en el *Congreso Internacional para la Defensa de la Cultura* que se celebró en París en 1935.

Carranque comenzó su breve carrera literaria como poeta; su libro de versos revolucionarios, *Nómada*, apareció en 1923, unos versos no tan ingenuos como otros poemas sueltos anteriores de significativos títulos: «Canto a la dinamita», «Elogio a la pistola». Aparte de una serie de cuentos, la obra narrativa de Carranque está formada por tres novelas: *Uno* (1934), *La vida difícil* (1935), *Cinematógrafo* (1936). *Uno* —avalada con un prólogo de Baroja, de los escasísimos que éste escribió— es la típica novela social del momento, en cuyas tres partes, dedicadas al cuartel, a la cárcel y a la calle —prisión sin rejas—, surge dura y sombría, también esperanzada, la lucha de clases. Más compleja es *La vida difícil,* cuya acción transcurre en Francia y en España, centrada en torno a las figuras contrapuestas de dos amigos, el rebelde difuso e incapaz de acción y el rebelde decidido y activista. Novela de cierta complejidad psicológica, está construida con una desnudez ambiental y esquematismo de corte barojiano. Quizá sea *Cinematógrafo* la obra más interesante de Carranque, en que recoge sus experiencias en el mundo de incipiente cine español, con una visión demoledora de la picaresca y explotación del nuevo arte. *Cinematógrafo* es una rara incursión en un tema poco habitual en la literatura española, que, sin embargo, contaba ya con un precedente en *Cinelandia* (1930), de Ramón Gómez de la Serna, y es novela en la cual tan importante como la crítica violenta de las estructuras sociales es la crítica de la estética burguesa. La obra de Carranque, en fin, nos muestra la conciencia de los nuevos realistas de la época; pues como él mismo dice en *Cinematógrafo,*

> Era necesario escribir sobre aquella humanidad, sobre sus problemas, sobre sus tranvías enormes y grises y sobre aquellos solares sin vallar en los que había botes roñosos de una hojalata arrugada.

RAMÓN J. SENDER (1902), que nunca tuvo una definida posición partidista, cuya obra de postguerra, según veremos, deriva hacia un escepticismo de evidentes características reaccionarias, nos ha dejado en *Imán,* sin embargo, la mejor de las obras del realismo de los años treinta. Nacido en Chalamera (Huesca), abandonó pronto los estudios y vivió de empleos diversos, habiendo sido, brevemente, estudiante de Filosofía y Letras en Madrid. Como Díaz Fernández, cumple su servicio militar en Marruecos (de 1922 a 1924), trabajando a su vuelta a Madrid como periodista en *El Sol.* A partir de 1929 o 1930 se aproxima a los grupos de izquierda, escribe para *La libertad,* viaja a la URSS (1933) y participa en la guerra civil del lado de la República. Parece ser que durante la guerra se inician sus discrepancias más serias con la izquierda, tal vez particularmente con los comunistas (cf. V.2A y 2C), hacia quienes revelará particular inquina en su obra del exilio. Durante éste (cf. VI.1D) reside un corto tiempo en Guatemala y México, pasando luego a vivir al Sudoeste de Estados Unidos, donde ejerce de catedrático hasta su jubilación. Reside ahora principalmente en California.

Imán (1930) es su primer libro y tal vez el mejor de todos los suyos. Según Sender mismo, se trata de una serie de «notas», de «observaciones desordenadas» sobre la «tragedia de Marruecos». Excesiva modestia; se trata, sencillamente, de una excepcional novela en la que la capacidad de observación y el testimonio son el material irreductible de una estructura narrativa inteligente y compleja, de una gran capacidad de fabulación y de una visión del mundo adolorida y, a la vez, extraordinariamente objetiva. Parece haber un intento —y sería lo único confuso de la novela— de separar al personaje central, Viance, campesino de familia miserable que justo antes del servicio militar había emigrado al pueblo, donde trabaja en una forja, de un posible narrador de su historia, cabo y luego sargento, antes periodista, que sería el intelectual capaz de transcribir la miseria de su vida. Pero afortunadamente resulta ésta una vía muerta —narrativamente hablando— y de hecho la historia de Viance (inclusive sus relaciones con el narrador en potencia) aparece como no narrada por nadie, vista y oída con una objetividad asombrosa por un observador impersonal. Sin que parezca haber mediado ninguna intención narrativamente revolucionaria («el libro no tiene intenciones estéticas ni prejuicios literarios», escribe el autor), *Imán* resulta así un modelo de narración distanciada, observación pura, sin que por ello dominen ni la frialdad ni la ironía escépticas: basta narrar la vida de Viance como se ha visto y conocido (es decir, como se ha imaginado) para que al lector le resulte inevitable el compromiso con su causa, causa que —y esto es fundamental a la objetividad— Viance mismo no logra definir nunca. Tal es la fuerza de los hechos para la conciencia observadora.

Novela de guerra, que como todas las novelas derivadas de la Primera Guerra Mundial (y, más lejos aún, como *La cartuja de Parma* de Stendhal) revela la inutilidad de la violencia. Pero *Imán* es mucho más que eso. A Viance le llaman «Imán» desde que trabajó en la fragua porque a él iba a dar todo metal que caía y podía lastimarle. «Imán» simboliza así la violencia y degradación al parecer incomprensibles sufridas por el pueblo español: la guerra de África y la derrota feroz son sólo el momento en que toda la miseria cristaliza, se ve magnificada y congelada en el tiempo como bajo una enorme lupa. Antes de la guerra, la miseria de la familia, incapaz de hacer producir a un campo miserable propiedad de un marqués; y la muerte de la madre, del padre, de la hermana, a más de la desaparición del hermano, retrasado mental. Añádase, luego, la opresión y el agotamiento en la fragua. Y en el ejército, al fin, las órdenes absurdas y crueles que no se sabe ni de dónde ni por qué vienen. Batallas sin cuartel, huidas, sed que —con mucha suerte— sólo se calma bebiendo orines; disciplina, degradación y una extraña fortaleza en los soldados, una capacidad de resistencia que se diría está a prueba de todo. A pesar de tal fortaleza, sin embargo, de vuelta a España, Viance está para siempre vencido. Para colmo, su pueblo ha desaparecido bajo las aguas de una presa en construcción. A Viance, a «Imán», no le queda ya nada. Pero el nuevo pueblo de los obreros que trabajan en la presa tiene el mismo nombre del anterior (Urbiés), y los obreros que en él viven y trabajan, los que se burlan de Viance al principio de su vuelta, son jóvenes como era él al ir a Marruecos: el derrotado —cuya capacidad de resistencia se ha revelado en la guerra— renace en otra forma.

Es clara para el lector la visión de la Historia de España y es obvia también en el texto la lucha de clases; pero Viance apenas una que otra vez percibe la realidad —las causas— de su condición. Ni demagogia ni retórica; absoluta objetividad en la presentación de la dificultad de adquisición de conciencia en la España de los años veinte. No por ello es una novela pesimista, ni nihilista, ni representa —una vez más— el mito de Sísifo. Todo eso vendrá después en la obra de Sender. *Imán* es una novela-denuncia en el más riguroso sentido de la palabra: se basta a sí misma la realidad captada y narrada con precisión, con sensibilidad, casi sin caídas filosófico-morales. Una de las pruebas —por si hiciera falta— de que «realismo» no tiene por qué ser sinónimo de torpeza narrativa ni de dogmatismo demagógico. Notable ejemplo de las posibilidades de una manera de novelar que, desgraciadamente, quedó trunca en 1939.

No son despreciables las otras novelas de preguerra de Sender. *Siete domingos rojos* (1932), que sigue a *Imán,* narra el fracaso de una sublevación armada anarquista en Madrid, en la que se mezcla una poco interesante historia amorosa. Domina tal vez ya aquí el escepticismo, reflejado no sólo en el fracaso, real, de la lucha anarcosindicalista de aquel momento, sino en su aparente inutilidad —tan inútil como en el antagonismo entre anarquistas y comunistas— y en un final decididamente metafísico; técnicamente la gran diferencia se encuentra, precisamente, en la falta de objetividad de *Siete domingos rojos,* donde es obvia la presencia autorial. *O.P.* (1931), «Orden público», es un reportaje, no poco panfletario, sobre la brutalidad policial. *La noche de las cien cabezas* (1934) pierde ya, por vía de lo grotesco y de la diatriba poco analítica contra la burguesía, la objetividad apasionante de *Imán* y, todavía, en parte, de *Siete domingos rojos. Mister Witt en el Cantón* (1936) es una lograda novela histórica entramada en las luchas del federalismo de Cartagena en 1873. Dominan aquí los análisis psicológicos y la prosa tiene un equilibrio que revela la maestría adquirida por Sender en breve tiempo. Faltan, sin embargo, la fuerza de *Imán* y de *Siete domingos rojos* y, tal vez por encima de todo, aquella sorprendente, intuitiva seguramente, capacidad estructural que revela la primera e insuperable novela del aragonés. Cuando vuelva Sender a la novela histórica ya en el exilio (*Los cinco libros de Ariadna,* por ejemplo) quedará la maestría, pero, con raras excepciones, habrá desaparecido ya ese compromiso con la Historia, esa visión directa y penetrante que caracteriza su obra extraordinaria de los años treinta. Momento cimero aquel del asalto a la teoría y práctica de la «deshumanización del arte».

BIBLIOGRAFÍA BÁSICA *

V.1.   ARTE DESHUMANIZADO Y REBELIÓN DE LAS MASAS

a) *Historia y sociedad*

Azaña, Manuel: *Obras completas,* ed. Juan Marichal, IV (México, 1967).
Bécaraud, Jean: *La Segunda República Española, 1931-1936* (Madrid, 1967).
* Carr, Raymond, ed.: *Estudios sobre la República y la guerra civil española* (Barcelona, 1974, 2.ª).
Caudet, Francisco: «Manuel Azaña: escritor y crítico», *Tiempo de Historia,* VI.65 (1980), 28-35.
Connely, Joan: *La Semana Trágica* (Barcelona, 1972).
Díaz Nosty, B.: *La comuna asturiana. Revolución de octubre de 1934* (Madrid, 1974).
García Nieto, María del Carmen, *et al.*: *Bases documentales de la España contemporánea. La Segunda República* (Madrid, 1974).
* Jackson, Gabriel: *La República Española y la Guerra Civil* (Barcelona, 1976, 2.ª).
Lacomba, J. A.: *La crisis española de 1917* (Madrid, 1970).
* Martín, Raúl: *La contrarrevolución falangista* (París, 1971).
Maura, Miguel: *Así cayó Alfonso XIII* (Barcelona, 1966).
* Payne, Stanley G.: *Falange. Historia del fascismo español* (París, 1965).
Pérez Galán, Mariano: *La enseñanza en la Segunda República española* (Madrid, 1975).

---

* En las presentes bibliografías, un asterisco indica que la obra así señalada se ocupa no sólo de la época en que se incluye, sino también de otras posteriores.

Robinson, R. A. H.: *Los orígenes de la España de Franco. Derecha, república y revolución, 1931-1936* (Barcelona, 1973).
Seco Serrano, Carlos: *Alfonso XIII y la crisis de la Restauración* (Barcelona, 1969).
* Trotsky, León: *En España* (Madrid, 1975).

Para la época de Alfonso XIII, el libro de Seco Serrano constituye un útil estudio de conjunto, discutible en algunos puntos, como, por ejemplo, en lo referente a la participación obrera en los hechos del momento; Connely y Lacomba han tratado con seriedad y profundidad, respectivamente, dos momentos básicos de la crisis del régimen monárquico, 1909 (*Semana Trágica*) y 1917 (Huelga General). El libro de M. Maura descubre los entresijos políticos de los últimos días de la Monarquía, narrados por quien bien los conocía. Para la Segunda República, las obras generales de Bécaraud y Robinson son de suma utilidad, así como la colección documental preparada bajo la dirección de M. C. García Nieto. Una visión de la política de la época «desde dentro» puede verse en el tomo IV de las *Obras completas* de Azaña, compilación de escritos diversos y conferencias. Para la revolución de 1934, tan necesitada de serio estudio, el trabajo de Díaz Nosty es fundamental, si bien todavía algo incompleto. Sobre la *Falange* y el fascismo español, el libro de Payne, si bien es escasamente crítico y un tanto apologético de la figura de José Antonio Primo de Rivera, puede ser consultado con fruto; véase, para una visión muy contraria, R. Martín. Pérez Galán es autor de un buen panorama de la política educativa de la República. Trotsky es autor de una serie de atrayentes consideraciones sobre la situación española desde 1931, algunas de sorprendente clarividencia. De gran interés es el artículo de Caudet sobre el Azaña intelectual. Cf. también la bibliografía histórica y social de IV.3.

b) *Literatura*

VI1A. El novecentismo y sus epígonos

Abellán, José Luis: *Ortega y Gasset en la filosofía española* (Madrid, 1966).
Albornoz, Aurora de: *Hacia la realidad creada* (Barcelona, 1979).
Amorós, Andrés: *La novela intelectual de Ramón Pérez de Ayala* (Madrid, 1972).
——: *Vida y literatura en «Troteras y danzaderas»* (Madrid, 1973).
Aranguren, José Luis: *La filosofía de Eugenio d'Ors* (Madrid, 1945).
——: *La ética de Ortega* (Madrid, 1957).
Bernstein, J. S.: *Benjamín Jarnés* (Nueva York, 1972).
Castellá Gassol, Juan: «Ortega y la Falange», *Casa de las Américas,* 19 (1963), 45-49.
Díaz-Plaja, Guillermo: *Juan Ramón Jiménez en su poesía* (Madrid, 1958).
——: *Estructura y sentido del novecentismo español* (Madrid, 1975).
Díez-Canedo, Enrique: *Juan Ramón Jiménez* (México, 1944).
Fernández, Pelayo H.: *Estudios sobre Ramón Pérez de Ayala* (Oviedo, 1978).
Fernández de la Mora, Gonzalo: *Ortega y el 98* (Madrid, 1963, 2.ª).

Ferrater Mora, J.: *La filosofía de Ortega y Gasset* (Barcelona, 1958).
Fuentes, Víctor: «La dimensión estético-erótica y la novelística de Jarnés», *Cuadernos Hispano-Americanos,* 235 (1969), 25-37.
Giuliano, W.: *Jacinto Grau* (Ann Arbor, Michigan, 1950).
Gómez de la Serna, Gaspar: *Ramón. Vida y obra* (Madrid, 1963).
González, Angel: *Juan Ramón Jiménez. Estudios y antología,* 2 vv. (Madrid, 1973).
Gullón, Ricardo: *Estudios sobre Juan Ramón Jiménez* (Buenos Aires, 1962, 2.ª).
* Mainer, José Carlos: *Análisis de una insatisfacción. Las novelas de Wenceslao Fernández Flórez* (Madrid, 1975).
Marías, Julián: *Ortega. Circunstancia y vocación* (Madrid, 1960).
Morón, G.: *Historia política de José Ortega y Gasset* (México, 1960).
* Nora, Eugenio G. de: *La novela española contemporánea, 1927-1960,* 2 vv. (Madrid, 1962).
Olson, Paul R.: *Circle of Paradox. Time and Essence in the Poetry of Juan Ramón Jiménez* (Baltimore, 1967).
Orringer, Nelson R.: *Ortega y sus fuentes germánicas* (Madrid, 1979).
Palau de Nemes, Graciela: *Vida y obra de Juan Ramón Jiménez,* 2 vv. (Madrid, 1974, 2.ª).
Ramos, Vicente: *El mundo de Gabriel Miró* (Madrid, 1964).
Reinink, K. W.: *Algunos aspectos literarios y lingüísticos de la obra de don Ramón Pérez de Ayala* (La Haya, 1955).
* Ruiz Ramón, Francisco: *Historia del teatro español. Siglo XX* (Madrid, 1975).
* Sánchez Barbudo, Antonio: *La segunda época de Juan Ramón Jiménez,* 2 vv. (Madrid, 1962-1963).
Sánchez Granjel, Luis: *Retrato de Ramón. Vida y obra de Ramón Gómez de la Serna* (Madrid, 1963).
Ulibarri, Sabine R.: *El mundo poético de Juan Ramón Jiménez* (Madrid, 1962).
Varios: *Homenaje a Juan Ramón Jiménez,* número especial de *La Torre,* 19-20 (1957).

Acerca del novecentismo, no deja de ser útil la monografía de Díaz-Plaja (1975). Sobre la poesía de Juan Ramón Jiménez son útiles los libros de Díez Canedo, Díaz-Plaja, González, Gullón y Palau de Nemes; es sin duda el de Olson el más coherente y profundo de todos, así como el de A. de Albornoz. Sánchez Barbudo ha estudiado la llamada segunda época de Juan Ramón. Abundan los trabajos sobre Ortega y Gasset, de muy diferente signo. Así el apologético de Marías, el violentamente crítico desde posiciones reaccionarias de Fernández de la Mora, los más neutros pero simpatizantes —con matices— de Aranguren (1957; autor también de un viejo estudio sobre d'Ors, 1945) y Ferrater Mora, y el otra vez crítico, pero desde vertientes progresistas, de Abellán. Morón ha trazado un esquema de la ideología de Ortega y Castellá Gassol, en breve artículo, ha comentado la fácil utilización que el fascismo español pudo hacer de más de un aspecto del pensamiento del autor de *La rebelión de las masas.*
Básico es el libro de Nora. Sobre Pérez de Ayala son importantes los trabajos de Fernández y de Amorós, especialmente su libro de 1972. Sobre

389

Miró, el estudio de Ramos es el más completo hasta el momento, mas bastante convencional; sobre Jarnés, es útil la monografía de Bernstein y más en concreto el artículo de Fuentes. G. Gómez de la Serna y Granjel han tratado de *Ramón* en tonos por lo general más anecdóticos que otra cosa. Sobre Fernández Flórez es fundamental el estudio de Mainer; para el teatro de Jacinto Grau, en fin, cf. el libro de Giuliano, y la sección oportuna de la *Historia* de Ruiz Ramón.

V.1B. La vanguardia

Baker, Edward: Prólogo a su ed. de *Yo, inspector de alcantarillas,* de Giménez Caballero (Madrid, 1975).

Buckley, Ramón, y Crispin, John: *Los vanguardistas españoles, 1925-1935* (Madrid, 1973).

Crispin, John: Cf. Buckley, Ramón.

Fuentes, Víctor: «Los nuevos intelectuales en España, 1923-1931», *Triunfo,* 709 (28-VIII-1976), 38-42.

——: «*Post-guerra* (1927-1928): una revista de vanguardia política y literaria», *Insula,* 360 (noviembre 1976), 4.

González, Ángel, *et al.*: *Escritos de arte de vanguardia, 1900-1945* (Madrid, 1979).

Torre, Guillermo de: *Historia de las literaturas europeas de vanguardia,* 3 vv. (Madrid, 1971).

Videla, Gloria: *El ultraísmo. Estudios sobre movimientos poéticos de vanguardia en España* (Madrid, 1963).

El prólogo de Baker a la novela de Giménez Caballero es fundamental para situar la figura de este vanguardista-fascista. Fuentes es autor de un útil trabajo panorámico y divulgador (1976, *Triunfo*) y de una esclarecedora presentación de la revista *Post-guerra* (1976, *Insula*). Son básicos los libros de G. de Torre —tan exhaustivo como ambiguo— y de Gloria Videla, lo más completo, en términos generales, sobre el tema y sus conexiones extrahispánicas. Muy útil la edición de documentos y textos de la vanguardia, preparada por González *et al.,* así como la de Buckley-Crispin.

V.1C. La generación poética de la República

* Alonso, Dámaso: *Poetas españoles contemporáneos* (Madrid, 1965, 3.ª).

* Aub, Max: *Poesía española contemporánea* (México, 1969, 2.ª).

Barea, Arturo: *Lorca, el poeta y su pueblo* (Buenos Aires, 1956).

Blanco Aguinaga, Carlos: *Vida y obra de Emilio Prados* (Nueva York, 1960).

——: Prólogo a *Poesías completas* de Emilio Prados (México, 1976).

Blecua, José Manuel, y Gullón, Ricardo: *La poesía de Jorge Guillén* (Zaragoza, 1949).

Bodini, Vittorio: *I poeti surrealisti spagnoli* (Turín, 1963).

Bousoño, Carlos: *La poesía de Vicente Aleixandre* (Madrid, 1968, 3.ª).

* Cano, José Luis: *Poesía española del siglo XX* (Madrid, 1960).

——: *La poesía de la generación del 27* (Madrid, 1970).

Cano Ballesta, Juan: *La poesía española entre pureza y revolución* (Madrid, 1972).

Casalduero, Joaquín: *Cántico, de Jorge Guillén, y Aire Nuevo* (Madrid, 1974).

Cernuda, Luis: *Estudios sobre poesía española contemporánea* (Madrid, 1957).

Cirre, José Francisco: *Forma y espíritu de una lírica española, 1920-1935* (México, 1950).

Correa, Gustavo: *La poesía mítica de Federico García Lorca* (Madrid, 1970).

Debicki, A. P.: *Estudios sobre poesía española contemporánea. La generación de 1924-1925* (Madrid, 1968).

Diego, Gerardo: *Poesía española contemporánea. Antología* (Madrid, 1962, 2.ª).

Eich, Christoph: *Federico García Lorca, poeta de la intensidad* (Madrid, 1970, 2.ª).

Feal Deibe, Carlos: *La poesía de Pedro Salinas* (Madrid, 1965, 2.ª).

Flys, Jaroslaw M.: *El lenguaje poético de Federico García Lorca* (Madrid, 1955).

Geist, Anthony L.: *La poética de la generación del 27 y las revistas literarias: de la vanguardia al compromiso, 1918-1936* (Barcelona, 1980).

Gil de Biedma, J.: *Cántico. El mundo y la poesía de Jorge Guillén* (Barcelona, 1960).

González Muela, Joaquín: *El lenguaje poético de la generación Guillén-Lorca* (Madrid, 1955).

Gullón, Ricardo: Cf. Blecua, José Manuel.

——: *La generación poética del 27* (Madrid, 1968).

Harris, Derek, ed.: *Luis Cernuda* (Madrid, 1977).

Luis, Leopoldo de: *Vicente Aleixandre* (Madrid, 1970).

Macrí, Oreste: *La obra poética de Jorge Guillén* (Barcelona, 1976).

* Marrast, Robert: *Aspects du théatre de Rafael Alberti* (París, 1967).

Morris, C. B.: *A Generation of Spanish Poets, 1920-1936* (Cambridge, 1969).

——: *Surrealism and Spain* (Cambridge, 1972).

Osuna, Rafael: «Las revistas españolas durante la República, 1931-1936», *Ideologies and Literature*, 8 (1978), 47-54.

Palley, Julián: *La luz no usada. La poesía de Pedro Salinas* (México, 1966).

Puccini, Darío: *La parola poetica di Vicente Aleixandre* (Milán, 1972).

Salinas, Pedro: *Literatura española. Siglo XX* (México, 1949, 2.ª).

——: «El romanticismo y el siglo XX», *Ensayos de literatura hispánica* (Madrid, 1961), 310-342.

Salinas de Marichal, Solita: *El mundo poético de Rafael Alberti* (Madrid, 1968).

Sanchís-Banús, José: Introducción a su ed. de *La piedra escrita* de Prados (Madrid, 1979).

Silver, Philip: «*Et in Arcadia ego*». *A Study of the Poetry of Luis Cernuda* (Londres, 1965).

Taléns, Jenaro: *El espacio y las máscaras. Introducción a la lectura de Luis Cernuda* (Barcelona, 1975).

* Vélez, Julio: *Flamenco. Una aproximación crítica* (Madrid, 1976).
Zardoya, Concha: *Poesía española contemporánea* (Madrid, 1961).
Zubizarreta, Alma de: *Pedro Salinas: el diálogo creador* (Madrid, 1969).
Zulueta, Emilia de: *Cinco poetas españoles* (Madrid, 1971).

La importancia de este grupo de poetas se revela también en la extensa bibliografía que de ellos se ocupa. De entre los estudios de conjunto, destaquemos los de Dámaso Alonso —intuitivo, sugerente— y Max Aub, también de aproximación muy personal e iluminadora; los de Cano, Debicki, González Muela, Salinas, Zardoya y Zulueta son también genéricamente útiles; el de Cernuda es probablemente el más agudo de toda esta serie, así como el de Morris (1969). Un excelente panorama de la evolución del grupo es el de Geist. Para la vertiente surrealista, Morris otra vez (1972) es imprescindible; cf. asimismo Bodini. La antología de Gerardo Diego incluye utilísimas declaraciones teóricas de los grandes poetas de la época. Cano Ballesta en libro de título bien significativo ha trazado la situación de la generación poética de la República, precisamente entre «pureza» y «revolución».

Para Alberti, un buen libro de conjunto, si bien excesivamente formalista y subjetivo, es el de S. Salinas de Marichal; para el teatro de Alberti, cf. Marrast, de suma utilidad. Sobre Aleixandre, el libro de Bousoño es un coherente estudio de conjunto, si bien sobre premisas poco esclarecedoras; destaquemos los de L. de Luis y Puccini. Para Cernuda es de utilidad general el de Taléns y es imprescindible el de Silver, así como la compilación de Harris. Para García Lorca, aparte del viejo trabajo de Barea y del «mitificante» de Correa, son muy útiles los de Eich y Flys. En el estudio de Vélez sobre el flamenco pueden hallarse interesantes observaciones —en la línea de la presente *Historia*— para distinguir el auténtico andalucismo popular de García Lorca de la utilización que al término de la guerra civil se hará del «lorquismo», transformándolo en «nacional-flamenquismo». Sobre Guillén, además del clásico Blecua-Gullón, son importantes los estudios de Casalduero y Gil de Biedma y, desde luego, el más reciente de Macrí. Sobre Prados, cf. Blanco Aguinaga, coincidente con lo que en esta *Historia* se dice, y la introducción de Sanchís-Banús; sobre Salinas, en fin, disponemos de los libros convencionales de Feal y Zubizarreta, así como del útil estudio de Palley.

V.1D. EL NUEVO REALISMO

* Bilbatúa, Miguel: «Intentos de renovación teatral durante la Segunda República y la Guerra Civil», *Zona Abierta*, 1 (1974), 57-59; 2 (1974-1975), 65-75; 4 (1975), 77-85.
* Bozal, Valeriano: *El realismo plástico en España de 1900 a 1936* (Barcelona, 1967).
Cansinos Assens, Rafael: «Ramón J. Sender y la novela social», serie de seis artículos en *La Libertad* (Madrid), 4, 9, 19, 25 y 31 de enero y 9 de febrero de 1933.
Caudet, Francisco: Introducción a su ed. de *En la selvática Bribonicia*, de José Más (Madrid, 1980).

388 HISTORIA SOCIAL DE LA LITERATURA ESPAÑOLA

——: «El rebaño hambriento en la tierra feraz (1935), de José Más», en Homenaje a Antonio Sánchez Barbudo (Universidad de Wisconsin, Madison, 1981), 253-268.

Esteban, José (con Gonzalo Santonja): Los novelistas sociales españoles, 1928-1936 (Madrid, 1977).

* Ferreras, Juan Ignacio: Tendencias de la novela española actual, 1931-1699 (París, 1970).

Fortea, José Luis: La obra de Andrés Carranque de Ríos (Madrid, 1973).

Fuentes, Víctor: «De la literatura de vanguardia a la de avanzada: en torno a José Díaz Fernández», Papeles de Son Armadans, 162 (1969), 243-260.

——: «La novela social española en los años 1928-1931», Ínsula, 278 (1970), 1, 12-13.

——: «La novela social española (1931-1936): temática y significación ideológica», Ínsula, 288 (1970), 1, 4.

——: «La novela de la mina en la narrativa española, 1903-1930», Norte, 6 (1970), 127-133.

——: «De la novela expresionista a la revolución proletaria: en torno a la narrativa de Joaquín Arderías», Papeles de Son Armadans, 179 (1971), 199-215.

——: «La literatura comprometida de Ciges Aparicio», Ínsula, 205 (1972), 13.

——: «La narrativa del primer Sender», Norte, 2-4 (1973), 35-42.

——: Prólogo a su ed. de El Blocao, de José Díaz Fernández (Madrid, 1976).

——: La marcha al pueblo en las letras españolas, 1917-1936 (Madrid, 1980).

* Gil Casado, Pablo: La novela social española (1920-1971) (Barcelona, 1973), cf. VI.2B.

——: «Así me fecundó Zaratrusta: visión y expresión de Joaquín Arderíus», en Homenaje a Antonio Sánchez Barbudo (Universidad de Wisconsin, Madison, 1981), 291-308.

* Lechner, J.: El compromiso en la poesía española del siglo XX, I, 2 vv. (Leiden, 1968).

López de Abiada, José Manuel: José Díaz Fernández: narrador, crítico, periodista y político (Universidad de Berna, 1980).

* Nora, Eugenio de: La novela española contemporánea, II (Madrid, 1973, 2.ª).

* Peñuelas, Marcelino C.: La obra narrativa de Ramón J. Sender (Madrid, 1971).

Preston, Paul: Edición antológica y crítica de Leviatán, 1934-1936 (Madrid, 1976).

Santonja, Gonzalo: Cf. Esteban, José.

—— ed.: La novela proletaria (1932-1936), 2 vv. (Madrid, 1979).

El libro de Bozal sobre las artes plásticas y el realismo contiene una excelente y aprovechable bibliografía. La revista Leviatán, reflejo intelectual de la radicalización marxista de la inteligencia española, ha sido editada y estudiada recientemente por Preston. Sobre el nuevo teatro, cf. el artículo de Bilbatúa (y antes, en V.1C, el estudio de Marrast sobre Alberti); para la poesía comprometida es fundamental el libro de Lechner. Acerca de la novela, el citado trabajo de Nora es también aquí básico, así como el de Ferreras y tres artículos de Fuentes de 1970 (*Ínsula*, núms. 278 y 288; *Norte*), en la línea de la presente *Historia*. Más en concreto, sobre el primer Sender cf. también Fuentes (*Norte*, 1973) y la importante y todavía vigente serie de artículos de Cansinos Assens (1933); el libro de Peñuelas es una presentación general de Sender. Fuentes, tantas veces citado aquí, ha dedicado varios trabajos a otros novelistas sociales de la época: Arderíus (1971), Ciges Aparicio (1972), Díaz Fernández (1969, artículo en *Papeles de Son Armadans,* y 1976, prólogo a su edición de *El Blocao*); buena parte de esos trabajos han sido reunidos en su libro de 1980, en que también se ocupa del teatro y la poesía del «nuevo realismo». La obra de Díaz Fernández ha sido excelentemente estudiada por López de Abiada; sobre Carranque de Ríos es de gran utilidad el libro de Fortea. Añadamos que los novelistas sociales de la época están siendo reeditados últimamente, y no sin éxito; así la colección de *La novela proletaria,* por Santonja, o alguna obra de José Más, por Caudet.

ÍNDICE DEL TOMO II